여러분의 합격을 응원하는
해커스 █████ 특별 혜택

FREE 공무원 사회복지학개론 **특강**

해커스공무원(gosi.Hackers.com) 접속 후 로그인 ▶ 상단의 [무료강좌] 클릭 ▶ [교재 무료특강] 클릭 후 이용

 해커스공무원 온라인 단과강의 **20% 할인쿠폰**

23BA3D872F5C9289

해커스공무원(gosi.Hackers.com) 접속 후 로그인 ▶ 상단의 [나의 강의실] 클릭 ▶
좌측의 [쿠폰등록] 클릭 ▶ 위 쿠폰번호 입력 후 이용

* 등록 후 7일간 사용 가능(ID당 1회에 한해 등록 가능)

합격예측 **온라인 모의고사 응시권 + 해설강의 수강권**

697D3622E9AB27YS

해커스공무원(gosi.Hackers.com) 접속 후 로그인 ▶ 상단의 [나의 강의실] 클릭 ▶
좌측의 [쿠폰등록] 클릭 ▶ 위 쿠폰번호 입력 후 이용

* ID당 1회에 한해 등록 가능

해커스 회독증강 콘텐츠 **5만원 할인쿠폰**

542F2AECBECEB84S

해커스공무원(gosi.Hackers.com) 접속 후 로그인 ▶ 상단의 [나의 강의실] 클릭 ▶
좌측의 [쿠폰등록] 클릭 ▶ 위 쿠폰번호 입력 후 이용

* 등록 후 7일간 사용 가능(ID당 1회에 한해 등록 가능)
* 특별 할인상품 적용 불가
* 월간 학습지 회독증강 행정학/행정법총론 개별상품은 할인대상에서 제외

쿠폰 이용 관련 문의 1588-4055

단기 합격을 위한
해커스공무원 커리큘럼

입문

탄탄한 기본기와 핵심 개념 완성!

누구나 이해하기 쉬운 개념 설명과 풍부한 예시로 부담없이 쌩기초 다지기

TIP 베이스가 있다면 **기본 단계**부터!

▼

기본+심화

필수 개념 학습으로 이론 완성!

반드시 알아야 할 기본 개념과 문제풀이 전략을 학습하고
심화 개념 학습으로 고득점을 위한 응용력 다지기

▼

**기출+예상
문제풀이**

문제풀이로 집중 학습하고 실력 업그레이드!

기출문제의 유형과 출제 의도를 이해하고 최신 출제 경향을 반영한
예상문제를 풀어보며 본인의 취약영역을 파악 및 보완하기

▼

동형문제풀이

동형모의고사로 실전력 강화!

실제 시험과 같은 형태의 실전모의고사를 풀어보며 실전감각 극대화

▼

최종 마무리

시험 직전 실전 시뮬레이션!

각 과목별 시험에 출제되는 내용들을 최종 점검하며 실전 완성

PASS

* 커리큘럼 및 세부 일정은 상이할 수 있으며,
자세한 사항은 해커스공무원 사이트에서 확인하세요.

**단계별 교재 확인 및
수강신청은 여기서!**

gosi.Hackers.com

해커스공무원

박정훈 사회복지학개론

기본서 | 1권

해커스공무원

박정훈

약력

연세대학교 졸업
숭실대학교 일반대학원 사회복지학 전공
현 | 해커스공무원 사회복지학 강의
전 | 아모르이그잼 노량진 본원 사회복지사1급 강의
전 | 아모르이그잼 노량진 본원 공무원 사회복지학 강의
전 | (주)시대에듀 사회복지사1급 강의
전 | (사)한국직업능력개발원 사회복지사1급 대표강사
서강대, 한양대, 한성대 등 출강 및 특강

수상

(사)한국사회복지사협회 협회장 표창
대한민국 국회 보건복지위원회 위원장(양승조) 표창
경기도의회 의회장(정기열) 표창

저서

해커스공무원 박정훈 사회복지학개론 기본서
해커스공무원 박정훈 사회복지학개론 합격생 필기노트
박정훈 사회복지학개론, 두빛나래
박정훈 사회복지사1급 더펩 키워드로 맥잡기, 두빛나래
사회복지사1급 한번에 합격하기, 크라운출판사
사회복지사1급 한번에 합격하기 핵심완성, 크라운출판사
사회복지사1급 한번에 합격하기 단원별 기출문제집, 크라운출판사

공무원 시험 합격을 위한 필수 기본서!

공무원 공부, 어떻게 시작해야 할까?

공무원 시험에서 하루라도 빨리 합격하기 위해서는 시행착오 없이 제대로 된 시작을 하는 것이 중요합니다. 『해커스공무원 박정훈 사회복지학개론 기본서』는 수험생 여러분들의 소중한 하루하루가 낭비되지 않도록 올바른 수험생활의 길을 제시하고자 노력하였습니다.

이에 『해커스공무원 박정훈 사회복지학개론 기본서』는 다음과 같은 특징을 가지고 있습니다.

첫째, 사회복지학개론의 핵심을 쉽고 정확하게 이해할 수 있도록 구성하였습니다.

기본서를 회독하는 과정에서 사회복지학개론의 기본 개념부터 심화 이론까지 자연스럽게 이해할 수 있도록 체계적으로 구성하였습니다. 특히 한국사회복지교육협의회의 개정 교과과정을 교재 내에 전면 반영하여 최신 경향에 맞춰 학습할 수 있습니다. 더불어 이론의 중요도 및 실제 기출 가능성이 높은 정도를 구분하여 표기함으로써 회독에 따라 강약을 조절하여 내용을 학습할 수 있습니다.

둘째, 입체적인 학습을 할 수 있도록 다양한 학습장치를 수록하였습니다.

각자의 학습 정도에 맞추어 효과적으로 사회복지학개론을 공부할 수 있도록 '핵심PLUS'와 '기출CHECK' 등 다양한 학습 장치를 교재 곳곳에 배치하였습니다. 또한 학습한 내용에 대한 기출 지문을 바로 확인할 수 있도록 '기출OX'를 관련 이론 옆에 배치하여 이론 학습과 동시에 출제 포인트를 파악할 수 있도록 구성하였습니다.

셋째, 복잡한 법령 내용을 체계적으로 학습할 수 있도록 이를 분리하여 정리하였습니다.

시험에 자주 출제되는 사회복지학개론 관련 법령을 따로 모아 정리·수록하였습니다. 복잡한 법령의 핵심 내용을 자연스럽게 익힐 수 있도록 구성하였으며, 부록으로 '법률 핵심정리'를 수록하여 헷갈리기 쉬운 법률 내용을 한눈에 확인할 수 있도록 하였습니다.

더불어, 공무원 시험 전문 사이트 해커스공무원(gosi.Hackers.com)에서 교재 학습 중 궁금한 점을 나누고 다양한 무료 학습 자료를 함께 이용하여 학습 효과를 극대화할 수 있습니다.

『해커스공무원 박정훈 사회복지학개론 기본서』가 공무원 합격을 꿈꾸는 모든 수험생 여러분에게 훌륭한 길잡이가 되기를 바랍니다.

박정훈

목차

1권

2권

3권

제4편 사회복지법제

이 책의 구성

『해커스공무원 박정훈 사회복지학개론 기본서』는 수험생 여러분들이 보다 효율적으로 정확하게 사회복지학개론 과목을 학습할 수 있도록 상세한 내용과 다양한 학습장치를 수록·구성하였습니다. 아래 내용을 참고하여 본인의 학습 과정에 맞게 체계적으로 학습 전략을 세워 효과적으로 학습하시기 바랍니다.

① 이론의 세부적인 내용을 정확하게 이해하기

최신 출제경향 및 개정 법령을 반영한 이론

1. 철저한 기출분석으로 도출한 최신 출제경향을 바탕으로 출제가 예상되는 내용들을 선별하여 이론에 반영·수록하였습니다. 이를 통해 방대한 사회복지학개론 과목의 내용 중 시험에 나오는 이론만을 효과적으로 학습할 수 있습니다.

2. 교재 내 수록된 이론의 중요도를 실제 기출된 부분과 출제가능성이 높은 정도를 구분하여 별표로 표기하였습니다. 또한 핵심 키워드를 포함한 문구에는 굵은 글씨로 강조 표시를 하였습니다. 이를 통해 회독 수를 늘려 가며 중요한 내용만 빠르게 확인하고 학습할 수 있습니다.
   * 🏅 표시는 여러 차례 시험에 출제된 이론이므로, 주의를 기울여 학습하시기 바랍니다.

② 선생님 가이드, 기출 OX를 통한 개념 다지기

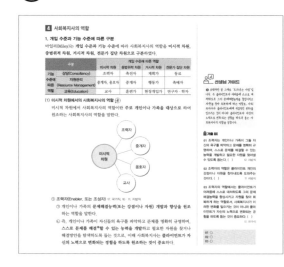

출제 경향을 파악할 수 있는 기출 OX

1. 선생님 가이드

주요 핵심 이론을 빠르고 정확하게 학습할 수 있도록 관련 개념 옆에 '선생님 가이드'를 수록하였습니다. 다양한 학습 TIP과 출제 경향을 확인할 수 있는 '선생님 가이드'를 통해 효율적인 학습이 가능합니다.

2. 기출 OX

이론 학습과 동시에 기출 지문을 바로 확인할 수 있도록 이론과 관련된 공무원 사회복지학개론 기출 지문을 OX문제로 수록하였습니다. '기출 OX'를 통해 출제 포인트를 확인하면서 학습한 이론을 점검하고 내용을 복습할 수 있습니다.

③ 다양한 학습장치를 활용하여 이론 완성하기

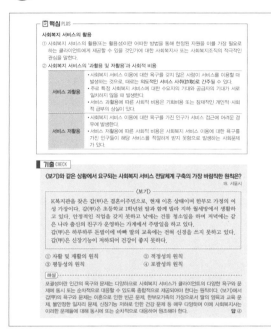

한 단계 실력 향상을 위한 핵심PLUS 및 기출CHECK

1. 핵심PLUS

시험에 자주 출제되는 개념을 '핵심PLUS'에 요약 · 정리하여 수록하였습니다. 이를 통해 사회복지학개론의 중요한 이론을 한눈에 파악하고 학습한 이론을 확실하게 정리할 수 있습니다.

2. 기출CHECK

출제 포인트를 파악할 수 있는 '기출CHECK'를 관련 이론과 함께 수록하였습니다. 중요 기출 문제를 통해 해당 이론이 어떻게 시험에 출제되는지 파악하고 실전감각을 기르면서 실력을 한 층 높일 수 있습니다.

④ 시험에 자주 출제되는 주요 법령 확인하기

고득점을 위한 '사회복지법제론 + 법률 핵심정리'

1. 사회복지학개론 시험에 출제되는 주요 법령을 따로 모아 정리하였습니다. 중요도 및 출제 가능성에 따라 강조 표시를 달리 하였으므로, 학습의 강약을 조절하며 복잡한 법령 내용을 효율적으로 학습할 수 있습니다.

2. 헷갈리기 쉬운 주요 법률 내용을 따로 모아서 정리한 '법률 핵심정리'를 부록으로 수록하였습니다. 이를 통해 복잡한 법률 내용의 출제 포인트를 파악하고 체계적으로 암기할 수 있습니다.

제1편

사회복지총론

제1장 사회복지의 개관

🗣 선생님 가이드

❶ 인간의 욕구, 사회적 위험, 사회문제는 사회복지의 학문적·실천적 출발점이며, 전통적으로 사회복지의 개념형성에 영향을 끼친 요인들입니다. 즉 사회복지는 인간의 욕구를 충족시키기 위해, 사회적 위험으로부터 사회구성원들을 보호하기 위해, 사회문제를 해결하기 위해 필요한 것이며, 따라서 이들을 사회복지의 대상이라고도 합니다.

❷ 정리하자면, (기본욕구 ⊃ 사회적 욕구) 사회적 욕구란 다양한 인간 욕구들 중에서 기본욕구로 1차 제한을 가한 후에, 사회복지의 개념으로 다시 2차 제한을 가한 결과입니다.

📋 기출 OX

01 전통적으로 사회복지의 개념형성에 영향을 끼친 것에는 사회문제, 사회적 욕구, 사회적 위험, 사회적 투자 등이 있다.
( )   09. 지방직

02 규범적 욕구란 전문가가 규정해 놓은 바람직한 욕구 수준에 미치지 못할 때 그 차이로 규정되는 욕구를 의미한다.
( )   20. 지방직

03 규범적 욕구는 전문가 등이 정해 둔 바람직한 수준과 실제 상태의 차이를 포함한다. ( )   24. 국가직

---

01 ✕ '사회적 투자'는 해당되지 않는다.
02 ○
03 ○

제1절 인간의 욕구, 사회적 위험, 사회문제❶ 09. 지방직

1 인간의 욕구

인간의 욕구(欲求)란 특정 상황에서의 목적 달성에 필요한 조건이나 대상을 확보하지 못함으로써 야기되는 **결핍상태**로, 사회복지에서 다루는 인간의 욕구는 **기본욕구와 사회적 욕구**가 있다.

1. 기본욕구

(1) 인간의 다양한 욕구들 중에서 의식주, 주택, 보건, 고용처럼 성별, 인종, 종교, 교육수준, 사회·경제적 지위와 같은 **사회적 조건과는 관계없이 모든 인간의 생존과 자립에 필수불가결한 욕구**(예 의식주, 소득, 주택, 보건, 고용 등)를 말한다.

(2) 특성

① 모든 인간들에게 공통적으로 존재한다.

② 인간성을 유지시키는 데 필수적이다.

③ 해결을 목적으로 하는 사회적 서비스의 양과 질이 일정한 수준에서 정해진다. 즉, 일정한 수준의 사회적 서비스의 양과 질이 있어야만 욕구의 해결이 가능하다.

2. 사회적 욕구 🖉

(1) 사회적 위험(Social Risks)에 처해 **기본욕구를 충족시키지 못하는 사회구성원들의 수가 일정 수준 이상으로 증가**❷했을 때, 이러한 사회적 위험으로부터 탈피하려는 집단적(또는 사회적) 차원의 욕구를 말한다.

(2) 특성

① 해결방법은 사회적이고 공통적이다.

② 해결의 주동기가 이윤추구가 되어서는 안 된다.

3. 브래드 쇼(Bradshaw)의 사회적 욕구(또는 다차원적 욕구 규정)
08·14·24. 국가직, 20. 지방직

브래드 쇼는 욕구를 인식하는 기준에 따라 사회적 욕구를 **규범적 욕구, 감지적 욕구, 표현된 욕구, 비교적 욕구** 등 4가지로 제시하였다.

(1) **규범적 욕구(Normative Need)**: 전문가(또는 행정가, 정부)의 판단에 의해 바람직하다고 규정된 욕구 수준과 실제 상태의 차이에 의해 욕구를 규정하는 것이다.
예 전문가·행정가 등에 의해 계측된 최저생계비, 최저임금위원회의 위원들을 통해 결정된 최저임금 등

(2) **감지적 욕구(Felt Need, 또는 느낀/느껴진 욕구, 인지적 욕구)**: 잠재적 서비스 대상자인 개개인이 주관적인 인지과정을 통해 스스로 체감하고(또는 느끼고) 있는 욕구로, 욕구조사 등과 같은 사회조사 방법을 통해 파악할 수 있다.

> 예 장애인 스스로 치료와 재활이 필요하다고 인식하는 경우 등

(3) **표현된 욕구(Expressed Need, 또는 표현적 욕구)**: 감지적 욕구를 욕구실현을 해줄 수 있는 당사자에게 구체적인 행동으로 표현하여 요구(또는 추구)하는 욕구로, 수요(Demand)로 파악된다.

> 예 의료 · 보건 분야에서 서비스를 신청한 사람의 수로 판명하는 경우, 대기자 명단 등

(4) **비교적 욕구(Comparative Need, 또는 상대적 욕구)**: 욕구실현의 당사자가 제공하는 서비스의 양과 질에 대해서 타인 또는 타지역(또는 집단)과의 비교를 통해 발생하는 박탈감이나 소외감 등이 원인이 되어 발생하는 욕구이다.

> 예 A지역 주민의 욕구를 B지역 주민의 욕구와 비교하여 나타내는 경우 등

2 사회적 위험

1. 개관

(1) 사회적 위험이란 사회구성원으로서 개인의 인간다운 삶, 즉 개인의 생존을 위협하는 현상이 대다수의 사회구성원들에게 보편적(또는 일반적)으로 발생할 가능성이 있는 경우를 말한다.

(2) 그 유형은 시대적 상황 등에 따라 지속적으로 변화하며, 이러한 **사회적 위험**에 대응하기 위해 국가가 주도하는 사회복지가 등장하게 되었다.

(3) 우리나라 「사회보장기본법」에서는 사회적 위험을 **출산, 양육, 실업, 노령, 장애, 질병, 빈곤, 사망 등 8가지로 정의**❸하고 있다(「사회보장기본법」 제3조 제1호).

> **「사회보장기본법」 제3조【정의】** 이 법에서 사용하는 용어의 뜻은 다음과 같다.
> 1. "사회보장"이란 출산, 양육, 실업, 노령, 장애, 질병, 빈곤 및 사망 등의 사회적 위험으로부터 모든 국민을 보호하고 국민 삶의 질을 향상시키는 데 필요한 소득 · 서비스를 보장하는 사회보험, 공공부조, 사회서비스를 말한다.

2. 「사회보장의 최저기준에 관한 조약(102호 조약)」의 사회적 위험과 사회보장 정책 16. 지방직, 17. 서울시

(1) 1952년 국제노동기구(International Labor Organization, ILO)에서는 「사회보장의 최저기준에 관한 조약(102호 조약)」을 통해 현대 산업사회에서 나타나는 각각의 사회적 위험에 대응하여 국가가 시민들을 보호하기 위해 **대상의 보편성, 비용부담의 공평성, 급여수준의 적절성**이라는 3가지 원칙에 따른 사회보장 정책을 시행할 것을 권고하였으며, 이와 관련하여 다음과 같은 **9가지 사회적 위험**과 이러한 사회적 위험에 대응하기 위한 사회보장 정책을 제시하였다.

선생님 가이드

❸ 2012년 1월 26일 「사회보장기본법」의 전부개정을 통해 기존의 5가지 사회적 위험, 즉 질병, 장애, 노령, 실업, 사망에 출산, 양육, 빈곤이 추가되었습니다.

기출 OX

01 감지적 욕구의 사례에는 전문가, 행정가 등이 최저생계비를 규정한 경우가 있다. ( ) 14. 국가직

02 감지적 욕구란 실제의 욕구충족을 위한 구체적인 혹은 서비스 수요로 파악되는 욕구를 의미한다. ( ) 20. 지방직

03 감지적 욕구는 규범적 욕구가 실제 상황에서 욕구 충족의 추구 행위로 나타난 것이다. ( ) 24. 국가직

01 × '감지적 욕구'가 아니라 '규범적 욕구'가 맞다.
02 × '감지적 욕구'가 아니라 '표현된 욕구'가 맞다.
03 × '감지된 욕구는 규범적 욕구'가 아니라 '표현된 욕구는 감지적 욕구'가 맞다.

사회적 위험	우리나라 「사회보장기본법」과의 비교	사회적 위험에 대응하기 위한 사회보장 정책
의료		의료급여
질병(또는 휴양)	질병	질병급여
실업	실업	실업급여
노령	노령	노령급여
산업재해	×	고용상해급여
가족(또는 자녀양육)	양육	가족급여
임신 및 출산	출산	모성(또는 출산)급여
장애(또는 직업능력의 상실)	장애	폐질급여
유족(부양자〈가장〉의 사망)	사망	유족급여
	빈곤	

(2) **사회보장의 3가지 원칙**

① 대상의 보편성: 사회보장의 대상에는 전체 국민이 포괄적으로 포함되어야 한다.

② 비용부담의 공평성

㉠ 사회보장에 소요되는 비용은 **공동으로 부담**한다.

㉡ **재원은 보험료나 조세로 충당**한다.

㉢ 자산이 적은 자에게 과중한 부담이 발생하지 않도록 한다.

㉣ 피보험자의 경제적 상태를 고려한다.

㉤ 피고용자의 부담한계는 전체 재원의 50%를 초과해서는 안되며, 그 나머지는 사용자 부담, 일반재정 등으로 충당한다.

③ 급여수준의 적절성: 사회보장 급여는 **현금급여를 원칙**으로 하며, 부득이한 경우를 제외하고는 일시급여가 아닌 **정기적 형태로 제공**해야 한다.

3. 테일러 구비(Talyor-Gooby)의 신(新)사회적 위험(New Social Risks) 14 · 18. 지방직 (必)

(1) **개관**

① 테일러 구비는 1980년대 이후 탈산업사회(또는 후기산업사회)로의 이행과 연관된 경제·사회적 변동의 결과로 사회구성원들이 생애기간 동안에 직면하게 되는 새로운 삶의 과정을 신사회적 위험이라고 정의하였다.

② 실업, 노령, 산업재해 등 소득의 중단을 가져오거나 또는 질병이 가져오는 예외적인 지출 등이 구(舊) 사회적 위험(Old Social Risks)이고, 이때의 사회보장정책의 초점이 **소득상실을 보존**해주는 **소득보장프로그램(Income Maintenance Program)**에 맞추어 있었다면, 신사회적 위험은 새로운 **4가지의 발생 경로**를 통해 나타난다고 보았다.

(2) 신사회적 위험의 발생경로(또는 원인)와 취약계층

① 발생경로(또는 원인)

발생경로(1)	맞벌이 부부의 증가와 여성의 교육 수준 향상으로 여성들의 유급노동시장에의 참여가 급증하였으나 동시에 가정에서 **아동 보육과 노인 부양(또는 간병)에 대한 책임** 역시 감내해야 하는, 그래서 일과 가정을 양립하기 어려운 저숙련 여성 노동자층이 증가하게 되었다.
발생경로(2)	고령화로 인한 노인인구의 증가로 가족 내 노인돌봄의 부담이 급증하였고, 이에 **여성이 노인을 돌보기 위해 노동시장에서 철수❶**하여 홑벌이 부부가 되면 가구의 소득이 감소하게 되어 **빈곤 가능성이 증가**하게 되었다.
발생경로(3)	미숙련 생산직의 비중을 줄여온 생산기술의 변동과 저임금의 비교우위를 이용한 국가 간 경쟁의 격화로 인해 미숙련 생산직의 비중이 하락하는 형태로 노동시장의 구조가 변화되어 **저학력자들에 대한 사회적 배제가 확대**되었다.❷
발생경로(4)	새로운 사회적 위험으로 인한 수요증가에 필요한 재정의 부족현상이 심화됨에 따라 정부는 **복지부분에 대한 재정 지출을 줄이기 위해 공공부문을 축소**하였고, 이에 **민간부문(예 민영화된 공적연금·의료서비스 등)에 대한 국민의 복지 의존도가 높아졌고**, 이로 인해 민간이 제공하는 부적절한 서비스를 정부가 적절하게 규제하지 못하는 경우가 많아져서 **비용을 지불할 능력이 없는 빈곤 노인들이 증가**하였다.

② 신사회적 위험에 노출될 가능성이 높은 사회적 취약계층

가족과 성역할 변화와 관련하여	⊙ 일과 가족의 책임, 특히 아동양육의 책임 간에 균형을 잡지 못한 경우 ⓒ 노인부양에 대한 요청을 받거나 또는 자기 자신이 부양의 대상자가 되었음에도 불구하고 **가족의 지원이 없는 경우**
노동시장의 변화와 관련하여	⊙ 적절한 수준의 임금과 안정적인 직업을 얻는 데 필요한 **기술이 없는 경우** ⓒ 쓸모없게 된 기술과 훈련을 받았거나 또는 평생교육을 통해 그 **기술과 훈련을 제고시킬 수 없는 경우**
복지국가 변동과 관련하여	불안정하고 부적절한 연금과 불만족스러운 서비스를 제공하는 **민간부문의 서비스를 이용하고 있는 경우**

4. 후기산업사회(또는 탈산업화)와 우리나라의 사회적 위험 23. 국가직, 15. 지방직 ✒

(1) 소득양극화

① **소득집단 간의 차이는 넓어지는 반면에 소득집단 내의 차이는 좁아지는 현상**으로, 저소득층 집단과 고소득층 집단의 소득차이는 벌어지지만, 고소득층과 저소득층 각기 내부의 소득차이는 오히려 줄어들어 동질화되어가는 것으로 우리나라는 1997년 국가 경제위기 이후 급격히 확대되었다.

선생님 가이드

❶ 노인돌봄의 역할은 상당부분 여성에게 주어져 있고 이로 인해 여성은 돌봄과 직장을 병행하기 어려워 노동시장에서 철수할 가능성이 남성보다 큽니다.

❷ 이는 교육수준이 낮을수록 실업과 장기 빈곤에 빠질 가능성이 높아지는 것을 의미합니다.

기출 OX

01 테일러-구비가 말한 새로운 사회적 위험에는 아동 보육이나 노인 부양의 어려움을 감내해야 하는 저숙련여성노동자의 사회적 위험이 있다. ( ) 14. 지방직

02 테일러-구비가 말한 새로운 사회적 위험에는 고령화에 따른 노인돌봄을 위해 가족구성원의 경제활동 포기로 인한 소득 감소가 있다. ( ) 18. 지방직

03 테일러-구비가 말한 신사회적 위험에는 저출산에 따른 생산가능인구의 감소로 인한 국가 경쟁력 하락이 있다. ( )
18. 지방직

01 ○
02 ○
03 × 테일러-구비가 주장한 신사회적 위험의 발생 원인에는 해당되지 않는다. 다만 현재 우리나라가 경험하고 있는 사회적 위험에는 해당한다.

② 특히 우리나라는 노인인구의 증가에 비해 사회안전망의 부족으로 OECD 회원국 가운데에서도 노인빈곤률이 높고, 이에 따른 노인의 경제활동참가율 역시 매우 높은 실정이다.

(2) **저출산 · 고령화**: 합계출산율❶이 줄고 상대적으로 **평균수명은 증가**하는 현상이 가속화 되는 것으로, 다음과 같은 사회적 문제를 발생시켰다.

① 생산성이 높은 연령층의 상대적 비율이 감소하고 있다.

② **노인부양비**(Dependency Ratio)의 증가, 즉 노인인구를 부양해야 하는 사회적 비용이 증가하고 있다.

③ 출산율 저하로 노인인구의 부양책임이 전통적인 가정에서 사회로 이양되고 있다.

④ 중 · 고령, 저숙련 · 저학력의 노동자가 증가하고 있다.

⑤ 사회복지서비스를 필요로 하는 기간이 연장되고 있다.

핵심 PLUS

1. 사회보장 관련 주요 통계 용어(우리나라 통계청) ⚖ 13·23. 국가직, 14. 지방직

① **노인(또는 노년)부양비**: 생산가능인구(15~64세)에 대한 노인인구(65세 이상)의 비율로, '노인인구(65세 이상) ÷ 생산가능인구(15~64세) x 100'으로 계산된다.

② **총부양비**: 생산가능인구(15~64세)에 대한 피부양인구(자녀와 노인)의 비율로, '피부양인구(0~14세 인구 + 65세 이상 인구) ÷ 생산가능인구(15~64세) x 100'으로 계산된다.

③ **노령화지수**: 유소년인구(0~14세 사이의 인구)에 대한 고령인구(65세 이상 인구)의 비율로, 이 값이 높아지면 장래에 생산 연령으로 유입되는 인구에 비해서 부양해야 할 노인인구가 상대적으로 많아지는 것을 의미한다.

④ **노인(또는 고령)인구비율**: 전체인구에서 65세 이상의 노인인구가 차지하는 비율로, '65세 이상 노인인구 ÷ 전체인구 X 100'으로 계산된다.

⑤ **노인부부**: 부부 가운데에 어느 한 쪽이 65세 이상인 가구를 말한다.

⑥ **경제활동 인구**: 만 15세 이상의 인구 중 취업자와 실업자를 합한 개념으로, 인구 중 조사 대상 기간에 상품이나 서비스를 생산하기 위하여 실제로 수입이 있는 일을 한 취업자와 일을 하지 않았으나 그 일을 즉시 하려고 구직활동을 하는 실업자를 통틀어 말한다.

⑦ **생산가능 인구**: 경제활동을 할 수 있는 만 15세 이상의 인구를 말한다. 단 현역군인, 공익근무요원, 전투경찰, 형이 확정된 교도소 수감자, 외국인 등은 제외된다.

⑧ **베이비붐**(Baby Boom) 세대

1차	1955 ~ 1962년 사이(한국전쟁 이후)에 출생한 사람들
2차	1968 ~ 1974년 사이(경제 성장기)에 출생한 사람들

2. 국제연합(UN)에서 정한 노인인구 비율에 따른 사회 형태 ⚖

고령화사회 (Ageing Society)	총인구 중 65세 이상 인구가 차지하는 비율이 7% 이상인 사회로, 우리나라는 2000년에 진입하였다.
고령사회 (Aged Society)	총인구 중 65세 이상 인구가 차지하는 비율이 14% 이상인 사회로, 우리나라는 2017년에 진입하였다.
후기고령사회 (Post-Aged Society, 또는 초고령사회)	총인구 중 65세 이상 인구가 차지하는 비율이 20% 이상인 사회로, 우리나라는 2026년 진입을 전망하고 있다.

우리나라의 고령화 속도 23. 국가직

고령화 사회에서 초령사회로 진입하는 데 서구 선진국가인 프랑스는 154년, 이탈리아는 79년, 독일은 75년이 소요되었다. 또한 일본 역시 그 기간이 36년으로 서구 선진국가들에 비해 빨랐다. 그러나 우리나라가 초고령 사회로 진입하는 데 소요되는 시간은 25년 정도에 불과할 것으로 예측되며, 따라서 **서구를 비롯해 일본보다도 그 속도가 빠르다는** 특징을 보인다.

(3) **비정형적인 가족 구조**: 이혼율의 증가, 남녀 성비의 불균형, 결혼기피 현상 등으로 전통적인 가족구조가 쇠퇴하고 **1인 가구, 한 부모 가족, 다문화 가족 등 비정형인 가족(Atypical Family)은** 증가하고 있다. 이는 개인의 1차적인 지지체계인 가족의 기능 저하를 의미하는 것으로 장기적으로는 사회보장과 관련된 국가의 책임 확대의 원인이 된다.

(4) **노동시장의 유연화**: 기업 등에서 정규직 노동자의 비율을 줄이고, 필요에 따라 노동자와의 계약 관계를 변화시키는 것을 말하며 이는 다음과 같은 사회적 문제를 발생시키고 있다.

　① 노동시장의 변화에 적응하지 못한 노동자들이 **구조적 실업**상태에 놓이게 되어 노동력이 하락되고 있다.

　② 낮은 교육수준과 노동의 질, 노동 시장에 대한 정보 부족에 처해 있는 노동자의 경우 **장기간 실업 상태에 빠질 가능성이 커지고, 이로 인해 빈곤층이 될 가능성이 높아지고 있다.**

(5) **세계화(Globalization)**: 규제의 철폐, 엄격한 재정운영, 금융시장의 개방 등을 통한 세계시장으로의 편입을 골자로 하는 **시장 자유주의**를 말하며, 이는 다음과 같은 사회문제를 발생시키고 있다.

　① **노동시장의 유연성을 가속화**시키고 있다.

　② 노동의 분화에 따라서 단체교섭도 탈 중앙화하게 됨에 따라 노동자의 **임금과 근로조건의 불평등이 초래**되고 있다.

　③ 정부가 재정건전성을 위해서 **사회복지 관련 지출을 억제**하게 하고 있다.

(6) **고용 없는 성장**: 정보화나 자동화로 노동자와 기업의 생산성은 높아지고, 국가 전반적으로도 경제성장은 이루어지지만, **일자리만은 지속적으로 감소하는 현상**을 말한다. 이로 인해 다음과 같은 사회문제가 발생하고 있다.

　① **청년실업률과 비정규직 노동자가 증가**하고 있다.

　② **근로빈곤층이 확산**되고 있다.

(7) **기타**

　① **여성의 경제활동참여 증가로 일 · 가정의 양립 문제가 발생**한다.

　② 사회보장제도에서 배제된 인구가 증가한다.

우리나라의 고령화 속도는 서구보다 빠르지만 일본보다는 느리다. ( )

23. 국가직

× 우리나라의 고령화 속도는 서구와 일본보다 빠르다.

1. 개관

(1) 정의 23. 국가직 ✍

사회문제란

① 어떠한 **사회적 원인**[1]에 의해서 발생한 사회적 현상이

② 사회의 가치 · 규범 · 윤리에서 벗어나

③ **사회적 다수가** 그로 인해 상당한 기간 동안 지속적으로 피해(또는 부정적인 **영향**)를 받아 이를 문제로 판단하고

④ 이에 영향력 있는 집단이 이를 사회문제라고 규정하여

⑤ **집단적**(또는 사회적) 행동을 통해 해결(또는 개선)되기를 바라는 사회적 상태를 말한다.

(2) 사회문제의 발생 원인에 대한 시각(또는 차원)

개인적 시각 (또는 차원)	① 사회문제의 원인을 **개인적인 결함**에서 찾으려는 시각으로, 이러한 시각에 따르면 **사회문제를 해결하기 위해서는 개인을 변화시켜야** 한다. ② 이러한 개인적 시각 하에서는 사회문제의 해결을 위해 사회적 제도의 개선이나 변화를 위한 노력을 하지 않게 되고, 궁극적으로는 사회문제를 야기한 결함을 가진 개인을 누군가가 통제해도 된다(**사회통제**)는 당위성을 불러올 수 있다. ③ **자선조직협회, 진단주의, 선별주의** 등의 시각이다.
사회 · 구조적 시각 (또는 차원)	① 사회문제의 원인을 **사회 · 구조**에서 찾으려는 시각으로, 이러한 시각에 따르면 **사회문제를 해결하기 위해서는 정부의 정책이나 제도를 개선**하고, 관련된 기구나 조직을 설립해야 한다. ② **인보관운동, 기능주의, 보편주의** 등의 시각이다.

(3) 사회문제의 특징 14. 지방직

① 사회문제는 **시간과 공간에 따라 달리** 정의될 수 있다.

② 사회문제는 **문화적 상대성에 기초**해서 이해되어야 한다.

③ 사회문제를 **인식하고 정의**하는 데에는 **가치가 개입**된다.

④ 사회문제를 **정의**하는 데에는 **기준이 필요**하며, 그 기준은 항시 **변화**한다.

⑤ 사회문제는 **사회규범을 바꿀 수도** 있다.

🗓 **기출 OX**

01 특정 현상을 사회문제로 규정하기 위해서는 현상의 원인이 사회구조적 요인에서 기인해야 한다. ( ) 23. 국가직

02 특정 현상을 사회문제로 규정하기 위해서는 현상이 사회 구성원 다수에게 부정적인 영향을 미쳐야 한다. ( ) 23. 국가직

03 특정 현상을 사회문제로 규정하기 위해서는 집단적인 사회적 행동을 통해서도 현상의 개선이 불가능해야 한다. ( ) 23. 국가직

04 사회문제는 시간에 따라 달리 정의될 수 있다. ( ) 14. 지방직

05 사회문제는 공간에 따라 달리 정의될 수 있다. ( ) 14. 지방직

06 사회문제는 가치중립적이다. ( ) 14. 지방직

07 사회문제를 정의하는 데에는 기준이 존재한다. ( ) 14. 지방직

01 ○
02 ○
03 × '집단적인 사회적 행동을 통해서 현상의 개선이 가능해야 한다.'가 맞다.
04 ○
05 ○
06 × '가치중립적'이 아니라 '가치지향적'이 맞다. 사회문제를 인식하고 정의하는 데에는 가치가 개입된다. 즉, 가치지향적이다.
07 ○

2. 사회문제를 보는 이론적 관점 22. 국가직, 11. 서울시 (必)

▲ 사회문제의 이론적 관점 개념도

거시적 관점	① 사회문제를 사회제도 또는 사회구조의 문제로 보는 시각으로, 사회문제라는 사회현상 자체를 중시한다. ② 종류: (구조)기능이론, 갈등이론
미시적 관점	① 사회문제를 일상에서 벌어지는 개인 간의 상호작용이나 개인의 행동·태도 등에 초점을 맞추어 탐구하려는 시각으로, 사회문제가 발생하게 된 원인(또는 동기)을 중시한다. ② 종류: 상징적 상호작용이론, (사회적)교환이론

(1) 거시적 관점

구분	(구조)기능이론	갈등이론
사회에 대한 관점	① **사회는 다양한 하위체계로 구성되어 있는 단일한 체계(또는 통합된 전체)**로, 각 하위체계들은 합의된 가치와 규범에 따라 움직인다. ② 사회를 구성하고 있는 각 **하위체계들은 상호 유기적인 관**계에 있으며, 일정한 질서를 유지하면서 상호의존적으로 **전체 사회의 균형과 안정을** 지향한다. ③ 사회변화는 점진적으로 진행되고, **개인은 사회제도에 의해 사회화**[2]가 되며, 또한 이러한 사회화를 필요로 한다.	① 사회는 불평등과 갈등, 그리고 이에 따르는 대립이 상존하는 곳이다. ② 사회는 권력과 자원을 가진 **기득권층에 의해 통제**되고 있으며, 사회적 권력과 자원의 불평등한 분배에 의해 '갈등'이 발생하고, 갈등으로 인한 **불안은 사회의 본질적인 현상**이다. ③ 개인은 원래 선(善)하나 사회와 경제의 불평등한 구조에 의해 악(惡)해졌다.
사회문제의 원인	급격한 사회 변동과 사회적 균형과 조화를 파괴하는 사회 해체 등이 사회문제의 원인이 된다.	사회 내 불평등과 기득권층에 의한 피기득권층의 지배 등이 사회문제의 원인이 된다.
사회문제의 해결 방법	제도적 결함을 개선하고 개인의 적절한 사회화를 이루어야 한다.	**경쟁을 최소화**하고, **불평등 관계의 극복**, 즉 권력과 자원 분배 체계의 평등화와 사회구조의 개선을 이루어야 한다.

 선생님 가이드

❷ 구조기능주의 관점에서 사회화란 결국 개인이나 집단이 사회의 유지와 발전에 기여하는 과정이 됩니다.

기출 OX

사회문제를 사회제도 또는 사회구조의 문제로 보면 거시적 관점이다. ( )

11. 서울시

○

(2) **미시적 관점**

구분	상징적 상호작용이론(낙인이론)	교환이론
사회에 대한 관점	① 사회는 **인간의 상호작용이 발생하는 맥락**이며, 이러한 맥락에 의해 유지되고 조정된다. ② 개인은 언어와 문자 등 상징체계를 사용해서 타인과 상호작용을 하며, 그 과정에서 타인과의 관계를 형성하게 되고, **자신이 어떻게 행동해야 할 것인가를 주체적으로 판단하게 된다.**	① 사회는 교환관계가 발생하는 장소이며, 이러한 교환관계에서 발생하는 경쟁, 분화, 통합이 반복되어 제도화된다. ② 인간의 사회적 상호작용은 타인과의 대가(예 시간, 노력, 돈, 지위관계 등)와 교환자원(예 상담, 기부금, 돈, 정보, 의미, 힘, 아이디어, 정치적 영향력, 선의 등) 간의 합리적인 교환 과정이다. ③ **교환이익의 호혜성(Reciprocity)**, 즉 타인이 필요로 하는 서비스에 대해 통제력을 가지면서, 동시에 타인의 서비스를 필요로 하지 않는 사람은 타인에 대하여 권력을 행사할 수 있는 위치에 놓이게 되며, 따라서 **권력구조는 불평등한 교환관계로 형성**된다.
사회문제의 원인	어떠한 사회현상이나 행위가 사회문제가 되는 것은 대중이나 사회통제기관이 이를 바람직하지 못한 것으로 규정(또는 의미부여)하기 때문이다. 즉 **개인이나 집단이 이러한 의미부여에 대해서 동의하지 않고 다르게 행동하는 것**[1]을 사회문제라고 본다. 예 우리나라에서는 법령으로 마약 사용을 금지하고 있다. 따라서 개인이 마약을 사용할 경우, 이는 사회문제가 된다. 그러나 미국의 일부 주를 비롯해 몇몇 국가에서는 마약사용을 합법적으로 인정해주고 있다. 이런 나라에서 마약사용은 큰 사회문제가 되지 않는다.	**교환관계의 단절이나 불균형, 교환자원의 부족·고갈·가치저하 등**이 사회문제의 원인이 된다.
사회문제의 해결 방법	① 일탈자가 사회적으로 통용되는 상징에 적절하게 의미를 부여하고 동의를 할 수 있도록 **사회화나 재사회화**를 시킨다. ② **부정적인 낙인(예 전과자, 비행 청소년, 마약사범 등)을 신중히** 하여 이로 인해 일탈행동이 조장되거나 강화되지 않도록 한다. ③ 개인이나 집단의 보다 다양한 행동과 상황을 정상적인 것으로 간주하도록 한다. ④ **낙인에서 얻어지는 이득을 제거**한다.	① **교환관계를 회복시키거나 균형화**시킨다. ② 교환관계를 갖기 어려운 대상(예 노인, 장애인, 아동 등)에게 무상의 사회복지 서비스를 제공하여 정상적인 생활을 가능하게 할 수 있다.

선생님 가이드

❶ 이러한 일탈적 행위를 하는 사람을 '일탈자'라고 합니다.

제2절 사회복지의 이해

1 사회와 사회복지

1. 사회의 제도와 기능 12. 국가직, 10. 지방직, 08 · 19. 서울시 🖉

(1) **길버트와 스펙트(Gilbert & Specht)**는 모든 사회가 공통적으로 수행하는 1차적 기능(Major Functions)을 기능주의 관점하에 **존슨과 워렌(Johnson & Warren)의 기술**을 정리하여 다음과 같이 5가지로 구분하였다.

사회제도	1차적 사회기능	내용	사회복지적 기능
가족제도	사회화	사회구성원에게 사회의 지식 · 사회적 가치 · 행동양태를 전달시키는 기능이다.	부양가족의 보호, 사적 이전 등
종교제도	사회통합	사회체계가 정상적인 기능을 수행하기 위해서 필요한 결속력과 사기를 제공하는 기능이다.	종교별 복지 · 보건 · 교육, 상담 등
경제(또는 시장)제도	생산 · 분배 · 소비	사회구성원이 일상생활을 영위하는데 필요한 재화와 서비스를 생산 · 분배 · 소비하는 과정과 관련된 기능이다.	사회복지 관련 재화와 서비스의 영리적 생산, 기업복지 등
정치제도	사회통제	사회구성원으로 하여금 법 · 도덕 · 규칙 등의 사회의 규범에 순응하게 만드는 기능이다.	공공복지, 소득 · 의료 · 주택 보장 등
사회복지제도	상부상조 (또는 상호부조)	① 사회구성원 중 곤경에 처한 자에 대한 **상부상조적 원조를 제공하는 기능**이다. ② 과거에는 가족 · 친척 · 이웃 등의 1차적인 집단에 의해서 수행되었으나 현대 산업사회에서는 정부 · 복지단체 · 종교단체 등으로 그 기능이 이전되어가고 있다.	자조, 자원봉사, 사회복지 서비스 등

(2) 사회복지는 가족, 종교, 경제, 정치와 같은 기존 사회제도의 기능이 **상실되거나 부족하게 되었을 때**, 이러한 기능상의 공백을 메우며 성장하였다.

📖 **기출 OX**

01 사회구성원들이 일상생활을 영위하는 데 필요로 하는 재화와 서비스를 생산, 분배, 소비하는 과정과 관련된 기능은 주로 경제제도에 의해 수행된다. ( )
19. 서울시

02 사회가 향유하고 있는 지식, 사회적 가치 그리고 행동양태를 사회구성원에게 전달하는 사회화의 기능은 가장 일차적으로 가족제도에 의해 수행된다. ( )
19. 서울시

03 공공부조를 시행하면서 자활사업의 참여를 강제하는 조건부 수급은 사회구성원들이 사회의 규범을 순응하게 만드는 사회통합의 기능을 수행한다. ( )
19. 서울시

04 상호부조는 가족이나 종교, 경제 제도 등의 여타 사회제도와 구분되어 사회복지 제도가 가지는 대표적 사회 기능이다. ( )
10. 지방직

05 현대 산업사회에서 주요 사회제도에 의해 자신들의 욕구를 충족할 수 없는 경우 필요한 상부상조의 기능은 정부, 민간사회복지단체, 종교단체, 경제단체, 자조집단 등에 의해 수행된다. ( )
19. 서울시 2차

06 기능주의 관점에서는 사회제도의 분화와 각 제도에 따른 주요 사회기능을 연결시킨다. 정치, 경제, 종교 제도와 구분되는 사회복지 제도의 일차적 사회기능은 상부상조이다. ( ) 12. 국가직

01 ○
02 ○
03 × '사회통합의 기능'이 아니라 '사회통제의 기능'이 맞다.
04 ○
05 ○
06 ○

선생님 가이드

❶ 사회(社會)란 社(모일 사)와 會(모일 회)가 결합되어 형성된 단어로, 이는 넓은 의미에서 공동생활을 영위하는 인간 집합을 의미합니다.

2. 사회복지의 어의적 정의 20. 국가직 📝

(1) 사회복지는 **사회적(Social)**과 복지(Welfare)의 합성어로, Social❶은 '지역사회나 집단 속에서 같이 지내다.'의, Welfare는 '만족스럽게 지내는 상태'라는 의미를 가지고 있다.

(2) 'Social'에 내포된 의미

① 주체: 개인이 아니라 **사회**이다.

② 대상: 특정한 개인의 개인적인 문제를 해결해 주는 것이 아니라 **사회문제를 해결**하는 것이다.

③ 관계: (**개인·집단·사회전체 간의 사회 내적인 관계**) 개인의 정신세계나 국제관계와 같은 사회 외적인 관계를 제외한 개인 대 개인, 개인 대 집단, 개인 대 전체사회, 집단 대 집단, 집단 대 전체사회의 **비이기적인 상호관계**를 의미한다.

④ 원칙: 개별적으로 하는 것이 아니라 **사회연대의 원칙에 근거**하여 이루어진다.

⑤ 관심: 물질적이거나 영리적인 요소보다는 **비영리적**이며, **이타적 속성**을 지닌 **공동체적 삶의 요소**를 중요시 한다.

(3) 따라서 사회복지란 **사회 내적인 관계를 기초**로 사회구성원들이 전 생애에 걸쳐 건강하고 기능적인 삶을 추구하게 하려는 **사회적 노력**으로 정의될 수 있다.

2 사회복지의 개념

기출 OX

사회복지(social welfare)에서 '사회적(social)'은 이타적 속성이 제거된 개인적 삶의 요소를 중시함을 의미한다. ( )

20. 국가직

✕ '이타적 속성이 제거된 개인적 삶의 요소를 중시함'이 아니라 '이타적 속성을 지닌 공동체적 삶의 요소를 중시함'이 옳다.

1. 대상에 따른 사회복지의 개념 – 협의적(또는 한정적) 개념과 광의적 개념

협의(狹義)적 개념으로서의 사회복지	구분	광의(廣義)적 개념으로서의 사회복지
잔여적 개념	유사 개념	제도적 개념
사회적 약자나 요보호 대상자 등의 특수계층에 한정 예 저소득층, 장애인, 노인, 아동 등	사회복지의 대상	전체 국민 또는 사회성원 일반
비정상적 · 병리적 존재	사회복지의 대상에 관한 관점	정상적 · 비병리적 존재
소극적 · 한정적: 가족이나 시장기능으로부터 탈락 · 낙오된 특수계층 개개인의 정상적인 생활 및 재활을 위한 보호 · 육성 · 지도 · 치료 등의 서비스	사회복지에 대한 관점	• 적극적 · 총체적: 전체 국민 또는 사회성원 일반의 생활에서 나타나는 비복지(Diswelfare)의 해결로, 협의의 사회복지에 사회정책, 사회보장, 보건, 의료, 주택, 고용, 교육, 여가, 소득, 안전, 거주환경 보전 등을 포함시킴 • 사회문제의 치료 · 예방 · 인적자원의 개발 · 인간 생활의 향상에 직접 관련된 일체의 시책과 과정뿐만 아니라 사회제도를 강화하거나 개선하려는 노력
집중적인 자원배분으로 인해 '경제적 효율성 효과'가 높음	장점	• 사회연대의식으로 인한 '사회통합 효과'가 높음 • 낙인(Stigma) 발생 가능성이 낮음
낙인(Stigma) 발생 가능성이 높음	단점	'경제적 효율성 효과'가 낮음

핵심 PLUS

통합적 개념으로서의 사회복지 개념

통합적 개념으로서의 사회복지란 협의적(또는 한정적)의미의 사회복지와 광의적(또는 적극적)인 개념을 포함한 사회복지 개념으로, 로마니쉰(Romanyshyn)과 프리드랜더(Friedlander)의 정의가 대표적이다.

로마니쉰 (Romanyshyn)	사회복지는 사회문제에 대한 조치와 예방, 인적 자원의 개발, 생활의 질적 향상 등에 직접적으로 관심을 갖는 서비스나 과정을 포함하며, 사회제도의 강화 및 수정에 대한 노력과 개인이나 가족에 대한 서비스까지 포괄한다.
프리드랜더 (Friedlander)	사회복지는 법령, 프로그램, 급여 및 서비스의 제도이고 그것은 인간의 복지와 사회질서기능을 위하여 기본적인 것으로 인정된 사회적 욕구를 해결하기 위해 강화시켜나거나 보증하는 것을 말한다.

기출 OX

01 광의의 사회복지 개념에 입각하는 것보다 협의의 사회복지 개념에 입각해서 제도와 정책을 실시하는 경우, 사회통합 효과는 높지만 경제적 효율성 효과는 낮다. ( )　13. 지방직

02 한정적 개념의 사회복지에서는 사회적 약자를 위한 보호적 · 치료적 · 예방적 서비스를 모두 포함한다. ( )　09. 지방직

01 × '사회통합 효과는 높지만 경제적 효율성 효과는 낮다.'가 아니라 '사회통합 효과는 낮지만 경제적 효율성 효과는 높다.'가 옳다.

02 ○

2. 기능에 따른 사회복지의 개념(Wilensky & Lebeaux) – 잔여적 개념과 제도적 개념

07 · 11 · 12 · 15 · 17 · 22. 국가직, 11 · 13 · 14 · 15 · 16 · 17 · 20 · 21 · 23. 지방직, 11 · 17. 지방직(추가), 13 · 18 · 19. 서울시 ✔

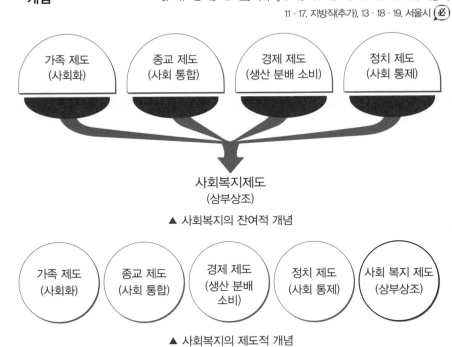

▲ 사회복지의 잔여적 개념

▲ 사회복지의 제도적 개념

(1) **윌렌스키와 르보(Wilensky & Lebeaux)**는 미국사회를 배경으로 사회복지제도와 다른 사회제도의 관계를 어떻게 규정하는가에 따라 사회복지의 개념을 **잔여적 개념과 제도적 개념**의 2가지로 분류하였다.

(2) **잔여적 개념**하에서는 가족, 종교, 경제, 정치와 같은 기존 사회제도의 **기능적 실패**를 인정하고 이에 대한 사회복지제도의 **임시적이며 보충적인 필요성**은 인정하되, 그것이 **필수적이라고 보지는 않는다.**

(3) 반면에 **제도적 개념**하에서는 가족, 종교, 경제, 정치와 같은 기존 사회제도의 기능적 실패는 필연적이며 동시에 지속적인 것으로 보아 이러한 사회제도의 기능과는 구별되는 **상부상조의 기능**을 독립적으로 수행할 별도의 **사회복지제도가 필수적이라고 본다.**

잔여적 개념	기능에 따른 구분	제도적 개념
협의의 사회복지	유사 개념	광의의 사회복지
① 관점: 병리적인 존재 ② 사회적 약자나 요보호 대상자 등의 특수계층에 한정 예 저소득층, 장애인, 노인, 아동 등	사회복지의 대상 (수급자)	① 관점: 정상적인 존재 ② 전체 국민 또는 사회성원 일반
소극적·한정적(또는 협의적): 가족이나 시장경제와 같은 정상적인 공급구조가 제 기능을 수행하지 못할 때 파생되는 문제를 보완하거나 해소하는 제도	사회복지에 대한 관점	적극적·광의적: 사회를 유지하기 위한 사회구성원 간의 상부상조로서, 다른 사회제도가 수행하는 기능과는 구별되어 독립적으로(또는 독자적으로) 수행되는 제도
① 개인주의 ② 예외주의, 보수주의	이념적 기반	① 집합주의 ② 보편주의, (수정)자유주의
① 간섭받지 않는 자유(또는 소극적 자유) ② 시장경제원칙	기본적 가치	① 평등의 구현 ② 빈곤으로부터의 자유(또는 적극적 자유) ③ 우애
개인의 책임 → 낮은 수준의 급여, 자산조사, 경쟁 강조	사회문제의 발생 원인	사회구조적 책임
절대적 빈곤 개념에 따라 빈곤수준을 낮게 책정	빈곤관	상대적 빈곤 개념에 따라 사회적 박탈감을 인정하고, 빈곤수준을 높게 책정
사회안전망 기능만 수행	사회복지의 기능	현대 산업사회에서 사람들이 만족할 만한 삶의 수준과 건강을 누릴 수 있도록 하는 그 사회의 필수적이고 정상적인 제1선(First Line) 기능 수행
① 국민에 대한 시혜 ② 자선과 구호중심의 일시적, 임시적, 보충적, 응급처치적, 사후적	사회복지 급여의 성격	① 시민권에 입각한 국민의 권리 ② 항구적, 제도적, 예방적, 사전적
선별주의	급여제공 원칙	보편주의
최소한으로 제한	국가의 역할	점차적인 확대
자유주의, 보수주의	지지세력	사회주의, 진보주의
수반	낙인감	수반하지 않는 것이 기본 전제
기여자와 수혜자의 구분으로 인해 약함	사회통합 기능	기여자와 수혜자를 구분하지 않으므로 강함
낮음	운영효율성	높음

🏛 기출 OX

제도적 개념으로서의 사회복지는 가족과 시장경제가 제 기능을 수행하는 것이 불가능하기 때문에 사회를 유지하기 위해 독특하고 필수적인 기능을 수행하는 것을 의미한다. ( )   22. 국가직

○

3. 잔여적 개념과 제도적 개념의 통합적 개념 - 개발적 관점(Midgley & Livermore)

12. 지방직 ✍

(1) 미즐리와 리버모어(Midgley & Livermore)는 제2차 세계대전 이후 후진국들이 사회복지 프로그램을 경제 발전에 도움을 주도록 설계한 데에서 기원을 찾아 사회복지의 **잔여적 관점과 제도적 관점을 통합한 개발적 관점**(Developmental Perspective)을 제시하였다.

(2) **사회복지에 대한 정의**

경제개발의 역동적 과정과 연계하여 모든 사람들의 복리를 증진시키기 위한 **계획된 사회변화의 과정**이다.

(3) **기본 전제**

① 교육·영양·보건의료 서비스에 대한 투자는 시민에게 경제적 이득을 줄 수 있다.

② 물리적 시설에 대한 투자는 사회발전에 필요한 경제·사회적 기반이 될 수 있다.

③ 욕구가 있는 사람들을 교육·훈련시키는 것은 경제적으로 효과적인 투자가 될 수 있다.

(4) **근로연계(또는 근로조건부)복지**(Workfare, Welfare to Work)❶를 강조하는 **신자유주의적 이념**이 반영되어 있다.

(5) **사회복지 프로그램 확대의 정당성 제공**

사회복지 프로그램을 통해 개인의 잠재력을 향상시키면 사회 전체의 경제 발전에도 기여하게 되므로, 궁극적으로 **사회복지는 경제발전의 긍정적 동력**이 되며, 결국 **사회복지와 경제는 상호 보완적인 역할**을 하게 된다.

> **예** 한 개인이 보육 서비스와 건강보험 등 다양한 사회복지 프로그램을 제공받아 그의 노동능력이 양적·질적으로 향상되었다면 이는 사회의 경제적 발전에도 기여하게 되는 것이다.

4. 이념에 따른 사회복지의 개념 12. 국가직, 13. 지방직 ✍

(1) **예외주의와 보편주의**(Ryan)

라이언(Ryan)은 윌렌스키와 르보(Wilensky & Lebeaux)의 잔여적·보편적 개념으로부터 **사회문제의 분석과 해결의 이념적 토대로서 예외주의와 보편주의**를 제시하였다.

① 예외주의(Exceptionalism)

㉠ 사회문제를 **특정범주에 속한 사람들에게서 예측할 수 없이 발생하는 것**이며, 사회규범에 비추어 볼 때 다분히 예외적 상황, 즉 개인의 결함·사고·불행한 사건(**예** 장애, 이혼, 빈곤 등) 속에서 발생하는 것으로 이해한다.

㉡ 따라서 이를 해결하기 위한 수단도 자연히 **개별적 접근방법**에 의해야 한다고 주장하며, 또한 사회복지의 관심대상은 **문제를 갖고 있는 특수집단이나 계층**으로 한정된다.

㉢ 보수주의와 더불어 **잔여적 사회복지의 이념적 기반**이다.

② 보편주의(Universalism)

　　㉠ 사회문제를 **사회체제가 불완전하고 불공평한 데서 발생되는 것으로** 보며,
　　　예측 가능하기 때문에 공공의 노력으로서 예방 또한 가능하다고 본다.

　　㉡ 결국, 사회문제는 특정범주에 속한 사람들에게 특수하게 **발생하는 것이
　　　아니라고** 주장한다.

　　㉢ 이러한 이념에 따른 사회복지의 관심대상은 **국민 전체**가 된다.

　　㉣ 진보주의와 더불어 **제도적 사회복지의 이념적 기반**이다.

(2) 보수주의와 자유주의

① 보수주의(Conservatism)

　　㉠ **가족이나 종교 등의 전통적 가치를 존중**하여 **변화에 대해 저항**하고 **사회
　　　의 안정과 질서유지를 주요한 가치**로 여긴다.

　　㉡ 인간 조건을 개선하기 위한 국가의 역할을 거부하여 **국가의 권력은 제한**
　　　되어야 하며, 개인들은 자기 나름대로의 삶을 영위해야 한다는 것을 강조
　　　한다.

　　㉢ 개인의 자유를 강조하지만, 전통적 가치를 유지하기 위해서 자유는 제한
　　　될 수도 있다고 본다.

　　㉣ 사회구성원 각자의 차이성을 인정하여 **평등주의를 반대**한다.

　　㉤ **잔여적 사회복지**의 이념적 기반이다.

② 자유주의(Liberalism)

　　㉠ 자유주의는 그 역사성에 따라

　　　　ⓐ 17~18세기의 고전적 자유주의(또는 자유방임주의, 소극적 자유주의),

　　　　ⓑ 19~20세기 초의 수정자유주의(또는 적극적 자유주의, 수정자본주의),

　　　　ⓒ 그리고 20세기 후반에 등장한 신자유주의로 구분할 수 있다.

　　㉡ 윌렌스키와 르보(Wilensky & Lebeaux)는 제도적 사회복지의 이념적 기
　　　반으로 **수정자유주의를 활용**하였다.

　　㉢ 수정자유주의에서는 문제해결과 관련된 인간의 이성을 신뢰하므로 사회
　　　의 변화를 선호하고, 인간본성에 대해 보수주의에 비해 낙관적이며, **인간
　　　조건을 개선하기 위한 국가의 역할을 강조**한다. 즉 정부의 개입을 인정
　　　한다.

　　㉣ 개인의 자유를 강조하지만, **경제적 자유에 대해서는 제한**될 수 있다고 본다.

3 사회복지의 관련 개념

1. 사회사업(Social Work) 09·21. 국가직, 11·12·14. 지방직, 07·10. 서울시 必

(1) 일반적 정의

개인, 집단, 지역사회가 사회적 기능을 수행할 수 있도록 그들의 능력 증진이나 회복을 돕고 이러한 목표를 달성할 수 있는 사회적 여건을 조성하는 것으로, **전문가에 의해 수행되는 전문적 활동으로, 사회복지보다 협의의 의미를** 지닌다.

(2) 사회복지와 사회사업의 비교

사회복지(Social Welfare)	구분	사회사업(Social Work)
사회의 기본적 욕구를 충족시켜 전체사회의 집단적 안녕 상태를 유지하기 위한 **국가적 제도, 프로그램, 서비스 체계 등**	일반적 정의	개인·집단·지역사회가 사회적 기능을 수행할 수 있도록 그들의 능력 증진이나 회복을 돕고 이러한 목표를 달성할 수 있는 사회적 여건을 조성하는 **전문가에 의해 수행되는 전문적 활동**
개인과 집단을 원조하여 건강상 만족스러운 기준에 도달할 때까지 행하는 계획적인 사회적 서비스와 시설의 조직적인 **제도**	프리드랜드 (Friedlander)의 정의	개인으로 하여금 집단의 일원으로서 사회적·인간적인 만족과 독립을 성취하도록 원조해 주고, 인간관계에 관한 과학적 지식과 숙련을 기초로 한 **전문적 활동**
이상적인 측면 강조	어의의 강조점	실천적인 측면 강조
사회적 시책에 의한 제도적 체계	체계관	전문적 사회사업에 의한 기술적 체계
전체사회의 안녕	목적	개인의 변화
일반, 전체	대상	개별, 부분, 특정인(문제)
거시적 방법: 제도, 정책	방법	**미시적 방법**: 개인·가족·집단·지역사회 등에 대한 개입이나 기술적 활동
고정적	성격	역동적
예방적, 사전적	기능	**치료적, 사후적**

2. 사회서비스와 사회복지서비스 11. 지방직

(1) 사회서비스(Social Service)

① 기본적이며 보편적인 인간의 욕구를 해결하기 위한 서비스이다.

② 칸(Kahn)의 5가지 사회서비스의 영역 : 소득보장, 의료, 교육, 주택, 개별적 서비스

③ 카시디(Cassidi)의 정의: 인적 자원(Human Resources)의 보존 · 보호 · 개선을 직접적 목적으로 하는 조직화된 활동으로 사회입법과 민간단체를 통해 제공되는 보호조치를 말한다.

④ 우리나라 「사회보장기본법」상의 정의(법 제3조 제4호): 사회서비스란 국가 · 지방자치단체 및 민간부문의 도움이 필요한 모든 국민에게 복지, 보건의료, 교육, 고용, 주거, 문화, 환경 등의 분야에서 인간다운 생활을 보장하고 상담, 재활, 돌봄, 정보의 제공, 관련 시설의 이용, 역량 개발, 사회참여 지원 등을 통하여 국민의 삶의 질이 향상되도록 지원하는 제도를 말한다.

(2) 사회복지서비스(Social Welfare Service)

① 사회복지라는 제도적 틀 안에서 제공되는 서비스이다.

② 우리나라 「사회복지사업법」상의 정의(법 제2조 제6호): 사회복지서비스란 국가 · 지방자치단체 및 민간부문의 도움을 필요로 하는 모든 국민에게 「사회보장기본법」 제3조 제4호에 따른 사회서비스 중❶ 사회복지사업을 통한 서비스를 제공하여 삶의 질이 향상되도록 제도적으로 지원하는 것을 말한다.

3. 사회보장(Social Security) 11. 지방직 ✎

(1) 일반적 정의

국가에 의한 국민의 최저생활 보장 제도(일반적으로 사회보험과 공공부조 프로그램)를 말한다.

(2) 협의적 정의

베버리지(W. Beveridge) 보고서 『사회보험과 관련 서비스(Social Insurance and Allied Service, 1942)』상의 정의는 다음과 같다.

> 실업 · 질병 혹은 재해에 의하여 수입이 중단된 경우의 대처, 노령에 의한 퇴직이나 본인 이외의 사망에 의한 부양 상실의 대비, 그리고 출생 · 사망 · 결혼 등과 관련된 특별한 지출을 감당하기 위한 소득보장

(3) 1935년 제정된 미국의 「사회보장법(Social Security Act)」에서 법률용어로서 최초로 명기되었다.

(4) 일반적으로 국가적 차원에서 수행한다. 즉 민간부문의 역할이 포함되지 않는다.

선생님 가이드

❶ 따라서 우리나라의 사회복지법 체제 안에서는 사회서비스 내에 사회복지서비스의 개념이 포함됩니다(사회서비스 ⊃ 사회복지서비스).

기출 OX

01 사회보장은 인적 자원의 보존, 보호, 개선을 직접적 목적으로 하는 조직화된 활동으로 사회입법과 민간단체를 통해 제공되는 보호조치를 말한다. ( )
11. 지방직

02 사회서비스는 기본적이며 보편적인 인간의 욕구를 해결하기 위한 서비스로써 소득보장, 의료, 교육, 주택, 개별적 서비스 등을 포함한다. ( ) 11. 지방직

03 사회안전망은 대량실업, 재해, 전시 등 국가위기 상황에서 국가가 국민에게 기초생활을 보장해 주어 안정된 사회생활을 하도록 만드는 보호조치로 민간에서 제공되는 것은 제외된다. ( )
11. 지방직

04 노후 생활보장을 위한 국민연금제도를 실시하는 것의 정책 실행 목표는 최후의 안전망이다. ( ) 12. 지방직

01 ✕ '사회보장'이 아니라 '사회복지서비스'가 맞다.
02 ○
03 ○
04 ✕ '국민연금제도'는 '제1차 사회안전망'이다.

(5) 사회보장이 주로 경제적 곤궁만을 주요 대상으로 하는 반면, 사회복지는 경제적 곤궁에서 발생되는 사회적인 부적응 현상을 포함한 인간 생활 전반의 문제를 대상으로 한다는 점에서 차이가 있다.

4. 사회안전망(Social Safety Net) 11. 지방직 (必)

(1) 일반적 정의

사회적 위험으로부터 모든 국민을 보호하기 위해, 포괄성과 보편성의 실현을 원칙으로 '국민복지의 기본선(National Welfare Minimum)'을 보장하는 제도적 장치를 말한다.

(2) 우리나라의 경우 1997년 발생한 외환·금융 위기 당시 국제통화기금(IMF)과 세계은행(IBRD)으로부터 구제금융의 조건으로 사회안전망의 확충을 요구받으면서부터 이에 대한 논의가 본격화되었다.

(3) 종류로는 공공사회 안전망과 민간사회 안전망이 있으며, 각 사회안전망은 때로는 중첩되어 운영❶될 수도 있다.

📊 선생님 가이드

❶ 예를 들면 1차 사회안전망에 해당하는 산업재해보상보험제도에서는 2차 사회안전망에 해당하는 공공부조 제도 수급자(「국민기초생활 보장법」에 따른 자활급여 수급자) 중 고용노동부장관이 정하여 고시하는 사업에 종사하는 자 역시 산재보험의 급여 수급자격이 있는 자로 보고 있습니다(「산업재해보상보험법」 제126조).

종류		목적	주요 구성
공공사회 안전망 대량실업, 재해, 전시 등 국가 위기 상황에서 국가가 국민에게 기초생활을 보장해 주어 안정된 사회생활을 하도록 만드는 보호조치	1차 사회안전망	제1선에서 국민에게 적용되는 사회안전망으로, **일반국민을 대상으로 그들이 지불한 기여금, 즉 개인의 노력과 능력을 통해 확보된 재원으로** 사회적 위험을 분산시킨다.	사회보험 제도
	2차 사회안전망	1차 사회안전망에서 보호받지 못하는 **저소득 빈곤계층의 기초생활(또는 기본욕구)을 조세를 재원으로** 하여 보장한다.	공공부조 제도
	3차 사회안전망	긴급한 구호가 필요한 자에게 최소한의 생계 및 안전을 조세를 재원으로 하여 유지시킨다.	긴급복지지원 제도
민간사회 안전망 민간부문이 주도하는 사회안전망		공공사회 안전망의 사각지대(死角地帶)에 대한 보완 기능을 한다.	사회복지단체, 시민·민간단체, 종교단체 등

🏛 기출 OX

사회안전망은 대량실업, 재해, 전시 등 국가 위기 상황에서 국가가 국민에게 기초생활을 보장해 주어 안정된 사회생활을 하도록 만드는 보호조치로 민간에서 제공되는 것은 제외된다. ( ) 11. 지방직

× '민간에서 제공되는 것은 제외된다.'가 아니라 '민간에서 제공되는 것도 포함된다.'가 옳다.

4 사회복지 개념의 변화와 기준

1. 사회복지개념의 변화(Romanyshin) 15 · 23. 국가직, 12 · 22. 지방직, 17. 지방직(추가), 17. 서울시

로마니쉰(Romanyshin)은 산업화 이전과 산업화 이후의 사회복지 대상에 대한 인식과 범위의 변화를 다음과 같이 제시하였다.

산업화 이전	산업화 이후
잔여적 개념에서	제도적 개념으로
자선에서	시민의 권리로
특수성에서	보편성으로
최저 수준에서	최적 수준으로
개인의 변화	사회에 대한 개혁으로
자발적 자선(또는 민간지원)에서	공공의 책임(또는 공공책임)으로
빈민에 대한 구제에서	복지사회의 건설로

2. 사회복지 개념의 한계를 짓기 위한 기준(Wilensky & Lebeaux) – 현대 산업 사회의 사회복지활동 기준 08 · 23. 국가직, 12. 지방직 (必)

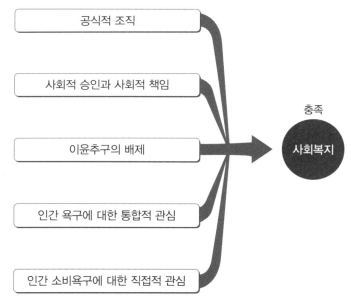

공식적 조직

사회적 승인과 사회적 책임

이윤추구의 배제

인간 욕구에 대한 통합적 관심

인간 소비욕구에 대한 직접적 관심

충족

사회복지

사회복지의 개념은 고정되어 있는 것이 아니라 사회변화에 따라 바뀌며, 이에 윌렌스키와 르보(Wilensky & Lebeaux)는 현대산업사회에서 **사회복지 분야의 한계를 짓기 위한, 또는 사회복지활동으로 개념화할 수 있는 기준**을 5가지로 제시하였다.

(1) 공식적 조직

① 사회복지의 주체는 법적일 필요는 없지만 **사회적으로 승인된 공식성을 지닌 조직체**이어야 한다.

② 따라서 개인적 차원의 자선행위나 비조직적인 가족이나 이웃 간의 상호부조 행위는 사회복지라고 볼 수 없다.

(2) 사회적 승인과 사회적 책임

① 사회복지는 **사회적으로 승인된 목적과 방법에 의해 수행**되고, 또한 사회적 책임을 갖는 활동이다.

② 따라서 사회적 승인을 받을 수 없는 원조는 사회복지활동이라 할 수 없으며, 구체적인 방법 역시 관련 법규에서 정한 범위 내에서 선택되어야 한다.

(3) 이윤추구의 배제

① 사회복지는 이윤을 배제한 비영리성을 추구해야 한다.

② 따라서 노동력 제공을 통해 이윤을 제공하는 교환관계가 아닌 **목적상 이윤을 배제한 비영리**여야 한다.

(4) 인간욕구에 대한 통합적 관심

사회복지는 인간의 다양한 욕구에 반응하여 **통합적 관점에서 다양한 전문적 서비스를 제공**해야 한다.

(5) 인간소비욕구에 대한 직접적 관심

① 사회복지는 **인간 생존의 영위와 관련된 소비적 욕구를 충족시켜줄 수 있는 모든 것**에 직접적인 관심을 가져야한다.

② 따라서 의식주나 의료서비스와 같은 직접적 서비스뿐만 아니라 국방, 치안과 같은 간접적인 서비스에도 관심을 가져야 한다.

5 사회과학과 사회복지학

1. 사회과학

(1) 개념

과학적 방법을 통해 인간의 모든 행위와 사회현상에 대한 일반적인 법칙을 찾고, 그 인과관계를 규명해 내려는 학문 분야를 말한다.

(2) 사회과학과 자연과학의 비교

사회과학	구분	자연과학
제한적	사고의 가능성	무제한적
인간의 행위, 사회현상	연구 대상	객관적 세계
명확한 구분이 어려움	연구자와 연구대상자의 구분 정도	명확한 구분이 가능
확률적 속성이 강함	일반화 가능성	확률적이라기보다는 매우 확정적
자연과학에 비해 누적적이지 않음	지식의 누적성 정도	사회과학에 비해 매우 누적적
매우 심하게 영향을 받음	사회문화적 특성의 영향 정도	영향을 거의 받지 않음
자연과학에 비해 연구자 개인의 주관성에 크게 영향을 받음	연구자의 주관성 개입 정도	사회과학에 비해 연구자의 주관성에 거의 영향을 받지 않음

명확한 결론을 내리기 어려움	인과관계 결론의 명확성 정도	명확한 결론을 내릴 수 있음
기존의 이론을 기반으로 새로운 이론이 전개되는 경우가 일반적	기존 이론과의 연계 정도	기존의 이론과는 전혀 다른 새로운 이론이 빈번하게 대두됨

(3) 사회과학과 사회복지학

① 사회복지학은 인간의 문제해결과 욕구충족에 관한 학문으로, 인간의 행위나 사회환경을 연구하는 사회과학적 형태를 띨 수밖에 없다. 즉 **사회과학은 사회복지의 실천적 지식을 제공하고, 이론적 발전에 기여**할 수 있다.

② 따라서 **사회복지학의 학문적 범주를 구분한다면 사회과학의 한 부분으로 보는 것이 타당**하다.

2. 사회복지학 13. 지방직 🖉

(1) 개념

인간사회가 당면하고 있는 다양한 문제를 과학적 방법을 통해 연구·분석하고 그 해결책을 제시하여 **궁극적으로 사회정의와 인간의 삶의 질 향상을 추구하는 학문**이다.

(2) 성격

① 실천지향적 성격: 사회과학은 인간 관계 또는 사회현상을 연구하는 순수학문이나, 사회복지학은 **사회문제에 대처하기 위해 그 해결방법을 창출해 내고, 이를 실제 사회현상에 적용**하는 실천지향적 학문이다.

② 실천과학적 성격: 사회복지학의 연구방법은 사회과학적이어야 하며, 이는 사회복지학이 **과학적 지식에 기초를 두고 인간의 문제에 대한 이해와 해결을 시도해야 한다**는 것을 의미한다.

③ 인간주의적 성격: 사회복지학은 사회과학처럼 본질적으로 **인간주의적 관점에 입각한 문제해결의 노력과 그 결과로서 이루어진 지식체계**이다.

④ 틈새과학적 성격: 사회복지학은 사회학, 경제학, 정치학, 심리학 등 기존의 과학분야들이 사회문제해결에 구체적인 방법을 제시하지 못한 것에 대한 대안으로 등장한 **융합 또는 틈새학문적 성격**을 가지고 있다. 즉, **사회복지학은 기존의 과학분야들과 밀접한 교류 관계를 유지는 하지만, 분명 그들과는 다른 새로운 학문적 경향**이다.

⑤ 절충주의적 성격: 사회복지학은 사회과학의 가치성과 관련하여 **상호충돌 가능성이 있는 양극단의 가치를 절충하여 적용**한다.

⑥ 다학문적 성격: 사회복지학은 복잡한 인간체계를 연구하기 위해 기존에 이미 개발된 지식과 기술을 사용하는 **응용과학이다.** 따라서 **사회복지학은 사회과학에 의해 발전된 다양한 개념과 학문적 성과를 총체적으로 활용**할 수 있어야 한다.

🏛 **기출 OX**

사회복지학은 대상자의 이익을 최우선으로 하기 때문에 상호충돌 가능성이 있는 양극단의 가치 중 어느 하나를 선택해야만 한다. ( ) 13. 지방직

× '가치 중 어느 하나를 선택해야만 한다.'가 아니라 '가치를 절충하여 적용해야 한다.'가 옳다.

제3절 사회복지의 동기와 인권

1 사회복지의 동기(Macarov) 24. 국가직

사회복지의 동기란 "왜 사회복지를 하는가?", 즉 사회복지의 이유에 관한 논의로, **마카로브(Macarov)**는 사회복지의 동기를 상부상조적 동기, 종교적 동기, 정치적 동기, 경제적 동기, 이데올로기적 동기의 5가지를 제안하였다.

1. 상부상조(또는 상호부조)적 동기

(1) 상부상조란 상호 협력을 통한 상생을 추구하는 것으로, 사회복지의 동기 중 가장 오래되고, 보편적인 동기이다.

(2) 오늘날에도 **가족, 자조집단, 자원봉사와 다양한 사회복지제도를 통해** 여전히 중요한 사회복지의 동기로 그 기능을 하고 있다.

2. 종교적 동기

(1) 대부분의 종교는 종교적 교리를 통해 타인에 대한 자선을 종교적 의무로 정하고 있다. 이러한 종교적 교리에 기반한 사회복지는 다분히 시혜적 성격이 강하다.

(2) 다만, 현대에 와서 사회복지의 개념이 국민의 권리로 부각되면서 종교적 동기에 따른 사회복지는 많이 약화되었다.

3. 정치적 동기

국가(또는 정부)는 **정치적 권력을 획득하고 유지**하거나 **사회적 불안을 회피**하기 위해 사회복지를 하거나, 또는 국가(또는 정부)의 **정치적 과정 자체의 부산물**, 즉 **다른 정책을 수행**하는 데 있어서 발생하는 **부수적인 정책**으로써 사회복지에 영향을 미칠 수 있다.

4. 경제적 동기

(1) 사회복지와 경제는 불가분의 관계를 가지며, 따라서 **사회문제에 드는 비용을 감소시킬 목적**과 그러한 사회문제의 존재 자체가 경제에 부정적 결과를 초래할 수 있는 가능성을 줄이기 위한 목적이 사회복지에 영향을 미칠 수 있다.

(2) 사회문제를 예방하여 사회적 비용을 절감하고, 사회복지 급여나 프로그램을 제공함으로써 저소득층의 구매력을 높여 내수진작을 한다.

5. 이데올로기적 동기

(1) 이데올로기란 인간이 자신과 자신 밖의 세상에 대해 가지고 있는 관점, 태도, 신념 등을 의미한다.

(2) 사회복지의 이데올로기적 동기 중 **개인적 차원에 있어서 가장 대표적인 것은 이타주의(Altruism)**이며, 이러한 **이타주의가 사회적 차원으로 확산되면 인간중심주의(Humanitarianism)**가 된다.

(3) 사회복지는 그 자체의 이데올로기, 즉 복지주의(Welfarism)에 영향을 받는다.

(4) 집합주의(Collectivism)❶ 하에서 사회복지의 발전은 두드러진다.

2 사회복지와 인권

1. 인권(人權, Human Rights) 23. 지방직

(1) 개념❷

모든 인간이 인간답게 살기 위해 **본질적이고 천부적(天賦的)으로 부여 받은 불가침의 권리**로, 인간의 존엄성을 보장하는 데 반드시 필요한 것이다.

> **핵심 PLUS**
>
> **인권과 관련된 우리나라의 주요 법 조문**
>
> ① 헌법 제10조
> 모든 국민은 인간으로서의 존엄과 가치를 가지며, 행복을 추구할 권리를 가진다. 국가는 개인이 가지는 불가침의 기본적 인권을 확인하고 이를 보장할 의무를 진다.
>
> ② 「국가인권위원회법」 제2조 제1호
> 인권이라 함은 「헌법」 및 법률에서 보장하거나 대한민국이 가입·비준한 국제인권조약 및 국제관습법에서 인정하는 **인간으로서의 존엄과 가치 및 자유와 권리**를 말한다.

(2) 특성

정당성 판단의 기준성	① **인권은 그 자체가 목적이다.** 즉 국가와 권력, 그리고 그것의 존립 근거가 되는 법률이나 관습 등은 이러한 인권을 보장하기 위한 수단에 불과하다. 다시 말해, 인권은 **국가나 또는 헌법 등에 따라 창설된 권리가 아니다.** ② 따라서 **인권은 국가와 권력의 정당성 판단의 기준**이 되며, 국가와 권력이 인권에 반(反)할 경우 그 정당성을 인정받을 수 없다.
보편성	① 인권은 특권이나 권한과는 달리 개인의 성, 연령, 학력, 종교, 사회적 신분, 경제적 지위, 출신지역 등을 구분하지 않고 **모든 인간에게 해당되는 보편적이며 고유한 권리**이다. ② 즉 인권은 '인간이면 누구나'에게 해당하는 것이지 어떤 기준과 요건을 전제하지 않는다.
항구성	인권은 일정 기간만 보장되는 권리가 아닌 **영구적으로 보장되고 또한 박탈되지 않는 항구적인 권리**이다.
불가분성	① 인권은 인간의 권리의 내용 중 일부를 실현한다고 해서 보장되는 것이 아니라 **권리 전체가 실현될 때 비로소 완전히 보장**될 수 있다. ② 인권의 내용을 목록으로 나열하거나 **자유권, 사회권 등으로 구분하는 것은 필요에 의한 것**❸이지 인권 그 자체를 나눌 수 있다는 말이 아니다.
상호의존성	① 인권은 개인이나 집단으로 하여금 **자신의 권리를 행사하는 데 있어서 타인이나 다른 집단의 권리를 제한하거나 침해하는 것을 허용하지 않으며,** 따라서 타인이나 다른 집단의 권리를 제한하거나 침해하는 개인이나 집단의 권리는 국가에 의해 일정부분 제한될 수 있다. ② 즉 인권은 그것을 행사하는 개인, 집단이, 그리고 그것을 보장하는 **국가가 상호 간에 각자의 책임을 동반하는 권리**이다.

선생님 가이드

❶ 집합주의란 개인주의에 반대되는 이데올로기로 인간 사회의 중심 단위로서 개인보다는 집단을 더욱 중요시하며, 집단이 추구하는 목표 달성을 위해 전체 사회구성원 모두의 공동적인 노력을 강조하는 것입니다. 따라서 집합주의적 시각에서는 국가 또는 국민 전체의 복리를 위해 국민 모두의 참여와 활동을 중시하며, 따라서 이러한 시각은 사회복지가 추구하는 근본적인 가치와 그 맥락이 같다고 볼 수 있습니다.

❷ 인권은 시대와 사회적 조건에 따라 항상 변화되어 온, 그리고 앞으로도 계속해서 변화되어질 역동적인 개념입니다. 다만 그것이 천부적인 것이라는 것, 그리고 침해되어서는 안된다는 점은 인권의 개념을 정의하는 데 있어서 변화될 수 없는 진리와 같은 것입니다.

❸ 인권은 인간의 천부적인 권리들이 따로 분리되어 실현될 수 없습니다. 예를 들어 '교육 받을 권리'는 '이동할 권리' 없이는 실현되기 어려우며, '정치적 자유'는 '표현의 자유'와 '결사의 자유' 없이는 실현될 수 없습니다. 따라서 인간의 부분적인 권리 실현이 아닌, 모든 권리가 보장되고 인정될 때에만 인권실현이 가능한 것입니다.

실정법에 대한 우선성	① 인권은 보통 국제법과 국제규약 및 각국의 국내법 등 성문화된 실정법을 통해 구체적으로 보장되지만, 그렇다고 **실정법에서 보장하는 것에만 한정되지 않는다.** ② 인권은 현실에 존재하는 법의 한계를 넘어 **인간의 존엄성을 보장하는데 필요한 권리까지 포함하는 '정의의 법, 양심의 법'을 지향**한다. ③ 또한, 실정법은 아동, 노인, 여성, 이주민, 장애인 등 **사회적 약자의 인권을 실현**하여 인간의 존엄성을 보장하기 위한 수단이 되어야 한다. **헌법 제37조** 국민의 자유와 권리는 **헌법에 열거되지 아니한 이유로 경시되지 아니한다.**
역사성	인권은 다분히 천부적인 것이지만, 그 실현은 인류의 끊임없는 노력과 **투쟁으로 가능**해졌으며, 그러한 노력과 투쟁은 지금도 계속되고 있다.

2. 인권의 세대별 유형과 사회복지

제1세대 인권 (공민권과 정치권)	① **자유주의에 기원한 인권**으로, 사회복지정책이나 실천을 통해 구현되는 인권이 아닌 주로 **우리나라 국민이라면 기본적으로 국가에 의해 보장받아야 하는 인권**을 말한다. 📖 공정한 재판을 받을 권리, 투표권, 집회 및 결사권, 언론의 자유, 고문이나 학대를 받지 않을 권리, 차별받지 않을 권리 등 ② **사회복지의 주요 관심 영역:** 제1세대 인권은 사회복지와의 직접적 관련성은 다소 약하다. 따라서 **클라이언트의 자유권에 대한 옹호, 난민·다문화·새터민 사업, 보호시설 및 교정시설에 대한 개선 및 개혁** 등이 해당된다.
제2세대 인권 (사회권)	① **사회권**은 인간이 인간답게 살며, 자신의 역량을 실현시키는 데 필요한 **경제적·사회적·문화적 요건에 관한 권리**로, **사회주의 또는 사회민주주의에 기원한 인권**이며, 사회복지와 가장 관련성이 높은 편인 인권이다. 📖 노동의 권리와 노동조합에 참여할 권리, 건강을 유지할 권리, 문화적인 생활을 유지할 권리, 적정한 소득과 생활 수준을 영위할 권리, 사회보장을 받을 권리, 가정과 아동이 보호를 받을 권리 등 ② **사회복지의 주요 관심 영역:** 직접 서비스 제공, 복지국가 운영, 사회복지 조사 및 연구, 사회복지 정책의 개발과 옹호 등이 해당된다. ┌─ 🔖 **핵심 PLUS** ─ **사회권** ① 사회권이 추구하는 사회정책적 목표 • 개인의 생존에 필요한 **최소한의 생계 및 물적수단을 보장**한다. • 개인의 생존과 관련해서 국가나 사용자에 대한 **예속성을 해소**시킨다. • **빈부격차를 해소**한다. • 개인의 노력으로 성취한 생활 수준이 외부 환경적 요인의 악화(📖 경제적 사정의 악화)에 의해 영향을 받지 않고 유지될 수 있어야 한다. ② 사회권의 특징 • 사회권의 실현은 국가를 통해 보장이 가능하다. 따라서 종래의 자유권과는 달리 **시장에 대한 국가의 적극적인 개입과 간섭이 반드시 필요**하다. • 사회권의 내용은 매우 불명확하기 때문에 그 대상·방법·수준 등에 있어서 **입법이나 정부의 권한에 의한 구체화 절차가 필요**하다. • 사회권의 실현을 위해서는 예산(또는 비용)이 소요되며, 따라서 **사회구성원의 동의와 의지, 그리고 능력에 따른 한계**가 존재할 수밖에 없다.

제3세대 인권 (집합적 권리)	① 경제학 · 개발학 · 녹색이념 등에 기원한 인권으로, 개인적 차원의 권리가 아닌 집단적 차원의 권리이며, 지역사회나 국가 차원, 더 나아가 국제적 차원에서 주민 · 국민 또는 인류가 함께 만들어가는 권리를 말한다. **예** 경제개발과 성장에 관한 권리, 경제성장의 수혜와 분배에 대한 권리, 사회적 조화를 요구할 수 있는 권리, 쾌적한 환경에 관한 권리 등의 지역사회조직이나 국제적인 사회복지실천 ② 아직 제도적으로 확립되어 있지 않아 **생성단계에 있는 인권**으로, **이론적 · 현실적 한계가 존재**한다. ③ 사회복지의 주요 관심 영역: 지역사회개발, 개인정신개발, 국제적 사회 · 경제 · 정치 · 문화 · 환경 개발 등이 해당된다.

3. 차별

(1) 개념

합리적인 이유 없이, 즉 불합리하고 자의적인 기준에 따라 **특정인이나 집단을 우대 · 배제 · 구별하거나 불리하게 대우하는 것**으로 인권실현과 정면으로 대치되는 행위를 말한다.

(2) 유형

성별에 따른 차별, 장애에 따른 차별, 연령에 따른 차별, 인종 차별 등

핵심 PLUS

차별과 관련된 우리나라의 주요 법 조문

① 성별에 따른 평등과 관련해서 「양성평등기본법」 제3조 제1호에서는 '양성평등이란 성별에 따른 차별, 편견, 비하 및 폭력 없이 인권을 동등하게 보장받고 모든 영역에 동등하게 참여하고 대우받는 것을 말한다.'고 정의하고 있다.

② 장애에 따른 차별과 관련해서 「장애인차별금지 및 권리구제 등에 관한 법률」 제4조 제1항에서는 다음과 같은 행위를 차별로 정의하고 있다.

> • 장애인을 장애를 사유로 정당한 사유 없이 제한·배제·분리·거부 등에 의하여 불리하게 대하는 경우
> • 장애인에 대하여 형식상으로는 제한·배제·분리·거부 등에 의하여 불리하게 대하지 아니하지만 정당한 사유 없이 장애를 고려하지 아니하는 기준을 적용함으로써 장애인에게 불리한 결과를 초래하는 경우
> • 정당한 사유 없이 장애인에 대하여 정당한 편의 제공을 거부하는 경우
> • 정당한 사유 없이 장애인에 대한 제한·배제·분리·거부 등 불리한 대우를 표시·조장하는 광고를 직접 행하거나 그러한 광고를 허용·조장하는 경우. 이 경우 광고는 통상적으로 불리한 대우를 조장하는 광고효과가 있는 것으로 인정되는 행위를 포함한다.
> • 장애인을 돕기 위한 목적에서 장애인을 대리·동행하는 자, 즉 장애아동의 보호자 또는 후견인 그 밖에 장애인을 돕기 위한 자임이 통상적으로 인정되는 장애인 관련자에 대해 위의 네 가지 행위를 하는 경우
> • 조견 또는 장애인보조기구 등의 정당한 사용을 방해하거나 보조견 및 장애인보조기구 등을 대상으로 정당한 사유 없이 제한·배제·분리·거부 등 불리한 대우를 표시·조장하는 광고를 직접 행하거나 그러한 광고를 허용·조장하는 경우

③ 연령에 따른 차별과 관련해서 「고용상 연령차별금지 및 고령자고용촉진에 관한 법률」 제4조의4에서는 '사업주는 모집 · 채용, 임금 및 임금 외의 금품 지급 및 복리후생, 교육 · 훈련, 배치 · 전보 · 승진, 퇴직 · 해고분야에서 합리적인 이유 없이 연령을 이유로 근로자 또는 근로자가 되려는 사람을 차별하여서는 아니 된다.'고 정하고 있다.

제2장 사회복지의 역사적 전개

회독 Check! 1회 ☐ 2회 ☐ 3회 ☐

제1절 영국의 사회복지역사

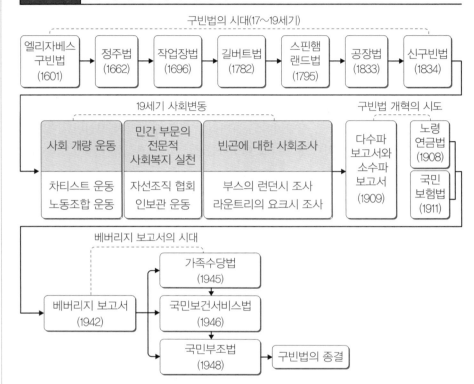

1 구빈법의 시대 - 엘리자베스 구빈법(1601년)~개정 구빈법(1834년)

핵심 PLUS

중상주의(重商主義)의 시대 13. 지방직

① 중상주의란 일반적으로 15세기 중반부터 18세기 중반 사이 유럽의 절대왕권제의 시대(중세 봉건 시대와 산업혁명으로 시작된 자유방임주의 시대의 중간에 위치한 시기)를 지배했던 경제 사상 및 국가의 경제정책을 총칭하는 용어로, **구빈법의 시대는 이러한 중상주의를 배경**으로 한다.

② **중상주의의 국부(國富)관**
- 중상주의는 국가가 보유한 금이나 은과 같은 교환가치를 가진 재화를 국부로 이해하였으며, 이는 이러한 금이나 은의 유출을 막는 보호무역주의 그리고 이들을 확보하기 위한 식민지 개척 등의 정책으로 드러났다.
- 그리고 중상주의하에서는 **인구의 크기** 역시 국부의 기준으로 보아, 다양한 **결혼 유인책** 등을 포함하여 인구증가정책을 실시하였다.
- 또한 중상주의는 노동력을 국부의 원천으로 이해하여 **노동 가능한 인구의 효과적 관리야말로 국부 증진을 위한 매우 중요한 정책 과제**로 생각하였으며, 따라서 인구의 상당부분을 차지하는 빈민들을 노동력의 원천으로 간주하고, 이들의 효율적 관리를 통해 빈민의 생산능력을 고취시킬 수 있다고 믿었다.
- 따라서 중상주의하에서의 구빈정책은 **국부 증진을 위한 노동 가능한 인구의 관리정책**이었다.

기출 OX

16~18세기 유럽에서는 노동하는 자들을 관리하거나 보호하는 일을 정책의 주요 과제로 생각하였다. ( )　13. 지방직

○

③ 중상주의의 빈민(貧民)관

- 중상주의자들은 빈민들이 경험하는 빈곤은 빈민 개인의 도덕적 결함이나 게으른 생활태도에 기인한다고 보았으며, 따라서 이들 빈민들은 국가에 의해 강제적인 노동을 하여야 하며, 더 나아가 국가를 통해 보호받고 동시에 국가에 복종해야 하는 존재라고 여겼다.
- 이러한 빈민관은 온정주의적 성격으로, 아동의 노동력 사용, 저임금과 강제노동, 열악한 작업 환경 등의 정책으로 드러났다.
- 또한 국가는 국부의 증대와 빈민들의 노동습관 유지를 위해서 빈민들에게 공공고용을 제공하게 된다.

1. 엘리자베스 구빈법(The Elizabeth Poor Law, 1601년, 또는 엘리자베스 빈민 통제법, 엘리자베스 빈민법)

09 · 20 · 22. 국가직, 16 · 21 · 23. 지방직, 11 · 17. 지방직(추가), 13 · 18 · 19. 서울시

(1) 도입 배경

① 인클로저 운동(Enclosure Movement)❶과 16세기 후반에 계속된 흉작으로 **장원이 붕괴되어 농민은 농촌에서 내몰려 유랑**하게 되었으며, **신대륙으로부터 귀금속이 대량으로 유입**되었다. 이로 인해 **극심한 인플레이션이 발생**하였다.

② **수장령의 선포(1534년)**로 기존의 빈민 구제(또는 자선)의 중요 주체가 되었던 교회와 수도원이 몰락하게 되었다.

③ 이러한 현상들은 결국 **도시 빈민(또는 부랑자)의 급격한 증가**를 불러 일으켰다.

(2) 내용

> **엘리자베스 구빈법 제정 이전의 주요 구빈법**
>
> ① 1536년 법: 치안판사와 시장은 미성년 걸인(5~13세)을 도제로 보내고 이를 거부할 시 매질을 가하고, 부랑자가 두 번 잡히면 매질과 함께 귀를 자르고 3번 잡히면 사형에 처할 수 있도록 하였다.
> ② 1547년 법(부랑자 처벌): 노동능력이 있는 자가 3일 이상 노동을 거부하면 뜨거운 인두로 가슴에 V자 낙인을 찍어 노예로 삼고, 도망치면 이마에 S자 낙인을 찍고 평생 노예가 되도록 규정한 법이다.
> ③ 1572년 법(구빈세 도입, 구빈감독관 임명): 빈민구제 비용 조달을 위해 지방세인 교구구빈세를 신설하고, 구제 받기를 원하는 빈민을 등록하여 구빈기금으로 근로능력 있는 빈민을 위한 일자리 창출에 사용하였으며, 구빈행정을 위해 구빈감독관을 임명하였다.
> ④ 1576년 법(노동능력이 있는 빈민에게 노동 강제, 빈민을 유형별로 분류하여 차별적인 처우 실시): 노동능력자는 작업장에서 강제 노동을 시키고, 노동무능력자는 구빈원에서 보호하며, 나태한 자는 교정원에서 처벌하려 하였으나 실제 시행되지 않았다.
> ⑤ 1597년 법: 친족(자녀와 부모)의 부양의무를 강제한 법이다.

① 도시 빈민의 급격한 증가를 사회불안의 요인으로 인식한 정부는 **빈민통제(또는 사회통제)**를 목적으로 빈곤의 책임을 개인에게 돌리고 빈곤을 죄악시하는 '**빈곤죄악관**'에 **기반**하여 구빈법을 제정하게 된다.

선생님 가이드

❶ **인클로저 운동**이란 15세기 말부터 17세기 중반까지 지주들이 자신들의 토지 내에서 곡물생산보다는 이익을 더 많이 낼 수 있는 양모생산을 늘리기 위해 울타리나 담을 쌓고 소작 농민을 철수시킨 운동으로, 농민의 실업과 농가의 황폐화를 불러일으켰습니다.

기출 OX

중세시대 사회복지는 교회나 수도원을 중심으로 한 자선의 형태로 수행되었다.
( )   20. 국가직

○

② 주요 내용

친족부양 책임 강화	1597년 제정된 법을 강화하여 친족부양의 의무 범위를 기존의 친족(자녀와 부모)에서 조부모까지 확대하였다.
국가 책임의 원칙	⊙ 구빈의 책임을 교회가 아닌 국가(또는 지방정부)의 책임으로 인식하고 이를 제도화하였다. 다만 구빈을 행하는 것은 국가의 의무로 인정했으나 **빈민의 권리는 인정하지 않았다.** ⓒ 이에 구빈을 위한 목적세로 **구빈세(또는 빈민세)를 지방교구단위의 지방세로 부과·징수**하였다.
최초의 전국적 구빈행정구조의 수립	⊙ (중앙정부의) 추밀원을 정점으로 하는 중앙집권적 빈민통제를 실시하였다. ⓒ 구빈감독관을 교구단위로 2~4명씩 임명하여 교구위원과 함께 구빈세 징수, 빈민에 대한 급여지급 업무를 관장하게 하였으며, 치안판사가 이러한 업무를 감독하게 하였다.
지방행정의 원칙	**지방기금에 의한, 지방관리에 의한, 지방빈민에 대한 구빈행정 원칙**에 따라 접적인 구빈업무는 교구(또는 지방정부)별로 실행하게 하였다.

차별처우의 원칙 (또는 선별주의 원칙)

1576년 제정된 법을 강화하여 **빈민들을 노동력의 유무에 따라 3개의 유형으로 구분한 후 별도의 처우를 실시**하였다.

유형	처우
노동력이 있는 빈민 (또는 가치 없는 빈민)	⊙ 대상: 건강한 걸인 ⓒ 처우 원칙: **작업장(Workhouse)에서 강제 노역 실시**, 거부 시에는 교정원(House of Correction)에 1년간 감금하여 중노동 강제
노동력이 없는 빈민 (또는 가치 있는 빈민)	⊙ 대상: 병자, 노인, 맹인, 농자(聾者), 장애인, 정신질환자, 아동을 부양해야 하는 모(母) 등 ⓒ 처우 원칙: **구빈원에 집단 수용하여 최저한의 구제 제공.** 단, 거처할 집이 있는 빈민의 경우에는 경비를 줄이기 위해 **현물제공을 통한 원외구호 실시**
요보호아동	⊙ 대상: 고아·부모의 빈곤으로 인해 적절한 보호를 받지 못하는 아동 ⓒ 처우 원칙: 아동들을 자발적으로 보호하고자 하는 **시민에게 무료 위탁(또는 입양)하여 보호** ⓒ 위탁(또는 입양)가정이 없는 경우(직업 교육을 통해 장래의 빈곤화 예방)

남아	8~24세까지 '도제(徒弟)'로
여아	8~21세까지 또는 결혼 전까지 '하녀'로

(3) **경과**

　열악한 지방정부의 재정과 구빈법 실현을 위한 지방정부의 의지 정도에 따라 18세기에 구빈원이 작업장으로 흡수되거나 통일되어 **작업장들이 노동능력이 없는 빈민으로 채워지고, 재정여건이 좋아 구제가 좋은 교구로 빈민들이 이주하는 문제가 발생**하였다.

(4) 의의

① 공공부조제도의 효시로 평가받는다.

② 최초로 구빈에 관한 전국적 행정구조를 수립하였다.

③ 당시까지의 빈민구제를 위한 제 법령을 집대성하였다.

2. 정주법(Settlement Act, 1662년, 또는 거주지제한법, 거주지법, 주소법, 이주금지법) 11. 국가직, 16. 지방직, 11. 지방직(추가), 13 · 19. 서울시

(1) 도입배경

① 산업발달 등으로 인해 재정여건이 좋아 구제가 좋은 '도시 교구'로 빈민들이 이주하는 문제가 발생하였고, 이로 인해 **농촌 교구 내 노동력 부족 현상**이 발생하였다.

② 이에 예비노동력과 저임금노동력 확보가 필요한 '**농촌 교구 내 부르주아들(또는 상류층)**'의 '**노동이 가능한 빈민**'의 정주(定住)❶ 요구가 발생하였다.

(2) 내용

① 교구가 새로운 이주자를 거부할 수 있는 권리 부여: 치안판사에게 빈민 감독관의 의견에 따라 장차 지역사회 주민들에게 부담이 될 것으로 여겨지는 새로운 이주자들을 그들의 이전 거주지로 추방하는 권한을 부여하였다.

② 이에 출생 · 결혼 · 도제 · 40일간 평온무사하고 **금화 100파운드의 지대납부자**에 한해서만 이동을 가능하게 하였다. ❷

(3) 경과

① **노동력이 있는 빈민의 이주 제한**으로 인해 실업과 요구호자가 증가하였다.

② 각 교구에서 빈민들 이외에 유랑인 · 무뢰한(無賴漢)❸ · 미혼모 등까지도 강제로 추방하고, 빈민감독관들이 교구 내 빈민의 수를 줄이기 위해 그들에게 뇌물을 주고 몰래 다른 지역으로 가도록 유도하는 등의 다양한 사회문제가 발생하였다.

③ 아담 스미스(A. Smith)는 국부론에서 **정주법이 자유주의의 실현과 국부의 증가를 막는다**고 보아 크게 **비판**하였다.

(4) 의의

빈민의 거주이전 자유를 침해한 악법으로 평가받는다.

선생님 가이드

❶ **정주(定住)**란 빈민의 주거 지역을 정한다는 의미로, 정주법을 통해 모든 빈민은 일정한 교구에 소속되며, 해당 교구에 소속된 교구에서만 구제받을 자격을 갖게 되었습니다.

❷ 사실 빈민에게는 불가능한 조건이었습니다. 결국 정주법은 빈민의 거주 이전의 자유권을 빼앗은 악법이었습니다.

❸ **무뢰한**이란 일정한 거주지 없이 떠돌아다니며 불량한 행실을 하는 사람들을 말합니다.

3. 작업장법과 작업장 테스트법 23. 국가직, 21. 지방직, 13 · 18 · 19. 서울시

> • 작업장은 노동력이 있는 빈민을 수용하여 강제적으로 노동을 시키기 위한 시설로 설립되었다.
> • 다만 노동력이 있는 빈민들의 시설이 아니라 국가의 원조를 받는 모든 사람들을 수용 · 보호하는 시설로 변화되었다.
> • 19세기 중반 이후에는 빈민이라면 노동능력의 유무, 남녀, 노소, 정신질환의 유무 등을 구분하지 않고, 모든 빈민들을 수용하는 혼합작업장으로 변질되어 구빈법이 가진 비인간적인 요소의 상징이 되었다.

(1) 도입배경❶

① 17세기 후반, 빈민에 대한 구제비용의 증가로 지방정부의 재정이 열약해지고, 중상주의가 발달하여 수출용 생산품 생산을 위한 노동력이 부족해지는 현상이 발생하였다.

② 이에 노동력이 있는 빈민의 노동력 활용 방안에 대한 사회적 공감대가 형성되고, 다양한 방안이 제시되었다.

③ 이러한 방안 중 수용된 빈민들에게 수출용 생산품을 생산하게 하는 당시 네덜란드의 구빈원을 모방하여 노동력은 있으나 비자발적인 빈민을 국가가 설립한 작업장에 직접 고용하여 노동을 강제함으로써

ㄱ 국가 입장에서는 부를 증대시키고, 구빈재정의 지출을 줄이며,

ㄴ 빈민 개인에게는 기술을 가르쳐 소득창출의 기회를 제공하고자 하는 의도로 제정되었다.

(2) 내용

① 작업장법(1696년)

ㄱ 브리스톨(Bristol)시에 작업장이 설립되었다.

ㄴ 브리스톨 작업장은 체계적으로 빈민의 노동력을 얻기 위해 작업장을 분리시켜

ⓐ 빈민 소녀들이 일하는 작업장에서는 직물(또는 실 잣는 일)과 관련된 일을 시키고,

ⓑ 노인들에게는 경(또는 쉬운)작업을 맡기는 등, '근대적 작업장의 형태'를 띠었다.

ㄷ 경과: 빈민들이 작업장에 고용되어 숙련된 노동자가 되어 어린 아이들과 숙련이 덜 된 빈민들을 도울 정도가 되면 높은 임금을 주는 일자리를 찾아 도시로 떠나 버리고, 이로 인해 숙련된 노동자를 구하려는 고용주들은 이익을 얻을 수가 있었지만 작업장은 그동안 빈민들을 교육시키는 데 든 비용과 그들에게 일을 시키는 데 든 작업도구와 원료를 유지하는 데 소요된 비용을 고스란히 떠안게 되었다. 즉, 작업장은 자체 연간 수입 전액을 모두 지출하였을 뿐만 아니라 그것도 모자라 그들이 모금한 모든 기부금을 소모하고 거기에 더하여 교구로부터 수천 파운드의 자금을 차입하는 등, 당초 기대했던 결과를 얻지 못했다.

📊 **선생님 가이드**

❶ 17세기 후반 영국에서는 빈곤에 대한 두 가지의 상반된 견해가 있었습니다. 하나는 빈곤을 죄악시하는 견해로서 빈곤은 자선과 구제의 대상으로서가 아니라 태만과 낭비 등 도덕적 타락으로 이해되었습니다. 특히 런던과 같은 대도시에서 구빈비용의 부담이 가중되자, 지주들은 빈민대책에 대해 강력하게 반대하기 시작했는데 1662년에 제정된 정주법은 이러한 견해를 대표한 것이었습니다. 반면 이러한 억압적 빈곤관과는 달리 이윤추구적 빈곤고용론을 제창하는 사람들도 있었습니다. 이러한 관점은 노동능력이 있는 빈민의 구제를 그들에 대한 시혜가 아닌 중상주의 정책으로 활성화된 산업현장에 그들을 고용시켜 그 노동력을 활용함으로써 국부의 증대와 구빈세 부담의 감소를 도모하려는 것이었고, 이에 따라 1669년 작업장법이 제정되게 됩니다.

🏛 **기출 OX**

01 나치블법은 빈민에게 노동을 강제함으로써 구빈에 소요되는 재정지출을 경감하기 위한 목적으로 제정되었다. ( )
21. 지방직

02 나치블법은 구제를 원하는 사람에게 노동을 강제하였으며, 빈민에게 기술을 가르쳐 소득창출의 기회를 제공하였다. ( )
23. 국가직

01 ○
02 ○

② 작업장 테스트법(The Workhouse Test Act, 1722년, 나치블법, 작업장 심사법, 노역장 심사법)

   ㉠ 작업장에 빈민을 고용하여 국부를 증진시키려는 움직임이 낙관적 빈곤관을 지닌 사람들에 의해 크게 성행하였지만 실패로 끝이 나자 **1696년의 작업장법과는 다른 철학에 근거한 새로운 작업장법이 1722년에 개정되어 공포**되었다.

   ㉡ 이 법은 구제할 가치가 없는 게으른 빈민들로부터는 자유를 박탈하고, 고통과 공포를 주어 구제의 낭비를 방지하기 위한 목적으로 제정되었으며, **작업장의 조건을 가혹하게 하여 잠재적으로 구빈의 수혜를 받고자 하는 구호 잠재층을 억제**하려 하였다.

   ㉢ 주요 내용

      ⓐ 치안판사가 구빈감독관에게 알리지 않고 빈민에게 직접구제를 결정하는 것을 금지❷한다.

      ⓑ 교구위원과 구빈감독관에 구빈에 대한 권한을 부여한다.

> **교구위원과 구빈감독관에 부여된 권한**
> - 교구의 동의를 얻어 작업장의 설립 · 운영을 위한 건물을 건설하거나 임차할 수 있는 권한
> - 교구 내 빈민의 숙박 · 유지 · 고용 등에 관하여 **민간업자와 계약을 통해 민간위탁을 시킬 수 있는 권한**❸
> - 작업장의 임차 또는 건축을 위해 2개 이상의 교구가 연합할 수 있는 권한
> - 심사를 통해 노동능력이 있다고 판단될 경우 무조건 작업장에 강제로 수용하고, 작업장 수용을 거부하는 빈민❹은 구제등록부에서 이름을 삭제하여 구제 받을 자격을 박탈할 수 있는 권한

   ㉣ 경과

      ⓐ 제도 시행 초기에는 상습적인 걸인이나 난폭한 부랑자들이 감소하여 구빈비용 절감 효과가 발생하였지만, 시간이 지나가면서 **작업장에서 생산되는 물건은 질이 떨어지고 판매에서도 다른 제품과 경쟁을 할 수가 없어 결국 재료의 낭비**를 가져왔고 교구민의 구빈세 부담만 늘어났다.

      ⓑ 민간에 의해 운영되는 작업장은 '이윤추구'의 목적으로만 운영되고, 이는 빈민착취(또는 혹사)를 불러일으켜 결국 빈민들은 작업장에 들어가기 보다는 차라리 빈민으로 남기를 원하는 현상이 발생하였다.

(3) **의의**

  ① 노동지향적 성격: 과거 통제의 대상으로만 여기던 빈민을 국가 경제에 기여할 수 있는 노동력으로 변화시키려 하였다.

  ② 오늘날의 **직업보도프로그램(또는 자활프로그램)의 효시**로 평가받는다.

선생님 가이드

❷ 당시 치안판사는 구빈법 체제의 구제 대상자를 선정할 권한을 구빈감독관과 함께 가지고 있었습니다. 다만 구빈감독관이 각 교구에 대한 정보를 잘 알고 있었던 반면 치안판사는 교구의 실정에 어두웠고, 따라서 이러한 조치는 빈민의 허위 구제를 방지하기 위한 조치였습니다.

❸ 민간위탁으로 운영되는 작업장은 적은 시설투자에 많은 이윤을 내려는 목적에서 출발하였기 때문에 작업장은 태어난 아기의 82%가 한 살이 되기 전에 사망할 정도로 매우 비위생적이고 열악하였습니다. 그래서 많은 빈민들은 이러한 작업장에 들어가기보다는 차라리 빈민으로 남기를 원하였고, 이는 1782년 길버트법 제정의 직접적 계기가 됩니다.

❹ 1696년 작업장법에서의 작업장 수용은 남자에게만 한정되었지만, 이후 1722년 작업장 테스트법에서는 이러한 규정이 남자와 여자 모두에게 적용되었습니다. 따라서 이때부터 구제를 받으려 한 가족의 아버지와 어머니, 그 자녀들은 모두 작업장(Workhouse)으로 불렸던 시설에 입소하여 살아야 했습니다.

선생님 가이드

❶ 유급사무원은 현대의 사회사업가 또는 사회복지전담공무원의 효시로 볼 수 있습니다.
❷ 18세기 말에서 19세기 초 산업혁명기에 농촌지역에서 시작된 2차 인클로저 운동은 식량공급 부족과 이로 인한 곡물가격 상승을 부추겼습니다.
❸ 프랑스와의 전쟁동안 급성장했던 농업이 국제경쟁에서 밀리고 불황에 처했으며, 1820년대 이후 탈곡기보급으로 인한 겨울철 농업노동자들의 실업은 농업 빈민을 대량으로 양산하였으며, 이는 1830년에 농민봉기가 일어난 원인이 되었습니다.

기출 OX

01 길버트법에서는 노동능력이 있는 빈민에 대해 원외구제를 허용하였다. ( )
23. 지방직

02 길버트법에서는 비인도적 처우를 강화하였다. ( )
23. 지방직

03 길버트법(1782)은 빈민의 수용 구호를 원칙으로 하는 기존 작업장 제도를 완화했다. ( )
21. 국가직

04 길버트법(1782)은 구빈을 조직화하여 구빈행정을 효율적으로 운영하기 위해 제정되었다. ( )
21. 지방직

05 길버트법(1782) - 노동 능력이 있는 빈민의 원외구호(outdoor relief)를 제한하기 위한 제도 ( )
10. 지방직

06 길버트법(1782)은 노동력을 가진 빈민에 대해 원외구호를 허용했다. ( )
21. 국가직

07 길버트법(1782)은 거택보호를 처음으로 인정한 법이다. ( )
09. 국가직

08 길버트법(1782)은 구빈에 대한 새로운 인도주의적 접근이라는 평가를 받았다. ( )
21. 국가직

01 ○
02 × '비인도적'이 아니라 '인도적'이 옳다.
03 ○
04 ○
05 × '제한하기 위한 제도'가 아니라 '주장한 제도'가 옳다.
06 ○
07 ○
08 ○

4. 길버트법(Gilbert Act, 1782년) 09 · 13 · 21. 국가직, 10 · 11 · 23. 지방직

(1) 도입배경

열악한 환경에서 운영되는 작업장에서의 빈민의 착취가 사회문제로 대두되었다.

(2) 내용

① 당시 하원의원이었던 토마스 길버트(Thomas Gilbert)가 제안하여 의회에서 통과된 법이다.

② **작업장 개선(또는 완화) 조치**: 민간업자로 하여금 작업장에서 빈민을 고용하고 수용하도록 '위탁계약'할 수 있는 권한 부여 조항(1722년 법)을 폐지하였다.

③ **교구 연합방식 채택**: 영세교구들이 연합한 공동작업장을 설립하여 노인 · 병자 · 신체허약자 등만을 구제 대상으로 삼는 것이 허용되었으며, 이를 통해 구빈의 조직화(구빈행정단위의 확대)를 통한 **구빈행정의 효율화(또는 합리화)와 빈민의 처우 개선**을 추구하였다.

④ **원외구제(또는 원외구호) 허용**: 노동 능력이 있는 빈민을 작업장에 보내지 않고 **자신의 가정에 머물게 하면서 원조 또는 인근에 있는 적당한 직장에 취업 알선**을 하였으며, 이는 **처음으로 노동 능력이 있는 빈민에 대한 원외구제를 가능하게 한 것**이었다.

⑤ 작업장에서의 빈민착취를 개선하고 원내외 구제를 관리하기 위해 **유급사무원❶을 채용**하였다.

(3) 경과

① 강제성보다는 임의성이 더 강하여 성과를 내지 못하였다.

② 빈민의 처우 개선으로 인해 **빈민비용이 증가**되었고, 이에 구빈세를 납부하는 **교구민의 불만이 크게 발생**하였다.

(4) 의의

① **인도주의적인 구빈제도**로, 오늘날 **거택보호(居宅保護)제도의 효시**로 여겨진다.

② 근현대적 의미의 고용 및 실업 대책의 시발점으로 평가된다.

5. 스핀햄랜드법 (Speenhamland Act, 1795년)

13 · 14 · 15 · 23. 국가직, 10 · 11 · 13 · 16 · 17 · 19. 지방직, 11. 지방직(추가), 19. 서울시(1차)

(1) 도입배경

① 당시 **프랑스와의 전쟁**으로 인해 인플레이션이 발생하였고, **산업혁명의 전개**로 수공업자와 농촌 가내공업이 몰락하였다.

② 또한 **인클로저 운동의 확산❷**과 지속적인 흉작으로 농민이 궁핍화되고, **노동인구의 감소**로 경제성장이 저하되는 등, **기존의 경제 체제가 붕괴**되기 시작했다.

③ 이러한 현상들은 **대량으로 빈민을 발생**시켰고, 이는 전쟁과 흉작에 대한 **일시적인 구호 대책**과 산업혁명으로 인한 기술혁신에 대한 **사회적 적응**, 빈민의 **혁명❸** 등 사회주의 운동의 진전 방지의 필요성을 사회적으로 요구하게 되는 계기가 되었다.

(2) 내용

① 임금보조제 채택: 잉글랜드남부 버크셔주의 치안판사들이 스핀햄랜드에서 임금노동자, 즉 **노동빈민의 임금이 가족의 생계유지에 필요한 '빵(또는 식량)'의 구입에도 미치지 못하는 경우 그 부족분을 교구가 구빈세에서 지급**해 주도록 하였다.

② 또한 이때 임금의 액수는 **가족의 수와 '빵'의 가격에 연동**해서 정하도록 하여 빈민 개개인의 수입에 관계없이 **최저소득(또는 최저생계비)이 보장**되도록 하였다.

(3) 경과

① **노동빈민에 대한 구제 허용**으로 노동자의 임금 부족분을 구빈세에서 지원하므로 고용주는 **기준 이하의 저임금만을 지불**하려는 경향이 발생하였고, 따라서 **노동빈민의 임금수준이 하락**하였다.

② 부조금액의 증가로 인해 **노동자의 노동의욕과 능률을 저하**시켰다.

③ 결과적으로 빈민들의 조혼(早婚)을 장려한 정책이 되어 **인구과잉을 초래**하였다.

④ **노동빈민의 처우 개선**으로 인해 **구빈비용의 증가**되어 구빈세를 납부하는 **교구민의 불만이 크게 발생**하였다.

(4) 의의

① 인도주의적인 구빈제도로 오늘날 **최저생활보장의 기반**이 되었다.

② 오늘날 **가족수당제도의 시초**로 평가받는다.

③ 빈민에 대한 억압정책인 **개정구빈법이 제정되는 결정적인 계기**가 되었다.

6. 공장법(Factory Acts, 1833년)

(1) 도입배경

산업혁명으로 작업장이 기계화되면서 **아동 노동력의 가치가 평가절하**되었고, 이에 공장에서 노동하는 아동의 **비인도적인 처우 개선에 대한 사회적 요구**가 발생하였다.

(2) 내용

① **9세 미만 아동의 노동을 전면 금지(견직공장은 제외)**시켰으며, 이에 고용주는 아동 고용 시 아동의 나이를 확인해야 할 의무를 부과하였다.

② 9~13세 아동의 노동은 하루 9시간 이내로, 13~18세 아동의 노동은 하루 12시간 이내로 제한하였다.

③ 아동의 야간 노동을 금지하였다.

④ 아동에 대한 1일 2시간 이상의 의무 교육 실시를 강제하였다.

⑤ 공장법 준수 여부를 감독할 공장감독관(Factory Inspectors)을 임명하였다.

(3) 의의

아동의 노동여건을 개선하여 오늘날 **아동복지법의 시초**로 평가받는다.

📖 기출 OX

01 스핀햄랜드법(1795) – 최저생계비 이하 임금 노동자에 대해 임금보조를 해주기 위한 제도 ( ) 10. 지방직

02 스핀햄랜드법에서 최저생계비는 가계부양자의 연령과 성에 따라 다르게 책정되었다. ( ) 11. 지방직

03 스핀햄랜드법 제정에 따라 구빈세 부담이 줄어들고 노동자의 임금이 상승하였다. ( ) 17. 지방직

04 인도주의적 구빈제도로 평가받는 스핀햄랜드법은 현대의 최저생활보장의 기반이 되었다. ( ) 19. 지방직

01 ○
02 × '가계부양자의 연령과 성에 따라'가 아니라 '가족의 수와 빵의 가격'이 옳다.
03 × '구빈세 부담이 줄어들고 노동자의 임금이 상승하였다.'가 아니라 '구빈세 부담이 증가하고 노동자의 임금이 하락하였다.'가 옳다.
04 ○

7. 개정구빈법(Poor Law Reform, 1834년, 또는 신빈민법, 신구빈법)

11 · 13 · 14 · 23. 국가직, 11 · 13 · 16 · 17 · 19. 지방직, 17. 지방직(추가), 18. 서울시

(1) 도입배경

① 「길버트법」과 「스핀햄랜드법」의 집행으로 구빈비용이 증가하였고, 그에 따라 교구의 구빈세 부담이 증가하였다.

② 자유주의자인 멜서스의 『인구론』이 저술❶되고, 벤담의 '공리주의❷'가 등장하였다.

③ 이러한 현상들로 인해 **구빈비용의 억제에 대한 사회적 요구**가 가속화되었다.

(2) 내용

① 1832년에 발족된 왕실위원회(Royal Commission)에서 현행 공적빈민제도에 대한 실태조사를 실시하였다.

② 실태조사 결과 현행 공적빈민제도로는 빈곤을 해결하지 못한다는 결론에 이르렀고, 이에 빈곤문제 해결을 위한 **빈민의 자조(自助)**를 강조하였다.

③ 행정단위인 여러 개의 교구를 하나로 묶어 교구연합으로 통합하고, 법의 시행을 감독하고 통제할 중앙기구를 설치하는 등 전국적으로 **구빈 행정구조를 통일**하였다.

④ **열등처우의 원칙, 작업장제의 원칙, 균일처우의 원칙** 등 3가지 원칙을 기반으로 운영하였다.

열등처우의 원칙❸	㉠ 빈민에게 제공되는 국가의 무상 부조 수준은 **개별 노동자가 노동을 통해 받는 최저 대우의 수준보다 열등**해야 한다. ㉡ 이는 노동능력이 있는 빈민에 대한 구제를 국가가 거절할 수 있는 법적 근거를 제공하였다.
작업장제의 원칙	㉠ 원내구제의 원칙(길버트법 폐지): 원외구제의 방법으로는 빈민의 자조 노력의 향상을 보장할 수 없으므로 노동 가능한 빈민은 작업장에 배치해야 한다. ㉡ 원칙적으로 원외구제는 배제하되 노유병자(老儒病者)를 부양하는 과부에게만 허용한다.
균일처우의 원칙	㉠ 빈민의 처우는 전국적으로 동등해야 한다. ㉡ 이를 위해 1601년 「엘리자베스 구빈법」 당시부터 '지방세'로 징수하여 관리하던 구빈세를 '중앙정부'가 징수하고 관리하게 한다.

⑤ 이외에도 「스핀햄랜드법」의 임금보조제를 폐지하였다.

(3) 경과

1948년 「국민부조법」의 제정으로 폐지되었다. ❹

(4) 의의

① 20세기 사회보장제도의 확립에 이르기까지 영국 공공부조제도의 기본원리로 적용되었다.

② **자유로운 노동시장의 확산에 기여**하였다.

③ 빈민에 대해 **역사상 가장 가혹한 제도**로 평가받는다.

---

2 19세기 사회변동(1) - 사회개량 운동

1. 개관

(1) **자본주의와 민주주의의 확산**으로 기존의 구빈법 체제는 심각한 도전을 받았다.

(2) 다양한 사회개량 운동과 더불어 **자선조직협회와 인보관 운동** 등 민간 차원의 구빈활동이 생겨났고, 이후 1909년 다수파 보고서와 소수파 보고서 사건을 통해 **구빈법 개혁에 대한 구체적인 시도**가 있었다.

2. 차티스트 운동(Chartist Movement, 1830~1840년대)

(1) **등장 배경**

① 노동자의 정치적 입지 불인정: 1830년대 노동자와 중산층이 연대하여 의회에 재산의 보유와 상관없이 성인남성 전부에게 선거권을 줄 것을 요구하였으나 의회에서 불승인되었다. ❺

② 노동자의 경제적 입지 불인정: 1834년 개정 구빈법의 제정❻으로 노동빈민의 경제적 상황은 더욱 악화되었다.

③ 이러한 상황들은 결국 **노동자의 사회적 입지를 전무(全無)**하게 만들었다.

(2) **노동자의 반응**

① 1836년 러베트(Lovett) 등이 '노동자협회'를 결성하였다.

② 그리고 노동자협회에서는 1838년 인민헌장(People's Charter)을 통해 '**차티즘 6개 원칙(Six Points of Chartism)**'을 제시하였다. 그 내용은 성년남자의 보통선거, 무기명 비밀투표, 의원의 매년 선거, 동등한 선거구 설정, 하원의원의 봉급지불, 하원의원의 재산 자격 철폐 등으로, **노동자의 정치적 입지를 인정**해 달라는 것이었다.

③ 1839년부터 3차에 걸쳐 청원서를 의회에 제출하였으나 모두 거부되었다.

(3) **경과**

① 노동자협회는 정부의 탄압으로 1858년에 소멸되었으나, 이후 1918년까지 '차티즘 6개 원칙(Six Points of Chartism)' 중 '**의원의 매년 선거**'만을 제외하고 모두 입법에 반영되었다.

② 1867년에는 도시 노동자, 1884년에는 농촌의 가장에게 선거권이 부여되었다.

(4) **의의**

① **최초의 노동자 운동**으로 평가받는다.

② 노동 대중의 관심을 정치적 목적에서 경제적 조건 개선의 구체적인 수단으로 옮기는 계기가 되었다.

선생님 가이드

❺ 당시 영국의 선거권은 도시의 중산층에게만 부여되었습니다.

❻ 개정구빈법의 제정은 빈민 노동자의 처지를 더욱 어렵게 만들었습니다.

기출 OX

01 영국의 1834년 「개정구빈법」에서 규정된 열등처우의 원칙은 자유주의자인 맬서스(Malthus)의 영향을 받았다. ( )
13. 지방직

02 신구빈법은 열등처우의 원칙, 균일처우의 원칙, 작업장 수용의 원칙을 제시하였다. ( )
21. 지방직

03 1601년 엘리자베스 구빈법에서는 구빈 수급자의 구제수준은 최하층 노동자의 생활수준보다 높지 않아야 한다는 원칙을 확립하였다. ( )
17. 지방직(추가)

04 영국 개정구빈법 원칙 중 하나인 열등처우의 원칙은 구제를 받는 빈민의 처우가 최하층 독립 근로자의 수준보다 높아서는 안 된다는 것이다. ( ) 19. 지방직

05 신구빈법(1834년)은 노동능력이 있는 자에 대해 원외구제를 지속하고, 노동능력이 없는 자에게는 원내구제를 제공하였다. ( )
16. 지방직

06 스핀햄랜드법의 핵심 내용이 개정구빈법에 의해 폐지되었다. ( ) 17. 지방직

01 ○
02 ○
03 × 지문은 '열등처우의 원칙'에 관한 설명으로, 이는 1834년 제정된 「개정구빈법」의 원칙 중에 하나이다.
04 ○
05 × '원외구제를 지속하고, 노동능력이 없는 자에게는 원내구제를 제공하였다.'가 아니라 '원내구제를 강제하고, 노동능력이 없는 자에게는 원외구제를 부분적으로 제공하였다.'가 옳다.
06 ○

3. 오웬(Owen)의 노동(또는 협동)조합 운동

(1) 개관

① 오웬은 1800년부터 25년간 스코틀랜드의 뉴라나크에서 1,500명의 공원을 거느린 면사 방적공장을 경영하였다.

② 그는 당시로서는 파격적일 수밖에 없는 경영이념인 **협동주의와 환경결정론**에 따라 자신의 공장을 운영하였다.

협동주의	노동조건의 개선으로 노동자의 노동능력과 의욕이 높아져 기업의 이윤이 증대된다는 것을 증명하기 위해 **일일 10시간만 노동 실시, 휴업 시에도 임금지불, 노동자를 위한 생활 용품 판매소 설치 등을 실시하였다.** ❶
환경결정론	노동자에게 기숙사나 유치원 등 교육시설을 제공하여 젊은 노동자를 교육시켰다.

(2) 경과

① 1833년 공장법의 입법과 구빈법 개선 운동에 크게 기여하였다.

② 1844년에는 노동자를 위한 최초의 생활용품 판매소(또는 소비조합 매점)를 개설하는 등 노동조합 운동·협동조합 운동에 강한 영향을 미쳤다.

3 19세기 사회변동(2) - 민간부문의 전문적 사회복지 실천

1. 자선조직협회(Charity Organization Society, COS)

08·09·12·14·17·20·22·23. 국가직, 16·18·19·21. 지방직, 17. 지방직(추가)

(1) 등장배경

① **19세기 영국에서는** 산업혁명과 이에 따른 고도의 자본주의화로 빈부격차와 같은 사회문제가 대량으로 발생하였다.

② 이로 인해 **국가가 운영하는 「구빈법」의 한계가 발생하였고❷**, '인도주의 이념'을 가진 자본가와 종교인들을 중심으로 한 **비체계적·비조직적 자선단체가 '난립'**하였다. ❸

③ 이러한 현상은 **구제의 중복 및 누락으로 인한 낭비 현상**을 가져왔으며, 이는 결국 **자선의 동기 약화**를 불러일으켰다.

(2) 내용

① 자선조직협회는 이러한 시대적 배경 속에서 **민간 조직에 의해 수행되는 자선활동의 '조정'을 위해 '자선단체의 등록'을 유도하여 구제의 중복과 누락으로 인한 재원 낭비를 방지하기 위한 목적**으로 시작되었다.

② 최초의 자선조직협회는 로크, 보산케트, 데니슨, 힐 등 **영국 자유주의 유력 인사들이 주도해서 1869년에 영국 런던에서 창립**되었다.

③ "빈곤의 책임은 빈민 개인에게, 구제를 받는 빈민의 자기존중 파괴와 의존 현상을 심화시킨다."라는 **토머스 찰머스(Thomas Chalmers) 목사의 주장을 이론적 근거**로 삼았다.

④ 특히 **인도주의와 사회진화론[또는 사회적 다윈주의(Social Darwinism)]**에 영향을 받은 중산층 여성들의 주도로 시작되었다. 이들은 **개인주의와 「구빈법」에 영향**을 받아 빈곤의 원인을 빈민 개인 자신의 나태나 도덕적 타락에 있다고 보는 **'개인주의적 빈곤죄악관'**을 가지고 있었으며, 따라서 빈민 구제의 핵심은 **사회개혁이 아니라 자조를 통한 빈민의 도덕적 변화**라고 보았다.

⑤ 1869년 4월 '자선구제의 조직화와 구걸방지를 위한 협회(The Society for Charitable Relief and Repressing Mendicity)'를 결성하고, 같은 해 **'자선조직협회(Charity Organization Society, COS)'로 개칭**하였다.

⑥ **무급의 우애방문단(Friendly Visitor)**을 조직하고, **「구빈법」상 조직인 구빈위원회와 업무를 협력**하여 구제 신청자를 접수하였다.

⑦ **(과학적 자선)** 이후 1852년에 시행된 독일의 엘버펠트(Elberfeld) 제도에 영향을 받아 1:1 방문서비스를 원칙으로, 접수된 구제 신청자의 가정별로 우애방문단(또는 우애방문원)을 파견하여 수혜자격 심사(또는 자산조사)❹를 통해 빈민을 **'도울 가치가 있는 빈민(Deserving Poor)'**과 **'도울 가치가 없는 빈민(Non-Deserving Poor)'**으로 구분한 후 **'도울 가치가 있는 빈민'**에 대해서만 **'조언 제공, 훈계 등'**을 통한 **교화**를 하였으며, 이러한 수혜자격 심사를 위해서 **사회조사**를 수행하였다.

⑧ 개인이나 가족차원의 접근을 하여 **빈곤문제해결은 빈민 개인에 대한 '교화'와 이를 통한 '자조'를 통해서만 가능**하다고 보았다. 따라서 빈곤문제해결과 관련하여 **공공차원의 개입을 반대**하고 **'공공지출의 삭감'**을 주장하였다.

(3) 사회복지실천에 미친 영향

① 우애방문자들이 수행한 가정방문과 면담, 기록 및 분석 등의 방법은 **개별사회사업 발전에 영향**을 주었고, 또한 구제 신청자를 접수하기 위한 조직을 설치한 것 등의 활동은 **지역사회복지 태동에 영향**을 주었다.

② **사회조사기술 발전에 영향**을 주었다.

(4) 미국으로의 전파

① 1865년 남북전쟁의 종전과 1873년 경제공황으로 많은 실업자와 빈민이 발생하자 미국 역시 자선단체가 난립하였고, 이에 영국 런던의 자선조직협회에서 활동하던 미국인 목사들이 귀국하여 설립하기 시작하였다.

② **1877년 거틴(Gurteen)목사에 의해 뉴욕주 버팔로(Buffalo)에 최초의 자선조직협회가 창립**되었다.

③ 이후 1890년대 말 최초로 유급(有給) 우애방문단이 등장하여 직업으로써 사회복지사가 등장하게 된 계기되었다. 즉, **유급 우애방문단은 사회복지사의 기원**이 된다.

🗨️ **선생님 가이드**

❹ 자선조직협회에서는 자신들이 세운 도덕적 잣대를 내세워 도울 가치가 있는 빈민과 도울 가치가 없는 빈민을 구분하였습니다. 그들이 정한 도울 가치가 있는 빈민이란 선량한 성격으로 근검절약하고 의존적이지 않으며 자활의지를 가지고 있는 빈민을 말하며, 반면 도울 가치가 없는 빈민이란 효과적인 원조를 불가능하게 할 것 같은 자기 맘대로 행동하는 빈민을 말합니다. 이렇게 분류된 빈민 중 도울 가치가 있는 빈민은 자선조직협회가 담당하고, 나머지 도울 가치가 없는 빈민에 대해서는 기존 구빈법이 맡도록 하였습니다.

📖 **기출 OX**

01 자선조직협회의 기반으로 다윈주의(Social Darwinism)를 들 수 있다. ( )
23. 국가직

02 영국의 자선조직협회는 우애방문원을 통해 가정방문 및 조사, 지원활동을 실시하였다. ( )
20. 국가직

03 인보관 운동은 구호의 중복을 피하는 한편 우애방문원을 파견하여 클라이언트에게 적절한 원조를 제공하였다. ( )
22. 국가직

04 19세기 말 영국의 자선조직협회는 정부의 개입 없이 민간의 노력에 의해 빈곤 문제를 해결할 수 있다는 생각으로 다양한 민간 중심의 구빈활동을 전개하였다. ( )
21. 지방직

05 자선조직협회는 과학적 사전에 기여하였다. ( )
18. 지방직

01 ○
02 ○
03 × '인보관 운동'이 아니라 '자선조직협회'가 옳다.
04 ○
05 ○

2. 인보관 운동(Settlement Movement, SM)

08 · 09 · 12 · 17 · 23. 국가직, 08 · 09 · 11 · 16 · 17 · 20 · 21. 지방직, 17. 지방직(추가) 必

(1) 등장 배경

① 자선조직협회의 '개인주의적 빈곤죄악관'에 기반한 자선활동은 빈곤과 소득 불평등이라는 **당시의 사회문제를 해결하기에는 한계가 있다는 인식이 확산** 되었다.

② 이에 빈곤과 소득불평등이 개인이 아닌 **사회구조적 요인에 의해 발생한다는 인식이 증대**되었고, 이것이 인보관 운동이 시작된 배경이 되었다.

(2) 내용

① **성직자와 지식인 계층이 주도**하였다. 1854년 데니스(E. Denison) 목사가 시작 하였고, 이후 **바네트(S. Barnett) 목사가 주도**하여 옥스퍼드(Oxford) 대학교 학생과 교회청년들이 주축이 되어 전개되었다.

② 이들은 민주주의, 자유주의❶와 더불어 급진주의, 기독교 사회주의 이데올로 기에 기반하여 빈곤의 원인을 '산업화'로 인해 형성된 '불평등한 사회구조'로 인식하였다.

③ 그리하여 1884년 **최초의 인보관인 토인비 홀(Toynbee Hall)❷**이 바네트 (Barnett)목사에 의해 영국 런던 화이트채플 슬럼 지역에 설립되었다.

④ **거주(Residence), 연구 · 조사(Research), 개혁(Reform)의 3R을 강조**하였다.

거주	빈민 지역의 주민들을 이웃으로 생각하여 그들과 함께 생활한다.
연구 · 조사	연구 및 사회조사를 통해 빈민의 욕구를 파악한다.
개혁	거주와 조사를 통해 얻은 지식으로 **사회를 개혁**한다.

⑤ 인보관을 설립하여 주택, 도서관, 시민회관 등으로 활용하였다.

⑥ **자선조직협회가 서비스 조정을 중시한 것에 반해 인보관 운동은 환경개선 및 교육사업을 강조**하여 공중목욕탕 설치, 주택개량, 공중보건(圓 아동위생, 보건 교육), 체육관 설치, 옥외활동 장려, 소년 · 소녀들에 대한 기술교육, **여성 노 동자의 노동력 보호를 통한 권익 증진**, 공공도서관 · 유치원 · 문맹퇴치를 위 한 야간성인학교 운영, 오락 프로그램 활동, 그림전시회 등의 예술 활동의 권장 등의 **직접 서비스 제공에 역점**을 두었다.

⑦ '**사회개혁**'❸과 '사회적 옹호'를 통해 빈민 개인이 아닌 **사회구조의 변화를 주 장**하였다.

⑧ 사회조사를 통해 다수의 통계자료를 법률제정에 활용하였다.

⑨ 특히 **빈민의 역량강화를 통한 자립을 강조**하였다.

(3) 사회복지실천에 미친 영향

① **집단사회사업과 지역사회복지 태동에 영향**을 주었다. 특히 지역사회문제 해 결을 위해 조직적으로 정책과 법률 제정에 정치적 참여를 한 것은 **지역사회 조직 방법론에 영향을 미친 것으로 평가**받는다.

② **지역사회복지관 형성에 영향**을 주었다.

(4) 미국으로의 전파

① 1880년대 초 미국에서는 산업화로 노동자들과 그들 가족들이 도시로 대량 이주하는 현상이 발생하였고, 이는 도시 빈곤 지역을 형성시켰다.

② 이에 1886년 **코이트(Coit)**가 뉴욕에 **근린길드(Neighborhood Guild)**를 설립하였고, 뒤이어 1889년 **아담스(Addams)**가 시카고에 **헐하우스(Hull House)**를 설립하였다.

📋 **핵심** PLUS

자선조직협회와 인보관 운동의 비교

구분	자선조직협회	인보관 운동
주요이념	인도주의, 사회진화론	민주주의, 자유주의, 급진주의, 기독교 사회주의
주체	중산층 여성(상류층)	교육을 받은 중류층
빈곤의 원인	개인적인 속성 (개인주의적 빈곤죄악관)	환경적인 속성
사회문제 접근 방법	빈민개조 또는 그들이 처한 상황의 역기능적 측면 수정	사회구조의 변화 (또는 사회개혁적 접근)

---

4 19세기 사회변동(3) - 빈곤에 대한 사회조사

1. 부스(Booth)의 런던시(London)에 대한 사회조사(1886년)

(1) 부스는 런던시에 거주하는 시민 약 400만 명을 대상으로 최초의 빈곤실태조사를 실시하였다.

(2) 이를 토대로 1889년에 발표한 『런던인의 생활과 노동』(17권)에서 경제적 계급을 A~H 층으로 구분하고 ABCD층을 빈곤층이라고 규정하였다.

(3) 그러나 조사에 있어서 **빈곤선(Poverty Line) 기준이 결여**되어 있고, 2차 자료에 주로 의존하는 등의 한계를 지녔다.

2. 라운트리(Rowntree)의 요크시(York)에 대한 사회조사(1899년) 📖

(1) 라운트리는 부스의 조사 결과에 영향을 받아 당시 본인이 거주하던 요크시에 거주하는 **중산층을 제외한 순수 노동계층** 4만 7천여 명을 대상으로 빈곤실태조사를 실시하였다.

(2) 이를 토대로 1901년에 『빈곤: 도시생활의 연구』라는 보고서를 발표하였으며, 여기에서 **빈곤의 구분과 빈곤순환, 빈곤선 개념** 등을 제시하였다.

① 빈곤의 구분

1차적 빈곤	생활에 필수적인 4가지 요건인 의·식·주·연료 등을 구입하거나 이를 유지할 수 없는 상태를 말한다.
2차적 빈곤	1차적 빈곤의 생활에 필수적인 요건은 구입하고 유지할 수 있으나 이를 다른 용도(예 술, 담배, 도박, 의료비 등)로 유용하고 있는 상태를 말한다.

💾 **기출 OX**

01 인보관 운동은 정부가 나서서 빈곤 문제를 해결하려고 하였던 것이다. ( )
11. 지방직

02 인보관 운동은 문제의 원인을 개인에게서 찾고자 하였다. ( ) 20. 지방직

03 인보관 운동의 주체는 박애사상을 실천하려는 저소득 노동계층으로 빈민 지역에 상주하면서 주민들의 생활 실태를 파악하고, 빈민의 생활 개선과 교육을 위해 노력하였다. ( ) 21. 지방직

01 × '정부'가 아니라 '민간'이 옳다.

02 × '인보관 운동'이 아니라 '자선조직협회'가 맞다. 인보관 운동은 문제의 원인을 사회구조(또는 사회환경)에서 찾고자 하였다.

03 × '박애사상을 실천하려 했던 것'은 자선조직협회 우애방문단원에 관한 설명이며, 인보관 운동은 노동계층이 아닌 성직자 및 지식인 계층이 주체가 되었다.

② 빈곤순환(Poverty Cycle): (빈곤의 대물림 현상) 빈곤 가족은 자녀를 출산하여 양육할 때 빈곤하다가 자녀가 장성하여 가족의 수입원이 되면 빈곤에서 벗어난다. 그러나 자녀를 출가시키면 다시 빈곤해진다. 그리고 자녀 세대 또한 이 과정을 거친다고 보아 **가족의 연령이 빈곤에 영향을 미친다는 것**을 증명하였다.

③ 빈곤선(Poverty Line): 생물학적 욕구에 사용할 수 있는 최소 수입을 말한다.

④ 이를 통해 노동자들이 빈곤해지는 이유를 **경제적 원인과 더불어 사회적 원인으로 규명**하였다.

(3) **라운트리는** 자선조직협회(COS)로부터 "나태한 노동자들을 창출해내는 장본인"이라며 크게 비판을 받았다.

3. 부스(Booth)와 라운트리(Rowntree)의 사회조사의 의의

(1) **개인주의적 빈곤죄악관 비판**

빈곤의 원인이 개인의 문제가 아닌 사회적 문제라는 사고를 저변화시켜 **빈곤 문제에 대한 국가개입의 정당성 및 사회적 책임을 인식**시켰다.

(2) 베버리지 보고서 발간(1942년)에 지대한 영향을 미쳤다.

(3) 특히 라운트리의 '**빈곤순환**' 개념은 국가에 의해 운영되는 '**가족수당**'과 '**노령연금제도**'의 필요성을 인식시켰다.

5 구빈법 개혁의 시도

1. 다수파 보고서와 소수파 보고서(1909년) 13. 지방직

(1) **등장 배경**

사회개량 운동, 자선조직협회와 인보관 운동, 부스와 라운트리의 사회조사 등으로 사회개량(또는 개혁)에 대한 국민적 요구가 증대하였고, 현행 「구빈법」의 심각한 문제점에 대한 사회적 인식이 확산되었으며, 이에 따라 「구빈법」 개혁의 필요성에 대한 사회적 공감대가 형성되었다.

(2) **내용**

① 1905년에 「구빈법」 개혁을 목적으로 **20명의 각기 다른 이념을 지닌 위원들로 '왕립구빈법 위원회'가** 설립되었고, 1909년에는 왕립구빈법 위원회의 보고서(다수파 보고서 vs 소수파 보고서)가 정부에 제출되었다.

② 다수파 보고서와 소수파 보고서의 주요 내용

구분	다수파 보고서	소수파 보고서
빈곤의 원인에 대한 이해	개인적인 요인	사회적 요인
권고 사항	㉠ 사려있는 빈민에 대해서는 **지방정부가 동정적인 원조**를 실시한다. ㉡ 단, 만성적인 빈민❶에 대해서는 가혹한 조치를 실시한다. ㉢ 중앙정부의 지위를 격상한다. ㉣ 지방의 빈민 행정에 대해 지방의회의 감독을 실시한다. ㉤ 원외구제는 민간기관이 담당한다. ㉥ **현행「구빈법」의 부분적 개정**을 통해 유지한다.	㉠ 빈민을 노동 가능 빈민과 노동 무가능 빈민으로 구분한 후, **노동 무가능 빈민의 생존은 지방정부가 책임**진다. ㉡ 실업·고용 등에 대한 중앙정부의 책임을 강조한다. ㉢ 빈곤 해결을 위한 공적 지출을 확대한다. ㉣ **현행「구빈법」을 전면 폐지**한다.

(3) 경과

① 집권 자유당(또는 보수당) 정부의 자체적인 「구빈법」 개혁 방안으로 인해 '다수파 보고서'와 '소수파 보고서' 모두가 채택되지 않았다.

② 1906년 총선에서 토리당을 누르고 집권한 **자유당은 처칠(W. Churchill)과 로이드 조지(D. George)를 중심으로 「구빈법」을 대체할 사회개혁적 입법❷**을 시행하였다.

③ 실제적인 「구빈법」 폐지는 1948년 「국민부조법」 제정으로 이루어졌다.

2. 자유당의 사회개혁 입법(노령연금법과 국민보험법)

(1) **노령연금법(1908년)** 13. 지방직

① 중앙정부가 운영 주체된 **무기여 방식의 정액급여** 연금제도이다.

② **70세 이상의 저소득층 노인**에게 지급하였고, 급여액은 소득 수준에 따라 감액되었다.

③ 또한 선별적으로 운영되어 자산조사와 도덕성조사를 실시하여 2년 동안 공공부조를 받지 않은 자, 최근에 감옥에 있었던 자, 자신과 피부양자를 돌보지 못한 자는 수급자격에서 제외되었다.

(2) **국민보험법(National Insurance Act, 1911년)** 16. 국가직, 13 · 17. 지방직, 17. 서울시 🖉

① 등장 배경

㉠ 노동자들의 자립적 상호부조조직인 **공제조합에 재정적인 어려움이 발생**하였고, **급진적 사회주의 역시 부활**하였다.

㉡ 이에 당시 기득권 계층에 의한 **사회안정의 필요성**에 대한 인식이 확산되었고, 당시 재무부장관이었던 **로이드 조지(D. Lloyd George)가 독일을 방문한 후에 영국의 특성을 반영하여 제정**하였다.

선생님 가이드

❶ 사려있는 빈민이란 빈곤상태에서 벗어나기 위해 자구적(自救的) 노력을 하는 빈민을 말합니다.
❷ 「구빈법」을 대체할 사회개혁적 입법
- 1905년 노동쟁의법
- 1906년 교육법(학교에서의 아동급식을 의무화함)
- 1907년 교육법(학교에서의 아동보건을 의무화함)
- 1908년 아동법, 노령연금법, 탄광규제법(탄광노동자의 일일 노동시간을 8시간으로 제한함)
- 1909년 최저임금법
- 1911년 상점법(1주일에 한 번 반나절씩 상점 문을 닫게 함)과 국민보험법

기출 OX

독일은 노동자 정당과 우호적 관계에 있던 자유당 정권에 의해 사회보험제도가 도입되었다. ( )   13. 지방직

✕ '독일'이 아니라 '영국'이 옳다.

© 집권 자유당의 주도하에 **사회보험 제도를 통한 '강제된 기여'와 '강제된 자조(自助)'가 강조**되었다.

② 노동자 정당과 우호적 관계에 있던 자유당 정권에 의해 도입된 **영국 최초의 사회보험제도**이다.

② 제도 운영의 원칙

　③ 급여 수준은 인간다운 생활을 유지할 만큼 충분해서는 안 된다.

　© 국가의 부담은 적어야 한다.

　© 운영에 소요되는 재정은 노동자와 고용자가 분담해야 한다.

　② 기여를 통해 자격을 얻고 자격이 없으면 혜택도 없다.

③ **건강보험과 실업보험**으로 구성되었다.

6 베버리지 보고서(Beveridge Report, 1942년)

08 · 11 · 16 · 22. 국가직, 15 · 17 · 23. 지방직, 06 · 09 · 10 · 11. 서울시

1. 등장 배경

(1) **제1차 세계대전(1914~1918년)과 1930년대 세계경제대공황 발생**

제1차 세계대전 발생	전시물자 동원❶을 위해 정부가 시장경제에 적극적으로 개입할 수밖에 없게 되었다.
세계경제대공황 발생	① 1929년 미국에서 시작된 경제대공황은 미국과 교역하는 유럽의 많은 국가들에도 연쇄적으로 경제공황을 일으켰고, 영국 역시 이 상황을 피할 수 없었다. ② 영국 정부는 이러한 상황에서 벗어나기 위해 **유효수요 창출을 위한 화폐공급량 확대, 공공사업과 조세정책 시행을 통한 소득재분배** 등, **경기 부양 정책을 실시**❷하였다.

이러한 시장체제 내에 정부의 개입이 증가할 수밖에 없는 상황하에서 결국 '**야경국가론**'에 대한 국민적 신뢰가 깨질 수밖에 없게 되었다.

(2) **제2차 세계대전 발발(1939년)**로 승전을 위해 자유당과 노동당이 거국 내각을 구성하였고, 노동당에서 당시 수상인 윈스턴 처칠에게 복지국가 수립을 요구하였으며, 처칠과 자유당 역시 전쟁으로 지친 국민들에게 '당근' 제시의 필요성을 인정하여 이를 수용하게 된다.

2. 베버리지 위원회 구성

(1) 영국노총(Trades Congress Union, TCU)이 전시 연립정부 무임소장관인 그린우드(A. Greenwood)에게 전쟁에서 병사들과 시민들의 사기제고를 위한 프로그램 및 위원회 조직을 요청하였고, 이에 실업보험 전문가인 베버리지(W. Beveridge)❸가 위원회 위원장으로 추천받게 되었다.

(2) 1941년 6월에 발족한 '**사회보험 및 관련 사업에 관한 각 부처의 연락위원회(후일 베버리지 위원회)**'에 의해 **1942년 12월**에 베버리지 보고서가 발간되었다.

3. 베버리지의 사회보장계획의 3가지 기본 원칙 (必)

(1) 국가는 사회보장을 국민의 기본적인 권리로 제공해야 한다.

(2) 사회보장의 본질은 소득보장이다.

(3) 국민 최저 수준 이상은 개인과 가족의 노력으로 해결해야 한다.

4. 주요 내용 (必)

(1) 5대 사회악(Five Giant Evils)으로 나태(Idleness), 무지(Squalor), 결핍(Want, 또는 궁핍), 불결(Squalor), 질병(Disease)❹을 제시하였으며, 나태는 고용보장 정책으로, 무지는 교육보장정책으로, 결핍은 소득보장정책으로, 불결은 주택보장정책으로, 그리고 질병은 의료보장정책을 통해 제거해야 한다고 주장하였다.

(2) 사회보장을 국민 최저 수준❺ 달성을 통해 사회악을 해결할 수 있는 수단으로 정의하였다.

(3) 사회보장의 3가지 방법

사회보험	사회보장(또는 국민최저선 달성)의 가장 중요한 수단으로, 사회보험을 통한 사회보장의 본질은 소득보장이며, 5대 사회악 중 결핍(또는 궁핍)을 제거하기 위한 것❻이다.
공공부조	사회보험에 포함시킬 수 없는 빈자에게 제공되는 사회보장이다.
임의보험	강제적 사회보험 대상자 중에서 고소득자를 위한 소득비례보험이다.

5. 사회보장의 3대 전제조건 (必)

(1) 완전고용(Family Allowances)

실업은 실업수당에 소요되는 비용과 그에 따른 재정손실을 감안할 경우 가장 낭비적인 사회문제이므로, 일을 할 수 있는 능력과 의사를 가진 사람들은 모두 취업되어야 한다.

(2) 포괄적 의료(및 재활) 서비스(Comprehensive Health Service)

질병이나 상해의 치료뿐 아니라 예방, 그리고 노동능력의 회복을 위한 포괄적 의료(및 재활) 서비스가 있어야 한다.

(3) 가족(또는 아동) 수당(Family Allowances)

가족의 크기와 가족의 소득을 고려하여 가족수당(또는 아동수당)을 지급하여야 한다.

6. 사회보험의 운영원칙 (必)

(1) 포괄성

사회보험은 일반적인 사회적 위험을 모두 포함해야 하며, 적용대상이나 욕구보장에 있어서 그 범위가 포괄적이어야 한다.

🖥 선생님 가이드

❹ 베버리지 보고서 작성될 당시 영국은 제2차 세계대전을 치루고 있었습니다. 베버리지는 이와 같은 전쟁으로 발생한 사회적 병폐를 5가지 악으로 규정한 것입니다.

❺ 국민 최저 수준(National Minimum Level)은 시드니 웹(1859~1947년)과 비어트리스 웹(1858~1943년) 부부에 의해 주창된 개념입니다. 이 개념은 복지국가의 지도원리로 영국을 비롯한 여러 나라의 복지정책 발전에 큰 영향을 끼쳤습니다. 특히 아내인 비어트리스 웹은 1905~1909년 영국이 빈곤 문제를 해결하려고 구성한 '왕립구빈법위원회' 활동을 하면서 구빈법을 폐지해야 한다는 '소수파 의견서'를 주도했던 인물입니다.

❻ 베버리지는 포괄적인 사회보험과 더불어 나머지 4가지의 악을 제거하기 위한 4가지의 서비스체계, 즉 의료, 교육, 주택, 고용 서비스가 제공되어야만 사회진보가 이루어지는 것으로 보았습니다.

🏛 기출 OX

베버리지가 강조한 사회보험이 성공하기 위한 전제조건에는 실업수당으로 인한 재정손실을 감안한 완전고용이 있다. ( )
22. 국가직

○

기출 OX

01 베버리지 보고서에서는 소득 수준에 따른 보험료 차등납부의 원칙을 제시하였다. ( )　　　　　11. 국가직

02 베버리지 보고서는 사회보험의 원칙 가운데 하나로 소득에 관계없이 동일한 금액의 기여금을 낼 것을 제시하였다. ( )　　　　　16. 국가직

03 영국 이외에 프랑스, 독일, 스웨덴 등은 베버리지 보고서의 영향을 받지 않았다. ( )　　　　　11. 서울시

04 베버리지 보고서는 1944년 6월~12월 사이에 작성, 공표되어 시행되었다. ( )　　　　　11. 서울시

01 × '소득 수준에 따른 차등납부'가 아니라 '균등납부'가 옳다.
02 ○
03 × '받지 않았다.'가 아니라 '받았다.'가 옳다.
04 × '1944년 6월~12월 사이에'가 아니라 '1941년 6월~1942년 12월 사이에'가 옳다.

---

(2) **급여적절성**

사회보험의 급여 수준과 기간은 일상생활을 영위하는 데 적절하고 충분해야 한다.

(3) **정액각출(또는 정액기여, 정액부담)의 원칙**

모든 사람은 소득 수준이 다르더라도 동일한 액수의 보험료를 부담해야 한다. ❶

(4) **정액급여의 원칙❷**

모든 사람은 소득이 다르더라도 동일한 수준의 급여를 수급받아야 한다.

(5) **행정통일(또는 통합적 행정책임)의 원칙**

① 노령 · 장애 · 실업 · 질병 등과 같은 사회적 위험들에 대비하기 위한 사회보험은 지방사무소를 둔 하나의 사회보험금고가 통합적으로 관리 · 운영하여 효율성을 제고해야 한다.

② 이는 당시까지 사회보험을 운영해온 보험조합을 대신한다는 것을 의미한다.

(6) **피보험자분류의 원칙**

① 사회보장 대상 인구는 분류되어 관리되어야 한다.

취업 연령 기준	자영자, 피용자, 전업주부, 무직자(또는 임시직 노동자)
미취업 연령 기준	노인, 아동

② 사회보험의 운영에 소요되는 재정은 **피보험자, 고용주, 국가 3자가 부담**해야 한다.

7. 경과 ✍

(1) '요람에서 무덤까지(From the Cradle to the Grave)'로 일컬어지는 경제적인 소득보장체계가 마련되었다.

(2) **1945년 가족수당법(Family Allowances Act) 제정**으로 2인 이상의 아동을 가진 가족에게 정부에서 수당을 지급하게 되었다.

(3) **1946년 국민보건 서비스법(National Health Services Act) 제정(1948년 시행)**으로 영국 내 거주하는 모든 주민에게❸ 정부가 무료로 의료 서비스를 제공하였다.

(4) **1948년 국민부조법(National Assistance Act) 제정**으로 지방정부가 노령 · 장애 등의 이유로 보호가 필요한 사람들에게 거처를 제공하고 긴급한 보호가 필요한 사람들을 위해 임시거처를 마련하는 등 중앙정부의 사무를 위임받아 시설보호와 지역사회보호 서비스를 제공하게 되었다.

(5) 영국뿐만이 아니라 프랑스, 서독, 스웨덴 등 서유럽 복지 국가의 기틀 형성에도 큰 영향을 미쳤다.

1 중세 독일의 사회복지

1. 노동의 집

(1) 16세기 상업과 수공업의 발달 과정에서 소외된 실업 이주민과 열악한 노동현장에서 종사하는 저소득 노동자들에게 직업교육 등을 제공하기 위해 설립되었다.

(2) 작업시설과 부랑인 수용시설로 분리되어 있었으며, **빈민계층을 통제하기 위한 수단❹**으로 활용되었다.

2. 함부르크(Hamburg) 구빈제도(1788년)

(1) 함부르크 구빈제도는 독일에서 생겨난 최초의 구빈사업 조직으로, 조직은 빈민 **구호위원회와 빈민구호상원위원회로 구성**되어 있었다.

(2) 당시 구빈의 최일선에 있었던 **교회의 무질서한 자선활동을 배제**하고, 기존의 수용 중심의 구제가 아닌 **노동 능력이 있는 빈자에게는** 직업교육이나 취업 등의 기회를 제공하여 **경제적인 자립(또는 자조)을 가능**하게 하며, 이를 통해 **빈곤층의 수를 줄이려는 목표로 시행**되었다.

(3) 이를 위해 문전구걸(또는 걸식행각) 금지, 빈민직업학교와 병원 건립, 갱생 지원 등을 실시하였으나 재정적인 문제, 빈민 수의 급격한 증가 등으로 사실 상 **제도의 목표를 달성하지 못하고 결국 해체**되었다.

3. 엘버펠트(Elberfeld) 구빈제도(1852년)

(1) 함부르크 구빈제도의 미비점을 수정 · 보완하여 **엘버펠트시에 적용된 구빈제도**이다.

(2) **빈민구제를 지구단위로 조직화**

① 엘버펠트시를 280개 지역으로 나누고 각 지구에 1명씩의 보호위원을 두고, 14개 지역을 1개의 대지구로 만들어 도시를 총 20개의 대지구로 나누었다.

② 보호위원 1명이 일반적으로 4명의 빈민을 돌보았고, 빈민에 대한 지원신청은 보호위원을 통해 지역회의의 안건으로 상정되어 지원금의 지급여부를 결정하였고, 지원 대상으로 선정되면 최대 14일간의 생계비가 지원되었다.

(3) 제도를 운영하기 위한 비용은 **공공의 조세로 충당**하였다.

(4) **운영 원칙**

① **관리감독은 중앙집권화**한다.

② 보호위원의 책임 하에 **극소수의 요보호자**를 둔다.

③ 방문조사 등을 통하여 **극빈자 방지와 재활**을 위해 노력한다.

④ 생계비는 단지 보호위원이 **일자리를 주선하지 못했을 때만 지급**된다.

(5) 이후 **영국의 자선조직협회 설립(1869년)**에 영향을 미쳤다.

선생님 가이드

❹ 18세기 들어서 노동의 집은 교도소로 전용될 만큼 폐쇄적이며 억압적인 수용시설이었습니다.

2 비스마르크의 사회입법(Bismarck's Social Legislation)

11 · 16 · 20 · 22 · 23. 국가직, 09 · 13. 지방직, 17. 서울시

1. 등장 배경

(1) 19세기 당시 독일에는 **융커, 신흥부르주아, 노동자 등 3개 사회계층**이 있었고, 산업화(또는 자본주의화)로 인해 이러한 **사회 각 계층 간에는 기득권을 얻기 위한 사회적 갈등이 발생**하였다.

> **핵심 PLUS**
>
> **당시 독일의 사회계층**
>
> | 종류 | 사회적 지위 |
> |---|---|
> | 융커 | 대지주, 기득권 세력이었다. |
> | 신흥 부르주아 | 주로 상인인 자본가나 신흥 기득권 세력으로 당시 의회를 장악하고 있었다. |
> | 노동자 | 임금 및 육체 노동자로 기득권에서의 소외 계층이었다. |

(2) 또한 독일 내에 **사회주의 사상이 전파**되었고, 이 사상에 영향을 받은 **노동자 계층 역시 자신들의 기득권 확보를 위해 조직적인 노동 운동을 전개**하였다.

(3) 당시 **재상이며 융커 계층 출신이었던 비스마르크(Bismarck)**는 이러한 사회적 갈등 속에서 **사회통합과 노동자 계층의 충성심을 국가로 유도하기 위해 노동자 계층에게 '당근과 채찍 정책'을 제시**하였으며, 이는 **위로부터 아래로의 개혁**, 즉 권위주의적 정치권력에 의한 **사회통제 성격의 권위주의적 개혁**으로 평가된다.

채찍	1878년 노동탄압 정책인 사회주의자 탄압법을 제정하여 노동운동을 선동하는 사회주의자들을 처벌하였다.
당근	사회보험 정책을 실시하여 노동자 계층을 국가로 통합시키고자 하였다.

2. 비스마르크가 제시한 사회보험 입법 시 4가지 원칙

강제가입 원칙	광산업 · 조선소 · 건축업 등에 종사하는 저소득 임금 노동자를 의무가입시킨다.
중앙집권식 운영 원칙	보험 운영을 정부가 독점하고 엄격한 행정적 통제를 실시하며, 이를 위해 중앙정부에 '제국보험공단'을 설립한다.
사보험사 (또는 민간보험사) 배제 원칙	사회보험제도 운영을 국가의 책임으로 인정하여 이윤을 추구하는 사보험사(또는 민간보험사)의 제도 참여는 전적으로 배제한다.
국가보조금 지급 원칙	비용은 고용주가 부담하나 정부의 보조금 지급도 병행한다.

3. 사회보험 입법의 내용 ✍

(1) **독일은 세계 최초로 사회보험 제도를 입법하고 시행한 국가**이다.

(2) 사회보험이 입법된 순서는 다음과 같다.

1883년 질병보험법	→	1884년 산업재해보험법	→	1889년 노령 및 폐질 보험법

📖 기출 OX

영국은 사회통제의 성격을 띤 권위주의적 개혁을 거쳐 사회보험제도가 도입되었다. ( )
13. 지방직

× '영국은'이 아니라 '독일은'이 옳다.

① 질병(또는 건강)보험법(1883년)

　㉠ **세계 최초의 사회보험**이다.

　㉡ 질병금고, 지역질병금고, 교구금고 등, **직역별·지역별 조합 방식으로 관리되고 운영**되었다.

질병금고(Sickness Funds)	직장 및 직종 의료보험
지역질병금고(Local Sickness Funds)	자영인 의료보험조합
교구금고(Parochial Funds)	지역 의료보험조합

　㉢ **강제가입 방식을 채택**하였고, **노동자와 사용자가 보험료를 부담**하여 운영하였다.

　㉣ 급여로는 요양급여와 단기적인 소득대체급여인 질병보상이 있었다.

요양급여	질병의 **예방과 치료**를 목적으로 한 급여이다.
질병보상	임신·분만에 대한 부조, 아동교육을 위한 가사부조, 농업경영을 지속할 수 있도록 하는 경영부조, 사망에 따른 현금지급 등, **질병으로 인한 소득 감소 시 단기적인 소득대체 급여**이다.

② 산업재해보험법(1884년, 또는 재해보험법)

　㉠ **직업조합에서 관리 및 운영**하였다.

　㉡ 자유주의자들은 국가의 중앙집권식 운영은 **정부의 권력강화로 관료제화가 이루어질 것**이라며 반대하였고, **사회주의자들** 역시 국가가 국가보조금을 지급하는 것은 **노동자를 국가의 노예로 만들려는 의도**라며 반대하였다. 따라서 **자유주의와 사회주의 양 진영의 반대**에 직면하였다.

　㉢ 이로 인해 사회보험 입법의 4가지 원칙 중 **중앙집권식 운영과 국가보조금 지급을 포기**하였다.

　㉣ 보험료는 **무과실책임주의 원칙**에 따라 제국보험공단의 운영비를 제외한 나머지를 **사용자가 전액 부담**하였다.

③ 노령폐질연금(1889년)

　㉠ **국가보조금 지급의 원칙은 반영**되었으나, **중앙집권식 운영의 원칙은 관철되지 못해** 고용주와 노동자 동수로 구성되는 '조합위원회'가 운영하였다.

　㉡ 가입 대상: 국가의 관리나 도제를 제외한 연간소득 2천 마르크 미만인 모든 노동자가 가입 대상이었다. 다시 말해 **전 국민을 대상으로 한 사회보험제도는 아니었다.**

　㉢ 보험료: 노동자와 사용자 양측이 절반씩 부담하였다.

　㉣ 급여지급 대상: 노령연금의 경우 70세에 도달한 노동자였으며, **폐질연금의 경우 자신의 귀책사유 이외의 사유로 노동이 불가능하게 된 노동자**였다.

제3절 미국의 사회복지역사

1 남북전쟁의 종전(1865년)~제1차 세계대전의 발발(1914년)

1. 시대적 배경

(1) 1865년 남북전쟁의 종전과 1873년 발발한 경제공황으로 도시빈민, 흑인 문제, 전염병 등 다양한 사회문제가 크게 확대되었다. 이에 미국 내에서는 인도주의적 **자선단체가 난립**하였으며, 영국 런던의 자선조직협회에서 활동하던 미국인 목사들이 귀국하여 **자선조직협회를 설립**하기 시작하였다.

(2) 또한 1880년대 초 미국에서는 산업화로 노동자들과 그들 가족들이 도시로 대량 이주하는 현상이 발생하였고, 이는 **도시 빈곤 지역을 형성**시켰으며, 이는 **인보관 운동이 시작된 계기**가 되었다.

2. 경과

(1) 1877년에 영국 성공회 소속 **거틴(Gurteen)** 목사에 의해 **뉴욕주 버팔로시(Buffalo)**에 **최초의 자선조직협회가 설립**되었다.

(2) 1886년에 **코이트(Coit)**에 의해 **뉴욕에 근린길드 인보관(Neighborhood Guild)**이 설립되었다.

(3) 1889년에 **아담스(Addams)**에 의해 **시카고에 헐하우스 인보관(Hull House)** 설립되었다.

(4) 1913년에 지역공동모금을 위한 **클리블랜드 상공회의소의 자선연합회가 출현**하였다. 이는 **현대적인 공공모금의 시초**로 여겨진다.

2 1920~1950년대

1. 시대적 배경

1914~1918년 동안의 제1차 세계대전과 1929년부터 시작된 경제대공황 등으로 산업화·도시화·인종 간 대립이 심화되었다.

2. 경과

(1) '자선조직협회와 인보관 운동 등' 민간 주도의 지역사회복지실천의 한계가 발생하였고, 이로 인해 '다양한 형태의 사회복지 추진체계'의 발전이 촉진되었다.

(2) 다양한 형태의 사회복지 추진체계

지역공동모금회 제도	① 제1차 세계대전으로 공동모금이 '전시모금'을 겸하게 되면서 **공동모금 활동이 급속히 확산**되었다. ② 1949년 디트로이트 공동기금을 시작으로 1950년대 전국적 공동모금조직이 결성되었다.
사회복지기관 협의회	자선조직협회 활동을 근간으로 지역사회 내 사회복지조직 간 업무 조정 등을 위해 결성되었다.
지역사회조직화 사업	1939년 **레인위원회의 보고서❶**(지역사회조직의 실천분야)가 **발표**되어 지역사회조직의 개념 · 실천 방법 · 활동 · 분야 · 자격 · 교육훈련 등을 명확히 하였고, 이는 지역사회조직의 개념 체계화를 도모하였다.
공공복지사업	① 연방정부의 역할 강화: 1935년 「사회보장법」의 제정, 「최저임금법」 제정, 다양한 공공부조 제도 시행, 뉴딜정책 시행 등 ② 지역사회복지에 있어서 공사협력의 필요성이 대두되었다.

3 뉴딜정책과 사회보장법 16. 국가직, 13. 서울시

1. 뉴딜정책 (必)

(1) 도입 배경

1929년에 발발한 경제대공황(Great Depression)은 케인즈식 국가개입주의(시장경제에 대한 국가개입)에 대한 사회적 요구와 빈곤의 사회구조적 원인에 대한 인식을 증가시켰다.❷

(2) 정부의 조치

① 제1차 뉴딜정책: 루스벨트(1933년 미국의 제32대 대통령으로 당선) 대통령은 **총수요관리❸**에 초점을 둔 불황대책으로 1933년, 긴급은행법(Emergency Banking Act), 농업조정법(Agricultural Adjustment Act), 국가산업부흥법(National Industry Recovery Act) 법안 등의 입법화를 추진하였지만, 1935년 연방대법원에서 국가산업부흥법이 위헌이라고 판결하였다.

② 제2차 뉴딜정책: 1935년 대기업으로부터 노동조합을 보호하기 위한 **와그너법(Wagner Act)**과 함께 사회보장법이 공포되었다.

③ 이를 통해 사회보장에 대한 연방정부의 책임이 확대되었고, 세계 최초로 '사회보장'이란 용어를 공식화 · 입법화시켰으며, 미국 최초로 전국적인 사회보장 프로그램이 운영되었다.

선생님 가이드

❶ 레인위원회의 보고서란 1939년 전미 사회복지사협회(NASW)의 제3부 회의에서 레인(Lane, R. P)을 위원장으로 하여 작성된 보고서입니다. 이 보고서는 지역사회조직을 연구하는데 기초적 체계를 이루었다는 평을 받습니다.

❷ 경제공황으로 실업자와 빈민이 갑자기 증가하게 되자 기존의 사적 · 공적 기관은 그 기능을 상실하게 되었고, 빈곤의 원인과 책임을 개인에게 두던 관점이 변화됩니다. 이로 인해 정부 개입이 없는 자유방임적 야경국가에 대한 비판이 거세졌습니다.

❸ 1929년 대공황이 발발할 당시, 미국은 세계적인 보호무역주의로 인한 농업제품의 수출 감소, 사회 전반의 소비 수준 저하, 포화상태에 달한 주택 건설 및 내구소비재 수요 등으로 총 수요가 현저하게 떨어져 있는 상태였습니다. 이러한 수요 부족에도 불구하고 세계차 대전 부터 급증해온 과잉 생산설비와 이로 인한 생산의 과잉은 대공황 발생의 직접적인 원인이 되었습니다. 생산은 과잉하는 데 이를 소비할 수요는 급격하게 떨어져 결국 생산자인 기업들의 수익성 악화로 1929년 10월 말부터 주식시장이 대폭락하게 되었습니다. 이에 1932년부터 집권하게 된 민주당 출신 대통령 루스벨트(F. Roosevelt)는 케인즈이론에 근거하여 유효수요 창출과 관련된 총수요관리 정책에 초점을 둔 국가정책을 도입하게 됩니다. 그 대표적인 정책이 1933년의 긴급은행법 제정, 테네시강 유역 개발 사업 등입니다.

2. 사회보장법(Social Security Act)의 구성❶ 必

사회보장법은 **사회보험 프로그램(노령연금, 실업보험), 공공부조 프로그램, 보건 및 복지 서비스 프로그램**으로 구성되었다.

사회보험 프로그램	노령연금	연방정부가 재정과 운영 담당	① 전국적으로 단일한 형태로 운영되었다. ② **사용자와 노동자에게 각각 임금의 2.5%에 해당하는 금액을 갹출**하여 보험료를 마련하였다. ③ 가입자가 65세가 되면 연금을 지불하였으며, 그 액수는 **퇴직자의 퇴직 전 소득에 비례**하였다.
	실업보험		4인 이상의 노동자를 둔 사업자에게 임금총액의 3%에 해당하는 금액을 갹출하여 보험료를 마련하였다.
공공부조 프로그램		주정부가 운영, 연방정부는 재정 보조 담당	① **연방긴급구호청을 설치하여 운영**하였다. ② 대상: 65세 이상의 노령빈민, 맹인, 요보호아동, 신체장애아동, 고아, 신생아, 산모 ③ 각 주가 공공부조제도를 수립하면 그 재정의 1/3~1/2를 연방정부가 보조하였다.
보건 및 보건복지 서비스 프로그램 (또는 공중보건 서비스)			모자보건 서비스, 장애아동(또는 절름발이 아동)을 위한 서비스, 아동복지 서비스, 직업재활 및 공중보건 서비스 등이 제정되었다.

4 1960~1980년대

1. 시대적 배경

(1) '빈곤 문제와 인종 간 갈등'이 결부되어 사회적 논란이 되었다.

(2) 이후 베트남 전쟁, 흑인들의 민권 운동, 학생 운동 등으로 **시민권 운동이 성장**하였다.

2. 경과 14. 국가직, 13. 서울시 必

(1) 로스만(Rothman)의 3가지 지역사회 복지실천 모델(지역사회개발, 사회계획, 사회행동 모델)이 등장하는 등 지역사회 복지실천이 사회사업의 전문분야로서의 위치를 확고히 하게 되었다.

(2) AFDC(Aid to Families with Dependent Children, 요보호아동가족 부조)의 제정

① 1962년 기존의 요보호아동부조(Aid to Dependent Children, ADC)를 대체하여 등장하였다.

② 연방정부와 주정부의 공동 프로그램으로서 **자녀를 양육하는 여성은 자신의 가정을 지키면서 자녀를 양육할 수 있도록 도와야 한다**는 취지로 시작되어, **일정 자격 요건만 갖추면 기간의 제한 없이 수급권을 보장**하였다.

핵심 PLUS

TANF(The Temporary Assistance for Needy Families) ✎

AFDC가 수십 년에 걸쳐 시행됨에 따라 이 제도가 오히려 이혼이나 비혼 출산을 부추김으로써 사회 전체적으로는 바람직하지 못한 가족의 형태를 양산한다는 비판이 일었다. 이에 **1996년 빌 클린턴(Bill Clinton) 행정부에 의해 종전의 AFDC를 대체하여 TANF가 제정되었다.** TANF는 주정부에게 수급자격을 결정할 수 있는 자율성을 보장하였고, 다음의 4가지 목표를 달성하기 위해 시행되었다.

① 빈곤 가정의 아동들의 자신의 가정, 최소한 친척의 가정에서 제대로 성장할 수 있도록 도와준다.

② 수급권자들이 복지혜택의 의존성을 점차 줄이면서 **결국은 경제적으로 자립**할 수 있게 한다.

③ 비혼가정의 비율증가를 억제한다.

④ 부모가 함께 자녀를 양육하는 가정이 많아지게 한다.

수급자격의 조건으로는 미국으로 이민한 자의 경우 최소한 5년의 기간이 지나야 하며, 수급자는 수급 개시일로부터 24개월 이내에 직업을 가져야만 한다는 것이 있다. 또한 수급자들 중에서 한부모 가족의 가장은 주당 최소 30시간의 근로를 해야 하고, 양부모 가정의 경우 계속 수급권을 유지하려면 최소한 35~55시간까지 근로를 해야 한다. AFDC가 각 주별로 빈곤층이 많은 주에게 많은 연방기금의 지원이 이루어졌다면, TANF는 근로요건을 갖춘 빈곤층에 대해서만 연방기금의 지원이 이루어졌다.

(3) 빈곤과의 전쟁(War on Poverty) 선포

① 36대 대통령 존슨(L. Johnson)에 의해 **풍요 속의 빈곤(Poverty In The Midst Of Plenty)❷**에서의 **빈곤과의 전쟁(War on Poverty)**이 선포되어 **연방정부의 역할이 증대**되었다.

② 빈곤과의 전쟁(War on Poverty)의 주요 내용

메디케어 (Medicare)	1965년부터 시작된 **의료보험제도**로, 사회보장세를 20년 이상 납부한 65세 이상의 노인들과 65세 미만이더라도 특정한 장애나 질병을 가지고 있는 사람들에게 연방정부가 의료비의 50%를 지원한다.
메디케이드 (Medicaid)	1965년부터 시작된 **공적의료부조제도**로, 수혜 대상은 65세 미만의 저득층 및 장애인들이며, **연방정부와 주정부가 공동으로 재정을 보조**하고 운영은 주정부에서 맡는다.
헤드 스타트 (Head Start Project)	㉠ 1964년에 제정된 「경제기회법(Economic Opportunity Act)」에 따라 시행된 제도로, **저소득가정의 아동에게 무료 혹은 저렴한 교육비로 조기 교육 프로그램을 제공하여 취학준비를 목적**으로 하는 아동중심프로그램으로, **기회의 평등** 차원에서 제공되었다. ㉡ 연방정부가 주도하여 0~5세의 아동과 그 가족을 대상으로 하는 포괄적 아동발달프로그램으로 식품권(Food Stamp), 의료부조(Medicaid), 학교급식(School Lunch and Breakfast Program) 등과 함께 **저소득가정의 아동에게 제공되는 대표적인 현물급여**이다. ㉢ 진학률 증가와 범죄율 감소에 긍정적 영향을 미쳤다고 평가 받는다.

선생님 가이드

❷ **풍요속의 빈곤(Poverty In The Midst Of Plenty)**이란 미국 사회의 경제적 양극화에 대한 풍자적 용어로, 1963년에 미국 대통령인 케네디(John F. Kennedy)가 당시 부통령인 존슨에게 보낸 편지에 처음 등장하였습니다. 이 편지에서 케네디는 가장 부유한 나라 중 하나인 미국은 인구의 1/6이 절대빈곤을 경험하고 있다면서, 이는 곧 풍요속의 빈곤이고, 미국이 절대 그냥 넘어갈 수 없는 역설이라고 언급하였습니다. 그는 1963년도 3월에 경제기회법을 발표하였으며, 그해에 암살을 당하는 바람에 이 법은 그의 후임인 존슨에 의해 1964년 서명되어 시행되었습니다. 이 법은 이후 빈곤과의 전쟁에서 승리하기 위한 수단으로 미국의 각종 사회보장제도를 탄생시키는 계기가 되었습니다.

기출 OX

01 헤드 스타트(Head start)는 미국의 1960년대에 기회평등의 차원에서 제공된 아동 보육 프로그램이다. (   ) 13. 서울시

02 미국의 의료보험(Medicare)은 사회보장법이 제정된 1935년 이전에 실시되었다. (   ) 14. 국가직

01 ○
02 × '이전에'가 아니라 '이후에'가 옳다.

지역사회행동 프로그램 (Community Action Program, CAP)	⊙ 1965년에 경제기회국(Office of Economic Opportunity, OEO) 산하에 설립된 조직으로, **빈곤한 지역사회에서 사회적·경제적 자원을 개발**하여 빈곤의 지속 요인을 해소하는 방법을 모색하기 위한 목적으로 운영된다. ⓒ 이후 Head Start의 실행 주체가 되었다.
시민권법 (Civil Rights Act)	1964년에 제정되어 **흑인에 대한 법적인 평등을 보장**하는 법률이다.
선거권법 (Voting Rights Act)	1965년에 제정되어 **투표에 관한 차별을 전반적으로 엄격하게 금지**시킨 법률이다.

(4) 1970~1980년대, 복지국가의 위기 발생

① 1981년에 집권한 레이건 대통령과 그가 추진한 레이거노믹스(Reaganomics)의 등장으로 신보수주의 및 신자유주의 이념의 확산, 작은 정부 지향으로 복지에 대한 지방정부의 책임이 강조되고, 사회복지개혁과 지역사회 개입을 위한 전문사회복지 방법이 위축되며, **복지다원주의가 확산**되었다.

② 이에 따라 **의료부조(Medicaid), 요보호아동가족부조(AFDC)** 등의 공공부조 급여 수준을 삭감시키는 등의 정책이 추진되었다.

회독 Check!　1회 □　2회 □　3회 □

제4절　우리나라의 사회복지역사

1　삼국시대

1. 개관

(1) 삼국시대의 구제사업은 주로 **민생구휼(民生救恤)** 사업으로, 국가에 전쟁·기근·홍수 등과 같은 갑작스러운 재해가 닥쳤을 때, 국왕의 책임하에 백성을 구제하는 형태로 이루어졌다.

(2) 삼국시대의 구제사업의 특징은 다분히 **임시적이며 사후 대책적인 성격**이 강하다는 것이다.

2. 구제사업

(1) **관곡진급(官穀賑給)❶**

재해를 당한 빈곤한 백성들에게 정부에서 비축하고 있는 **관곡을 배급하여 구제**하는 사업이었다.

(2) **사궁구휼(四窮救恤)**

① 사궁이란 환과고독(鰥寡孤獨)을 말한다. 여기서 환과고독이란 **늙어서 아내가 없는 사람(홀아비), 늙어서 남편이 없는 사람(과부), 어려서 어버이가 없는 사람(고아), 늙어서 자식이 없는 사람(노인)**을 일컫는 것으로 **삼국시대부터 조선시대에 이르기까지 구휼의 1차적인 대상**이 된 사람들이다.

🗣️ 선생님 가이드

❶ **관곡(官穀)**이란 '국가나 관청이 보유하고 있는 곡식'을, **진급(賑給)**이란 '구휼을 공급한다.'는 말입니다.

📋 기출 OX

고려시대의 구빈제도에는 사창(社倉), 제위보(濟危寶), 혜민국(惠民局), 흑창(黑倉) 등이 있다. ( ) 　　22. 지방직

× 사창(社倉)은 조선시대의 구빈제도이다.

---

② 빈곤한 환과고독에게 왕이 직접 방문하여 의류나 곡물 등을 베풀어 구제했던 것으로, 당시 이들에 대한 구제는 정부의 의무처럼 인식되었다.

(3) 조조감면(租調減免)

자연재해로 심한 피해를 당한 백성들에게 **그 재해정도에 따라 조세를 감면해 주**는 사업이었다.

(4) 대곡자모구면(貸穀子母俱免) 11. 지방직

춘궁기에 백성들에게 대여한 관곡을 추수 이후에 거두어들일 당시 재해로 인해 흉작일 경우 빌려간 관곡을 감면 또는 면제해 주는 사업이었다.

(5) 경형방수(輕刑放囚)

천재지변 발생의 원인을 국왕의 잘못된 국정에 대한 신의 형벌로 여겨 국왕이 죄인들의 형벌을 감경하거나 방면하는 것과 같이 선정을 베풀던 사업이었다.

(6) 책기감선(責己減膳)❷

국왕이 국가에 발생한 각종 재난의 원인을 국왕 자신의 부덕으로 돌려 궁전의 뜰 아래 방에 기거하고 식사도 평소와 달리 소식을 하며 **스스로 근신하는 방법**이었다.

3. 구빈제도

(1) 창제(倉制)

① 본래 창제란 전시에 필요한 군곡(軍穀)을 비축하기 위해 설치한 것이었으나, 이후 재해, 전란(戰亂), 전염병이 창궐 시에 국왕의 명에 따라 **비축된 양곡을 백성들에게 방출하는 제도**로 변화하였다.

② 이는 가장 오래된 **삼국공통의 구제정책**으로 평가받는다.

(2) 진대법(賑貸法)

① 춘궁기에 빈민 구제, 영농자금 대여를 통한 농민의 실농(失農)방지, 일반 백성의 생활안정, 관곡의 적절한 활용으로 그 낭비와 사장(死藏)을 방지하기 위한 목적으로 **고구려 제9대 고국천왕** 16년에 을파소의 제안으로 시행된 제도이다.

② 춘궁기인 3월에서 7월 사이, 또는 흉년에 빈곤한 백성들에게 **관곡을 대여**했다가 추수기인 10월에 **환납**하게 하였다.

③ 이는 고려의 의창, 조선의 환곡과 사창 제도의 효시이며, 우리나라 최초의 **상시 구빈제도**로 평가받는다.

2 고려시대

1. 개관

(1) 삼국시대에 임시적인 성격을 지녔던 구제사업은 고려시대에 이르러 **상설구제기관 등으로 발전**하게 된다.

선생님 가이드

❷ 책기(責己)란 '자신을 책한다.', 감선(減膳)이란 '식사량을 줄인다.'라는 의미입니다.

기출 OX

대곡자모구면(貸穀子母俱免)은 춘궁기 등에 백성에게 대여한 관곡을 거두어들일 시기가 되었는데 재해로 인한 흉작으로 상환이 곤란할 때에 원래의 관곡 및 이자를 감면해 주는 것이다. ( )

11. 지방직

O

(2) 고려시대에는 **불교의 자비(慈悲)사상에 영향**을 받아 구제를 국가적 사업으로 인식했으며, 이를 담당하기 위해서 각종 **창제도(倉制度)와 구빈정책·구빈기관**이 제도적으로 확립되었다.

2. 재해구제사업❶ 12. 지방직

(1) 은면지제(恩免之制)❷

① 개국, 국왕의 즉위, 불사(佛事), 국가적 경사 등이 일어난 적당한 시기에 백성들에게 **부과되던 조세, 부역, 공물** 등 각종 형태의 세금을 3년 동안 면제해 주고, 죄에 대한 형벌 역시 면제하며, 부랑자들에게는 정착을 유도하여 농업에 종사하도록 한 제도이다.

② 고려시대의 구제사업 중 가장 빈번하게 행해진 사업이다.

(2) 재면지제(災免之制)❸ 12. 지방직

재난 시에 이재민들에게 조세와 부역을 감면하고 환곡의 반납을 면제하며, 경한 범죄에 대해서는 이에 대한 형벌 또한 면제하였다.

(3) 사궁(四窮)의 보호

① 사궁(四窮)이란 환과고독, 즉 홀아비, 과부, 고아, 노인을 말한다.

② 특히 사궁 중에서도 고아와 노인은 특별한 보호를 받았는데, **고아는 10세로, 노인은 80세 이상으로 한정**하여 보호하였다.

(4) 수한역려진대지제(水旱疫癘賑貸之制)❹ 12. 지방직

장마, 가뭄, 전염병으로 **이재민이 된 백성들에게 쌀, 잡곡, 소금, 간장, 의류 등의 생필품 이외에도 의료나 주택 등을 무상으로 지급하거나 대여**하였던 제도이다.

(5) 납속보관지제(納贖補官之制)❺ 12. 지방직

제25대 충렬왕 원년인 1275년에 시작된 제도로, 처음에는 구휼 목적이 아니라 부족한 국가의 재정을 보충하기 위해 **국고에 거액의 기부를 행한 민간인에게 관직을 주던 제도**였다. 그러나 충목왕 4년인 1348년부터 황정(荒政), 즉 흉년이나 기근에 백성을 구제하기 위한 정책 집행 시 소요되는 국고의 부족분을 충당하려고 **재민구휼(災民救恤)의 명목으로 일정 금품을 기부한 민간인에게 관직을 주어 자선을 장려했던 제도로 변화**되었다.

3. 상설구제기관

상설구제기관이란 구제 사업을 위해서 **국가에서 재원을 마련하여 설치·운영**하던 기관을 말한다.

(1) **흑창(黑倉)** 22. 지방직

① 고구려의 진대법을 발전시켜, 고려 초기인 태조 때에 설치되었던 **상설적인 빈민 구제기관**이다.

② 평상시에 양곡을 저장해 두었다가 흉년, 기근, 전쟁, 전염병이 창궐하는 등 위기 상황 시에 **빈곤한 백성들에게 이를 빌려주었다가 상환하도록 하는 진대(賑貸) 기능**을 하였지만 널리 보급되지는 않았다.

(2) 의창(義倉)

① 성종 때에 흑창의 명칭을 개명하여 설립한 상설적인 구제기관이다.

② 평상시에 곡물을 비축하였다가 흉년, 전쟁, 전염병 창궐 등의 재해에 대비했으며, 구곡(舊穀)을 신곡(新穀)으로 교환해주어 백성들이 농사철에 종자를 활용할 수 있도록 하였다.

③ 당시 수나라의 제도를 모방한 것으로, 조선시대에 이르러서 사창과 환곡 등으로 발전하였다.

(3) 상평창(常平倉)

① 개성과 서경 및 12주의 행정 중심지에 설치한 기관으로, **물가조절의 기능, 생활필수품의 공급 조절 기능** 등 백성들의 일상적인 경제생활의 편의를 도모하기 위해 운영된 **상설적인 구제기관**이다.

② 곡물이나 포목과 같은 생활필수품을 시장 가격이 하락할 때 고가(高價)로 사들였다가 다시 가격이 오르면 저가(低價)로 시장에 공급하여 **물가를 조절**하였다.

(4) 제위보(濟危寶)[6] 22. 지방직

① 광종 때에 설치되어, 빈민(또는 궁민)과 이재민(또는 재민)에 대해 구호와 치료를 제공했던 기관이다.

② 특정한 재원을 기초로 하여 거기에서 발생하는 이식(利息)으로 구빈사업을 수행하였다.

(5) 유비창(有備倉)[7]

고려 후기 충선왕 때에 설치되어 **의창과 상평창의 기능을 담당**하면서 **재난에 대비했던 기관**이다.

4. 임시 구제기관(또는 비상설 구제기관) 11. 지방직

임시 구제기관이란 갑작스러운 재난으로 구제 대상이 급격히 증가했을 때 **임시적으로 설치되어 구제업무를 제공한 후 해체되는 기관**을 말한다.

(1) 동서제위도감(東西濟危都監)

재난 시 빈민을 구휼하고 병자를 치료하기 위해 예종 때에 설치된 임시 구제기관이다.

(2) 구제도감(救濟都監)

① 예종 때에 설치되어 제위보 등을 보완하기 위해 **중앙에 설치되어 구휼행정을 총괄**하던 기관이다.

② 이는 기근이나 질병 등으로 백성들이 재난을 당했을 때에 곡물, 소금, 간장, 채소 등의 생활필수품을 구비하여 빈곤한 백성들에게 제공하고, **대비원이나 제위보만으로 빈민의 치료를 감당할 수 없을 때**에 이들을 보호하기 위해 임시로 설치한 기관이다.

(3) **구급도감(救急都監)**

고종 때에 설치되어 **기근에 대비했던 기관**이다.

(4) **해아도감(孩兒都監)**❶ 11. 지방직

충목왕 때에 설치되어 **유아를 보호하던 기관**으로, **우리나라 최초의 관설 영아원으로 평가**받는다.

(5) **연호미법(姻戶米法)**

충선왕 때에 설치되어, 평상시에 가구의 규모에 따라 차등적으로 곡식을 거두어 **흉년이나 재해 등의 유사 상황을 대비하기 위한 제도**였다.

5. 의료구제사업

고려시대의 **의료구제사업은 상설구제기관의 형태로 운영**되었으며, 주로 승려들이 종사하여 빈곤한 병약자를 구제하기 위해서 약품이나 의복 등을 제공하였다.

(1) **동서대비원(東西大悲院)**❷

문종 때에 설치되어 병약자, 빈민, 고아, 노인, 걸인 등을 **치료하고 수용·보호한 대중적인 의료 및 구제기관**이다.

(2) **혜민국(惠民局)**❸ 22. 지방직

예종 때에 설치되어 빈민을 치료하고 그들에게 **약품을 제공한 국립 의료기관**이다.

3 조선시대

1. 개관

(1) 조선시대의 구제정책은 **고려시대에 비해 그 제도와 운영이 더욱 체계화**되었다.

(2) **조선시대의 구제원칙**

① 국왕의 책임주의 원칙: 백성 중 한사람이라도 빈곤에 빠지게 되면 이는 **치자(治者)의 책임**으로, **국왕은 백성이 빈곤에 빠지지 않게 정책을 운용**해야 한다.

② 현물주의 원칙: 구제는 우선적으로 **생명연장에 필수적인 식료품을 공급**한다.

③ 신속구제의 원칙: 구제의 시기를 놓치게 되면 효과가 감소하며, 따라서 **신속하게 구제**해야 한다.

④ 국비우선의 원칙: 구제의 재원은 **국비에서 우선적으로 충당**하고 구제대부(救濟貸付)에 의해서 발생한 이익으로 이를 보충한다.

⑤ 중앙감독의 원칙: 구제에 대한 **1차적인 책임은 지방관에게 일임**하며 중앙에서는 이를 지도·감독한다.

(3) 조선시대의 공적 구제제도로는 **비황(備荒), 구황(救荒), 구료(制度)의 3가지 제도**가 있었다.

2. 공적 구제제도(1) - 비황제도 07. 국가직, 11 · 12 · 20 · 22. 지방직

비황(備荒)이란 흉년이나 재난을 미리 대비하기 위한 제도를 말한다. 대표적인 비황제도로는 춘궁기나 흉년에 곡식을 대여하기 위해 이를 미리 비축하던 3창, 즉 의창, 상평창, 사창이 있었다.

(1) 의창(義倉)

① 고려시대의 의창을 전승한 제도로, 평상시에 곡물을 비축했다가 흉년, 전쟁, 전염병 창궐 등의 재해에 대비하였다. 즉 비축된 곡물을 대부해 주었다가 다음 추수기에 이식❹과 함께 환곡하게 하였고, **이때 발생한 이식 수입은 일반구제기금으로 사용**되었다.

② 이후, 때에 따라 **상평창과 기능을 통합하거나 또는 분리**하면서 조선 말기까지 지속적으로 운영되었다.

(2) 상평창(常平倉)

① 고려시대의 상평창을 전승한 제도로, 각 지방에 설치되어 **물가 조절의 기능, 생활필수품의 공급 조절 기능** 등, 백성들의 일상적인 경제생활의 편의를 도모하기 위해 운영된 **상설적인 구제기관**이었다.

② 곡물이나 포목과 같은 생활 필수품의 시장 가격이 하락할 때 고가로 사들였다가 다시 가격이 오르면 저가로 시장에 공급하여 **물가를 조절**하였다.

③ 이후 인조 때에 폐지되어 환곡제도에 흡수되었다.

(3) 사창(社倉)

① 사창은 사(社)❺를 중심으로 그 지방의 향인(鄕人), 즉 민간에서 자치적으로 설치하여 곡식을 저장했다가 재난이나 흉년이 발생하면 이를 빌려주고, 가을 추수기에 **이식과 함께 환급받는 기관**이었다.

② 관(官)이 아닌 **민(民)이 공동으로 저축하여 상부상조**하는 등, 직접 관리 · 운영하였고, 따라서 백성들이 쉽게 이용할 수 있었다.

③ 의창, 상평창과 함께 3창(三倉)❻의 하나로 불린다.

3. 공적 구제제도(2) - 구황제도

구황(救荒)이란 춘궁기와 흉년 때에 굶주리는 빈민들을 구제하던 제도를 말한다.

(1) 진휼(賑恤)

① 삼국시대 이래 역사상 가장 많이 시행되었던 **구황제도**로, 이재민이나 빈민들에게 곡물 이외에도 소금, 간장, 의복, 베 등의 **현물과 때에 따라서는 현금을 베풀어 굶주림과 추위를 구제하던 제도**이다.

② 만일 한 사람이라도 아사자(餓死者)가 발생하는 경우, 그것을 보고하지 않은 수령은 중벌에 처해졌다.

③ 인조 때에는 진휼청이 설치되어 환곡제의 이식으로 거두어들인 곡식을 구제의 기본 자본으로 사용하였다.

📢 선생님 가이드

❹ 이식이란 '이자 수입'을 말합니다.
❺ 사(社)란 조선시대의 행정단위로서 현재의 '면'에 해당합니다.
❻ 조선 시대 3창 중에 사창만이 유일하게 민간이 주도하여 설립하고 운영하였습니다.

🏛 기출 OX

01 조선시대의 구제제도로 상평창, 의창, 사창 등의 비황제도가 있었다. ( )
07. 국가직

02 구황(救荒)은 춘궁기와 흉년에 곡식을 대여하는 제도이다. ( ) 11. 지방직

03 상평창에서는 풍년이 들어 곡물 가격이 떨어지면 국가는 곡식을 사들여 저장하고, 흉년이 들어 곡물 가격이 오르면 국가는 저장한 곡물을 방출하여 곡물 가격을 떨어뜨렸다. 이 제도는 곡물 가격의 변동에 따라 생활을 위협받는 일반 농민을 보호하고 물가를 안정시키기 위한 정책이었다. ( ) 20. 지방직

04 상평창은 조선시대 구빈제도 중 하나로 백성이 공동으로 저축하여 상부상조하는 민간 구빈기구였다. ( )
12. 지방직

01 ○
02 × '곡식을 대여하는'이 아니다. 곡식을 대여했던 기관이나 제도로는 의창이나 사창과 같은 비황제도가 있었다.
03 ○
04 × '상평창'이 아니라 '사창 또는 계'가 옳다.

(2) 진대(賑貸)

고구려 시대부터 전승되어 온 것으로, 춘궁기인 3월에서 7월 사이, 또는 흉년에 빈곤한 백성들에게 **관곡을 대여**했다가 추수기인 10월에 **환납**하게 했던 제도이다.

(3) 시식소(施食所)❶ 제도 11. 지방직

긴급구호제도로 주로 춘궁기나 기근 때에 사원(寺院), 역원(驛院), 기타 적당한 장소에서 매일 취사장과 식탁을 마련하여 **빈민이나 걸인들에 음식을 제공**했던 제도이다. **오늘날 노숙자 대상 무료급식소와 유사**하다.

(4) 경조(輕糶)❷

관청에서 국고로 비축된 **곡물을 시장에 싸게 팔아 곡물 가격의 폭등을 방지**하던 제도로, 때로는 빈민과 빈민촌을 조사하여 이들에게 일정 범위 내에서 곡물을 **염가(廉價)로 방매(放賣)**하기도 하였다.

(5) 방곡(防穀)❸

경조와 더불어 **곡물 가격의 폭등을 방지**하여 백성의 생활을 안정시키기 위해 시행된 제도로, 정부에서 지방관청으로 하여금 일정 기간 동안 시장을 점검하여 곡물의 **매점매석(買占賣惜)을 엄격히 규제**하던 제도❹이다.

(6) 고조(顧助)❺

생계 곤란으로 **혼례나 장례를 치르지 못하는 빈민**을 위해 관청에서 그 비용을 **부조(扶助)**하던 제도이다.

(7) 견감(蠲減)❻

흉년이나 재해를 당한 **백성의 지세·호세·부역 등을 감면**해 주거나, **대부한 환곡을 면제 또는 감해** 주던 제도이다.

(8) 원납(願納)❼

구제한 관곡의 부족분을 충당하기 위해서 **부유한 자가 곡물을 대납하면 그들에게 관직을 첩지**하던 제도이다.

(9) 구황방(救荒方)❽

관청에서 풀, 솔잎, 나무뿌리 등 곡식 대신 먹을 수 있는 것을 조사하여 **대용식물로 선정**하고 그 식용 방법을 기재하여 백성에게 알리던 제도이다.

선생님 가이드

❶ 시식(施食)이란 '음식을 보시(報施), 즉 베푼다.'라는 의미입니다.
❷ 조(糶)란 '곡식을 내어 판다.'라는 의미입니다.
❸ 방곡(防穀)이란 '곡식을(穀) 다른 곳으로 반출하지 못하게 막는 것(防)'이라는 의미입니다.
❹ 매점매석(買占賣惜)이란 어떤 상품의 가격이 오르기를 기다려 많은 양을 사둔 다음 오를 때까지 팔지 않고 보관해 두는 행위로, 조선 시대 곡물 시장의 곡가(穀價)를 폭등시킨 주요한 원인이 되었습니다.
❺ 고조(顧助)란 '널리 돌아보아(顧) 돕는다(助).'라는 의미입니다.
❻ 견감(蠲減)이란 '제하여(蠲) 줄여준다(減).'라는 의미입니다.
❼ 원납(願納)이란 '스스로 원해서(願) 재물을 바친다(納).'라는 의미입니다.
❽ 구황방(救荒方)이란 '흉년이나 기근으로 먹을 것이 없을 때에 곡식의 대용식물을 먹는 방법'을 말합니다.

기출 OX

시식소(施食所)는 현재 노숙자 대상 무료급식소와 유사하다. ( )　11. 지방직

○

4. 공적 구제제도(3) - 구료제도

구료(救療)란 빈민이나 행려자의 구제와 질병의 치료를 목적으로 실시되었던 의료제도를 말한다.

(1) 전의감(典醫監)

① 태조 때에 설치되어 의료행정과 의학교육을 관장하던 관청이다.

② **왕실과 관료들의 진료**, 의학교육, 의학취재(醫學取才)**❾** 등의 업무를 담당했던 기관이다.

(2) 혜민서(惠民署)

고려시대의 혜민국을 전승한 제도로, 세조 때에 설치되어 조선시대 각종 약재를 수집하고 **일반백성의 치료를 담당**❿했던 기관이다.

(3) 동서활인원(東西活人院)

일반백성을 대상으로 구료를 제공한 의료기관이다.

(4) 제생원(濟生院)

고려시대의 제위보를 전승한 제도로, 제위보와 같은 기능을 하였고, 특별히 빈민과 행려자에 대한 치료, 미아(迷兒)의 보호, 백성을 대상으로 한 의방의 조사 및 수집, 의학서적 간행, 약물 조사 및 채집, 여의(女醫)의 양성기관(주로 맥 및 침구술) 등의 업무를 수행하였다.

(5) 대비원(大悲院)

고려시대의 동서대비원을 전승한 제도이다.

(6) 월령의(月令醫)

전의감이나 혜민서에 소속된 당번제 의원으로, **구료를 위한 공의제도(公醫制度)**이다.

5. 기타 주요 공적 구제제도 (必)

(1) 자휼전칙(字恤典則) 12. 지방직

① 정조 때에 흉년을 당해 걸식하거나 유기(遺棄)된 **10세 이하의 요구호아동들의 구호 방법을 규정한 법령집**이다.

② 이러한 아동들에 대해 **부모나 친척 등 의지할 곳을 찾을 때까지 구호**하고, 자녀나 심부름꾼이 없는 사람들로 하여금 거두어 키우도록 하였다.

③ 이전의 법령들이 요구호아동의 구제에 있어서 주로 민간의 역할만을 강조한 반면, 자휼전칙에서는 **국가의 책임과 역할을 일정부분 인정**하고 있었다는 것이 특징이다.

④ 헌종 때부터는 관청의 허가에 의한 민가 수양(收養)⓫이 실시되고, 유기된 아동이 입을 의복도 관청에서 지급되었다.

⑤ **조선시대의 아동복지 관련법**으로 평가받는다.

(2) 오가작통(五家作統)

① 5개 가구를 1개 통(統)으로 묶은 행정자치조직을 말한다.

선생님 가이드

❾ 의학취재란 의학실력을 시험하여 의원을 선발하는 행위를 말합니다.

❿ 전의감이 왕실과 관료들을 주로 치료한 반면 혜민서는 일반백성들을 대상으로 구료를 하였습니다.

⓫ 민가 수양이란 민가에서 자녀나 노비를 만들 목적으로 유기된 아동이나 궁민을 데려와 길렀던 풍습을 말합니다. 그러나 이는 아동 유괴와 같은 폐습으로 변질되어 헌종 때부터는 이를 관청의 허가에 의해서만 가능하도록 조치하게 됩니다.

기출 OX

자휼전칙은 유기아 입양법으로 고려시대 대표적인 아동복지 관련법이었다. ( )

12. 지방직

× '고려시대'가 아니라 '조선시대'가 옳다.

② 농경 및 환난 시 상호부조, 강도와 절도방지, 풍속의 교화와 유민방지, 호적 작성에 있어서의 탈루자(脫漏者)의 방지 등을 목적으로 국가에 의해 강제적으로 시행되었다.

6. 사적(또는 자율적) 구제조직 🖋

(1) 두레

① 공굴, 공굴이, 조리, 동네 논매기, 향두품어리 등으로도 불리웠다.

② 촌락단위로 조직된 농민들의 공동노동 제공을 위한 협동조직체로, 모내기 · 김매기 등의 농업활동이나 공동잔치 등, 단기간 내 대규모의 노동력이 필요한 경우 촌락 내 구성원이 집단을 이루어 공동 노동력을 제공하였다.

(2) 품앗이

노동력의 차용 및 교환 형태로, 개인 간 또는 소집단 간 다양한 작업을 수행함에 있어서 상호 필요한 노동력을 빌리고 다시 갚아주는 식으로 진행되었다.

(3) 향약(鄕約)

① 지역주민의 순화 · 덕화 · 교화를 목적으로 한 촌락 단위의 자치규약으로, 지배계층인 양반이 자신이 속한 지역사회의 체제 안정을 위해 실시하였다.

② 4대 강목으로, 덕업상권(德業相勸, 좋은 일은 서로 권함), 과실상규(過失相規, 잘못은 서로 규제함), 예속상교(禮俗相交, 예의로 서로 사귐), 환난상휼(患難相恤, 어려운 일은 서로 도움)이 있었으며, 이 중에서 환난상휼이 사회복지적 의미를 가지고 있다.

(4) 계(契)

① 현대의 조합 성격을 지닌 촌락단위의 자연발생적이며 자치적인 조직으로, 계원들이 공동으로 저축하여 상부상조하기 위해 조직되었다.

② 경제적(생산 · 식리 · 공동구매), 동리의 공공비용 마련, 계원의 복리 및 상호부조, 조상의 제사, 계원 자녀의 교육, 계원의 친목과 오락 등의 공제사업(共濟事業)의 성격의 업무를 하였다.

③ 오늘날 관점에서 볼 때 보험 및 강제저축의 성격, 소득재분배 성격을 동시에 지니고 있었다고 평가받는다.

7. 주요 사건

(1) 1888년

① 고종 때에 프랑스 교회가 지금의 명동 소재 천주교회에 고아원을 설립하였다.

② 이는 우리나라에서의 근대적 시설 사업의 시초로 평가받는다.

(2) 1906년

① 원산에 기독교 감리교 여선교사인 메리 놀즈(Mary Knowles)에 의해 반열방(班列房)이 설립되어, 여성을 대상으로 계몽사업을 실시하였다.

② 이는 1926년, 원산의 보혜여자관으로 발전되었다.

4 일제강점의 시대(1910~1945년)

1. 개관

(1) 당시의 사회복지 정책은 일제에 의한 식민통치를 합리화시키고, 황국신민(皇國臣民)사상을 주입하기 위한 수단으로 사용되었다.

(2) 제공되는 급여 역시 **한국인과 일본인을 차별하는 형태로 지급**되었다.

2. 주요 구제사업

(1) **은사금 이재구조기금 관리규칙(1914년)**

이재민에게 식량, 의류 등을 지원하는 규정을 담았다.

(2) **은사진휼자금 궁민구조규정(1916년)**

폐질(廢疾)❶이나 무의탁 노유병약자 등에게 식량을 지급하는 규정을 담았다.

(3) **행려병인 구호자금 관리규칙(1917년)**

무의탁 행려병자를 구호소에서 구호하는 규정을 담았다.

3. 주요 사건

(1) **1921년, 서울에 태화여자관 설립**

우리나라 최초의 사회복지관으로 평가받으며, 현 태화기독교사회복지관의 전신이다.

(2) **1927년, 방면위원제도(方面委員制度) 시행**

① 일본의 민생위원 제도를 모방한 제도로, 보호가 필요한 대상의 가정에 방면위원을 파견하여 생활실태조사, 개별지도, 직업알선 등을 제공하였다.

② 1941년에는 이를 전면 개편하여 서울시와 8개 방면에 약 250명의 방면위원을 위촉하였다.

③ **우리나라 개별사회사업의 기원으로 평가**받는다.

(3) **1944년, 조선구호령(朝鮮救護令) 제정** 07. 국가직

① 일본의 「구호법」을 기초로, 일제에 의해 한국민에 대한 징병과 노무징용 강요의 대가로 제정되었으며, **「모자보호법」과 「의료보호법」으로 구성**되었다.

② 적용대상: 65세 이상의 노쇠자, 13세 이하의 유아, 임산부, 신체의 장애로 인하여 노동을 하기에 지장이 있는 자

③ 급여내용: 생활부조, 의료, 조산, 생업부조, 장제부조

④ 운영원칙: 신청주의, 자산조사 실시, 거택보호 원칙(단, 거택보호가 불가능할 경우에는 구호시설에 수용하거나 민간의 가정에 위탁할 수 있도록 하였다)

⑤ 구호비: 원칙적으로 부·읍·면이 부담하였지만 국가나 도에 의한 보조도 이루어졌다.

⑥ 근대적 의미에서 **우리나라의 공공부조 제도의 출발점으로 평가**받는다.

⑦ **1961년, 「생활보호법」 제정으로 폐지**되었다.

제1편 사회복지총론 해커스공무원 박정훈 사회복지학개론 기본서

 선생님 가이드

❶ 폐질이란 치료할 수 없는 질병을 말합니다.

 기출 OX

일제강점기의 조선구호령은 광복 후 생활보호법이 제정되기 전까지 공공부조의 지침 구실을 했다. ( ) 07. 국가직

○

5 미군정기(1945~1948년)

1. 개관

(1) 형식적으로는 일제강점기의 **조선구호령**을 **계승**하였다.

(2) 실제로는 미군정의 법령 등에 따라 주로 외국민간원조단체의 도움으로 **일반구제사업**과 **전재민(戰災民)수용구제사업** 등을 실시하였다.

2. 일반구제사업

(1) **시설구제**

아동, 노인, 행려불구자에 대한 수용보호를 하는 사업이었다.

(2) **이재구제**

피난민에 대해 의류, 식량, 가옥, 구급치료 등을 일시적으로 제공하여 구제하는 사업이었다.

(3) **응급구제**

빈곤한 피난민, 실업자 등에 대해 일시적으로 구제하는 사업이었다.

(4) **공공구호**

65세 이상의 노인이나 소아를 부양하는 여자, 임산부, 불구, 폐질자 등을 구제하는 사업이었다.

3. 전재민수용구제사업

(1) 전재민들이 정착할 수 있도록 수용소에서 의식을 제공하고 취업을 알선시켰다.

(2) 전재민들을 5일 동안 수용한 후에는 고향이나 연고지로 귀환시키며 무의탁자들에 대해서는 직업을 알선하기도 하였다.

6 해방 이후~1960년대 주요 사건

1. 1947년, 이화여자대학교에 기독교사회사업학과 설립 ✐

1947년 이화여자대학교에 기독교사회사업학과가 설립되어 우리나라 최초로 대학에서 사회복지 전문 인력 양성을 위한 정규 사회복지교육이 시작되었다.

2. 1952년, 한국외원단체협의회(Korea Association of Voluntary Agencies, KAVA, 또는 외국민간원조단체 한국연합회) 설립 ✐

(1) KAVA는 외원기관 간 정보교환, 사업 내용의 상호조정, 합동조사 등을 통한 단체교섭, 대정부 건의 활동 등을 하기 위한 목적으로 한국전쟁 중이던 1952년에 **7개 외원기관**이 주축이 되어 부산에서 설립되었다.

(2) KAVA는 고아 · 장애 · 혼혈아 · 아동 유기 등의 문제에 대한 해결책을 모색하기 위해 실태조사 이외에도 밀가루 · 옥수수 가루 등 외국의 잉여 농산물 및 의약품과 헌옷 등의 구호물자 배분과 같은 사업을 진행하였고, 이에 효율적인 **구호활동을 위하여 조직관리 기술을 도입**하여 활용하였다.

(3) 이후 사업의 영역을 **자선사업에서** 점차 **재활사업으로 전환**하였으며, 서비스 중복, 누락, 서비스 제공자 간의 협력체계 구축에 초점을 두어 활동하였다.

(4) 특히 한국전쟁이후 KAVA를 중심으로 한 **외원단체들**은 학교, 병원, 고아원 등을 설립하여 운영하였고, 따라서 이들의 지원은 우리나라에서 **시설중심의 사회복지를 발전**시키는 데에는 기여하였지만, 선교 및 구호를 위주로 활동하여 사회복지실천의 전문성은 부족하였다고 평가받는다.

3. 1960년, 「**공무원연금법**」 11. 국가직 (必)

(1) 1960년 1월 1일에 제정과 동시에 시행되었다.

(2) 법의 목적

공무원이 상당한 연한 성실히 근무하고 퇴직하였거나 공무로 인한 부상 또는 질병으로 퇴직 또는 사망한 때에 본인이나 유족에게 연금, 부조금 또는 일시금을 지급함을 목적으로 한다.

(3) 우리나라 최초 직역연금법(職域年金法)❶, 사회보험법, 공적연금법으로 **평가**된다.

4. 1961년, 「**생활보호법**」 11 · 21. 국가직, 15 · 22. 지방직 (必)

(1) 1944년 제정된 「조선구호령」이 폐지되고, 1961년 12월 30일에 제정되어 1962년 1월 1일부터 시행된 **우리나라 최초의 공공부조 실정법**으로, 이로써 우리나라의 구빈정책이 정착되고, 공공부조 사업이 본격화되었다.

(2) 법의 목적

노령, 질병 기타 근로능력의 상실로 인하여 생활유지의 능력이 없는 자에 대한 보호와 그 방법을 규정하여 사회복지의 향상에 기여함을 목적으로 한다.

(3) 주요 개정 연혁

① 1982년 12월 31일 전부개정, 1983년 7월 1일 시행

  ㉠ 근로능력이 있는 자로서 생활이 어려운 자에 대하여도 **자활을 조성할 수 있도록 한다.**

  ㉡ 보호의 종류에 **교육보호와 자활보호를 추가**한다.

② 1997년 8월 22일 일부개정, 1998년 7월 1일 시행

  ㉠ 부양의무자의 범위 축소 및 생활보호대상자의 범위를 조정(**노인 · 아동 · 임산부 · 근로능력 상실자**등과 생계를 같이 하는 자로서 이들의 부양 · 양육 · 간병 기타 이에 준하는 사유로 인하여 생활이 어려운 자를 포함)하여 **생활보호가 필요한 보호대상자들이 모두 보호를 받을 수 있도록** 한다.

  ㉡ 생활보호대상자들의 자활을 촉진하기 위해서 **자활후견기관의 지정, 자활공동체의 설립 · 운영** 등의 제도를 신설한다.

  ㉢ **최저생계비를 규정**하고, 보건복지부장관은 매년 12월 1일까지 중앙생활보호위원회의 심의를 거쳐 다음 연도 보호실시에 필요한 최저생계비를 결정하여 공표하며, 5년마다 계측조사를 실시하도록 하였다.

(4) 1999년 9월 7일 「국민기초생활보장법」의 제정으로 폐지되었다.

선생님 가이드

❶ 직역연금이란 법령으로 정한 특정 직업 또는 자격에 따라 연금의 수급권이 주어지는 연금으로, 이에 속하는 근로자는 강제로 전원 가입됩니다. 우리나라의 직역연금으로는 공무원연금, 사립학교 교직원연금, 군인연금, 별정우체국 직원연금 등이 있으며, 이 중에서 공무원연금이 가장 먼저 시행되었습니다.

기출 OX

01 1960년대에는 「공무원연금법」, 「생활보호법」, 「재해구호법」, 「아동복리법」 등이 제정되었다. ( ) 11. 국가직

02 1960년대 생활보호법이 제정되었다. ( ) 15. 지방직

03 우리나라는 1961년 제정된 「생활보호법」의 목적으로 '사회복지'의 향상을 명시했다. ( ) 21. 국가직

01 ○
02 ○
03 ○

5. 1961년, 「아동복리법」 11. 국가직 ✍

(1) 1961년 12월 30일에 제정되어, 1962년 1월 1일부터 시행되었다.

(2) **법의 목적**

　　아동이 그 보호자로부터 유실, 유기 또는 이탈되었을 경우, 그 보호자가 아동을 육성하기에 부적당하거나 양육할 수 없는 경우, 아동의 건전한 출생을 기할 수 없는 경우 또는 기타의 경우에 아동이 건전하고 행복하게 육성되도록 그 복리를 보장함을 목적으로 한다.

(3) **탁아소를 법정 아동복지시설로 인정**하고, 보육시설의 설치기준 · 종사자 배치기준 · 보육시간 · 보육내용 등을 정하였다.

(4) 1981년 4월 13일 「**아동복지법**」으로 **변경**되었다.

6. 1962년, 「재해구호법」 11. 국가직 ✍

(1) 1962년 3월 20일에 제정과 동시에 시행되었다.

(2) **법의 목적**

　　비상재해가 발생하였을 때에 응급적인 구호를 행함으로써 재해의 복구, 이재민 보호와 사회질서의 유지를 목적으로 한다.

7. 1963년, 「군인연금법」 22. 지방직

(1) 1963년 1월 1일부터 「**공무원연금법**」에서 **분리되어 적용**되었고, 실제 법은 1963년 1월 28일에 제정되었다.

(2) **법의 목적**

　　군인이 상당한 기간을 성실히 복무하고 퇴직하였거나 심신의 장애로 인하여 퇴직 또는 사망한 때에 본인이나 그 유족에게 적절한 급여를 지급함으로써 본인 및 그 유족의 생활안정과 복리향상에 기여함을 목적으로 한다.

8. 1963년, 「사회보장에 관한 법률」 22. 지방직 ✍

(1) 1963년 11월 5일에 사회보장과 관련된 기본법으로써의 기능을 수행하기 위한 목적으로 제정되었으나 시행령도 제정되지 못하다가, **1995년 「사회보장기본법」이 제정되어 시행되면서 폐지**되었다.

(2) **법의 목적**

　　국민의 인간다운 생활을 도모하기 위한 사회보장제도의 확립과 그 효율적인 발전을 기함을 목적으로 한다.

9. 1963년, 「산업재해보상보험법」 07. 국가직 ✍

(1) 1963년 11월 5일에 제정되어 1964년 1월 1일부터 시행되었다.

(2) 법의 목적

사회보장에 관한 법률에 의하여 산업재해보상보험사업을 행함으로써 근로자의 업무상의 재해를 신속하고 공정하게 보상함을 목적으로 한다.

(3) 사회보험 중 전국민을 대상으로 한 우리나라 최초의 사회보험 입법이다.

10. 1963년, 「의료보험법」

(1) 1963년 12월 26일에 제정되어 1964년 3월 17일부터 시행되었다.

(2) 법의 목적

사회보장에 관한 법률에 의하여 의료보험사업을 행함으로써 근로자의 업무외 사유로 인한 질병·부상·사망 또는 분만과 근로자의 부양가족의 질병·부상·사망 또는 분만에 관한 보험급여를 목적으로 한다.

(3) 1963년 제정 당시에는 강제가입이 아닌 임의가입을 인정하였고, 이에 따라 사회보험제도로서의 의의를 상실하였지만, 1976년 전부 개정되어 1977년부터는 500인 이상의 사업장에 대해 강제가입 원칙을 적용하게 되었다.

(4) 1999년 2월 8일 「국민건강보험법」의 제정으로 폐지되었다.

11. 1965년, 한국사회사업교육연합회 창립

현 사회복지교육협의회의 전신이다.

12. 1965년, 한국개별사회사업가협회 창립

현 한국사회복지사협회의 전신이다.

13. 1967년, 한국사회사업가협회 창립

(1) 기존의 '한국개별사회사업가협회'를 병합하여 모든 분야의 사회사업가를 회원으로 포함시켰다.

(2) 1985년, 현 한국사회복지사협회로 개칭하였다.

7 1970년대 주요 사건

1. 1970년, 「사회복지사업법」 07·20. 국가직, 09·10·15·22. 지방직, 13. 서울시 🖉

(1) 1970년 1월 1일에 제정되어 같은 해 4월 2일부터 시행되었다.

(2) 70년대 외원기관 및 단체의 대단위 사업철수가 계기가 되어 제정되었고, 민간사회복지 서비스 분야 이외에 정부가 주관하는 공적 사회복지제도의 기틀을 제공하였다는 평가를 받는다.

(3) 법의 목적

사회복지사업에 관한 기본적 사항을 규정하여 그 운영의 공정적절을 기함으로써 사회복지 증진을 도모함을 목적으로 한다.

(4) 주요 내용

① **사회복지법인, 사회복지사업, 사회복지시설, 공동모금 등에 대해 정의**한다.

② 사회복지법인을 설립하고자 하는 자는 **보건사회부장관의 인가를 받도록 한다.**

③ **사회복지시설의 설치·운영은** 국가·지방자치단체 및 시·도지사의 허가를 받은 **사회복지법인 또는 보건사회부장관의 허가를 받은 기타의 법인에 한한다.**

④ 보건사회부장관은 공동모금의 목적달성을 위하여 **법인인 모금회의 설립을 허가**한다.

(5) 주요 개정 연혁

① 1983년 5월 21일 일부개정, 동시 시행

㉠ 시장 및 군수가 읍·면·동 단위로 복지위원을 위촉하도록 한다.

㉡ 한국사회복지협의회를 법정단체화하고, 업무 위탁을 할 수 있도록 한다.

㉢ **사회복지사자격제도를 도입(→ 최초로 사회복지사 자격 제도 도입)** 및 자격등급을 1, 2, 3등급으로 하고, 사회복지법인의 사회복지사 의무채용을 규정한다.

② 1992년 12월 8일 전부개정, 1993년 6월 9일 시행

㉠ 사회복지행정의 전문성과 효율성을 높이기 위하여 일선행정기관에 **사회복지전담공무원을 둔다(→ 최초 사회복지전담공무원의 법적 근거 마련).**

㉡ 사회복지행정을 종합적·전문적으로 수행할 수 있도록 하기 위해 **필요한 경우 조례에 의하여 시·군·구에 복지사무전담기구를 설치할 수 있도록 한다.**

③ 1997년 8월 22일 전부개정, 1998년 7월 1일 시행

㉠ 사회복지사의 전문성을 제고시키기 위하여 **사회복지사 1급은 국가시험에 합격한 자로 하며, 국가시험의 관리에 필요한 사항을 신설**한다.

㉡ 사회복지사업의 활성화를 위하여 **사회복지시설의 설치·운영의 허가제를 신고제로 전환**하는 한편, 개인에게도 사회복지시설을 설치·운영할 수 있도록 한다.

㉢ **사회복지시설에 대한 평가제도를 도입**하고, 그 결과를 동 시설의 감독 또는 지원에 반영한다.

④ 2000년 1월 12일 일부개정, 2000년 7월 13일 시행

㉠ **매년 9월 7일을 사회복지의 날**로 정하고, 사회복지의 날부터 1주간을 사회복지주간으로 한다.

㉡ **사회복지시설의 운영자는** 화재로 인한 손해배상책임의 이행을 위하여 그 시설에 대하여 **화재보험에 가입하도록 하며,** 국가 또는 지방자치단체는 예산의 범위 안에서 소요비용을 보조할 수 있다.

⑤ 2003년 7월 30일 일부개정, 2004년 7월 31일 시행

㉠ 종전에 시·군·구에 설치되어 있던 **사회복지위원회를 폐지**하고, 그에 갈음하여 **시·군·구에 지역사회복지 협의체를 설치**한다.

ⓛ 지역 사회복지를 효율적으로 실시하기 위하여 **시·도지사 및 시장·군수·구청장은 지역보건의료계획과 연계하여 시·도 및 시·군·구 지역 사회복지계획을 수립·시행**하고, **보건복지부장관 또는 시·도지사는 시·도 또는 시·군·구의 지역 사회복지계획의 시행결과를 평가**한다.

ⓒ 사회복지 서비스를 필요로 하는 자에게 사회복지 서비스를 제공하는 경우 **재가복지 서비스를 우선하여 제공**하고, 국가 또는 지방자치단체는 **재가복지 서비스를 담당하는 가정봉사원을 양성하도록 노력**한다.

ⓖ 2017년 10월 24일 일부 개정, 2018년 4월 25일 시행

사회복지사의 자격등급을 기존 1~3등급에서 1, 2등급으로 축소한다.

ⓗ 2018년 12월 11일 일부개정, 2020년 12월 11일 시행

정신건강·의료·학교 등의 직무영역별 사회복지사를 신설한다.

2. 1970년, 새마을운동 전개

(1) 1970년대 박정희 정부의 주도 아래 전국단위로 실시된 **지역사회개발 운동**으로, 처음에는 **새마을가꾸기 운동**이라고 하였다.

(2) **농촌재건 운동 및 농가소득 배가 운동**으로, 농한기 마을 가꾸기 시범사업으로 시작되었다.

(3) 기본 정신으로는 **근면, 자조, 협동**이 있다.

(4) 이후 정부의 절대적인 지원으로 단순한 농촌개발사업이 아닌 한국사회 전체의 근대화 운동으로 확대 및 발전하여 **도시민의 의식개선 운동과 소득증대 운동으로 발전**하였다.

(5) 1970년대 기록물은 유네스코 세계기록유산에 등재되었다.

(6) 매년 4월 22일은 새마을의 날이다.

3. 1973년, 「사립학교 교원연금법」

(1) 1973년 12월 20일 제정되어 1974년 1월 1일부터 시행되었다.

(2) **법의 목적**

사립학교 교원의 건강진단·질병·부상·폐질·분만·퇴직 또는 사망에 대하여 적절한 급여제도를 확립하고, 교원 및 그 유족의 경제적 생활안정과 복리향상에 기여함을 목적으로 한다.

(3) 2000년 1월 21일 「사립학교교직원연금법」으로 변경되었다.

4. 1973년, 「국민복지연금법」 16. 국가직 (必)

(1) 1973년 12월 24일 제정되어 1974년 1월 1일부터 시행예정이었지만, 1973년 당시 발발한 세계석유파동 등으로 인해 시행되지 못하다가 **1986년 12월 31일 「국민연금법」으로 전부개정되어 1988년 1월 1일부터 시행**되었다.

(2) 법의 목적

국민의 노령·폐질 또는 사망 등에 대하여 연금급여를 실시함으로써 국민의 생활안정과 복지증진에 기여함을 목적으로 한다.

5. 1976년, 「입양특례법」 ✍

(1) 1976년 12월 31일에 제정되어 1977년 1월 31일부터 시행되었다.

(2) 법의 목적

보호시설에서 보호를 받고 있는 자의 입양을 촉진하고 양자로 되는 자의 안전과 복리증진을 도모하기 위하여 필요한 사항을 규정함을 목적으로 한다.

(3) 1995년 1월 5일에 **전부개정되어 「입양촉진 및 절차에 관한 특례법」으로 변경**되었다.

6. 1977년, 「의료보호법」

(1) 1977년 12월 31일 제정과 동시에 시행되었다.

(2) 법의 목적

생활유지의 능력이 없거나 생활이 어려운 자에게 의료보호를 실시함으로써 국민보건의 향상과 사회복지의 증진에 기여함을 목적으로 한다.

7. 1977년, 「공무원 및 사립학교 교직원 의료보험법」

(1) 1977년 12월 31일 제정되어 1978년 7월 1일부터 시행되었다.

(2) 법의 목적

이 법은 공무원·사립학교 교직원 및 그 부양가족의 질병·부상·분만 또는 사망 등에 대하여 보험급여를 실시함으로써 그들의 건강을 향상시키고 사회보장의 증진을 도모함을 목적으로 한다.

(3) 1997년 「국민의료보험법」 제정으로 폐지되었다.

8 1980년대 주요 사건

1. 1980년, 「사회복지사업기금법」

(1) 1980년 12월 31일 제정과 동시에 시행되었다.

(2) 법의 목적

사회복지사업을 효과적으로 수행하기 위하여 사회복지사업기금을 설치·운용함으로써 사회복지증진에 기여함을 목적으로 한다.

(3) 1997년 3월 27일 「사회복지공동모금법」의 제정으로 폐지되었다.

2. 1981년, 「아동복지법」 ✍

(1) 1961년 제정된 「아동복리법」이 전부 개정되어 1981년 4월 13일에 변경되었다.

(2) 법의 목적

아동이 건전하게 출생하여 행복하고 건강하게 육성되도록 그 복지를 보장함을 목적으로 한다.

3. 1981년, 「노인복지법」 10 · 22. 지방직, 13. 서울시 (必)

(1) 1981년 6월 5일에 제정과 동시에 시행되었다.

(2) 법의 목적

노인의 심신의 건강유지 및 생활안정을 위하여 필요한 조치를 강구함으로써 노인의 복지증진에 기여함을 목적으로 한다.

4. 1981년, 「심신장애자 복지법」

(1) 1981년 6월 5일에 제정과 동시에 시행되었다.

(2) 법의 목적

심신장애의 발생의 예방과 심신장애자의 재활 및 보호에 관하여 필요한 사항을 정함으로써 심신장애자의 복지증진에 기여함을 목적으로 한다.

(3) 1989년 12월 30일 「장애인복지법」으로 변경되었다.

5. 1983년, 사회복지관 국고지원에 관한 법적 근거 마련

(1) 1983년에 「사회복지사업법」 개정으로 사회복지관의 설립 및 운영에 대한 국고지원의 법적 근거가 마련되었다.

(2) 또한 1988년에는 사회복지관 운영 및 국고보조사업 지침이 수립되어 국가지원금 산출방식이 제정되었다.

6. 1983년, 사회복지사 명칭 법제화

「사회복지사업법」 개정으로 '사회복지사업 종사자'에서 '사회복지사'로 법적 명칭이 변경되었다.

7. 1984년, 「국가유공자 예우 등에 관한 법률」

(1) 1984년 8월 2일 제정되어 1985년 1월 1일에 시행되었다.

(2) 법의 목적

국가를 위하여 공헌하거나 희생한 국가유공자와 그 유족에 대하여 국가가 응분의 예우를 행함으로써 국가유공자와 그 유족의 생활안정과 복지향상을 도모하고 아울러 국민의 애국정신 함양에 이바지함을 목적으로 한다.

8. 1985년, 시 · 도 단위 종합 사회복지관 설립 시작 (必)

시 · 도 단위로 지역 사회복지관이 확장되어 설립되었다.

기출 OX

1990년대에 「노인복지법」과 「장애인복지법」 등의 사회복지 서비스 관련법 제정이 이루어졌다. ( )   10. 지방직

× '1990년대'가 아니라 '1980년대'가 옳다.

9. 1985년, 한국사회복지사협회 창립

1967년 창립된 한국사회사업가협회가 1985년에 한국사회복지사협회로 개칭되었다.

10. 1986년, 「국민연금법」 24. 국가직, 13. 서울시 ✍

(1) 1973년에 제정되었던 「국민복지연금법」의 시행이 유보되다가 1986년 12월 31일에 **전부개정되어 「국민연금법」으로 변경되었고, 1988년 1월 1일부터 시행되었다.**

(2) **법의 목적**

국민의 노령·폐질 또는 사망에 대하여 연금급여를 실시함으로써 국민의 생활 안정과 복지증진에 기여함을 목적으로 한다.

11. 1986년, 「최저임금법」 16. 지방직, 17. 서울시 ✍

(1) 1986년 12월 31일에 제정되어 동시에 시행되었으며, 법상 **최저임금제도는 1988년 1월 1일부터 시행**하였다.

(2) **법의 목적**

근로자에 대하여 임금의 최저 수준을 보장하여 근로자의 생활안정과 노동력의 질 적 향상을 기함으로써 국민경제의 건전한 발전에 이바지하게 함을 목적으로 한다.

12. 1987년, (별정직)❶사회복지 전문요원의 공공영역 배치 15. 지방직 ✍

(1) **1987년 사회복지 전문요원제도가 신설**되어 사회복지 전문요원이 서울시 관악구에서 최초로 시범사업 차 배치되었고, 이후 5개 직할시에 49명이 별정 7급으로 최초 배치되었다.

(2) 1992년에는 「사회복지사업법」 전부개정을 통해 **사회복지 전담공무원 조항이 신설**되어 **사회복지 전담공무원의 법적근거가 마련**되었으며, 이에 따라 **2000년에 별정직 사회복지 전문요원이 (일반직)공무원인 사회복지직렬로 전환**되었다.

(3) 사회복지 전문요원제도는 공적 사회복지 서비스 전달체계 구축의 시발점으로 평가받는다.

(4) 이후 기존 「사회복지사업법」에서 2014년 12월 30일 제정된 「**사회보장급여의 이용·제공 및 수급권자 발굴에 관한 법률**」 제43조로 법적규정이 옮겨졌다.

> ☑ **핵심 PLUS**
>
> **사회복지 전담공무원(「사회보장급여의 이용·제공 및 수급권자 발굴에 관한 법률」 제43조)**
> ① 사회복지사업에 관한 업무를 담당하게 하기 위하여 시·도, 시·군·구, 읍·면·동 또는 사회보장사무 전담기구에 사회복지 전담공무원을 둘 수 있다.
> ② 사회복지 전담공무원은 「사회복지사업법」 제11조에 따른 사회복지사의 자격을 가진 사람으로 하며, 그 임용 등에 필요한 사항은 대통령령으로 정한다.
> ③ 사회복지전담공무원은 사회보장급여에 관한 업무 중 취약계층에 대한 상담과 지도, 생활실태의 조사 등 보건복지부령으로 정하는 사회복지에 관한 전문적 업무를 담당한다.
> ④ 국가는 사회복지 전담공무원의 보수 등에 드는 비용의 전부 또는 일부를 보조할 수 있다.
> ⑤ 시·도지사 및 시장·군수·구청장은 「지방공무원 교육훈련법」 제3조에 따라 사회복지 전담공무원의 교육훈련에 필요한 시책을 수립·시행하여야 한다.

13. 1987년, 「남녀고용평등법」

(1) 1987년 12월 4일 제정되어 1988년 4월 1일부터 시행되었다.

(2) **법의 목적**

헌법의 평등이념에 따라 고용에 있어서 남녀의 평등한 기회 및 대우를 보장하는 한편 모성을 보호하고 직업능력을 개발하여 근로여성의 지위향상과 복지증진에 기여함을 목적으로 한다.

(3) 2017년 12월 21일 「남녀고용평등과 일·가정 양립 지원에 관한 법률」로 변경되었다.

14. 1988년, 「보호관찰법」

(1) 1988년 12월 31일 제정되어 1989년 7월 1일부터 시행되었다.

(2) **법의 목적**

죄를 범한 자이며 재범방지를 위하여 체계적인 사회내 처우가 필요하다고 인정되는 자에 대하여 지도·원호를 함으로써 건전한 사회복귀를 촉진하고 개인 및 공공의 복지를 증진함과 아울러 사회를 보호함을 목적으로 한다.

(3) 1995년 1월 5일 「보호관찰 등에 관한 법률」으로 변경되었다.

15. 1989년, 「모자복지법」 22. 지방직

(1) 1989년 4월 1일 제정되어 같은 해 7월 1일부터 시행되었다.

(2) **법의 목적**

모자가정이 건강하고 문화적인 생활을 영위할 수 있게 함으로써 모자가정의 생활안정과 복지증진에 기여함을 목적으로 한다.

(3) 2002년 12월 18일 일부 개정되어 「모·부자복지법」으로 변경되었고, 이는 다시 2007년 10월 17일 「한부모가족지원법」 제정으로 변경되었다.

16. 1989년, 「장애인 복지법」 10. 지방직, 13. 서울시 (必)

(1) 1981년 제정된 「심신장애자 복지법」이 1989년 12월 30일에 전부개정되어 변경되었다.

(2) **법의 목적**

장애인대책에 관한 국가, 지방자치단체 등의 책무를 명백히 하고 장애발생의 예방과 장애인의 의료·훈련·보호·교육·고용의 증진·수당의 지급 등 장애인복지대책의 기본이 되는 사업을 정함으로써 장애인복지대책의 종합적 추진을 도모하며, 장애인의 자립 및 보호에 관하여 필요한 사항을 정함으로써 장애인의 생활안정에 기여하는 등 장애인의 복지증진에 기여함을 목적으로 한다.

17. 1989년, 영구임대아파트 건립 시 사회복지관 건립 의무화

「주택건설촉진법」 등에 따라 저소득층의 영구임대아파트 건립 시 일정 규모의 사회복지관 건립이 의무화되었다.

9 1990년대 주요 사건

1. 1990년, 「장애인 고용촉진 등에 관한 법률」 ✍

(1) 1990년 1월 13일에 제정되어 1991년 1월 1일부터 시행되었다.

(2) 법의 목적

　장애인이 그 능력에 맞는 직업생활을 통하여 인간다운 생활을 할 수 있도록 장애인의 고용촉진과 직업재활 및 직업안정을 도모함을 목적으로 한다.

(3) 2000년 1월 2일에 전문 개정되어 「**장애인 고용촉진 및 직업재활법**」으로 변경되었다.

2. 1991년, 「**영유아보육법**」 16. 국가직, 15. 지방직 ✍

(1) **1991년 1월 14일에 제정과 동시에 시행**되었다.

(2) 법의 목적

　보호자가 근로 또는 질병 기타 사정으로 인하여 보호하기 어려운 영아 및 유아를 심신의 보호와 건전한 교육을 통하여 건강한 사회성원으로 육성함과 아울러 보호자의 경제적·사회적 활동을 원활하게 하여 가정복지증진에 기여함을 목적으로 한다.

3. 1991년, 「**청소년기본법**」

(1) 1991년 12월 31일에 제정되어 1993년 1월 1일부터 시행되었다.

(2) 법의 목적

　청소년의 권리 및 책임과 가정·사회·국가 및 지방자치단체의 청소년에 대한 책임을 정하고, 청소년 육성정책에 관한 기본적인 사항을 규정함을 목적으로 한다.

4. 1991년, 「**고령자고용촉진법**」

(1) 1991년 12월 31일에 제정되어 1992년 7월 1일부터 시행되었다.

(2) 법의 목적

　고령자가 그 능력에 적합한 직업에 취업하는 것을 지원·촉진함으로써 고령자의 고용안정과 국민경제의 발전에 이바지함을 목적으로 한다.

(3) 2008년 3월 21일에 일부 개정되어 「**고용 상 연령차별금지 및 고령자고용촉진에 관한 법률**」로 변경되었다.

5. 1992년, 재가복지봉사센터 설치 및 운영

(1) **1992년부터 설치 및 운영**되기 시작한 재가복지봉사센터는 기존의 사회복지관, 장애인 복지관, 노인 복지관 등이 전담인력, 장비 등에 소요되는 사업비를 국가와 지방자치단체로부터 지원받아 **부설 형태로 운영**하였다.

(2) **재가복지 서비스의 확대에 기여**했다는 **평가**를 받는다.

(3) 이후 2010년에 **종합사회복지관의 재가복지봉사 서비스에 흡수되어 통합**되었다.

6. 1993년, 「고용보험법」 24. 국가직, 09. 지방직, 17. 서울시 ✍

(1) 1993년 12월 27일에 제정되어 1995년 7월 1일부터 시행되었다.

(2) **법의 목적**

고용보험의 시행을 통하여 실업의 예방, 고용의 촉진 및 근로자의 직업능력의 개발과 향상을 꾀하고, 국가의 직업 지도와 직업 소개 기능을 강화하며, 근로자가 실업한 경우에 생활에 필요한 급여를 실시하여 근로자의 생활안정과 구직 활동을 촉진함으로써 경제 · 사회 발전에 이바지하는 것을 목적으로 한다.

(3) 이로 인해 **4대 사회보험 체제가 완성**되었다.

7. 1994년, 「성폭력범죄 처벌 및 피해자보호 등에 관한 법률」

(1) 1994년 1월 5일에 제정되어 같은 해 4월 1일부터 시행되었다.

(2) **법의 목적**

성폭력범죄를 예방하고 그 피해자를 보호하며, 성폭력범죄의 처벌 및 그 절차에 관한 특례를 규정함으로써 국민의 인권신장과 건강한 사회질서의 확립에 이바지함을 목적으로 한다.

(3) 2010년 4월 15일 제정된 「성폭력방지 및 피해자보호 등에 관한 법률」이 2011년 1월 1일부터 시행됨에 따라 폐지되었다.

8. 1995년, 「보호관찰 등에 관한 법률」

(1) 1988년에 제정된 「보호관찰법」이 전부개정되어 변경되었다.

(2) **법의 목적**

죄를 범한 자로서 재범방지를 위하여 보호관찰 및 갱생보호 등 체계적인 사회내 처우가 필요하다고 인정되는 자에 대하여 지도 · 원호를 함으로써 건전한 사회 복귀를 촉진하고, 효율적인 범죄예방활동을 전개함으로써 개인 및 공공의 복지를 증진함과 아울러 사회를 보호함을 목적으로 한다.

9. 1995년, 「입양촉진 및 절차에 관한 특례법」

(1) 1976년 제정된 「입양특례법」이 **1995년 1월 5일에 전부개정되어 변경**되었고, 이후 2011년 8월 4일 「입양특례법」으로 다시 전부개정되었다.

(2) **법의 목적**

요보호아동의 입양을 촉진하고 양자로 되는 자의 보호와 복지증진을 도모하기 위하여 필요한 사항을 규정함을 목적으로 한다.

10. 1995년, 「사회보장기본법」 07 · 21. 국가직, 15 · 22. 지방직, 13. 서울시 ✍

(1) 1995년 12월 30일 제정되어 1996년 7월 1일부터 시행하였다. 이로 인해 **1963년에 제정되었던 「사회보장에 관한 법률」은 폐지**되었다.

(2) 법의 목적

사회보장에 관한 국민의 권리와 국가 및 지방자치단체의 책임을 정하고 사회보장제도에 관한 기본적인 사항을 규정함으로써 국민의 복지증진에 기여함을 목적으로 한다.

11. 1995년, 「정신보건법」 15. 지방직

(1) 1995년 12월 30일에 제정되어 1996년 12월 31일부터 시행되었다.

(2) 법의 목적

정신질환의 예방과 정신질환자의 의료 및 사회복귀에 관하여 필요한 사항을 규정함으로써 국민의 정신건강증진에 이바지함을 목적으로 한다.

(3) 이 법으로 인해 **정신보건전문요원으로서 '정신보건사회복지사 자격증' 제도의 법적 근거가 마련**되었다.

(4) 2016년 5월 29일 전부개정되어 「정신건강증진 및 정신질환자 복지 서비스 지원에 관한 법률」로 변경되었다.

12. 1995년, 지방자치제도의 전면적 실시

1995년 6월 지방자치단체장 선거가 실시되면서 지방자치제도가 전면적으로 실시되었다.

13. 1995~1999년 보건복지사무소 시범사업 실시

(1) 보건복지사무소 시범사업은 2000년대를 대비하는 '사회복지정책 발전계획'의 일환으로 '사회복지정책 심의위원회'에서 보건복지부에 건의하여 실시되었다.

(2) 보건복지사무소는 **공공복지 전달체계의 개편**을 통해 지역주민 중 **사회적 취약계층에게 보건의료와 사회복지 서비스를 포괄적으로 제공**하기 위한 방안을 마련하기 위한 목적으로, 서울 관악구, 대구 달서구, 경기도 안산시, 강원도 홍천군, 전북 완주군 등 5개 지역에 설치되었으며, 보건소 조직 내에 사회복지 담당 부서를 신설하여 보건의료 및 복지 서비스 기능을 연계 및 수행하게 하였다.

(3) 원안은 **1995년 7월~1997년 6월까지 2년간 시범운영**하기로 하였으나, 가시적 성과를 얻지 못해 1999년 12월까지 재연장하여 4년 6개월간 운영하였고, 이후 **평가결과가 효과성이 없음으로 판명되어 전면 중지**되었다.

14. 1997년, 「청소년보호법」

(1) 1997년 3월 7일에 제정되어 같은 해 7월 1일부터 시행되었다.

(2) 법의 목적

청소년에게 유해한 매체물과 약물 등이 청소년에게 유통되는 것과 청소년이 유해한 업소에 출입하는 것 등을 규제함으로써 청소년을 유해한 각종 사회환경으로부터 보호·구제하고 나아가 이들을 건전한 인격체로 성장할 수 있도록 함을 목적으로 한다.

15. 1997년, 사회복지시설에 대한 신고제 전환, 평가제 실시 10. 국가직, 19. 서울시 1차 (뵐)

(1) 1997년 「사회복지사업법」 개정으로 사회복지시설 설립이 기존 '허가제'에서 '신고제'로의 전환이 결정되었고, 사회복지시설의 평가제도가 법제화되어 모든 사회복지시설은 3년마다 1회 이상 의무적으로 평가를 받게 되었다.

(2) 이에 따라 1999~2001년에 제1기 사회복지시설 평가가 시행되었다.

16. 1997년, 「사회복지공동모금법」 → 1999년, 「사회복지공동모금회법」 22. 지방직 (뵐)

(1) 「사회복지공동모금법」

「사회복지공동모금법」은 1997년 3월 27일에 제정되어 1998년 7월 1일부터 시행되었다.

① 법의 목적: 사회복지사업을 지원하기 위하여 국민의 자발적인 성금으로 공동모금된 재원을 효율적으로 관리·운용함으로써 사회복지의 증진에 이바지함을 목적으로 한다.

② 이에 따라 1998년부터 전국단위 공동모금사업을 관장하기 위한 **전국공동모금회와** 지역단위의 공동모금사업을 관장하기 위한 **16개 광역 시·도의 지역공동모금회가** 각각 독립적인 사회복지법인 형식으로 설립되었다.

(2) 「사회복지공동모금회법」

① 1999년 3월 31일 **사회복지공동모금회를 사회복지법인으로 설립하고, 시·도단위 지회를 설립하는 것을** 골자로 하여 전부개정을 하고, 법률 명칭 역시 「사회복지공동모금회법」으로 변경하였다.

② 법의 목적: 사회복지공동모금회의 공동모금을 통하여 사회복지에 대한 국민의 이해와 참여를 제고함과 아울러 국민의 자발적인 성금으로 조성된 재원을 효율적이고 공정하게 관리·운용함으로써 사회복지증진에 이바지함을 목적으로 한다.

③ 이에 따라 전국공동모금회는 **사회복지공동모금회로 그 명칭이 변경되고, 16개 광역 시·도에 설립되었던 지역공동모금회가 지회로 전환되었다.**

17. 1997년, 「국민의료보험법」

(1) 1997년 12월 31일에 제정되어 1998년 10월 1일부터 시행되었으며, 이 법의 제정으로 1998년 10월에 **지역의료보험조합(227개 조합)과 공·교 의료보험관리공단이 통합되고, 국민의료보험관리공단이 출범하게 되었다.**

(2) **법의 목적**

국민의 질병·부상·분만·사망등에 대하여 보험급여를 실시함으로써 국민 건강을 향상시키고 사회보장의 증진을 도모함을 목적으로 한다.

(3) **1999년 2월 8일 「국민건강보험법」이 제정되어 7월 1일부터 시행되면서 폐지되었다.**

18. 1999년, 「국민건강보험법」 15 · 16. 지방직 ✎

(1) 「의료보험법」과 「공무원 및 사립학교교직원 의료보험법」을 통합하여 1999년 2월 8일에 제정되어 2000년 7월 1일부터 시행되었고, 이로써 「국민의료보험법」은 폐지되었다.

(2) 법의 목적

국민의 질병 · 부상에 대한 예방 · 진단 · 치료 · 재활과 출산 · 사망 및 건강증진에 대하여 보험급여를 실시함으로써 국민보건을 향상시키고 사회보장을 증진함을 목적으로 한다.

(3) 이 법의 제정으로 2000년 7월부터 **국민의료보험관리공단과 직장의료보험조합(139개)이 통합**되고, **국민건강보험공단이 출범**하게 되어 의료보험이 완전통합되었다.

(4) 주요 내용

① 국내에 거주하는 국민은 의료보호대상자 등을 제외하고는 모두 건강보험의 **가입대상**이 되며, 그 가입대상자는 직장가입자 및 피부양자, 지역가입자로 구분한다.

② **건강보험의 보험자는 국민건강보험공단으로** 하고, 공단의 이사장은 보건복지부장관의 제청에 의하여 대통령이 임명하며, 이사는 보건복지부장관이 임명하도록 한다.

19. 1999년, 행정자치부(현 행정안전부)에서 사회복지 전문요원의 일반직 전환 및 신규채용 지침 승인

별정직 사회복지 전문요원을 일반직 사회복지 전문직으로 전환할 수 있는 제도적 근거가 마련되었다.

20. 1999년, 「국민기초생활보장법」 14. 국가직, 09 · 10 · 16. 지방직, 17. 서울시 ✎

(1) 1999년 9월 7일에 제정되어 2000년 10월 1일부터 시행되었으며, 이로써 1961년 제정된 「생활보호법」은 폐지되었다.

(2) 법의 목적

생활이 어려운 자에게 필요한 급여를 행하여 이들의 최저생활을 보장하고 자활을 조성하는 것을 목적으로 한다.

(3) 주요 개정 내용(2014년 12월 30일 일부개정 및 동시 시행)

① 맞춤형 급여체계 개편을 위하여 **최저 보장 수준과 기준 중위소득을 정의**한다.

② 급여의 종류별로 보건복지부장관 또는 소관 중앙행정기관의 장이 급여의 기준을 정하도록 한다.

③ 보건복지부장관 또는 소관 중앙행정기관의 장은 급여의 종류별 수급자 선정 기준 및 최저 보장 수준을 결정한다.

④ 자활센터의 사업 수행기관에 사회적 협동조합을 추가한다.

⑤ 소관 중앙행정기관의 장은 3년마다 기초생활보장 기본계획을 수립하여 보건복지부장관에게 제출하고, 보건복지부장관은 이를 토대로 기초생활보장 종합계획을 수립하여 중앙생활보장위원회의 심의를 받도록 한다.

10 2000년 이후 주요 사건

1. 2000년, 「장애인 고용촉진 및 직업재활법」

(1) 1990년에 제정된 「장애인 고용촉진 등에 관한 법률」이 2000년 1월 12일에 전부개정되어 변경되었다.

(2) **법의 목적**

장애인이 그 능력에 맞는 직업생활을 통하여 인간다운 생활을 할 수 있도록 장애인의 고용촉진과 직업재활 및 직업안정을 도모함을 목적으로 한다.

2. 2000년, 사회복지의 날 제정

「사회복지사업법」 개정으로 매년 9월 7일을 사회복지의 날로 정하였다.

3. 2001년, 「의료급여법」 ✔

(1) 1977년 제정된 「의료보호법」을 2001년 5월 24일에 전부개정하여 변경하였다 (2001년 10월 1일부터 시행).

(2) **법의 목적**

생활이 어려운 자에게 의료급여를 실시함으로써 국민보건의 향상과 사회복지의 증진에 이바지함을 목적으로 한다.

4. 2003년, 지역 사회복지계획 수립의 의무화 11. 국가직, 19. 서울시 1차 ✔

(1) 2003년 「사회복지사업법」 개정으로 2005년 7월 31일부터 시·군·구청장, 시·도지사는 4년마다 지역 사회복지계획 및 연차별 시행계획을 수립하도록 의무화되었다.

(2) 또한 시·군·구 단위 지역사회복지 협의체 설치의 법적 근거가 마련되었다.

5. 2003년, 사회복지사 1급 국가자격시험 최초 시행 14. 국가직 ✔

1997년 개정된 「사회복지사업법」에 따라 제1회 사회복지사 1급 국가자격시험이 시행되었다.

🏛 **기출 OX**

2003년 「사회복지사업법」 개정으로 지역 사회복지계획수립이 지방자치단체의 의무가 되고, 지역사회복지 협의체가 도입되었다. (   )　　　11. 국가직

○

6. 2004년, 「학교폭력예방 및 대책에 관한 법률」

(1) 2004년 1월 29일에 제정되어 같은 해 7월 30일부터 시행되었다.

(2) **법의 목적**

학교폭력의 예방과 대책에 관하여 필요한 사항을 규정함으로써 피해학생의 보호, 가해학생의 선도·교육 및 피해학생과 가해학생 간의 분쟁조정을 통하여 학생의 인권을 보호하고 학생을 건전한 사회구성원으로 육성함을 목적으로 한다.

7. 2004년, 「청소년복지지원법」 18. 국가직 (必)

(1) 2004년 2월 9일에 제정되어 2005년 2월 10일부터 시행되었다.

(2) **법의 목적**

「청소년기본법」 제49조 제4항의 규정에 따라 청소년복지증진에 관한 사항을 정함을 목적으로 한다.

8. 2004년, 「청소년활동진흥법」

(1) 2004년 2월 9일에 제정되어 2005년 2월 10부터 시행되었다.

(2) **법의 목적**

「청소년기본법」 제47조 제2항의 규정에 따라 다양한 청소년활동을 적극적으로 진흥하기 위하여 필요한 사항을 정함을 목적으로 한다.

9. 2004년, 「건강가정지원법」 (必)

(1) 2004년 2월 9일에 제정되어 2005년 1월 1일부터 시행되었다.

(2) **법의 목적**

건강한 가정생활의 영위와 가족의 유지 및 발전을 위한 국민의 권리·의무와 국가 및 지방자치단체 등의 책임을 명백히 하고자 한다. 또한 가정문제의 적절한 해결방안을 강구하며 가족구성원의 복지증진에 이바지할 수 있는 지원정책을 강화함으로써 건강가정 구현에 기여하는 것을 목적으로 한다.

10. 2004년, 국고보조사업을 지방으로 이양하는 '국고보조금 정비방안' 확정

16. 국가직, 12. 지방직(추가) (必)

(1) 2004년 「지방교부세법」 개정으로 한시적으로 지방교부세 내에 '분권교부세❶'가 도입되어 2005년부터 시행됨에 따라 재정분권이 본격화되었다.

(2) 초안은 2005~2009년까지 5년 동안만 한시적으로 운용 예정되었으나, 이후 연장되어 2014년까지 운용되었다.

(3) 사회복지관련 국고보조금 사업 127개 중 71개 사업은 중앙정부가 지속적으로 운영하였으며, 특히 사회복지관의 운영이 지방이양사업으로 선정되면서 분권교부세로 재정지원이 이루어지고, 법인의 자부담 20% 규정은 폐지되었다.

(4) 반복적 집행 성격의 시설사업, 경상운영비 지원사업 등 67개 사업을 2005년까지 지방자치단체에 이양하고, 이후 52개로 통폐합하였다.

선생님 가이드

❶ 분권교부세란 2004년 「지방교부세법」 개정으로 2005년에 신설된 것으로, 지방이양사업을 대상으로 국세 중의 일정부분을 기업이나 본사가 있는 지방자치단체에 자동적으로 이체해 지원하는 보조금 제도를 말합니다. 이 제도를 통해 해당 사업 진행의 모든 권한이 지방자치단체로 이양되어 지방자치단체의 자율적인 자치행정 향상에 크게 기여하였습니다.

기출 OX

1990년대 후반부터 분권교부세에 근거한 사회복지사업의 지방이양이 이루어졌다. ( ) 16. 국가직

✕ 분권교부세는 2004년에 한시적으로 도입되어 2005년부터 시행되었다.

(5) 2015년부터는 보통교부세로 전환되어 재정수요액의 미달 부분에 대하여서만 국가가 지방자치단체에 지원하게 되었다.

(6) 「지방교부세법」 개정으로 한시적으로 지방교부세 내에 '분권교부세'가 도입되었다.

📋 **핵심 PLUS**

지방교부세의 종류

보통교부세	① 지방교부세 제도의 핵심적 요소로, 지방자치단체가 일정한 행정 수준을 유지할 수 있도록 표준적인 기본적 행정수요 경비를 산출하여 그 충당 부족분을 일반재원으로 하는 보조금 제도이다. ② 매년도 기준재정 수입액이 기준재정 수요액에 미달하는 지방자치단체에 대하여 그 미달액(재정부족액)을 기초로 교부되는 재원으로 충당된다.
특별교부세	① 보통교부세의 산정 상 부득이 피할 수 없는 획일성과 시기성으로 인하여 각 자치단체의 재정현실을 정확하게 반영하여 산정하는 데에는 한계가 있기 때문에, 그 제도적 미비를 보완하는 보조금 제도이다. ② 보통교부세의 산정에 사용된 기준재정 수요액의 산정 방법으로 포착할 수 없는 특별한 재정수요가 있을 때, 보통교부세의 산정기일 후에 발생한 재해로 인하여 특별한 재정수요가 있거나 또는 재정수입의 감소가 있을 때, 지방자치단체의 청사 또는 공공복지시설의 신설·복구 확장·보수 등의 사유로 인하여 특별한 재정수요가 있을 때 활용한다.
분권교부세	① 2004년 「지방교부세법」 개정으로 2005년에 신설되었다. ② 지방이양사업을 대상으로 국세 중의 일정부분을 기업이나 본사가 있는 지방자치단체에 자동적으로 이체해 지원하는 보조금 제도로, **해당 사업 진행의 모든 권한이 지방자치단체로 이양**된다.

---

11. 2004~2006년, 사회복지사무소 시범사업 실시 ✍

(1) 지역사회 복지자원 발굴 및 연계 및 조정업무 수행을 위해 2004년 7월부터 2006년 6월까지 전국 9개 시·군·구에서 2년 동안 시범 운영되었다.

(2) **공공영역의 사회복지 전문성 강화를 위한 시도로 평가**받지만, 지역 사회주민의 접근성 부족, 통합 서비스 및 사례관리를 위한 인력부족(인력증원 없이 재배치), 민관협력체계 미흡 등의 한계를 보여 이후 사업의 연장 없이 종료되었다.

12. 2004년, 「성매매방지 및 피해자보호 등에 관한 법률」

(1) 2004년 3월 22일에 제정되어 같은 해 9월 23일부터 시행하였다.

(2) **법의 목적**

성매매를 방지하고 성매매피해자 및 성을 파는 행위를 한 자의 보호와 자립의 지원을 목적으로 한다.

13. 2005년, 「저출산·고령사회 기본법」 12·21. 국가직, 17. 서울시 ✍

(1) 2005년 5월 18일에 제정되어 같은 해 9월 1일부터 시행되었다.

📖 **기출 OX**

01 분권교부세는 국고보조사업을 이양받은 지방자치단체에 교부한다. ( )
12. 지방직(추가)

02 「저출산·고령사회 기본법」은 2000년 이후 제정되었다. ( ) 21. 국가직

01 ○
02 ○

(2) **법의 목적**

출산 및 인구의 고령화에 따른 변화에 대응하는 저출산·고령사회 정책의 기본
방향과 그 수립 및 추진체계에 관한 사항을 규정함으로써 국가의 경쟁력을 높이
고 국민의 삶의 질 향상과 국가의 지속적인 발전에 이바지함을 목적으로 한다.

(3) **법 제20조에 따라 '제1차 저출산 고령사회 기본계획'이 2006~2010년까지 수립
및 시행**되었다.

> 「저출산·고령사회 기본법」 제20조【저출산·고령사회 기본계획】① 정부는 저출
> 산·고령사회 중·장기 정책목표 및 방향을 설정하고, 이에 따른 저출산·고령
> 사회 기본계획(이하 "기본계획"이라 한다)을 수립·추진하여야 한다.
> ② 보건복지부장관은 관계 중앙행정기관의 장과 협의하여 5년마다 기본계획안을
> 작성하고, 저출산·고령사회위원회 및 국무회의의 심의를 거친 후 대통령의 승
> 인을 얻어 이를 확정한다. 수립된 기본계획을 변경할 때에도 또한 같다.
> ③ 기본계획에는 다음 각 호의 사항이 포함되어야 한다.
> 1. 저출산·고령사회정책의 기본목표와 추진방향
> 2. 기간별 주요 추진과제와 그 추진방법
> 3. 필요한 재원의 규모와 조달방안
> 4. 그 밖에 저출산·고령사회정책으로 필요하다고 인정되는 사항
> ④ 기본계획의 수립절차 등에 관하여 필요한 사항은 대통령령으로 정한다.

14. 2005년, 「자원봉사활동 기본법」

(1) **2005년 8월 4일에 제정**되어 2006년 2월 5일에 시행되었다.

(2) **법의 목적**

자원봉사활동에 관한 기본적인 사항을 규정함으로써 자원봉사활동을 진흥하고
행복한 공동체 건설에 기여함을 목적으로 한다.

15. 2005년, 제1기 지역 사회복지계획 수립 ✐

(1) **시·군·구별로 지역사회복지 협의체가 설치 및 운영**되었다.

(2) 2005년 **제1기 4개년 지역 사회복지계획이 수립**되어, **2007~2010년까지 시행**
되었다.

┌─ 🗒 **핵심** PLUS ─────────────────────────

지역 사회복지(보장)계획

① 2003년 「사회복지사업법」 개정으로 2005년 7월 31일부터 시·군·구청장, 시·도지사는 4년마다
지역 사회복지계획 및 연차별 시행계획을 수립하도록 의무화되었다.

② 주요 연혁
• 2007~2010년 제1기 지역 사회복지계획이 시행되었다.
• 2011~2014년 제2기 지역 사회복지계획이 시행되었다.
• 2015~2018년 제3기 지역 사회복지계획이 시행되었다.
• 2015년 7월 이전 「사회복지사업법」의 '지역 사회복지계획' 관련 조문이 삭제되고, 새로운 법률
인 「사회보장급여 이용·제공 수급권자 발굴에 관한 법률」 제35조에서 '지역 사회보장계획'
으로 변경되었다.
• 2019~2022년 제4기 지역 사회보장계획이 시행되었다.

기출 OX

2000년대에 저출산·고령사회 기본계
획이 수립되었다. (   )　　　17. 서울시

○

16. 2005년, 「긴급복지지원법」 11 · 12 · 14. 국가직

(1) 2005년 12월 23일에 제정되어 2006년 3월 24일부터 시행되었다.

(2) **법의 목적**

생계곤란 등의 위기상황에 처하여 도움이 필요한 자를 신속하게 지원함으로써 이들이 위기상황에서 벗어나 건강하고 인간다운 생활을 영위하게 함을 목적으로 한다.

17. 2005년, 여성가족부 출범

(1) 2001년에 여성부로 신설되었다.

(2) **주요 업무**

여성정책의 기획 · 종합 및 여성의 사회참여 확대, 정책의 성별(性別) 영향 분석 · 평가, 여성인력의 개발 · 활용, 청소년정책의 협의 · 조정, 청소년 활동진흥 및 역량개발, 유해환경으로부터 청소년 보호, 가족 및 다문화가족 정책의 기획 · 종합, 양육 · 부양 등 가족기능의 지원, 다문화가족의 사회통합 지원, 성폭력 · 가정폭력 예방 및 피해자 보호, 성매매 예방 및 피해자 보호, 아동 · 청소년 등의 성(性) 보호, 이주여성 · 여성장애인의 권익보호 등

18. 2006년, 주민생활지원 서비스 실시

(1) 당시 행정자치부가 중심이 되어 민관협력을 통한 8대 서비스(복지, 보건, 고용, 주거, 문화, 관광, 평생교육, 생활체육)의 통합적인 제공을 목적으로 2006년 7월부터 시행되었다.

(2) 이로 인해 2007년 7월부터 주민생활지원의 기능 강화를 위한 전담부서인 **시 · 군 · 구 주민생활지원국과 읍 · 면 · 동 주민생활지원팀이 설치**되었으며, 기존의 읍 · 면 · 동사무소의 경우 8대 서비스를 주민 맞춤형으로 제공하는 통합서비스 제공 기관으로 전환됨에 따라 그 명칭이 '읍 · 면 · 동 주민센터'로 변경되었다.

(3) 이후 2016년 '읍 · 면 · 동 복지 허브화 사업' 추진으로 '읍 · 면 · 동 주민센터'가 '행정복지센터(약칭: 행복센터)'로 변경되면서 그 시행이 종료되었다.

19. 2007년, 희망스타트 시범사업 실시

(1) **(취약계층 아동의 통합사례관리 사업)** 취약계층 아동에게 **맞춤형 통합 서비스를 제공**하여 아동의 건강한 성장과 발달을 도모하고 공평한 출발기회를 보장함으로써 건강하고 행복한 사회구성원으로 성장할 수 있도록 지원하는 사업으로, 2007년 16개 시 · 군 · 구에서 실시되었다.

(2) 보건복지부가 주관하며, 2008년 사업명이 '드림스타트'로 변경되었다.

기출 OX

2005년에는 기존 복지제도로 대처하기 어려운 위기상황에 대처하기 위해 「긴급복지지원법」이 제정되었다. (   ) 11. 국가직

○

20. 2007년, 「사회적기업 육성법」 제정 🖉

(1) 「사회적기업 육성법」이 2007년 1월 3일에 제정되어 같은 해 7월 1일부터 시행되었다.

(2) **법의 목적**

사회적기업을 지원하여 우리 사회에서 충분하게 공급되지 못하고 있는 사회 서비스를 확충하고 새로운 일자리를 창출함으로써 사회통합과 국민의 삶의 질 향상에 기여하는 것을 목적으로 한다.

21. 2007년, 아동발달 지원계좌(또는 디딤 씨앗 통장) 사업 시행

아동발달 지원계좌란 저소득층 아동이나 그의 보호자 또는 후원자가 매월 일정 금액을 저축하면 **국가나 지자체에서 1:1 정부매칭지원금으로 월 4만 원까지 같은 금액을 적립해 줌**으로써 아동이 준비된 사회인으로 성장할 수 있도록 도와주는 **자산형성 지원사업**으로 2007년부터 시행되었다.

22. 2007년 전자(사회서비스 이용권)바우처 사회 서비스 사업 시행 🖉

(1) 전자바우처 사업이란 수요자 중심의 서비스 제공을 위해서 사회 서비스 제공에 바우처 방식을 도입한 것으로, 현재는 **보건복지부에서 주관하고, 사회보장 정보원에서 관리**한다.

(2) **바우처 형태**

노인 돌봄 종합 서비스, 노인 단기가사 서비스, 장애인 활동지원, 산모ㆍ신생아 건강관리 지원 사업, 가사ㆍ간병 방문 지원 사업 등이 있다.

23. 2007년, 지역 사회 서비스투자사업 실시

(1) 지역 사회 서비스투자사업이란 **보건복지부의 전자바우처 사회 서비스 사업의 일환**으로, 지역특성과 주민 수요에 따라 지방자치단체가 기획 및 발굴한 사업을 **바우처 방식으로 지원**하여 지역 사회 서비스 확충 및 일자리 창출을 도모한다.

(2) **서비스 종류**

영유아발달지원 서비스, 아동청소년 정서발달지원 서비스, 아동청소년 심리지원서비스, 인터넷과몰입 아동청소년 치유 서비스, 노인 맞춤형운동처방 서비스, 장애인ㆍ노인을 위한 돌봄여행 서비스, 장애인 보조기기 렌탈 서비스, 시각장애인 안마 서비스, 정신건강토탈케어 서비스, 자살위험군예방 서비스, 아동ㆍ청소년 비전형성 지원 서비스, 다문화가정 아동 발달지원 서비스, 장애인ㆍ산모 등 건강취약계층 운동처방 서비스, (비만)아동 건강관리 서비스, 성인(청년) 심리지원 서비스, 아동ㆍ청소년 심리지원 서비스, 치매환자가족을 위한 여행 서비스 등이 있다.

24. 2007년, 「장애인 차별금지 및 권리구제 등에 관한 법률」 18. 국가직, 16. 지방직 🖋

(1) 2007년 4월 10일에 제정되어 2008년 4월 11일부터 시행되었다.

(2) 법의 목적

이 법은 모든 생활영역에서 장애를 이유로 한 차별을 금지하고 장애를 이유로 차별받은 사람의 권익을 효과적으로 구제함으로써 장애인의 완전한 사회참여와 평등권 실현을 통하여 인간으로서의 존엄과 가치를 구현함을 목적으로 한다.

25. 2007년, 「기초노령연금법」

(1) 2007년 4월 25일에 제정되어 2008년 1월 1일부터 시행되었다.

(2) 법의 목적

노인이 후손의 양육과 국가 및 사회의 발전에 이바지하여 온 점을 고려하여 생활이 어려운 노인에게 기초노령연금을 지급함으로써 노인의 생활안정을 지원하고 복지를 증진함을 목적으로 한다.

(3) 2014년 5월 20일에 「기초연금법」이 제정되어 같은 해 7월 1일부터 시행됨에 따라 폐지되었다.

26. 2007년, 「노인장기요양보험법」 12 · 21 · 24. 국가직, 10 · 15. 지방직, 19. 서울시 1차 🖋

(1) 2007년 4월 27일에 제정되어 2008년 7월 1일부터 시행되었다.

(2) 법의 목적

고령이나 노인성 질병 등의 사유로 일상생활을 혼자서 수행하기 어려운 노인 등에게 제공하는 신체활동 또는 가사활동 지원 등의 장기요양급여에 관한 사항을 규정하여 노후의 건강증진 및 생활안정을 도모하고 그 가족의 부담을 덜어줌으로써 국민의 삶의 질을 향상하도록 함을 목적으로 한다.

27. 2007년, 「한부모가족지원법」

(1) 「모 · 부자복지법」이 2007년 10월 17일에 일부개정되면서 변경되었다(「모자복지법」 → 「모 · 부자복지법」 → 「한부모가족지원법」).

(2) 법의 목적

한부모가족이 건강하고 문화적인 생활을 영위할 수 있도록 함으로써 한부모가족의 생활 안정과 복지 증진에 이바지함을 목적으로 한다.

28. 2007년, 「남녀고용평등과 일 · 가정 양립 지원에 관한 법률」

(1) 1987년에 제정된 「남녀고용평등법」이 2007년 12월 21일에 일부개정(2008년 6월 22일 시행)되면서 변경되었다.

(2) **법의 목적**

대한민국 헌법의 평등이념에 따라 고용에서 남녀의 평등한 기회와 대우를 보장하고 모성 보호와 여성 고용을 촉진하여 남녀고용평등을 실현함과 아울러 근로자의 일과 가정의 양립을 지원함으로써 모든 국민의 삶의 질 향상에 이바지하는 것을 목적으로 한다.

29. 2008년, 「다문화가족 지원법」

(1) 2008년 3월 21일에 제정되어 같은 해 9월 22일부터 시행되었다.

(2) **법의 목적**

다문화가족 구성원이 안정적인 가족생활을 영위할 수 있도록 함으로써 이들의 삶의 질 향상과 사회통합에 이바지함을 목적으로 한다.

30. 2008년, 드림스타트 사업 실시 17. 국가직, 13. 지방직 📖

(1) 2007년부터 실시된 '희망스타트 시범사업'의 명칭을 '드림스타트'로 변경하여 실시하였다.

(2) **추진 배경**

① 가족해체와 사회양극화 등에 따라 아동빈곤 문제의 심각성이 대두되었다.

② 빈곤 아동에 대한 사회투자 가치의 중요성이 강조되었다.

③ 아동과 가족에 초점을 둔 **통합사례관리**를 통해 모든 아동에게 공평한 출발기회를 보장하고자 하였다.

(3) 보건복지부가 사업을 총괄하고, 시·군·구에서 사업을 운영하며, 2019년에는 기존의 드림스타트 사업단이 아동권리 보장원에 통합되어 **아동권리 보장원**에서 **사업지원 업무를 맡고 있다.**

31. 2009년, 「아동·청소년 성보호에 관한 법률」

(1) 2000년에 제정된 「청소년의 성호보에 관한 법률」이 2009년 6월 9일에 전부개정 (2010년 1월 1일부터 시행)됨에 따라 변경되었다.

(2) **법의 목적**

청소년의 성을 사거나 이를 알선하는 행위, 청소년을 이용하여 음란물을 제작·배포하는 행위 및 청소년에 대한 성폭력행위 등으로부터 청소년을 보호·구제하여 이들의 인권을 보장하고 건전한 사회구성원으로 성장할 수 있도록 함을 목적으로 한다.

32. 2009년, 희망리본 프로젝트 사업 시행

(1) 지역 내 수급자, 차상위계층에 대한 상담, 자활 지원계획 수립, 관련 교육지원, 복지 서비스 연계 등을 통해 안정적인 근로환경 조성 및 참여자의 역량강화를 도모하고 취업을 지원하는 사업이다.

(2) '새롭게 태어난(Re-Born) 당신을 응원합니다.'라는 의미를 지닌 복지—고용 연계 사업으로, 보건복지부에서 주관한다.

33. 2010년, 사회복지통합관리망(또는 행복e음) 개통 → 2013년, 사회보장정보시스템 14·22. 국가직, 18. 서울시, 19. 서울시 1차 (必)

(1) **사회보장정보시스템의 개관**

① '사회복지전달체계 효율화'를 목적으로, 사회보장과 관련된 정보들을 전산화하여 관리하는 시스템이다.

② 각종 사회복지 급여 및 서비스 지원 대상자의 자격과 이력에 관한 정보를 통합 관리하고, 지방자치단체의 복지업무 처리를 지원하기 위해 기존 시·군·구별 '새올행정시스템의 업무 지원시스템' 중 복지분야를 분리하여 개인별·가구별 데이터베이스를 통합 구축한 정보시스템이다.

(2) **사회보장정보시스템의 구축 연혁**

① 2010년, 복지사업 지급실적 통합관리 및 중복·부정적 수급방지를 위한 행정안전부 '복지정보 연계사업'을 추진하였다.

② 2010년, 사회복지통합관리망(행복e음)을 구축·운영하였다.

③ 2011년, 사회보장정보시스템 구축 근거마련을 위해 「사회보장기본법」을 개정하였다.

④ 2012년 8월, 사회보장정보시스템(범정부 복지정보연계시스템) 1단계를 구축하였다.

⑤ 2013년부터 '사회보장정보시스템'으로 명칭을 변경하였다.

(3) **사회보장정보시스템의 도입 배경**

① 신속하고 정확한 소득 및 재산 조사와 업무처리 간소화를 통해 행정의 효율화를 도모한다.

② 사회복지급여의 부정 및 중복수급 차단으로 복지재정의 효율화를 도모한다.

③ 사회복지 서비스 통합신청과 찾아가는 복지 서비스 확대에 기여한다.

④ 국세청과 건강보험공단 등에서 소득 및 재산 자료를 정기적으로 넘겨받아 수급자의 자격 요건 등을 전산으로 검증한다.

⑤ 보건복지부 이외에 복지사업을 수행하는 타 정부 부처(에 보훈처, 교육부, 국토부, 행안부, 산업부, 국세청 등)의 복지사업은 물론, 민간부문의 사회복지 서비스 기관들이 생산하는 사회복지 서비스 관련 자료들도 직접 수집한다.

(4) **사회보장정보시스템의 관리**

사회보장 정보원에서 해당 시스템을 관리한다.

(5) 사회보장정보시스템의 구성

① 행복e음

⊙ 각종 사회복지 급여 및 서비스 지원 대상자의 자격과 이력에 관한 정보를 통합 관리하고, 지자체의 복지업무 처리를 지원하기 위해 기존 시·군·구별 '새올행정시스템'의 31개 업무 지원시스템 중 복지분야를 분리하여 '개인별 가구별 데이터베이스'로 중앙에 통합 구축한 정보시스템이다.

ⓒ 복지대상자 선정·사후관리를 위해 소득·재산자료 및 서비스 이력정보를 연계하여 지자체에 제공함으로써 수급자 선정의 정확성 제고 및 담당 공무원의 업무수행 편의성을 제고시킨다.

② 범정부

⊙ 각 정부 부처 및 정보보유기관에서 제공하고 있는 복지사업정보와 지원대상자의 자격정보, 수급이력정보를 통합관리하는 시스템이다.

ⓒ 복지 업무 담당자는 관리정보를 기반으로 민원대응, 업무처리, 복지사업 설계 등 효율적 복지행정업무를 수행하고, 복지대상자에게 꼭 필요한 복지 서비스를 맞춤형으로 제공할 수 있도록 지원한다.

ⓒ 주요 서비스

복지알림이	중앙부처 및 지자체 복지사업의 서비스 대상, 서비스 내용, 신청 절차 등을 각 부처 및 지자체(범정부포털, www.wish.go.kr), 일반국민(복지로, www.bokjiro.go.kr)에 제공
복지지킴이	복지대상자의 중복이나 부적정한 복지 서비스 수급을 사전에 방지하고, 사후 중단할 수 있도록 지원하기 위해 변동·부적정·중복 관리
업무처리지원	복지대상자의 소득·재산, 인적자료, 수급이력 정보를 연계하여 정확한 복지대상자 선정 및 효율적 복지 업무처리를 지원
서비스의뢰	각 부처(기관)에서 복지서비스를 신청하기 위하여 방문한 민원인에게 중앙부처 뿐만 아니라 해당 지자체의 각종 복지서비스 안내 및 서비스의뢰를 지원
자격·수급이력통합DB	각 부처별로 분산·운영되던 복지서비스정보(복지서비스 대상자 및 자격·수급이력 정보)를 연계하여 통합 관리

34. 2010년, 「장애인 연금법」 🔖

(1) 2010년 4월 12일에 제정되어 같은 해 7월 1일부터 시행되었다.

(2) **법의 목적**

장애로 인하여 생활이 어려운 중증장애인에게 장애인연금을 지급함으로써 중증장애인의 생활 안정 지원과 복지 증진 및 사회통합을 도모하는 데 이바지함을 목적으로 한다.

35. 2011년, 「장애인 활동지원에 관한 법률」 12. 국가직

(1) 2011년 1월 4일에 제정되어 같은 해 10월 5일에 시행되었다.

(2) 법의 목적

신체적·정신적 장애 등의 사유로 혼자서 일상생활과 사회생활을 하기 어려운 장애인에게 제공하는 활동지원급여에 관한 사항을 규정하여 장애인의 자립생활을 지원하고 그 가족의 부담을 줄임으로써 장애인의 삶의 질을 높이는 것을 목적으로 한다.

36. 2011년, 「치매관리법」

(1) 2011년 8월 4일에 제정되어 2012년 2월 5일에 시행되었다.

(2) 법의 목적

치매의 예방, 치매환자의 진료·요양 및 치매퇴치를 위한 연구 등에 관한 정책을 종합적으로 수립·시행함으로써 치매로 인한 개인적 고통과 피해 및 사회적 부담을 줄이고 국민건강증진에 이바지함을 목적으로 한다.

37. 2011년, 「사회 서비스 이용 및 이용권 관리에 관한 법률」 21. 국가직

(1) 2011년 8월 4일에 제정되어 2012년 2월 5일에 시행되었다.

(2) 법의 목적

사회 서비스 이용 및 이용권(利用卷) 관리에 필요한 사항을 정함으로써 사회 서비스의 이용을 활성화하고 이용자의 선택권을 보장하도록 하여 국민의 복지증진에 이바지하는 것을 목적으로 한다.

38. 2011년, 「장애아동 복지지원법」

(1) 2011년 8월 4일에 제정되어 2012년 8월 5일부터 시행되었다.

(2) 법의 목적

국가와 지방자치단체가 장애아동의 특별한 복지적 욕구에 적합한 지원을 통합적으로 제공함으로써 장애아동이 안정된 가정생활 속에서 건강하게 성장하고 사회에 활발하게 참여할 수 있도록 하며, 장애아동 가족의 부담을 줄이는 데 이바지함을 목적으로 한다.

39. 2011년, 「입양특례법」

(1) 2011년 8월 4일에 「입양촉진 및 절차에 관한 특례법」이 전부개정되어 변경되었다 (1976년, 「입양특례법」 → 1995년, 「입양촉진 및 절차에 관한 특례법」 → 2011년, 「입양특례법」).

(2) 법의 목적

요보호아동의 입양(入養)에 관한 요건 및 절차 등에 대한 특례와 지원에 필요한 사항을 정함으로써 양자(養子)가 되는 아동의 권익과 복지를 증진하는 것을 목적으로 한다.

🏛 기출 OX

사회 서비스 이용 및 이용권 관리에 관한 법률은 2000년 이후 제정되었다. (　)

21. 국가직

O

40. 2012년, 희망복지지원단 출범 22. 국가직, 19. 지방직 ✎

(1) 2012년 '찾아가는 보건 · 복지서비스❶' 추진의 일환으로, **시 · 군 · 구 희망복지지원단**이 설치되어 **(공공)통합사례관리 사업**이 실시되었다.

(2) 희망복지지원단이란 경제적 · 의료적 · 정서적으로 **복합적인 욕구를 가진 대상자에게 공공(시 · 군 · 구)이 주체가 되어 맞춤형 통합사례관리를 제공**하고, 지역 내 자원 및 방문형 서비스 사업 등을 총괄 · 조정함으로써 **지역단위 통합 서비스 제공의 중추적 역할을 수행하는 전담조직**으로, 민관협력을 통한 지역단위 통합적 서비스제공 체계를 구축 · 운영함으로써 찾아가는 보건 · 복지 서비스의 제공 및 지역주민의 복지체감도 향상을 위해 설립되었다.

(3) **주요 업무**

통합사례관리	보건 · 복지 등 복합적 욕구를 가진 대상자에게 공공 · 민간의 급여 · 서비스 등을 통합적으로 연계 · 제공하고, 고난도 사례 등 전문적 사례관리를 한다.
자원관리	공적지원이 곤란하거나 불충분한 대상자에게 지원할 수 있는 다양한 민간자원을 발굴 · 관리(지역자원조사 및 자원개발 등)를 한다.
지역보호체계 운영	주민네트워크 활성화, 지역 내 복지소외계층 발굴체계 운영, 복지사각지대 발굴 · 지원을 위한 읍 · 면 · 동 인적안전망(복지통 · 이장제 · 읍면동 단위 지역 사회보장 협의체)을 활성화한다.
읍 · 면 · 동 지원 · 조정	읍 · 면 · 동 종합상담, 정보제공, 방문상담, 사례관리, 민관협력 등 복지업무를 총괄 · 조정한다.

41. 2012년, 「협동조합기본법」

(1) 2012년 1월 26일에 제정되어 같은 해 12월 1일부터 시행하였다.

(2) **법의 목적**

협동조합의 설립 · 운영 등에 관한 기본적인 사항을 규정함으로써 자주적 · 자립적 · 자치적인 협동조합 활동을 촉진하고, 사회통합과 국민경제의 균형 있는 발전에 기여함을 목적으로 한다.

(3) 이는 **지역 사회복지 실천 주체 다양화의 계기**로 평가받는다.

42. 2014년, 「주거급여법」

(1) 2014년 1월 24일에 제정되어 같은 해 10월 1일부터 시행되었다.

(2) **법의 목적**

생활이 어려운 사람에게 주거급여를 실시하여 국민의 주거안정과 주거 수준 향상에 이바지함을 목적으로 한다.

43. 2014년, 「아동학대범죄의 처벌 등에 관한 특례법」

(1) 2014년 1월 28일에 제정되어 같은 해 9월 29일부터 시행되었다.

(2) **법의 목적**

아동학대범죄의 처벌 및 그 절차에 관한 특례와 피해아동에 대한 보호절차 및 아동학대행위자에 대한 보호처분을 규정함으로써 아동을 보호하여 아동이 건강한 사회 구성원으로 성장하도록 함을 목적으로 한다.

44. 2014년, 「기초연금법」 24. 국가직 (必)

(1) **2014년 5월 20일에 제정되어 같은 해 7월 1일부터 시행되었다. 이로 인해 2007년에 제정되었던 「기초노령연금법」은 폐지되었다.**

(2) **법의 목적**

정신질환의 예방 · 치료, 정신질환자의 재활 · 복지 · 권리보장과 정신건강에 친화적인 환경 조성을 위해 필요한 사항을 규정함으로써 국민의 정신건강증진 및 정신질환자의 인간다운 삶을 영위하는 데 이바지함을 목적으로 한다.

45. 2014년, 「발달장애인 권리보장 및 지원에 관한 법률」

(1) 2014년 5월 20일에 제정되어 같은 해 11월 21일부터 시행되었다.

(2) **법의 목적**

발달장애인의 의사를 최대한 존중하여 그들의 생애주기에 따른 특성 및 복지욕구에 적합한 지원과 권리옹호 등이 체계적이고 효과적으로 제공될 수 있도록 필요한 사항을 규정함으로써 발달장애인의 사회참여를 촉진하고, 권리를 보호하며, 인간다운 삶을 영위하는 데 이바지함을 목적으로 한다.

46. 2014년, 「학교 밖 청소년 지원에 관한 법률」 18. 국가직 (必)

(1) 2014년 5월 28일에 제정되어 2015년 5월 29일에 시행되었다.

(2) **법의 목적**

「청소년 기본법」 제49조 제4항에 따라 학교 밖 청소년 지원에 관한 사항을 규정함으로써 학교 밖 청소년이 건강한 사회구성원으로 성장할 수 있도록 함을 목적으로 한다.

47. 2014년, 「양성평등 기본법」

(1) 1995년에 제정된 「여성발전 기본법」이 2014년 5월 8일에 전부 개정되어(2015년 7월 1일부터 시행) 변경되었다.

(2) **법의 목적**

대한민국 헌법의 양성평등 이념을 실현하기 위한 국가와 지방자치단체의 책무 등에 관한 기본적인 사항을 규정함으로써 정치 · 경제 · 사회 · 문화의 모든 영역에서 양성평등을 실현하는 것을 목적으로 한다.

48. 2014년, 「사회보장급여 이용 · 제공 및 수급권자 발굴에 관한 법률」 18. 국가직 (必)

(1) 2014년 12월 30일에 제정되어 2015년 7월 1일부터 시행되었다.

(2) **법의 목적**

「사회보장 기본법」에 따른 사회보장급여의 이용 및 제공에 관한 기준과 절차 등 기본적 사항을 규정하며 지원을 받지 못하는 지원대상자를 발굴하여 지원함으로써 사회보장급여를 필요로 하는 사람의 인간다운 생활을 할 권리를 최대한 보장하고, 사회보장급여가 공정하고 효과적으로 제공되도록 하며, 사회보장제도가 지역사회에서 통합적으로 시행될 수 있도록 그 기반을 구축하는 것을 목적으로 한다.

49. 2015년, 「주거 기본법」

(1) 2015년 6월 22일에 제정되어 같은 해 12월 23일부터 시행되었다.

(2) **법의 목적**

주거복지 등 주거정책의 수립 · 추진 등에 관한 사항을 정하고 주거권을 보장함으로써 국민의 주거안정과 주거 수준의 향상에 이바지하는 것을 목적으로 한다.

50. 2016년, 「정신보건법」 → 「정신건강증진 및 정신질환자 복지 서비스 지원에 관한 법률」 (必)

(1) 1995년에 제정된 「정신보건법」이 2016년 5월 29일에 전부개정되어(2017년 5월 30일부터 시행) 변경되었다.

(2) 이에 따라 2017년부터 기존 '정신보건사회복지사' 대신 '정신건강사회복지사'로 그 명칭이 변경되었다.

(3) **법의 목적**

정신질환의 예방 · 치료, 정신질환자의 재활 · 복지 · 권리보장과 정신건강 친화적인 환경 조성에 필요한 사항을 규정함으로써 국민의 정신건강증진 및 정신질환자가 인간다운 삶을 영위하도록 이바지함을 목적으로 한다.

51. 2016~2017년, 읍 · 면 · 동 복지허브화 사업 실시 22. 국가직 (必)

(1) 2016년에 주민중심의 사회복지 서비스 전달체계 개편 전략에 따라 **읍 · 면 · 동 찾아가는 복지 서비스, 개인별 맞춤형 통합 서비스, 민간자원의 연계 및 지원** 등을 하기 위해서 읍 · 면 · 동 복지허브화 사업이 실시되었다.

(2) 이에 따라 **33개 선도 읍 · 면 · 동**을 선정하여 읍 · 면사무소 및 동 주민센터에 **맞춤형 복지전담팀**이 설치되었고, 기존 '읍 · 면 · 동 주민센터'가 '**행정복지센터(약칭: 행복센터)**'로 변경되었다.

맞춤형 복지전담팀

빈곤, 질병, 일자리 등 도움이 필요한 취약계층이나 저소득층의 복지대상자를 직접 찾아가 그 실태와 욕구를 파악하고 이를 바탕으로 맞춤형 복지 서비스를 제공하며, 주민센터에 설치된 지역의 사회보장 협의체 회원들이나 이·통장, 주민자치위원 등과 협력하여 보이지 않는 주변의 소외된 이웃을 찾는 역할을 수행하였다.

52. 2018년, 「재난적 의료비 지원에 관한 법률」

(1) 2018년 1월 16일에 제정되어 같은 해 7월 1일부터 시행되었다.

(2) **법의 목적**

소득 수준에 비하여 과도한 의료비 지출로 경제적 어려움을 겪는 국민들에게 의료비의 일부를 지원하여 의료이용의 접근성을 높임으로써 사회보장을 증진하고 국민건강 보호에 이바지함을 목적으로 한다.

53. 2018년, 「아동수당법」

(1) 2018년 3월 27일에 제정되어 같은 해 9월 1일부터 시행되었다.

(2) **법의 목적**

아동에게 아동수당을 지급하여 아동 양육에 따른 경제적 부담을 경감하고 건강한 성장 환경을 조성함으로써 아동의 기본적 권리와 복지를 증진함을 목적으로 한다.

54. 2019년, 아동권리 보장원 설립 ✍

2019년 기존의 중앙입양원, 아동자립 지원단, 드림스타트사업 지원단, 실종아동 전문기관, 중앙아동보호 전문기관, 지역 아동센터 중앙지원단, 중앙가정위탁 지원센터, 디딤씨앗 지원사업단 등이 통합되어 아동권리 보장원이 설립되었다.

55. 2019년, 사회서비스원 개소와 커뮤니티 케어(Community Care) 22. 국가직 ✍

(1) 사회서비스원은 광역자치단체에서 설립·운영하는 공익법인으로, 사회 서비스의 공공성 강화를 통한 품질향상을 위해 지자체로부터 **국·공립 사회 서비스 제공기관을 위탁받아 운영하는 등 사회 서비스를 직접 제공하는 역할**을 한다.

(2) 사회서비스원은 **시·도 단위로, 시·도지사가 공익법인 형태로 설립·운영**한다.

(3) 사회 서비스 중앙지원단은 사회 서비스 정책기획 및 연구, 사회 서비스원 관련 설립·운영 자문, 평가제도 설계 및 성과 평가, 표준운영지침 마련, 종사자 교육 등의 업무를 수행하기 위해 **2019년 5월 3일에 시범사업차 개소되었다.**

(4) 지역사회 커뮤니티 케어(지역사회 통합 돌봄)

    ① 노인이나 장애인 등 돌봄이 필요한 주민들이 자신이 살던 집이나 공동생활가정(또는 그룹홈)에서 개개인의 욕구에 맞는 서비스를 누리고, 지역사회와 함께 어울려 살아갈 수 있도록 **주거, 보건의료, 요양, 돌봄, 일상생활의 지원**이 **통합적으로 확보되는 지역중심형 사회복지정책**을 말한다.

    ② 지역사회 통합 돌봄은 자산조사 없이 욕구에 기반하여 돌봄이 필요한 자는 누구나 대상이 되는 보편적 제도로 발전될 계획이다.

56. 2020년, 노인 맞춤돌봄 서비스 시행

(1) 2020년 기존의 노인 돌봄 기본 서비스, 노인 돌봄 종합 서비스, 단기가사 서비스, 초기독거노인 자립지원 사업, 독거노인 사회관계 활성화 사업, 지역사회 자원연계 사업을 통합하여 노인 맞춤돌봄 서비스가 시행되었다.

(2) 일상생활 영위가 어려운 취약노인 중 65세 이상 기초생활수급자, 차상위계층 또는 기초연금수급자 중 독거ㆍ조손가구 등 돌봄이 필요한 노인에게 적절한 돌봄 서비스를 제공하여 안정적인 노후생활 보장, 노인의 기능ㆍ건강 유지 및 악화 예방을 목적으로 한다.

▌기출 CHECK

우리나라 사회복지의 역사적 사실을 먼저 일어난 순서대로 바르게 나열한 것은?

15. 지방직

> ㄱ. 사회복지법인에 대한 법적 근거가 만들어졌다.
> ㄴ. 정신보건 전문요원으로서 정신보건사회복지사 자격제도를 도입하였다.
> ㄷ. 사회복지 전문요원제도가 시행되었다.
> ㄹ. 「생활보호법」이 제정되었다.

① ㄱ → ㄹ → ㄴ → ㄷ
② ㄹ → ㄱ → ㄷ → ㄴ
③ ㄱ → ㄴ → ㄹ → ㄷ
④ ㄹ → ㄷ → ㄱ → ㄴ

해설 -
ㄹ. 「생활보호법」이 제정되었다. – 1961년
ㄱ. 사회복지법인에 대한 법적 근거가 만들어졌다. – 1970년
ㄷ. 사회복지 전문요원제도가 시행되었다. – 1987년
ㄴ. 정신보건 전문요원으로서 정신보건사회복지사 자격제도를 도입하였다. – 1995년

답 ②

제3장 복지국가에 대한 이해

1 개관

1. 복지국가의 개념
국민의 생존권을 보장하고 공공복리의 증진을 주요한 기능으로 하는 국가를 말한다.

2. 복지국가 성립의 조건

(1) 자유주의
복지국가가 성립되기 위한 '경제적' 조건으로, 자본주의의 시장실패로 인해 발생하는 다양한 문제들을 해결하기 위해서 복지국가의 기능이 요구된다.

(2) 민주주의
복지국가가 성립되기 위한 '정치적' 조건으로, 민주주의의 확산은 사회 내 계급 간 갈등을 촉진시키고, 이러한 갈등의 해결책으로 복지국가의 기능이 요구된다.

(3) 국민 최저 수준의 보장
복지국가의 복지정책의 1차적 목표이며, 복지국가가 성립되기 위한 사회보장의 조건으로, 복지국가는 국민전체에게 적용될 수 있는 사회복지정책이 수반되어야 한다.

3. 복지국가 간 비교척도

(1) 복지혜택의 포괄성
국민의 다양한 욕구와 사회적 위험에 대해 국가가 얼마나 많은 사회복지정책을 통해 보호할 수 있는가?

(2) 적용범위의 보편성
국민의 다양한 욕구를 충족시키고 각종 사회적 위험으로부터 그들을 보호하기 위한 각각의 복지제도의 적용범위는 어디까지인가?

(3) 복지혜택의 적절성
각각의 사회복지정책을 통해 국민에게 제공되는 혜택은 국민의 소득이 중단되더라도 그 생활이 가능할 정도로 제공되는가?

(4) 복지혜택의 재분배효과
사회복지정책을 통해 제공되는 복지혜택의 결과가 가지고 오는 소득 재분배효과는 어느 정도인가?

2 복지국가 발달이론

1. 사회양심론 10. 국가직, 09. 지방직, 11. 서울시 必

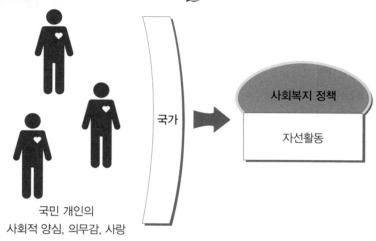

국민 개인의
사회적 양심, 의무감, 사랑

(1) 인도주의에 기초하여 개인의 이타적 양심과 사회적 의무감을 국가가 사회복지
정책을 통해 실현(또는 제도화)시킨다고 주장한다. 다시 말해, 사회복지정책을
국가의 자선활동으로 간주한다.

(2) 사회양심론의 가정(Baker, 1979년)
  ① 이타주의의 제도화: 사회복지정책은 인간이라면 누구든지 갖고 있는 이타심
  을 국가를 통해서 실현하는 것이다.
  ② 사회복지정책은 사회적 의무감의 확대와 욕구에 대한 국민들의 지식 향상이
  라는 요인에 의해 변화된다.
  ③ 사회복지정책의 변화는 누적적이다. 즉, 관대함과 관심영역의 확대방향으로
  지속적으로 진전된다. 따라서 개선(改善)의 역전(逆轉)은 불가능❶하다.
  ④ 개선은 불가피하며 현재의 서비스는 지금까지의 것 중 최선의 것이다.
  ⑤ 역사적 측면에서 현재의 서비스가 완전한 것은 아니라고 할지라도 사회는 안
  정된 기반 위에 구축되어 있기 때문에 지속적인 발전을 기대할 수 있다.

(3) 한계(Higgins)
  ① 사회문제의 해결을 양심에만 맡김으로써 국가의 역할에 대한 왜곡된 견해를
  갖게 할 수 있다.
  ② 사회복지정책 발달에 있어서 정치·경제·사회적 맥락의 중요성을 간과하고
  있다.
  ③ 사회복지정책의 발전을 직선적이고 낙관적으로 이해하여 자칫 수렴이론으로
  비약될 수도 있다.
  ④ 역사적 사실인 사회복지정책의 퇴보 현상을 설명할 수 없다.❷

🧑‍🏫 선생님 가이드

❶ 사회복지정책의 내용은 시간의 흐름에 따라 점점 더 선하게, 즉 바람직하게 진행되어지지, 결코 그 질과 양에 있어서 퇴보하지 않는다는 의미입니다.
❷ 예를 들어 1834년 실시된 영국의 신구빈법의 경우, 기존에 인도주의적이었던 스핀햄랜드법을 폐지하는 등, 사회복지정책의 퇴보를 불러일으켰습니다.

🏛 기출 OX

01 산업화이론은 인도주의 사상에 기초하여 이타주의와 사회적 책임성 맥락에서 사회복지제도의 발달을 설명한다.
( ) 10. 국가직

02 사회양심론은 사회복지 정책대안 결정 중 가장 중요한 것이 사회안정이다.
( ) 11. 서울시

01 ✕ '산업화이론'이 아니라 '사회양심론'이 옳다.
02 ✕ '사회양심론'이 아니라 '음모이론'이 옳다.

2. 음모이론(또는 사회통제이론) 09 · 21. 지방직, 11. 서울시 必

기득권 (또는 지배계층의)
사회복지정책

빈민의 불만

(1) 피븐과 클로워드(Piven & Cloward)에 의해 주장된 이론으로, 「사회양심론」에 반대되는 입장이다.

(2) 사회복지정책을 **사회안정과 질서유지를 위한 통제수단으로 이해**한다. 즉 경제 대공황 등 사회가 불안정할 때 사회복지정책이 시작되거나 확대되지만, 사회가 안정될 경우에 기존의 사회복지정책이 폐지 또는 축소되는 현상을 통해 사회복지정책은 **기득권자(또는 지배계층)들이 빈민들의 불만을 완화시키기 위해 사용하는 수단**이며, 이를 통해 기존의 **자본주의 체제와 이에 따른 사회적 불평등을** 그대로 유지시킬 수 있다고 주장한다.

(3) **한계**

① 정책결정자의 의도를 지나치게 중시하여 정치적인 현실을 과소평가하고 있다.

② 노인, 아동, 환자 등 사회안정에 위협이 되지 않는 집단에게까지 사회복지정책이 확충되는 이유를 설명하지 못한다.

③ 최근에는 기존의 기득권자들이 아닌 중산층이나 빈곤계층까지도 정치적 권력을 획득하여 정책 과정에서 주도권을 잡는 경우가 있는데, 이러한 현상 역시 설명하지 못한다.

3. 시민권론 18. 국가직, 15. 지방직, 11 · 19. 서울시 必

자본주의의
불평등한 계급 구조

시민권의 확대
18C 공민권 → 19C 정치권 → 20C 사회권

양립

평등주의적 시민권

(1) **마샬(T. Marshall)이 주장한 이론**으로, 마샬은 시민을 사회 공동체의 완전한 자격을 지닌 구성원으로 규정하고 **시민권(Citizenship)**은 이들에게 부여되는 권리를 누릴 수 있는 일종의 지위로 정의하였다. 또한, 이러한 시민권의 발달로 국민의 복지욕구가 증대하여 국가는 이에 부응하기 위해 사회복지정책을 실시하게 된다고 주장하였다.

(2) 마샬은 시민권의 확대 과정을 18세기의 **공민권 → 19세기의 정치권 → 20세기의 사회권**으로 설명하여 **진화론적 입장**을 취하였다.

18세기 공민권	① 18세기 **시민혁명❶** 과정을 통해 형성된 권리로, 자유적 권리, 즉 **법 앞에서의 자유와 평등**에 관한 권리를 말한다. ② 종류: 개인의 자유(또는 신체의 자유), 법 앞에서의 평등, 언론의 자유, 사상의 자유, 신앙의 자유, 재산소유의 자유, 계약의 자유 등
↓	
19세기 정치권	① 19세기 노동 운동과 여성 운동을 통해 형성된 권리로, 정치적 참여에 관한 권리, 즉 **참정권**을 말한다. ② 종류: 투표권, 정치 과정에 참여할 수 있는 권리
↓	
20세기 사회권(또는 복지권)	① 20세기 세계대공황을 통해 형성된 권리로, 개인의 생존과 관련된 최소한의 경제적 복지를 국가로부터 보장받을 수 있는 권리를 말한다. ② 종류: 교육, 사회복지제도

(3) 마샬은 20세기의 사회권의 실현❷을 통해 완전한 시민권의 달성이 가능하다고 보았다. 또한 시민권은 자본주의의 경제적 불평등과 모순이 되지 않는다고 주장하여 근대 **자본주의 국가의 불평등한 현실과 평등주의적 시민권은 양립**할 수 있다고 주장하였다.

(4) **한계**

① 사회복지의 개념을 **국가가 국민에게 허용하는 사회권(또는 법으로 정한 사회복지)으로 제한**하여 기업복지나 민간복지, 자선사업과 같은 다양한 영역들을 포함시키기 어렵다.

② 시민권의 발달을 **영국의 복지국가 형성 과정에 맞추다 보니** 제3세계나 사회주의 국가 등 다른 국가에 적용하기에는 무리가 있다.

③ 시민권의 발달을 지나치게 진화론적 입장으로 접근하다보니 **실질적으로 집단 갈등이나 이로 인한 투쟁으로 획득할 수 있다는 사실을 간과**하였다.

4. 수렴이론(또는 산업화이론) 08 · 10. 국가직, 11 · 15 · 20 · 21. 지방직, 13. 서울시 🖋

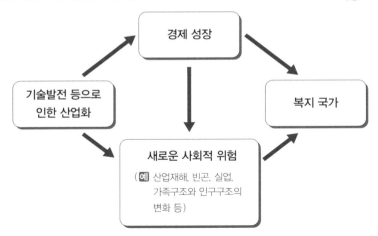

(1) 윌렌스키와 르보(Wilensky & Lebeaux)에 의해 주장된 이론으로, 서로 다른 유형의 복지국가라도 기술발전 등 산업화의 정도에 따라 시간이 지나면 동일한 유형으로 수렴[3]된다고 본다.

(2) **산업화에 따른 사회변화**

　① 복지국가는 산업화를 통해 경제성장을 달성하고, 이에 따른 재정적 능력이 **향상되었을 경우에만 가능**하다고 보아 경제발전 수준과 사회복지지출 수준 간에 강한 상관관계가 있다고 주장한다.

　② 복지국가 간 차이점(또는 다양성)보다는 **유사성을 강조**하는 이론으로, 모든 산업화된 국가들은 산업화로 인해 **주택, 교육, 고용 및 실업, 산업재해, 가족구조 및 인구 · 사회 구조의 변화**[4] 등 다양한 사회문제를 경험하고, 이를 해결하기 위해 **산업화를 통해 형성된 재원을 활용**한다고 본다. 즉 산업화로 인해 발생한 사회문제의 해결이라는 사회적 욕구에 대한 대응으로 사회복지가 **발달**했다고 이해한다.

(3) **경제적 시각**

　① **자본주의의 산업화는 산업인구**(Industrial Population)**집단의 노동력을 상품화**시켰고, 국가 차원에서 산업 생산을 촉진하고 안정화시키기 위해서는 노동력의 지속적인 공급이 중요하다.

　② 따라서 국가는 **질병 · 노령 · 산업재해 등으로 상품화될 수 없는 노동력을 생산의 증가로 풍부해진 재원을 활용해서 책임지는 방법으로 보호**하게 되고, 이는 국가 경제의 안정과 발전에 매우 중요한 역할을 수행하게 된다.

(4) **한계**

　① 사회복지정책 발달을 **지나치게 경제적 변수로만 설명하여 이데올로기나 정치적 변수 등의 기능을 간과**하고 있다.

　② 산업화로 인해 증대된 사회적 욕구는 설명할 수 있지만, 증대된 욕구가 사회복지제도로 나타나는 과정은 설명하지 못한다.

③ 산업화가 되면 모든 국가가 사회복지의 확대를 추구한다는 가정은 지나친 일반화이다.

5. 독점자본이론(또는 신마르크스주의) 08. 국가직, 20. 지방직 (必)

(1) 전통적인 마르크스주의에 그 이론적 뿌리[1]를 둔 갈등주의적 시각으로 자본주의가 고도화된 사회의 현상과 산업화가 무시한 계급 문제 및 노동력 재생산을 독점자본주의의 속성과 관련시켜 복지국가 발전을 분석하고 설명한다.

(2) 기본적으로 복지국가는 독점자본의 지속적 축적을 위해 기능[2]하며, 자본축적의 위기를 해소하기 위해 국가는 사회복지를 증대시킨다는 입장으로, 계급갈등과 국가의 자율적 역할 정도라는 두 가지 측면을 기준으로 도구주의적 관점, 구조주의적 관점, 정치적 계급투쟁의 관점으로 나눌 수 있다.

도구주의적 관점	① 국가의 자율적 역할을 거의 인정하지 않는 관점으로, 사회복지 정책은 자본가계급에 의해 제안되고 결정된다고 주장한다. ② 국가의 역할을 자본가계급의 이익을 달성하는 도구로 한정시켜 이해한다. 즉, 경제적 조직을 독점한 자본가계급이 정치적 조직에도 강력한 영향력을 발휘하게 되고, 결국 국가는 이들의 요구에 피동적으로 따를 수밖에 없다는 것이다. 예 1920년대 말 미국의 경제 대공황으로 인해 자본주의는 큰 위기에 처해있었고, 이에 대처하기 위해서 거대 자본가들이 소규모 자본가들의 반대를 설득하여 결국 미국의 뉴딜정책과 사회보장법이 시행되었다.
구조주의적 관점	① 국가의 자율적 역할을 일정부분 인정하는 관점이다. ② 자본주의의 구조는 자본계급의 단기적인 이익추구로 분열[3]될 가능성이 상존한다고 가정하고, 이에 국가는 자본계급이 구축한 현 경제구조를 장기적으로 안정시키고 강화시키기 위해서 어쩔 수 없이 자본가계급이 반대하는 복지정책(예 임금 문제·실업 문제에 대한 개입)을 추진하고 자본축적의 역할을 적극적으로 수행한다고 보는 관점이다. 따라서 이 관점 하에서 국가는 자본계급에 대항하는 노동계급을 통제하고, 그들에 대한 분열작업을 효과적으로 관리·유지하는 주체가 된다.
정치적 계급투쟁 관점	① 국가는 자본가계급의 이익을 위해서 존재하는 것이 아닌 자본가계급과 노동자계급 간의 정치적·계급적 투쟁에 의해서 그 성격이 결정된다고 주장하는 관점이다. ② 즉 노동자계급의 세력이 강력해질 경우에는 노동자계급의 이익에 부합되는 복지국가가 될 수도 있다고 가정한다. ③ 따라서 복지국가 발전을 자본가계급과 노동자계급의 투쟁에서 노동자계급이 얻은 전리품으로 이해하는 사회민주주의는 정치적 계급투쟁 관점으로 볼 수 있다.

(3) 한계

복지국가 발전을 지나치게 계급 간 갈등 문제와 이에 대한 국가의 역할로 설명하였다. 이로 인해 민주정치에서의 다양한 행위자들의 역할이 무시되었다.

선생님 가이드

❶ 전통적인 마르크스주의에서는 소수가 생산수단을 독점하기 때문에 '생산수단의 사회화를 통해 생산은 사회적 기준에 의하여 이루어지고 분배는 인간욕구에 의해서 이루어져야 된다.'라고 주장하였습니다. 그러나 자본주의가 농후화되면서 생산수단의 소유자가 점차 '소수'가 아닌 '독점적'으로 바뀌게 되었다는 것이 마르크스주의와 신마르크스주의의 시각 차이입니다.

❷ 독점자본이론에서는, 국가의 사회보장 제도들은 겉으로는 노동자를 위해 만들어진 것처럼 보이지만 실제로는 지속적 자본 축적과 이로 인해 때에 따라 발생하는 위기를 해소하기 위해 자본가들이 국가를 앞에 내세워 활용하는 수단이라고 이해합니다.

❸ 구조주의적 관점에서는, 국가는 장기적인 측면에서 자본가계급의 이익을 보장하기 위해 단기적으로 그들의 이익을 감소시킬 수도 있는 '복지정책'을 추진한다고 주장합니다. 즉 장기적인 측면에서 자본가 계급의 이익을 보장하기 위해 노동자계급을 통제하고 분열시켜야 하는데, 자본가들의 경우 계급의식도 없고, 단기이익을 지나치게 중시하여 분열되기 쉬우므로, 국가만이 노동자 계급을 통제하고 분열시킬 수 있다고 이해합니다. 한 마디로 국가는 오직 자본가의 독점자본을 지켜주기 위한 역할만을 한다는 것이지요.

기출 OX

01 산업화이론에서는 일단 산업화가 시작되면 사회복지제도의 도입은 거의 필연적이며, 기술이 발전하면 할수록 사회복지는 발달하게 된다고 본다. ( )
10. 국가직

02 수렴이론에 따르면 산업기술이 발달할수록 사회복지가 발달하며, 한 국가의 복지 수준은 해당 국가의 경제발전 수준에 따라 결정된다. ( ) 21. 지방직

03 독점자본이론에 따르면, 거대자본과 국가가 융합하여 자본주의체제의 영속화를 도모하는 과정에서 국가가 임금 문제나 실업 문제에 개입하면서 복지국가가 등장하게 되었다. ( ) 20. 지방직

01 ○
02 ○
03 ○

6. 확산이론(또는 근대화이론, 전파이론) 09 · 15 · 21. 지방직 (必)

국제적 모방 과정

(1) 사회복지정책의 확대 과정을 **국제적인 모방 과정으로 이해**하고, 이러한 모방을 **확산**이라고 한다. 즉 **한 국가의 사회복지정책이 다른 나라에 미치는 영향을 강조**한다.

(2) 콜리어와 메식(Collier & Messick)은 확산의 종류로 **위계적 확산과 공간적 확산**을 제시하였다.

① 위계적 확산: (선진국 → 후진국) 새로운 제도나 기술혁신이 **선진국에서 후진국으로 확산되는 경우**를 말한다.
  예 우리나라의 노인 장기요양보험제도는 이 제도를 먼저 도입한 일본의 것과 매우 유사하다.

② 공간적 확산: (인접 주변국) 한 국가에서 만들어진 사회복지정책이 **지리적으로 가까운 국가들에 순서대로 확산되는 경우**를 말한다.
  예 우리나라의 노인 장기요양보험제도는 인접 국가인 일본의 것과 매우 유사하다.

(3) 한계

① 선진국에서 후진국으로 확산된다고 주장하였지만 거꾸로 **후진국에서 선진국으로 확산되는 사례**도 있다.

② 국제적인 환경변수가 한 국가의 내부에서 **사회복지정책으로 전환 및 정착**되어가는 **과정을 설명하지 못한다.**

7. 이익집단론(또는 이익집단정치이론) 13 · 15. 국가직, 15 · 20 · 21. 지방직 🖊️

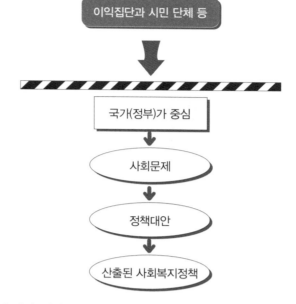

(1) 복지국가의 발달 원인을 국가의 정치적 역할에서 찾는 이론으로, 사회복지정책을 정당이나 협회와 같은 **이익집단들 간의 다양한 이익 추구와 이에 따라 발생하는 갈등과 타협(또는 합의)의 산물로 간주**한다.

(2) **국가는 중립적이고 합리적인 집단**으로, 다양한 이익집단 간 경쟁 과정에서 **희소한 자원의 배분을 둘러싼 갈등이 발생할 경우 이를 중재**하는 역할이다. 그리고 이러한 중재의 결과로 복지국가가 발전한다고 이해한다.

(3) 사회복지정책의 확대 과정에서 **자본 vs 노동의 계급적 관계를 넘어서❶ 정당정치의 역할을 우선시**한다.

(4) 현대사회에서 **귀속적❷ 차이(인종, 연령, 언어, 종교, 지역 등에서의 차이)에 따른 이익집단들 간의 정치적 행위의 중요성**이 커지면서 정치적 이익집단인 정당들 간에도 이러한 이익집단들로부터 받는 정치적 지지와 득표가 중요해졌다.

(5) **한계**

미국과 같이 정치적으로 다원화된 민주주의 국가에서만 그 설명이 가능하다. 즉 남미국가들과 같이 민주주의가 성숙되지 않은 나라들의 복지 정책 확대를 설명하는 데에는 한계가 있다.

8. 엘리트이론

(1) 역사를 계급투쟁이 아닌 정부관료, 지식인, 부유층과 같은 **엘리트의 교체 과정으로 이해**한다.

(2) 사회복지정책은 이러한 **엘리트로부터 대중에게 일방적이며 하향적으로 전달되고 집행**된다고 주장한다.

🗨️ **선생님 가이드**

❶ 과거 산업화 시대에는 자본가와 노동자는 서로의 이익을 위해 대립했습니다. 특히 노동자들은 자본가에 맞서기 위해 동질성과 계급의식에 기반한 동맹인 노동조합을 강화시켰고, 정치적 이익집단인 정당들 역시 이러한 계급갈등에 편승하여 각 계급의 정치적 대변자들이 되었습니다. 그러나 제조업의 비중이 약해지고 서비스 산업의 비중이 커지는 등 탈산업화가 진행되고, 더불어 경제성장으로 산업화 시대에 빈곤했던 노동자들이 중산층화되면서 기존에 노동자들이 가졌던 동질성과 계급의식은 급격하게 약화되었고, 오히려 교육, 인종, 환경, 등 다양한 비급계급적인 쟁점들에 관심이 높아졌습니다. 이러한 현상에 따라 이에 기반한 새로운 이익집단들이 등장하게 되었으며, 이러한 현상은 정당들로 하여금 과거 계급적 이념보다는 이렇게 형성된 이익집단을 대상으로 지지와 득표를 극대화시키는 전략에 치중하게 만들었습니다.

❷ 귀속(歸屬)이란 '개인의 자질이나 능력과는 상관없이 출생 시에 특정 집단에 속하여 그 구성원이 되는 것'을 말합니다.

📖 **기출 OX**

01 이익집단론이란 복지국가의 발전원인을 국가의 정치적 역할에서 찾는 이론으로, 다양한 집단 간 경쟁 과정에서 희소한 사회적 자원의 배분을 둘러싼 갈등이 발생하면 그것을 국가가 중재하게 되는데 그 결과로 복지국가가 발전한다는 견해이다. ( ) 15. 국가직

02 이익집단론에 따르면 사회복지정책은 특정 이익집단의 이익에 부합하는 방향으로 수립되며, 이 과정에서 이익집단 간에 이해 관계가 상충할 경우 국가의 중재자 역할이 강조된다. ( ) 21. 지방직

01 ○
02 ○

(3) 한계

누가 엘리트인가에 대한 구분이 불명확하다.

9. 사회민주주의이론(또는 권력자원이론, 계급정치이론, 권력동원이론)

08. 국가직, 15 · 20. 지방직, 11 · 19. 서울시 (필)

(1) 사회복지정책 발전을 **노동자 계급의 정치적 세력 확대결과로 이해**하여, 사회복지는 사회민주주의나 좌파정당과 같이 노동자 계급을 대변하는 정치적 집단의 세력이 커질수록 발전이 가능하다고 주장하며, 따라서 **노동자 계급의 이익을 대변하는 좌파정당과 노동조합의 역할을 강조**한다.

(2) **국가를 민주주의에 의해 마련된 정치적 공간으로 전제**하고, 사회복지정책을 이미 자본에 의해 선점된 경제적 공간에 대해 **자본과 노동의 계급투쟁에서 사회의 다수를 점유하고 있는 노동계급이 획득한 전리품**이라고 이해한다.

(3) **복지국가 발전의 7가지 전제 조건**

① 선거권이 노동계급으로 확대되어야 한다.

② 노동계급을 대변하는 사회민주당이 집권해야 한다.

③ 강력한 노조 운동이 뒷받침되어야 한다.

④ 우익정당의 세력이 약화되어야 한다.

⑤ 지속적으로 사회민주당이 집권해야 한다.

⑥ 지속적으로 경제가 성장해야 한다.

⑦ 노동자의 강한 계급의식과 종교, 언어, 인종적 분열이 약화되어야 한다.

(4) 한계

① 복지국가 발전의 초기 단계에서 **사회민주주의자들이 오히려 복지국가 확대를 반대했다는 역사적 근거❸**가 있다. 또한 당시 복지국가의 확대는 자유주의자들에 의해 주도되었다. 이러한 사실에 비추어 볼 때 이 이론을 모든 국가에 일반화시키기는 어렵다.

② 집권(執權)이라는 정당의 궁극적인 목적 달성에 있어 **순수 노동계급의 이익만을 대변하는 정당**은 현실적으로 존재하기 어렵다.

10. 국가중심주의이론 20. 지방직, 11. 서울시 (필)

(1) 사회복지정책을 **사회복지를 제공하는 공급자이며 자율적인 행위자인 국가가 스스로 문제를 인식하고 해결하려는 노력의 산물로 이해**한다.

(2) 특징

① 사회복지정책을 담당하는 정부 관료들(또는 관료기구)의 속성을 중시한다. **정부 관료들(또는 관료기구)❹의 자기 이익 추구행위**, 즉 자신이 소속된 조직의 생존과 발전을 위해 **예산과 인력을 확대시키려 하는 행위의 결과로 사회복지정책이 확대**된다고 주장한다.

선생님 가이드

❸ 19세기 후반 독일에서 비스마르크의 사회보험 입법 당시 사회주의자들은 복지국가의 확대가 노동자를 국가에 종속시키려는 수단이라며 극렬하게 반대했습니다.

❹ 국가중심이론에서 사회복지정책은 국가발전에 대한 장기적인 안목을 가진 전문화된 관료들이나 그들이 속한 기구를 바탕으로 수립된다고 봅니다. 예를 들어 20세기 초 영국과 미국이 비슷한 산업화나 노동자계급을 가지고 있었음에도 불구하고 영국이 미국에 비해 전문 관료기구와 정책정당이 형성되어 있었고, 이들이 복지국가 확대의 필요성을 인지하고 추진함에 있어서 미국보다 앞서 있었기 때문에 사회복지 발전에 있어서 차이가 발생했다고 주장합니다.

기출 OX

01 권력자원론은 노동자계급의 정치적 세력이 확대되면 그 결과로 사회복지가 발전한다고 본다. ( )　　15. 지방직

02 사회민주주의이론은 사회적 분배를 둘러싼 다양한 이익집단들의 경쟁에서 정치적 힘이 강해진 집단의 요구를 정치인들이 수용하면서 복지국가가 등장하게 되었다고 주장한다. ( )　20. 지방직

03 사회민주주의이론은 사회복지정책을 독립된 주체인 국가가 스스로 문제를 인식하고 해결하려는 노력의 산물로 파악한다. ( )　　11. 서울시

04 사회민주주의이론에 따르면 노동자계급을 대변하는 정치적 집단의 정치적 세력이 커질수록 복지국가가 발전한다. ( )　　19. 서울시

01 ○
02 × '사회민주주의 이론'이 아니라 '이익집단론'이 옳다.
03 × '사회민주주의이론'이 아니라 '국가중심이론'이 옳다.
04 ○

② **사회복지정책 형성 과정을 중시**하여 유사한 사회복지 욕구가 발생해도 **정책 형성 과정이나 정치인의 개혁성 등에 따라** 이러한 욕구가 정책에 반영될 수도, 또는 그렇지 않을 수도 있다고 본다.

③ 국가조직의 형태에 따라 복지국가 확대의 차이가 있다고 보며, 일반적으로 **중앙집권적이고 조합주의적인 국가조직 형태(예 스웨덴 등)가 지방분권적이고 다원주의적인 국가조직 형태(예 미국)에 비해 사회복지 추진이 용이**하다고 주장한다.

(3) **한계**

① **지나치게 각 국가의 구조적 특성을 강조**해서 이 이론을 통해 복지국가 발전을 일반화시키는 것은 무리가 있다.

② 사회복지에 대한 국민적 욕구의 발생이 아닌 **욕구에 대한 국가의 대응에만 초점**을 두어 복지국가 발전의 본질적인 원인을 등한시한 경향이 있다.

11. 종속이론

(1) 제2차 세계대전 이후 식민지에서 독립한 제3세계 국가들의 적극적인 사회보장제도 확장에도 불구하고 빈곤·불평등 등의 사회문제가 심화되는 이유를 '**과거 식민지의 영향'으로 이해**한다. 즉, 식민시대에 종주국들이 그들의 이익에 유리한 방향으로 식민지의 사회복지제도를 운영했던 것이 식민 종식 후에도 그대로 자국 내의 지배계급들에 의해 전승되고 있다고 주장한다.

(2) **한계**

① 제3세계에 대한 **선진국의 영향력을 과대평가**하고, 종속된 나라 자체의 **잠재력 내지 책임을 과소평가**하고 있다.

② 카우프만(Kaufmann)의 반증: 라틴아메리카 17개국에 대한 분석결과 종속 수준이 높을수록 토지 소유구조는 오히려 공평하다는 것과 국가 간의 불평등 문제가 종속 관계가 아닌 한 국가 내의 두 지역 간, 또는 중심국 내의 두 국가 간에도 발견되었다는 것을 알 수 있다.

3 복지국가 유형화이론

연대	대표 학자	복지국가 유형
1960~1970년대	윌렌스키와 르보(Wilensky & Lebeaux)	잔여적, 제도적
	티트머스(Titmuss)	잔여적, 산업성취, 제도적 재분배
	퍼니스와 틸튼(Furniss & Tilton)	적극적, 사회보장, 사회복지
1980년대	미쉬라(Mishra)	분화적·통합적
	조지와 윌딩(George & Wilding)	반집합주의, 소극적집합주의, 페비안사회주의, 마르크스주의
	테르호른(Therborn)	프롤레타리안, 부르주아
1990년대	에스핑 엔더슨(Esping-Andersen)	자유주의, 보수주의, 사회민주주의

▲ 복지국가 유형화 이론의 개관

1. 윌렌스키와 르보(Wilensky & Leveaux)의 2분 모형 16. 지방직 ✍

(1) **윌렌스키와 르보(Wilensky & Lebeaux)**는 미국 사회를 배경으로 사회복지제도와 다른 사회제도의 관계를 어떻게 규정하는가에 따라 사회복지의 개념을 **잔여적 모형과 제도적 모형**의 2가지로 나누었다.

(2) **잔여적 모형**에서는 가족, 종교, 경제, 정치와 같은 기존 사회제도의 **기능적 실패**를 인정하고 이에 대한 사회복지제도의 **임시적이며 보충적인 필요성**은 인정하되, 그것이 **필수적이라고 보지는 않는다.**

(3) **제도적 모형**에서는 가족, 종교, 경제, 정치와 같은 기존 사회제도의 기능적 실패는 필연적이며 동시에 지속적인 것으로, 사회제도의 기능과는 구별되는 **상부상조의 기능**을 독립적으로 수행할 별도의 **사회복지제도가 필수적**이라고 본다.

잔여적 개념	기능에 따른 구분	제도적 개념
협의의 사회복지	유사 개념	광의의 사회복지
① 관점: 병리적인 존재 ② 사회적 약자나 요보호 대상자 등의 특수계층에 한정 〔예〕저소득층, 장애인, 노인, 아동 등	사회복지의 대상 (수급자)	① 관점: 정상적인 존재 ② 전체 국민 또는 사회성원 일반
소극적 · 한정적(또는 협의적): 가족이나 시장경제와 같은 정상적인 공급구조가 제 기능을 수행하지 못할 때 파생되는 문제를 보완하거나 해소하는 제도	사회복지에 대한 관점	적극적 · 광의적: 사회를 유지하기 위한 사회구성원 간의 상부상조로서, 다른 사회제도가 수행하는 기능과는 구별되어 독립적으로(또는 독자적으로) 수행되는 제도
① 개인주의 ② 예외주의, 보수주의	이념적 기반	① 집합주의 ② 보편주의, (수정)자유주의
① 간섭받지 않는 자유(또는 소극적 자유) ② 시장경제원칙	기본적 가치	① 평등의 구현 ② 빈곤으로부터의 자유(또는 적극적 자유) ③ 우애
개인의 책임 → 낮은 수준의 급여, 자산조사, 경쟁 강조	사회문제의 발생 원인	사회구조적 책임
절대적 빈곤 개념에 따라 빈곤수준을 낮게 책정	빈곤관	상대적 빈곤 개념에 따라 사회적 박탈감을 인정하고, 빈곤수준을 높게 책정
사회안전망 기능만 수행	사회복지의 기능	현대 산업사회에서 사람들이 만족할 만한 삶의 수준과 건강을 누릴 수 있도록 하는 그 사회의 필수적이고 정상적인 제1선(First Line) 기능 수행
① 국민에 대한 시혜 ② 자선과 구호중심의 일시적, 임시적, 보충적, 응급처치적, 사후적	사회복지 급여의 성격	① 시민권에 입각한 국민의 권리 ② 항구적, 제도적, 예방적, 사전적

 기출 OX

윌렌스키와 르보(Wilensky & Lebeaux)는 사회복지의 개념을 '잔여적 개념'과 '제도적 개념'으로 구분하였다. ( )

16. 지방직

○

선별주의	급여제공 원칙	보편주의
최소한으로 제한	국가의 역할	점차적인 확대
자유주의, 보수주의	지지세력	사회주의, 진보주의
수반	낙인감	수반하지 않는 것이 기본 전제
기여자와 수혜자의 구분으로 인해 약함	사회통합 기능	기여자와 수혜자를 구분하지 않으므로 강함
낮음	운영효율성	높음

2. 티트머스(Titmuss)의 3분 모형 12. 지방직 (必)

(1) **보충적(또는 잔여적) 모형**

① 윌렌스키와 르보의 잔여적 모형과 유사한 모형으로, 사회복지에서 **시장과 가족의 역할을 강조**한다.

② 대표적인 사회복지제도로는 **공공부조**가 있다.

(2) **산업성취수행(또는 산업업적, 시녀) 모형**

① **사회복지를 경제 발전의 종속물로 이해**한다. 즉 경제발전으로 기업의 이윤과 노동자의 소득이 증가하여 기업과 노동자가 지불하는 **사회보험 부담금과 기여금이 증가**하면 이로 인해 사회복지가 발전한다고 본다.

② 업적, 업무 수행, 생산성 등 **시장에서 개인의 성취(또는 업적)에 따라 차별적으로 사회복지가 제공**되므로 사회복지 급여는 시장에서 개인의 역할에 따라 달라져야한다고 주장한다.

③ 대표적인 사회복지제도로는 **사회보험**이 있다.

(3) **제도적 재분배 모형**

① 윌렌스키와 르보의 제도적 모형과 유사한 모형으로, **시장 밖에서 욕구 원칙에 입각하여 보편적 서비스를 제공**한다.

② 대표적인 사회복지제도로는 **사회수당**이 있다.

핵심 PLUS

티트머스(Titmuss)의 복지의 사회적 분화

티트머스는 사회복지를 제공되는 형태에 따라 사회복지, 재정복지, 기업(또는 직업)복지로 구분하였다.

① **사회복지**: 국가가 개인에게 직접적으로 제공하는 형태의 복지로, 수급을 받는 개인은 급여의 수급을 직접적으로 체감할 수 있다.

　예 국가에 의한 국민기초생활보장제도 운영 등

② **재정복지**: 국가가 개인에게 간접적으로 제공하는 형태의 복지로, 수급을 받는 개인은 **급여의 수급을 직접적으로 체감할 수 없다.**

　예 소득공제와 같은 조세비용 등

③ **기업(또는 직업)복지**: 기업이 근로자에게 직접적으로 제공하는 **임금 이외의 다양한 부가적 혜택**을 말한다.

　예 자녀에 대한 학자금 융자, 무료 통근버스 운영 등

---

3. 퍼니스와 틸튼(Furniss & Tilton)의 3분 모형 19. 서울시

퍼니스와 틸튼은 사회복지정책의 목적에 따라 적극적 국가, 사회복지국가, 사회보장국가로 구분하였다.

(1) 적극적 국가

① 정책의 목적: 자유주의 시장경제 체제의 불안정성으로 인한 재분배의 요구로부터 **자본가의 이익을 보호**하는 것이다.

② **실용적 · 경제적 효율성에 기여할 수 있는 정책만 실시**하고, 사회복지정책은 **사회통제의 수단으로 사용**되며, **완전고용정책을 최소화**한다.

③ 공공부조에 의한 최하위 계층에 대한 지원은 경제성장을 저해한다고 보아 **사회보험제도를 강조**한다.

④ 대표적인 국가로 **미국**이 있다.

(2) 사회보장 국가

① 사회복지정책의 목적: 국민 전체의 생활안정을 위한 **국민 최저 수준의 보장**이다.

② 전 국민을 직접적인 수혜자이며 동시에 자신에 대한 책임자로 보아 **국가는 국민의 최저 수준만을 보장**하고, 그 이상에 대한 추구는 각 개인의 책임이라고 주장하며, **완전고용정책을 중요시** 한다.

③ 사회보험 이외에도 공공부조(또는 사회부조)와 보편적 제도 등도 함께 사용한다.

④ 대표적인 국가로 **영국**이 있다.

(3) 사회복지국가

① 사회복지정책의 목적: 국민의 평등과 화합을 통해 **국민 최저 수준 이상의 보장**을 하고자 한다.

② 정부와 노동조합의 협동을 강조하고, **국민을 정책형성 과정에 주체로 참여**시키려하며, **완전고용정책을 극대화**한다.

③ **사회수당 등의 보편적 제도를 사용**한다.

④ 대표적인 국가로 **스웨덴**이 있다.

4. 미쉬라(Mishra)의 2분 모형

미쉬라는 성장(또는 경제)정책과 분배(또는 사회복지)정책의 분화 정도에 따라 분화적 복지국가와 통합적 복지국가로 구분하였다.

(1) 분화적 복지국가

① **성장정책과 분배정책이 분화된 국가**로, 성장에 악영향을 미치는 분배정책은 제한될 수밖에 없다고 본다.

② 분배정책은 **잔여적 기능**만 한다.

③ 대표적인 국가로는 **미국과 영국**이 있다.

(2) 통합적 복지국가

① 성장정책과 분배정책이 상호의존적인 국가로, 경제집단의 상호의존성을 인식하여 사회적 협력형태로 제도화를 추구한다.

② 분배정책은 국가·기업·노동자와 같은 경제집단 또는 부자와 빈자와 같은 사회적 계급의 상호협력 하에 추진되므로 **집합적 책임을 강조**한다.

③ 대표적인 국가로는 **스웨덴과 오스트리아**가 있다.

5. 조지와 윌딩(George & Wilding)의 이데올로기적 4분 모형과 6분 모형

10·11·14·15. 국가직, 11·12·14·16·19·22. 지방직, 11·13. 서울시 (必)

1976년 조지와 윌딩(Gorge & Wilding)은 저서 『이데올로기와 사회복지(Ideology & Social Welfare)』에서 **4분 모형을 제시**하였고, 이후 1994년에 새로운 저서인 『복지와 이데올로기(Welfare and Ideology)』에서 이에 페미니즘과 녹색주의를 포함한 **6분 모형으로 수정**하였다.

복지국가에 대한 관점	적극 반대	조건부 찬성	적극 찬성	적극 반대
정부의 개입	부정	조건부 인정	적극 인정	적극 인정

4분 모형	반집합주의	소극적 집합주의	페이비언 사회주의	마르크스 주의
6분 모형	신우파	중도노선	사회민주주의	마르크스주의 / 페미니즘 / 녹색주의

(1) 반집합주의

① 자유주의적 입장으로, 복지국가를 자유로운 시장 활동의 걸림돌로 간주한다.

② 사회복지정책의 확대가 개인의 자유와 선택을 제한하고, 경제적 비효율성과 근로 동기의 약화를 가져왔다고 비판하고, **시장에 대한 국가의 개입 역시 경제적 비효율을 초래**하므로 그 수준은 **최소한❶에 그쳐야 한다**고 주장한다. 이에 따라 **노동 무능력자에 대한 국가의 책임은 인정**하지만, 국가는 최저 생계비 이하의 빈곤계층에 대해서만 온정주의적❷으로 개입해야 한다고 본다.

③ **전통적 가치❸와 국가 권위의 회복, 민영화**를 통한 정부 역할 축소를 강조한다.

④ 소극적 자유, 개인주의, 가족, 시장, 불평등, 경쟁을 주요 사회적 가치로 삼는다. 특히 현존하는 **불평등❹은 경제성장에 기여하므로 정당화될 수 있다**고 주장한다.

⑤ 대표적인 인물로 **하이에크, 프리드만, 마우엘** 등이 있다.

⑥ **6분 모형에서는 신우파로 수정**되었다.

(2) 소극적 집합주의

① 수정자본주의적 입장으로, 자본주의의 비효율성과 비공정성에 대해 **부분적으로 비판**하며 이를 수정하기 위한 국가의 조건부 규제와 통제가 필요하다고 **주장**한다. 즉, 복지국가를 사회안정, 질서 유지, 빈곤과 불평등 완화를 위해 필요한 것으로 간주하여 **제한적으로 지지**한다.

② 단, 사회복지는 국민의 최저 수준 보장에 그쳐야 하며, 그 이상의 문제는 개인의 책임에 맡겨야한다고 본다.

③ 사회보험제도를❺ 중시한다.

④ 소극적 자유, 개인주의, 실용주의, 경쟁, 합리주의가 주요 사회적 가치이다.

⑤ 대표적인 인물로 **베버리지, 케인즈, 갈브레이스** 등이 있다.

⑥ 6분 모형에서는 중도노선(또는 중도우파)으로 수정되었다.

(3) 페이비언사회주의(Fabiansocialism)

① 사회민주주의 입장에서 자본주의 시장 경제체제에 국가의 적극적인 개입을 강조하는 것으로, 국가는 민주정치에 따라 노동자를 포함한 국민의 다수에 의해 지배되어야하며, 의회 민주주의를 통한 점진적인 사회주의화❻가 이루어져야 한다고 주장한다.

② 사회통합과 부(富)의 평등 추구를 위한 사회복지정책의 확대를 적극적으로 지지하고, 복지국가를 통해 사회 조화와 평등한 사회가 만들어지며, 이를 **구현함으로써 궁극적으로 사회주의가 이루어진다**고 본다.

③ 시장체제와 사회복지정책이 공존하는 시장사회주의를 지향하여, 자본주의 시장경제체제를 인정하나 이를 보완하기 위해서 사회복지정책이 필요하다고 본다. 이로 인해 주요 기업이나 기간산업의 점진적인 국유화를 주요 정책 대안으로 삼는다.

④ 또한 **사회구성원들에게 공동체 의식 강화·이타주의** 등을 유지·강화시키기 위해서 사회복지정책이 필요하다고 본다.

⑤ 사회복지정책은 전 국민을 대상으로 차별 없이 보편적으로 시행되어야 하며, **국민최저선의 설정과 이에 대한 국가의 책임**을 강조한다.

⑥ 기회의 평등 촉진을 강조하고, 사회적 취약계층에 대한 적극적 차별의 시행을 강조한다.

⑦ 기회의 평등, 적극적 자유, 우애(또는 동포애)를 주요 사회적 가치로 삼는다.

⑧ 대표적인 인물로 **토오니, 티트머스, 코로슬랜드** 등이 있다.

⑨ 6분 모형에서는 사회민주주의(또는 민주적 사회주의)로 수정되었다.

선생님 가이드

❺ 사회보험은 제도 운영에 필요한 재원의 기여자와 수혜자가 일치하는 사회보장제도입니다. 소극적 집합주의자들은 이를 형평적이라고 봅니다.
❻ 사회민주주의는 자본주의 시장 경제체제의 모순인 기회와 소득의 불평등을 인정합니다. 다만 국가의 적극적인 개입을 통해 이를 극복할 수 있다고 봅니다.

기출 OX

01 조지와 윌딩(George & Wilding)이 제시한 '신우파'는 소극적 집합주의 성향을 가지며 자유보다 평등과 우애를 옹호한다. ( ) 16. 지방직

02 사회민주주의자들은 개인이 국가의 규제로부터 벗어나 자유를 누리는 것이 정의로운 사회라고 주장했다. ( ) 19. 지방직

03 반(反)집합주의는 소극적 자유를 강조하며 현존하는 불평등은 경제성장에 기여할 수 있다고 본다. ( ) 14. 국가직

04 신우파는 반집합주의의 성향을 갖고 있으며, 평등을 최고의 가치로 여긴다. ( ) 15. 국가직

05 민주적 사회주의는 평등, 자유, 우애를 중심 사회가치로 여기며, 시장사회주의를 지향한다. ( ) 15. 국가직

06 신우파는 시장의 역할을 강조하지만 모든 종류의 정부개입을 반대하는 것은 아니다. ( ) 11. 지방직

01 ✕ 신우파는 반집합주의 성향을 가지며 평등과 우애보다 자유를 옹호한다.
02 ✕ 사회민주주의자들은 국가의 개입을 강조하였다.
03 ○
04 ✕ '평등'이 아니라 '소극적 자유, 개인주의, 불평등, 경쟁'이 옳다.
05 ○
06 ○

핵심 PLUS

페이비언협회(Fabian Society)

1884년 1월 4일 영국 런던에서 설립된 단체로, 1883년에 설립된 신생활회(The Fellowship of New Life)의 회원들 중의 일부가 초기 회원이 되었다. 신생활회는 자발적인 궁핍을 통해 심각한 자본주의화로 몸살을 앓고 있었던 당시 영국 사회를 바꾸어 보자는 목표하에 설립되었는데 그중 일부가 사회개혁에는 정치적 역량이 필요하다고 보고 여기에서 분리되어 페이비언협회를 창설하였다.

이들은 혁명적인 변화보다는 **점진적인 개혁을 통한 사회개혁**을 주장했으며, 협회의 명칭에 그 의도가 담겨있다. 즉 페이비언이란 고대 로마의 **퀸투스 파비우스 막시무스(Quintus Fabius Maximus)** 장군의 전술에서 유래된 것으로, 그는 카르타고의 한니발의 침입에 맞서 전면전보다는 점진적으로 대항하는 지구전(持久戰) 전술을 구사하였다.

그들은 자유무역에 반대하고 대신 자국의 이익을 보호하는 **보호무역**을 주장하였으며, 토지와 대기업의 국유화를 강조하였다. 1900년 영국 노동당의 창립에 수많은 협회회원이 참여하였고, 자유, 평등, 우애라는 협회 강령이 노동당 강령의 모태가 되었다.

(4) 마르크스주의(Marxism)

① **급진적인 사회주의** 입장으로, 자본주의 체제의 계급 간 갈등의 원인은 자본주의 자체에 존재하며 이에 따른 빈곤은 필연적으로 발생할 수밖에 없다고 주장한다.

② 복지국가는 자본주의 체제를 강화하기 위해서 자본가들이 활용하는 수단에 불과하며, 자본과 노동 간 갈등의 결과로 간주하여 사회복지정책을 전면적으로 비판하고 반대❶한다.

③ **적극적 자유, 우애, 결과의 평등**을 주요 사회적 가치로 삼는다.

④ 대표적인 인물로 밀리반드, 라스키, 스트라취 등이 있다.

⑤ 6분 모형에서는 마르크스주의, 페미니즘, 녹색주의로 수정되었다.

마르크스주의	자본주의 체제에서 노동계층과 빈민들에게 '평등'은 허구에 불과하며, 따라서 국가의 적극적 개입을 강조한다.
페미니즘	㉠ 복지국가에 대한 양면적 입장으로, 가부장적 복지국가를 비판하지만 양성평등을 위한 사회복지정책의 역할도 인정한다. ❷ ㉡ 교육·직업·사회적 지위 등에서 남성과 동등한 권리를 획득하는 데 관심을 둔다.
녹색주의	㉠ 복지국가가 추구하는 경제성장으로 인해 환경 문제가 유발되기 때문에 반대한다. ❸ ㉡ 녹색주의의 2가지 관점 • 밝고 약한 녹색주의: 경제와 소비의 지속적인 성장은 인정한다. 다만 환경을 무질서한 착취로부터 보호하고 방어해야 한다는 자각 하에 친환경적 경제성장과 소비를 주장한다. • 어둡고 강한 녹색주의: 과학기술로는 현재의 환경 문제를 해결할 수 없으므로, 유일한 대안은 경제와 소비를 줄이는 것이라고 주장한다.

선생님 가이드

❶ 마르크스주의자들은 자본주의 체제가 존속하는 한 빈곤 등의 사회문제는 어떠한 형태의 국가개입에 의해서도 소멸되지 않는다고 봅니다. 이에 따라 복지국가를 자본과 노동계급 간 갈등의 결과로 인식하고, 복지국가는 자본계급의 노동계급에 대한 불가피한 최소한의 양보에 불과하므로 복지국가를 통한 사회주의 건설은 불가능하다고 주장합니다.

❷ 페미니즘적 이데올로기에서는 복지국가는 가부장적 국가로서 남성들의 권력과 특권을 유지하는 정책을 통해 여성의 남성에 대한 경제적 종속현상을 심화시키는 등 성차별 체계를 재연한다고 비판합니다. 다만 복지국가가 남성들의 기득권을 약화시키는 가족정책이나 양성평등정책도 일부 수행했음을 인정하여 부분적으로 지지하기도 합니다.

❸ 녹색주의 이데올로기에서는 복지국가가 대량생산과 대량소비를 유도하며 이는 자원고갈을 촉진시키고 환경을 파괴한다고 봅니다. 이에 공공복지지출의 축소를 강조하며 복지국가를 부정합니다.

기출 OX

01 페이비언주의에서는 소득의 평등보다는 부의 평등을 중시한다. ( )　11. 서울시

02 페이비언주의에서는 공동체 의식 강화, 이타주의 의식 유지를 위해 사회복지정책을 필요로 한다. ( )　11. 서울시

03 마르크스주의는 사회민주주의를 노동계급을 착취하고 소외시키는 비인간적인 체제로 보았다. ( )　19. 지방직

04 마르크스주의는 자유, 평등, 우애를 사회적 가치로 강조한다. ( )　11. 지방직

01 ○
02 ○
03 × '사회민주주의'가 아니라 '자유주의'가 옳다.
04 ○

6. 테르호른(Therborn)의 2분 모형과 4분 모형

테르호른은 1986년 마르크스주의 입장에서 **자본가와 노동자의 권력투쟁 형태에 따라** 프롤레타리안과 브루주아의 2분 모형을, 1987년에는 **사회복지정책의 확대 정도와 노동시장 측면에 따라 강성, 연성, 완전고용, 시장지향적의 4분 모형**을 제시하였다.

(1) 1986년의 2분 모형

① 프롤레타리안 복지국가: **노동자의 권리를 보장**하고, 사회복지 프로그램을 명문화시키며, 보편적 대상과 급여를 제공하여 **재분배를 통한 사회복지 재원의 마련을 강조**한다.

② 브루주아 복지국가: 자본가의 자본축적을 인정하고 노동자의 근로의욕을 유지하는 등 **자본주의 체제유지에 필요한 프로그램을 강조**하며, 자본가에 의해 임의적으로 급여가 결정되는 프로그램을 선호한다. 재원은 보험원칙 준수를 통해 마련하고자 한다.

(2) 1987년 4분 모형

① 강성개입주의 복지국가: 노동시장에 대한 정부의 개입이 강력하여 **완전고용 정책을 강력하게 실시**한다. 대표적인 국가로는 스웨덴, 노르웨이, 오스트리아가 있다.

② 연성 복지국가: 노동시장에서 사회복지정책의 확대는 **보상적 차원에서 확대**된다. 단 절대적 수준의 노동시장정책은 미약한 편이다. 대표적인 국가로는 독일, 프랑스, 이탈리아가 있다.

③ 완전고용지향적 복지국가: 노동시장에서 완전고용을 강조한다. 단 사회복지정책의 확대는 가급적 꺼린다. 대표적인 국가로는 일본이 있다.

④ 시장지향적 복지국가: **노동시장에 대한 개입도 약하고 사회복지정책의 확대도 꺼린다.** 대표적인 국가로는 영국, 미국, 캐나다가 있다.

7. 에스핑 앤더슨(Esping-Andersen)의 3분 모형

10 · 16 · 17 · 19 · 20 · 22 · 23 · 24. 국가직, 14 · 16 · 18 · 19. 지방직

(1) 1990년 에스핑 앤더슨은 저서 『복지 자본주의의 세 개의 세계(Three Worlds of Welfare Capitalism)』를 통해 18개국을 **탈상품화(Decommoditification)**와 계층화(Stratification) 정도, 국가와 시장 및 가족❹과의 역할 관계(또는 상대적 비중)의 기준에 따라 **자유주의, 보수주의(또는 조합주의), 사회민주주의로 유형화**시켰다.

(2) 탈상품화와 계층화

① 탈상품화❺: 노동자의 노동력의 상품화 정도를 의미하는 것으로, **노동자가 자신의 노동력을 노동시장에 상품으로 내다팔지 않고서도 국가가 제공하는 무상의 급여를 통해 기본적인 삶을 유지할 수 있는 정도**를 말한다. 이는 복지정책의 시장영향력 완화 정도를 분석하기 위한 개념틀로써 그 정도가 높을수록 복지국가이며 권리로써 복지가 강조된다.

선생님 가이드

❹ 에스핑 앤더슨은 복지제공의 주체를 국가, 시장, 가족의 3개 유형으로 구분하고, 각 유형의 역할 또는 상대적 비중을 복지국가 유형화의 한 조건으로 삼았습니다.

❺ 에스핑 앤더슨은 탈상품화 지수 측정을 위한 5가지 변수로 최저 급여액의 평균 근로자임금에 대한 비율, 평균 급여액의 평균 근로자임금에 대한 비율, 급여를 받을 수 있는 자격 조건(또는 기여 연수), 전체 프로그램 재원에서 수급자가 지불하는 비율, 실제 수급을 받는 사람들의 비율을 제시하였습니다.

기출 OX

01 중도노선에서는 자유, 개인주의, 경쟁의 가치를 중시한다. ( ) 13. 서울시

02 중도노선에서는 자유시장의 조절기능은 안정된 것으로 보며 시장이 더 많은 역할을 수행해야 된다고 본다. ( )
13. 서울시

01 ○
02 × '중도노선'이 아니라 '신우파'가 옳다.

❶ 에스핑 앤더슨은 시장과 사회복지정책의 상대적 역할 비중 측정을 위한 4가지 변수로 GDP 대비 민간기업연금 비중, GDP 대비 공적연금·민간연금·개인연금 비중, 총 연금지출 중 사회보장연금·공무원연금·기업연금·개인연금의 비중, 65세 이상 노인가구주 가구의 소득원천구성을 제시하였습니다.

❷ 보수주의 국가에서는 사회보장 정책으로 사회보험 제도를 강조합니다. 사회보험 제도는 본인의 기여에 비례하여 급여의 수준이 결정됩니다. 이는 기여가 많은 계층에게는 더 많은 급여 수준이, 반대로 기여가 적은 계층에게는 적은 급여 수준이 제공되므로 시장에서 형성된 계층화를 그대로 유지시키는 기능을 합니다.

❸ 2008년 세계 금융위기 이후 독일과 프랑스 등은 '노동시간 단축을 통한 일자리 나누기(Work Sharing)'를 통해 실업을 억제하였습니다. 이를 위해 '단시간(短時間) 근무제도'의 활용을 적극적으로 장려하였는데, 이는 기업이 경제위기 등으로 노동력의 수요가 없을 때 노동비용을 줄이기 위해 노사합의를 통해 종업원의 노동시간을 단축시킬 수 있는 제도를 말합니다. 이 경우 노동자들은 자신이 받던 임금의 70%까지 지급받을 수 있었습니다. 기업은 노동자가 일한 시간만큼만 급여를 지불하고, 나머지는 연방정부가 실업보험이나 사회보험을 통해 지급하는 구조로 운영하였습니다. 이를 통해 기업과 노동자 모두가 경제 위기에 대응할 수 있었습니다.

기출 OX

01 에스핑 앤더슨(Esping-Andersen)의 복지국가 유형화에서 개별 복지국가의 유형들은 국가별 경제상황과 경제정책의 특성에 영향을 받아 형성되었다. ( )
10. 국가직

02 에스핑 앤더슨(Esping-Andersen)은 복지국가의 유형을 분류하는 데 있어 탈상품화 정도가 높을수록 복지선진국을 의미한다고 보았다. ( )
16. 지방직

01 × '국가별 경제상황과 경제정책의 특성'이 아니라 '탈상품화와 계층화 정도, 그리고 국가와 시장 및 가족과의 역할 관계(또는 상대적 비중의 기준)'이 옳다.
02 ○

② 계층화❶: 사회적 희소가치가 불평등하게 배분됨에 따라 개인과 집단이 서열화되는 것으로 시장체제나 사회복지정책을 통해 계층 구조가 유지되는 정도를 말한다.

(3) 3분 모형

① 자유주의 복지국가

㉠ 탈상품화 정도는 낮고, 시장에서 형성된 높은 수준의 계층화가 그대로 유지되어 다차원적인 계층체제가 발생하는 국가로, 계층 간 대립이 심하다.

㉡ 개인의 책임, 소극적 자유, 선별주의와 자조의 원리, 시장의 효율성, 근로의욕의 고취를 강조한다.

㉢ 시장체제가 제공하는 복지를 보완하는 낮은 수준의 국가복지만을 추구하여 노동시장에서 배제된 저소득계층에게만 자산조사와 같이 엄격한 수준의 수급자격조사를 실시하고, 이에 따른 공공부조 프로그램을 제공하고자 한다.

㉣ 시장의 규제완화와 복지축소로 복지국가 위기의 타개를 모색한다.

㉤ 대표적인 국가로는 미국, 영국, 캐나다, 호주 등이 있으며, 우리나라도 여기에 해당한다.

② 보수주의(또는 조합주의) 복지국가

㉠ 탈상품화 정도는 비교적 높지만 시장체제에서 형성된 계층화가 사회복지정책으로 인해 그대로 유지되며, 특히 노동시장에 속해있는 남성 노동자 간 계층화가 크다.

㉡ 가족의 중요성을 강조하는 종교와 문화적 신념의 영향력이 강하다.

> **핵심 PLUS**
>
> **보수주의 복지국가의 종교와 문화적 신념**
> ① 가족의 중요성을 강조하는 종교·문화적 신념의 영향으로 개인 생존의 1차적 책임을 가족에게 부여한다.
> ② 제조업 중심의 강한 노동조합에서 남성은 이전부터 높은 임금을 보장받았지만 여성의 경제적 참여는 매우 어려워 남성이 가족성원 전체를 경제적으로 부양하고, 여성은 가정을 돌보는 등, 전통적인 가부장적 가족 체제를 중시하는 '남성 생계부양자 모형'이다. 그러나 사회보험 가입자들의 직장 이동이 활성화되기 어려운 이러한 조합단위의 제도로 인해 위험분산의 효과가 상대적으로 낮게 발생한다.

㉢ 주요 사회복지정책은 사회보험❷이며, 사회보험이 직역별·산업별(예 공적, 민간, 공무원 등)로 분절되어 구축되어 있고, 사회복지급여는 계급과 사회적 지위에 밀접하게 관련되어 있다. 또한 이러한 직역별·산업별 분절 구조로 인해 산업재해와 같은 동일한 위험에 대해서 다수의 운영주체가 존재하고, 사회복지제도들은 위험별로 구분되어 각각 독립적인 제도로 운영된다.

㉣ 제도의 적용대상은 임금근로계층만을 원칙으로 한다.

㉤ 내부 시장을 강화하는 노동감축 방식❸을 통해 성장을 유지하여 복지국가 위기의 타개를 모색한다.

㉥ 대표적인 국가는 독일, 네델란드, 오스트리아, 이탈리아, 프랑스 등이 있다.

③ 사회민주주의 복지국가

　　　㉠ 탈상품화 정도는 매우 높은 반면, 계층화 정도는 낮으므로, 계층 간 통합 정도가 크다.

　　　㉡ 국민의 사회권적 시민권을 강조하여 이에 기초한 보편적이고 포괄적인 복지국가를 추구하며, 따라서 적극적 자유를 지향한다.

　　　㉢ 사회복지제도 역시 국가 중심의 보편적이고 포괄적인 성격을 가지고 있으며, 특히 **보편주의적 개입을 통해 가족과 시장을 대체**하고자 한다.

　　　㉣ 노동자와 중산층 계급의 정치적 동맹을 통해 **보편적인 사회수당 제도를 안착**시켰다. 또한 제도를 통해 제공되는 급여의 수준 역시 매우 높은 경향이 있다.

　　　㉤ 여성의 노동시장 참여의 확대를 주요 정책으로 삼는다.

　　　㉥ 공공부문의 고용확대[4]로 복지국가 위기의 타개를 모색한다.

　　　㉦ 대표적인 국가로는 **스웨덴, 노르웨이, 덴마크** 등이 있다.

8. 기타 다양한 제학자들의 사회복지이데올로기 모형 12. 지방직

(1) **위더범(Wedderbum)**

반집합주의, 시민권, 전체주의, 기능주의

(2) **룸(Room)**

시장 자유주의, 정치적 자유주의, 민주적 사회주의, 신마르크스주의

(3) **핀커(Pinker)**

고전파 경제이론, 신중상주의적 집합주의, 마르크스주의적 사회주의자

(4) **테일러 구비와 데일(Taylor-Gooby & Dale)**

개인주의, 개량주의, 구조주의, 마르크스주의

4 제2차 세계대전 이후 복지국가의 변화

제2차 세계대전(1939~1945년)이 종료된 이후 유럽과 미국을 중심으로 복지국가에 대한 다양한 시도와 개편이 이루어졌다. 이러한 시도와 개편은 **복지국가의 융성기, 위기와 재편기**로 나누어 이해할 수 있다.

1. 복지국가의 융성기(또는 복지국가의 황금기) 09 · 10 · 14 · 21. 지방직

(1) 1945년 제2차 세계대전의 종결 이후 1970년대 중반까지의 시기를 말한다.

(2) **주요 견인 요인**

　① 마샬플랜(Marshall Plan)

　　㉠ 정식 명칭은 **유럽부흥계획(European Recovery Program, ERP)**으로, 1947~1951년까지 미국이 서유럽 16개국에 행한 원조계획이었다.

② 케인즈주의(Keynesianism)

ⓐ **수정자본주의**라고도 불리우며, **시장실패를 전제로** 시장체제에 대한 **국가의 적절한 개입을 강조한** 이념이다.

ⓑ 국가의 사회복지 관련 재정 지출을 통해 **국민의 유효수요❶를 창출**하여 완전고용과 경제발전을 이루고자 하였다.

③ 진보주의(Progressivism)

ⓐ **기존의 정치 · 경제 · 사회 체계에 대한 변혁을 주장하는 사회 · 정치적 이데올로기로**, 협의적으로는 마르크스주의(또는 급진적 사회주의)와 사회민주주의(또는 점진적 사회주의)를 모두 포함하는 이념이다.

ⓑ 시장실패를 가정하고, 이에 대한 국가의 개입을 정당화하였다.

④ 사회민주주의

ⓐ **점진적 사회주의**라고도 한다.

ⓑ **민주주의 정치체계를 활용**해서 **자본주의 내 자체적인 개혁**으로 사회주의를 이루고자 하였다.

ⓒ 마르크스주의가 추구하는 모든 생산수단의 사회화와 달리 **국가기간산업만을 사회화**하고자 하였다.

ⓓ 복지국가의 모형으로는 **보편적 복지국가의 수립**을 주장하였다.

⑤ 코포라티즘(Corporatism, 또는 조합주의)

ⓐ **정부, 노동조합, 기업의 3자의 협동체**로, 독점자본에 대항하기 위해서 **거대노동조합이 출현**하고, 이들이 **자본 및 정부와 대등한 수준**으로 물가나 복지 등의 주요 현안과 관련된 **사회정책을 협상하여 결정하는 구조**를 말한다.

ⓑ 코포라티즘은 복지국가의 확대를 가져 왔으며, 노동조합의 힘이 강할 때 나타난다. 다만 **코포라티즘이 활성화되면 의회권력이 무력화**된다.

⑥ 포디즘(Fordism)❷

ⓐ **소품종 대량생산체제**를 말한다.

ⓑ 즉, 소비자의 개별화된 욕구에 대한 대응보다는 **생산자의 편익 중심적 생산체계**로, 이러한 대량생산체제에서 **기업들은 전용기계(경직성)를 갖춘 후 대규모의 저숙련 노동자를 고용하여 일부 특화된 소품종을 대량생산**하는 데에만 집중하였다.

ⓒ 또한 **노동자들은 강력한 노동조합을 구축해서 사용자들과 상호 대립**하였다.

2. 복지국가의 위기와 재편기 21. 국가직, 14 · 19. 지방직, 13 · 19. 서울시 (必)

(1) 1970년대 중반 이후 여러 요인에 의해 복지국가 융성기는 쇠퇴하여 위기와 재편의 시기를 맞이하게 되었다.

(2) 복지국가 위기 발생의 주요 요인

① 오일쇼크(또는 석유파동) 발생

ⓐ 1973년에 발발한 제1차 오일쇼크와 1979년에 발발한 제2차 오일쇼크는 전 세계적으로 심각한 **경기침체[또는 스태그플레이션(Stagflation)❸] 현상**을 심화시켰다.

ⓑ 이로 인해 정부의 조세수입은 감소하는 반면, 재정 지출은 오히려 증가하여 **국가재정의 위기가 발생**하였고, 따라서 제2차 세계대전 이후 30여년간 지속되어 온 복지국가의 기본적인 경제적인 틀이 무너졌다.

ⓒ 또한 이로 인해 발생한 경제혼란은 **국가 · 자본 · 노동 간의 화해적 정치구조**를 무너뜨렸다.

② 신자유주의의 확산

ⓐ 신자유주의란 시장의 자율적 경쟁을 강조하여 시장체제에 대한 국가 개입의 **최소화를 주장**하고, 케인즈주의와 복지국가를 비판하며, 시장의 기능과 자본의 자유로운 활동을 강조하는 이념이다.

ⓑ **작은 정부를 지향**하며, 사회복지정책(또는 복지국가)에 대해 부정적인 입장❹을 가졌다. 다만, 사회복지가 사회의 불평등 감소에 일정부분 기여했다는 점은 인정하였다.

┌─ ☑ **핵심** PLUS ─
│ **신자유주의의 복지국가 비판 내용**
│ ① 복지국가의 복지지출의 확대는 생산부문의 투자를 위축시켜서 경제성장을 저해하고, 인플레이션을 조장한다.
│ ② 무상의 복지급여 수급은 소득효과를 발생시켜 근로 동기를 감소시킨다.
│ ③ 복지국가는 개인의 자유를 제한한다.
│ ④ 복지 관련 예산 증가가 세금을 늘리고 정부세출의 적자를 확대시켰다.
│ ⑤ 복지급여의 수급은 개인의 저축 및 투자 동기를 약화시킨다.
│ ⑥ 재화나 서비스에 대한 수급자들의 선택을 왜곡시켜 비효율적 배분을 증대시킨다.
│ ⑦ 조세 및 보험료의 부담을 피하기 위해 **지하경제의 규모가 커질 가능성**이 있다.
│ ⑧ 복지정책은 국민의 책임보다 권리를 강조하여 가정과 사회의 타락을 초래한 주범으로, 빈곤을 영속화시킨다.

ⓒ **시장개방, 노동 시장 유연화❺, 근로연계복지(Workfore), 탈규제, 선별주의, 민영화 정책, 지출구조의 변화 등을 선호**하였다.

ⓓ 1979년 영국에서 노동당 정부가 실각하고 대처정권의 집권으로 시작된 **대처리즘(Thatcherism)❻**과 1981년 미국에서 민주당 정부가 물러나고 레이건 정권의 집권으로 시작된 **레이거노믹스(Reaganomics)❼**가 대표적이다.

🗣 **선생님 가이드**

❸ 스태그플레이션은 스태그네이션(Stagnation)과 인플레이션(Inflation)의 합성어로, 물가상승(인플레이션)과 실업, 그리고 경기 후퇴(스태그네이션)가 동시에 나타나는 현상을 말합니다.

❹ 신자유주의자들은 기존의 사회민주의 정부가 추진한 사회복지정책에 대해서 부정적인 입장을 취한 것은 맞지만, 사회복지가 사회의 불평등 감소에 일정부분 기여했다는 점 역시 인정하였고, 이로 인해 복지 자체를 반대하지는 않았습니다.

❺ 노동시장 유연화란 노동시장이 사회 및 경제 환경의 변화에 따라 함께 변화하는 정도를 말합니다. 즉, 노동시장의 주체인 사용자의 의도가 최대한 반영되어 외부 환경 변화에 대응하여 인적자원인 노동자를 신속하고 효율적으로 배분 및 재분배하는 것으로, 그 유형으로는 저성과자에 대한 보다 쉬운 해고 및 임금의 삭감, 비정규직 노동자의 비중 증가 등이 있습니다.

❻ 대처리즘이란 영국 경제의 부흥을 목표로 시행된 대처 수상의 사회 · 경제 정책의 총칭입니다. 1979년 총선거에서 보당의 승리로 집권하게 된 대처는 당시 영국 사회의 침체되고 무기력한 상황을 '영국병'이라고 진단하고, 이를 극복하기 위해서는 전 사회적인 의식개혁이 필요하다고 주장하였습니다. 이에 그동안 노동당 정부가 고수해 왔던 각종 국유화와 복지정책 등을 포기하고 복지를 위한 공공지출의 삭감과 세금인하, 국영기업의 민영화, 노동조합의 활동규제, 철저한 통화정책에 입각한 인플레이션 억제, 기업과 민간의 자유로운 활동 보장, 작은 정부의 실현, 산학협동(産學協同) 중심의 교육정책, 유럽통합 반대 등의 정책을 추진하였습니다.

❼ 레이거노믹스란 미국 제40대 대통령 레이건(재임 1981~1989년)에 의해서 추진된 신자유주의에 입각한 경제정책으로, '레이건'과 '이코노믹스'의 합성어입니다. 미국의 경제적 재건을 목표로 세출의 삭감, 법인세의 대폭 감세, 기업에 대한 정부 규제의 완화, 안정적인 금융정책 등을 시행하였습니다.

③ 냉전체제의 강화

ㄱ. 냉전이란 제2차 세계대전 종식 이후, 미국을 주축으로 한 서유럽의 자유주의 국가들과 소련을 중심으로 한 동유럽의 공산주의 국가들 간의 이념적 대립의 시기로, **군사적 충돌 없이 세력 간 군비경쟁에만 몰입하던 때**이다.

ㄴ. 당시 신자유주의의 대표적 정권인 영국의 대처시대와 미국의 레이건 시대가 이러한 냉전의 분수령이 되었고, **냉전체제 유지를 위해 막대한 군비를 소모하여 결국 복지국가 유지에 소요될 재정의 공급이 어려워지는 현상이 발생**하였다.

④ 네오포디즘(Neo-Fordism, 또는 포스트 포디즘)의 등장

ㄱ. **다품종 소량생산 체제**를 말한다.

ㄴ. 기존의 포디즘, 즉 소품종 대량생산 체제로는 빠르게 변화하는 소비자의 기호와 욕구에 개별적으로 대응하기 어려워지게 되었고, 이러한 포디즘적 생산방식의 비효율성으로 **기업들은 다양한 생산품을 생산하는 체제로 분산**되었다.

ㄷ. 이에 따라 노동시장 역시 소수의 숙련된 노동자만 필요하게 되었고, 따라서 **노동자들은 그 숙련 정도에 따라 서로 다른 이해 관계를 갖게 되면서 상당히 이질적인 집단으로 변하게 되었으며, 이는 노동조합과 사회민주주의 정당을 무력화시켜 결국 복지국가의 정치적 기반을 약화시키는 원인이** 되었다.

⑤ 민영화(Privatization)❶

ㄱ. **국가가 직영하여 공급하던 사회복지 서비스를 민간부문(Private Sector, 영리부문과 비영리부문 모두를 포함)에 전면 이양하거나 위탁하는 것으**로, 민간기구, 사회기관, 종교시설, 기업가 등에 사회복지 서비스의 전달을 분산시키는 전략을 말한다.

ㄴ. 등장 배경: 비효율적인 공공부문의 문제를 해결하기 위한 노력으로, **신자유주의 경향이 강했던 1980년대 영국과 미국에서 정부가 공급하는 재화와 서비스 비용을 절감하기 위해 본격적으로 도입**되었으나, 오늘날에는 세계적인 추세가 되고 있다.

> 🞑 **핵심** PLUS
>
> **민영화의 등장 배경(Savas)**
> ① 공공부문의 실패로 인해 서비스 전달의 비효율성과 비효과성에 대해 비판받았다.
> ② 큰 정부보다 작은 정부를 지향하는 신자유주의의 경향이 대두되었다.
> ③ 민간부문 및 시장 활성화를 통해 경제가 활성화되었다.
> ④ 수요자 중심의 서비스 체계에 대한 대중적 선호가 높아졌다.

🏛 **기출 OX**

01 1980년대 이후 신자유주의의 영향으로 복지제도가 근로연계복지에서 공공급여를 중심으로 하는 복지서비스로 재편되었다. ( ) 22. 국가직

02 복지국가의 이념 유형 중 신자유주의는 자유시장경제의 가치를 중시하고, 국가 개입의 최소화를 강조한다. ( ) 21. 국가직

03 신자유주의는 복지국가에 대해 부정적이다. ( ) 14. 지방직

04 1970년대 중반 이후 신자유주의는 복지국가가 불평등 감소에 실패하였다고 비판하였다. ( ) 13. 서울시

05 신자유주의에 기반한 복지국가의 변화 경향으로는 공공부문의 민영화, 기업규제를 통해 정부의 역할을 축소하였다. ( ) 19. 서울시

01 × '근로연계복지에서 공공급여'이 아니라 '공공급여에서 근로연계복지'가 옳다.
02 ○
03 ○
04 × 신자유주의자들은 복지국가가 불평등 감소에 일정부분 기여한 것을 인정하였다.
05 × '기업규제'가 아니라 '기업에 대한 탈규제'가 옳다.

ⓒ 대표적인 형태: 공공부문이 재원조달의 주요책임을 맡고, 서비스전달의 책임이 민간으로 이양된 형태이다.

계약 (Franchising system, 또는 프랜차이즈)	재화나 서비스의 배분이나 공급권을 일정 기간 동안 특정 개인이나 조직에게 부여하는 방법이다.
바우처 (Voucher system, 또는 증서)	정부가 특정 개인이나 조직으로 하여금 서비스를 제공하도록 계약을 맺는 것이 아니라 **소비자가 시장에서 재화나 서비스를 구매할 수 있도록 소비자에게 직접 증서를 지급하는 방법**이다.

ⓓ 장점과 단점

장점	단점
• 서비스 제공의 재정 접근성을 높일 수 있다. • 민영화와 이로 인한 상업화는 서비스 공급자 간 **경쟁을 유발시켜 서비스 품질을 향상**시키고, 공급자로 하여금 소비자 선호와 소비자 선택을 중시하는 방향으로 서비스를 제공하게 한다.	• **상업화**❷로 인해 **취약계층의 서비스 접근성과 지속성이 떨어진다.** • 서비스에 대한 **재정 접근성**❸이 떨어진다.

⑥ 기타

ⓐ 주기적인 스태그플레이션에 따른 고실업과 물가상승

ⓑ **관료 및 행정 기구의 팽창과 비효율성**

ⓒ 이혼, 낮은 출산율, 인구 노령화

┌─ 📋 **핵심** PLUS ──────────

복지국가 위기론

① 국가실패론: 신자유주의자들의 주장으로, 시장에 대한 국가개입이 정부팽창과 과중한 부담을 초래하여 복지국가의 위기가 발생했다는 관점이다.

② 복지국가 모순론
- 마르크스주의자들의 주장으로, 복지국가의 위기는 독점자본주의 단계에서 **국가가 수행해야 하는 2가지 기능의 상충**에서 발생했다는 관점이다.
- 국가의 2가지 기능

자본축적 기능	시장체계의 유지·보강을 통해 자본가의 경제활동을 통한 이익창출 보장
	vs
정당화 기능	사회통합

- 즉, 자본축적 기능을 강조하면 정당화 기능이 약화되고, 반면에 정당화 기능을 강조하면 자본축적 기능이 약화되어, **이들은 조화롭게 공존할 수 없으며 결국 이러한 상충이 복지국가의 위기로 이어졌다**는 주장이다.

③ 복지국가 기반 약화론: 자본의 세계화와 유연적 생산방식 확산으로 코포라티즘과 포디즘이 약화되고, 이는 노동계층의 양극화·분절화를 발생시켜 결국 자본(또는 기업) 세력은 강화되지만 국가 역할은 축소되어 복지국가의 위기가 발생했다는 주장이다.

🔊 **선생님 가이드**

❷ **상업화**란 민영화로 인해 사회복지 서비스 제공 시장에 진입한 **영리기관들이 영리를 목적으로 사회복지 서비스를 상품처럼 판매하는 현상**을 말합니다. 이러한 상업화는 영리기관 간의 경쟁을 통해 서비스의 질을 높일 수 있지만, 이를 구매할 능력이 없는 **취약계층의 서비스 접근성은 떨어뜨리는 결과를 만들었습니다.**

❸ **재정 접근성**이란 특정 정책이나 프로그램을 집행하는 데 소요되는 재원의 확보에 대한 용이성을 의미합니다. 민영화는 민간부문에게 서비스 생산뿐만 아니라 재원조달까지도 모두 맡게 하는 전략입니다. 재원확보에 있어서 사용자의 이용료나, 자발적인 기여금 등에 의존할 수밖에 없는 민간부문의 특성상, 서비스에 대한 재정 접근성은 낮아지며 이로 인해 서비스 제공의 지속성 역시 떨어질 수 있습니다.

3. 복지국가의 재편 10 · 13 · 15. 국가직, 16. 지방직 (必)

신자유주의의 영향으로 시장체제에 대한 국가 개입과 복지급여를 축소, 노동시장의 유연성 등을 강조하는 슘페테리안의 경제이론이 힘을 얻으면서 **슘페테리안 워크페어 복지국가(Schumpeterian Workfare State) 체제가 구축되었다.**

(1) 재편기의 양상

복지국가 융성기 시기의 베버리지 · 케인지안 복지국가 체제	복지국가 재편기 시기의 슘페테이란 워크페어 국가 체제
포디즘적 경직체계	네오포디즘적 유연체계
① 진보주의와 사회주의	① 신자유주의와 신보수주의
② 소품종 대량생산	② 다품종 소량생산
③ 완전고용	③ 혁신과 경쟁 강조
④ 유효수요 관리	④ **시장체제에 대한 국가개입 축소**
⑤ 기여에 기반한 사회보험	⑤ 노동과 복지 간의 연계(또는 근로연계 복지) 강조
⑥ 시민권에 기초한 소득이전	⑥ **노동의 유연성 강조**
⑦ 시장실패를 가정한 노동시장에 대한 국가의 적극적 개입 정책	

(2) 재편방식

① **신자유주의의 길:** 국가의 복지를 축소하고 탈규제를 활성화하는 방식으로, 미국, 영국, 뉴질랜드 등이 채택한 방식이다.

② **노동 감축 방식의 길:** 시간제 근로 확대, 임금 피크제 활용 등 한정되어 있는 **일자리를 분배하는 방식**으로, 독일, 프랑스, 이탈리아 등의 유럽 국가들이 채택한 방식이다.

③ **생산주의적 복지정책 스칸디나비아의 길:** 적극적 노동시장 정책을 확대하는 **방식**으로, 스웨덴, 노르웨이 등 스칸디나비아 국가들이 채택한 방식이다.

핵심 PLUS

우리나라의 복지재편
① 자활사업 활성화, 근로장려세제 등을 통해 **생산적 복지국가와 근로연계 복지를 강조**하였다.
② 프로그램 대상자 확대, 사회 서비스 영역의 일자리 창출, 바우처 제도 활성화 등으로 **사회서비스를 확대**하였다.

(3) 복지다원주의[Welfare Pluralism, 또는 복지혼합(Welfare Mix), 복지혼합경제(Mixed Economy of Welfare)]

① 영국에서 1978년에 발표된 『자원봉사(Voluntary) 조직의 미래』라는 울펜덴 보고서(Wolfenden Report)에서 처음 사용되어진 용어로, 1980년대 영국의 대처 정부와 미국의 레이건 정부로 대표되는 신자유주의 정권이 제시한 복지 관련 이데올로기이다.

② 사회복지 서비스 공급 주체들의 다원화를 주장하여, 제3섹터[1]가 각자의 강점을 살려가면서 부분적인 경쟁 상태를 만들어 냄으로써 서비스 공급의 다원화와 효율화를 도모하고 서비스의 양적확대 및 질적확대를 통해 기존 국가 중심의 복지체제를 대체해야 한다고 주장하였다.

기출 OX

01 복지국가 위기 이후 복지국가 재편과 관련하여 재숍(Jessop)이 제시한 '슘페테리안 워크페어 국가(Schumpeterian Workfare State)'에서는 국민국가의 강화를 주장하였다. ( ) 10. 국가직

02 스웨덴과 덴마크는 지속적 경제침체와 고실업의 위험에 대응하기 위해 적극적으로 공공부문을 확대하였다. ( ) 13. 국가직

03 독일과 프랑스는 내부시장을 강화하는 노동감축 방식을 통해 성장을 유지하고자 하였다. ( ) 13. 국가직

04 복지다원주의(welfare pluralism)는 정부뿐만 아니라 민간부문의 조직들도 복지제공의 주체가 된다고 본다. ( ) 16. 지방직

05 복지다원주의는 제3섹터를 배제한다. ( ) 15. 국가직

06 복지다원주의는 서비스 이용자의 선택권을 축소하고, 시민참여에 의한 정책결정을 강조한다. ( ) 15. 국가직

01 ×
02 ○
03 ○
04 ○
05 × 복지다원주의에서는 제3섹터가 국가 중심의 복지체제를 대체해야 한다고 보았다.
06 × '선택권 축소'가 아니라 '선택권 확대'가 옳다.

③ 또한 **시민참여에 의한 정책 결정**을 통해 **이용자 중심의 공급체제를 구축**하고, 서비스 이용자의 선택권을 강조하며 이를 강화시키고자 하였다.

④ 1970년대 중반 이후 발생한 '복지국가의 위기' 이후 1980년대 이후의 '복지국가 재편기 시기'에 새로운 복지 패러다임으로 자리 잡았다.

4. 제3의 길 10·12·13·19·22·23. 국가직, 10. 지방직 (必)

(1) 제3의 길이란 영국의 사회학자 **기든스(Anthony Giddens, 또는 안토니 기든스)**가 이론적으로 체계화하여 1998년에 발표한 새로운 복지국가 모형에 관한 제안으로, **인간의 얼굴을 한 시장경제(또는 자본주의)의 추구**를 목표로 **사회민주의와 경제적 신자유주의를 조화한 중도적 이념**이다.

(2) '**고복지·고부담·저효율**'로 요약되는 사회민주주의적 복지국가 노선인 제1의 길과 '**고효율·저부담·불평등**'으로 요약되는 신자유주의적 시장경제 노선에 대한 대안으로 제시되었으며, 이는 영국 노동당의 당수이며 1997년에 총리가 된 **토니 블레어(Tony Blair)**에 의해 새로운 복지국가 이데올로기로 **채택**되었다.

(3) 주요 개혁내용(또는 적극적 복지 전략)

사회투자국가 (Social Investment State)	① **사회투자국가**란 국민들에게 경제적 혜택을 직접 제공하기보다는 기회의 평등 가치에 기초한 인적 자본과 사회적 자본 등에 대한 투자를 통해 근로와 복지의 연계를 추구한다. 즉, 국민들의 **경제활동 참여기회를 확대**하고 더 나은 일자리를 제공함으로써 **경제성장(또는 경제정책)과 사회통합(또는 사회정책)의 병진(竝進)**을 추구하며, 따라서 **권리와 의무의 균형과 조화**를 강조한다. ② 사회지출을 소비지출과 투자지출로 분류한 후 **소비지출**(예 직접적인 현금지급 등)**은 최대한 억제**하는 반면 투자지출(예 교육에 대한 투자 등)**을 확대**하고, 불평등의 해소보다는 **사회적 배제 감소에 중요성을 부여**하고, 이에 따라 **사회적 포섭정책을 추진**한다. ③ 예를 들어 노령자와 실업자에게 무조건 무상의 사회복지급여를 제공하는 것이 아니라, 그들이 다시 사회에 진입하여 경제성장에 공헌할 수 있도록 정년퇴직규정을 없앤다거나, 또는 직업 관련 재교육을 체계적으로 시행해야 한다는 것이다.
복지다원주의	사회복지 서비스 공급 주체들의 다원화. 즉 기존의 중앙정부 중심의 복지공급을 지양하고 **비영리부분(또는 제3부분)**, 기업, 지방정부 등을 그 주체로 삼아야 한다.
의식(또는 발상)의 전환	**(적극적인 복지시민의 위상 정립)** 복지국가는 자원보다는 위험을 공동 부담하는 것이다. 즉, 복지를 개혁하려면 **국민 개개인은 스스로 복지국가에 대한 의존성을 줄이고, 자립할 수 있어야 한다.**
베버리지의 지양	베버리지가 주장한 5대 악(나태, 무지, 결핍, 불결, 질병)의 척결은 소극적 복지를 중시한 것이므로 **적극적인 것으로 대체시켜야 한다.** 즉 결핍 대신 자율성을, 질병 대신 건강을, 무지 대신 교육을, 불결 대신 안녕을, 나태 대신 진취성을 강조해야 한다.

복지국가의 황금기, 위기, 재편기

구분	1945년 제2차 세계대전 종결~1970년대 중반	1970년대 중반 이후
사회복지사적 의미	복지국가의 황금기	복지국가의 위기와 재편기
사회 · 정치적 이데올로기	진보주의	① 신보수주의 ② 세계화(Globalization)
지배 정치 세력	**사회민주주의(또는 권력자원이론)** **자본주의는 극복의 대상,** **사회복지정책은 찬성** ① 시장에 대한 국가 개입 ② 큰 정부 지향 ③ 보편적 복지 ④ 노동자 보호 ⑤ 규제 ⑥ 국가책임	**신자유주의** **자본주의에 대해서는 긍정,** **사회복지정책은 반대** ① 시장의 자율적 경쟁(또는 시장개방) ② 작은 정부 지향 ③ 선별적 복지 ④ 노동의 유연성 ⑤ 탈규제 ⑥ 민영화
주요 사건	① **유럽 부흥 계획**: 제2차 세계대전 이후 유럽의 황폐화된 동맹국의 경제적 재건을 위해 미국이 계획한 원조 계획 → 유럽의 경제를 부흥시켜 사회복지정책에 필수적인 경제적 기반을 구축함 ② **코포라티즘(Corporatism)** • 3자(국가, 자본, 노동) 협동주의 → 정치 · 경제 · 사회의 안정을 이룸 • 독점자본에 대항하기 위해 거대 노동조합이 출현하여 자본 및 정부와 대등한 수준으로 주요 현안(예 물가, 복지 등)과 관련된 사회정책을 협상 · 결정하는 구조	① **오일쇼크(또는 석유파동)**: 1973년의 제1차 오일쇼크와 1979년 제2차 오일쇼크로 경기침체(스테그플레이션) 현상이 심화됨 ② **냉전체제의 확대**: 1980년대 초 냉전체제 확대를 위해 막대한 군비를 소모하여 복지국가 유지에 소요될 재정의 공급이 어려워짐 ③ **코포라티즘 균열**: 국가 · 자본 · 노동 간의 화해적 정치구조의 균열
사회복지 서비스의 제공 주체	정부(또는 국가) 중심	① **복지다원주의(또는 복지혼합경제)**: 사회복지 서비스 제공 주체로서 기존의 정부부문 이외에 비공식부문, 영리부문, 비영리부문 등이 부분적인 경쟁상태를 만들어 서비스 공급의 효율성을 도모함 ② **민영화**: 사회복지 서비스의 생산과 전달을 공공부문에서 민간부분으로 이양하여 그동안 정부가 공급해온 재화와 서비스의 비용을 절감하기 위해서 도입함
지배이데올로기	**베버리지 · 케인지안 복지국가 체제** ① 완전고용 ② 유효수요 관리 정책 ③ 포디즘(Fordism) ④ 기여를 기반으로 한 사회보험 정책 ⑤ 시민권에 기초한 소득이전 정책 ⑥ 시장실패를 가정하여 시장 내 국가의 개입을 강조하는 정책	**슘페테리안 워크페어(Work Fare)** **국가 체제** ① 혁신과 경쟁을 강조하는 정책 ② 노동과 복지 간의 연계를 강조하는 정책 ③ 네오포디즘(Neo Fordism) ④ 복지정책의 생산적 역할을 강조하는 정책 ⑤ 노동의 유연성을 강조하는 정책 ⑥ 시장 내 국가 개입의 축소를 강조하는 정책

MEMO

제 2 편

사회복지기초

제1장 인간행동과 사회환경

제1절 인간행동에 관한 주요 이론

1 성격과 성격이론

1. 성격의 개념과 기능

(1) 개념

개인이 내가 처한 환경에 따라 반응하는 나만의 독특하고 일관된 심리 내적인 속성으로, 타인과 나를 구별되게 하는 안정적인 사고, 감정 및 행동의 총체이다.

(2) 기능

① 개인이 통합적이고 조직적으로 기능할 수 있게 해 준다.
② 개인이 인간관계를 형성·유지하거나 사회생활을 도모하고 환경적 요구에 적응할 수 있는 기반을 제공한다.
③ 각 개인을 독특한 존재로 규정해주므로 타인과 구별할 수 있게 해 준다.
④ 인간행동은 개인의 성격 특성에 따라 다르게 표출되는 경향이 있다.
⑤ 개인으로 하여금 일관된 행동을 하게 만든다.
⑥ 사회복지사가 개인의 성격을 이해하면 행동 변화추이를 예측할 수 있다.

2. 성격이론의 개념과 분류

(1) 개념❶

인간 성격의 형성 요인 및 발달 과정과 형성된 성격의 의미에 대한 연구를 말한다.

(2) 분류❷

대분류	대표 학자	이론명
정신역동이론	① 프로이트(S. Freud, 1856~1939년) ② 안나 프로이트(A. Freud, 1895~1982년)	정신분석이론
	에릭슨(E. Erikson, 1902~1994년)	심리사회이론
	융(C. Jung, 1875~1961년)	분석심리이론
	아들러(A. Adler, 1870~1937년)	개인심리이론
행동주의이론	파블로프(Pavlov, 1849~1936년)	고전적 조건화이론
	스키너(B. Skinner, 1904~1990년)	조작적 조건화이론
	반두라(A. Bandura, 1925~2021년)	사회학습이론
인지이론	피아제(J. Piaget, 1896~1980년)	인지발달이론
	콜버그(L. Kohlberg, 1927~1987년)	도덕성발달이론
인본주의이론	매슬로우(A. Maslow, 1908~1970년)	욕구위계이론
	로저스(C. Rogers, 1902~1987년)	현상학적이론

선생님 가이드

❶ 성격이론은 크게 특질이론과 과정이론으로 구분됩니다. 특질이론이란 성격이 무엇인지를 묘사하고, 어떤 기준에 따라 성격을 분류하는 데에 초점을 둡니다. 반면 과정이론이란 성격이 어떻게 만들어지고, 만들어진 성격이 어떤 의미를 갖는지에 더욱 관심을 갖습니다. 우리 교재 상 성격이론은 과정이론의 견해 따라 그 개념이 정의된 것입니다. 또한 우리 교과 과정에서도 과정이론만을 다룬다는 것도 참고해주세요.

❷ 앞으로 공부하게 될 성격이론들은 여러분들이 공부하시게 될 사회복지실천론이나 사회복지실천기술론의 배경지식이 됩니다. 사실 인간을 어떻게 이해하고, 그들에게 어떤 실천태도로 어떤 실천기술을 제공할 지에 대한 이론적 기반은 거의 성격이론을 배경으로 해서 형성되었다 해도 과언이 아닐 것입니다. 잘 공부해주세요. 이 과정을 잘 마치셔야 이후의 공부가 쉬워집니다.

2 정신역동이론(1) – 프로이트(S. Freud)의 정신분석이론

1. 주요 개념

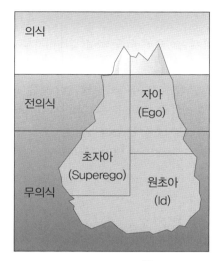

(1) **지형학적(또는 공간적) 모형** 17. 국가직, 17. 지방직 (必)

인간의 정신공간은 **의식, 전의식, 무의식**으로 **구분**되어 있다.

(2) **구조적 모형** (必)

인간 성격의 기능적 구조는 **원초아, 자아, 초자아로 구성**되어 있으며, 이러한 각 구조가 **역동적으로 상호작용**하여 개인의 독특한 전체 성격을 만든다.

① 원초아(Id)

ㄱ. 성격의 원형으로, **출생 시부터 타고나며, 일반적으로 '본능'**이라고 불리운다.

ㄴ. **무의식 공간에만 존재**하며, 외부와 철저히 단절되어 시간이나 경험에 따라서 변화하지 않는다.

ㄷ. **쾌락원리를 따르고, 1차 사고 과정**을 한다.

┌─ 🗂 **핵심 PLUS** ─────────────────

쾌락원리와 1차 사고 과정

① 쾌락원리(Pleasure Principle): 원초아를 구동시키는 원리로, 원초아의 본능적인 욕구를 충족시켜 긴장을 경감 또는 해소하고 쾌락을 유지하기 위해서 작동된다. 이를 위해 1차 사고 과정을 한다.

② 1차 사고 과정(Primary Process Thinking): 원초아의 쾌락원리에 의해 발생한 본능적인 충동을 충족시키기 위해 이를 충족시킬 수 있는 대상을 무의적으로 심상(Image)화시켜 생각나게 하는 정신 작용이다.

📷 배가 고플 때 머리 속에 음식이 떠오르는 경우

└───────────────────────────────

② 자아(Ego)

ㄱ. 조직적이고 구체적인 정신구조로 **원초아에서 분화되어 형성**되며, 일반적으로 '이성'이라고 불리운다.

ㄴ. **의식, 전의식, 무의식 공간에 존재**한다.

프로이트(Sigmund Freud, 1856~1939년)

오스트리아 출신의 정신과의사이자, 정신분석이론의 창시자이다. 그는 1856년에 지금은 체코슬로바키아의 영토가 된 오스트리아의 프라이베르크 모라비아라는 작은 마을에서 유대인 아버지와 어머니 사이에서 일곱 남매 중 맏이로 태어났다. 그가 네 살 되던 해, 그의 가족은 경제적인 이유로 비엔나로 이주하였고, 나치의 박해를 피해 1938년 영국으로 망명하기까지 거의 한 평생을 비엔나에서 살면서 연구에 몰입하였다. 그는 신체적인 결함이 없음에도 불구하고 여러 신경증적인 증상을 보이는 환자를 치료하는 과정에서 무의식과 방어기제에 관한 이론, 꿈을 통한 무의식 세계의 연구, 그리고 환자와의 대화를 통해서 정신 병리를 치료하는 정신분석학적 임상 치료 방식을 창안하고 발전시켰다. 특히 인간의 성적욕구를 인간행동의 주요 동기로 제안하였으며, 정신결정론에 따른 직선적 인과관계론으로 인간의 역기능적인 상황을 이해하려고 하였다. 구강암으로 투병하다가 영국 런던에서 1939년에 사망하였다. 사회복지실천과 관련해서는 1920년대 전후에 등장한 진단주의 학파 창립에 결정적인 영향을 미쳤다.

🏛 **기출 OX**

반두라의 사회학습이론에는 성격의 지형학적 구조를 의식, 전의식, 무의식으로 나누었다. ( )   17. 국가직

✕ '반두라의 사회학습이론'이 아니라 '프로이트의 정신분석이론'이 옳다.

© 성격의 조정자·실행자(또는 집행자): 인간의 생각과 행동을 통제하며, 개인이 객관적인 현실세계와 상호작용할 필요가 있을 때 원초아에서 분리되어 작동한다. 원초아를 통제하기 때문에 이와 갈등관계에 놓이게 되고, 이러한 갈등관계는 불안을 유발하는 긴장상태를 만들어 내며, 불안은 자아에 위험신호를 보냄으로써 미리 위험에 대비하도록 하게 하는데, 만일 불안을 적절히 해결하지 못하게 되면 신경증이 발생한다.

② 성격의 중재자: 원초아, 자아, 초자아의 3체계를 모두 관리할 뿐만 아니라 **원초아의 쾌락원리와 초자아의 도덕원리 사이에서 조화로운 관계가 형성되어 내부세계와 외부세계의 기능이 잘 집행되도록 중재**하는 역할을 한다.

⑩ **현실원리**를 따르고, **2차 사고 과정**을 한다.

☑ **핵심** PLUS

현실원리와 2차 사고 과정

① 현실원리(Reality Principle): 자아를 구동시키는 원리로, 원초아의 1차 사고 과정을 사회적으로 용납되는 현실적이고 바람직한 대상이 발견될 때까지 유보시키는 것을 말한다.

② 2차 사고 과정(Secondary Process Thinking): 현실적인 계획을 세울 때까지 만족을 유보하는 사고 과정으로, 현실검증(Reality Test), 즉 긴장 감소를 위해 세운 행동계획의 실현가능성을 판단하는 것을 말한다. 현실검증 결과 가능성이 낮으면 자아는 계속해서 다른 해결책을 찾게 된다.

예 수업 중에 배가 고픈 경우 '나의 1차 사고 과정은 맛있는 음식을 생각나게 하지만, 일어나서 밥을 먹으러 나가게 되면 함께 공부하는 학생들과 선생님이 비난하겠지…. 그래! 수업이 끝날 때까지 참자.'

---

③ 초자아(Superego)

㉠ 자아로부터 분화되어 발달하며, **일반적으로 '양심'**이라고 불린다.

㉡ **의식, 전의식, 무의식 공간에 존재**한다.

㉢ 남근기의 아동은 부모의 사회적 가치와 이상을 **동일시**함으로써 발달한다. 다만 **여아의 초자아 발달은 남아보다 부족**하다.

㉣ **도덕원리**를 따른다. 즉 쾌락이나 현실보다는 이상과 완전함을 추구하며 사회적 원칙에 따른다.

㉤ 성격의 심판자: **성격의 도덕적인 부분**으로, 초자아가 인정할 수 없는 원초자의 본능적인 욕구가 표출되려고 할 때에 자아가 그러한 본능을 표출하지 못하도록 경고하는 표시로 초자아는 불안, 죄책감 등을 유발한다.

㉥ **자아이상과 양심으로 구성**되어 있다.

자아이상 (Ego Ideal)	부모가 도덕적으로 바람직한 것이라고 간주하는 것과 관련되며, **부모의 칭찬에 의해 형성**된다.
양심 (Conscience)	부모가 도덕적으로 나쁘다고 간주하는 것과 관련되며, **부모의 꾸중이나 벌에 의해 형성**된다.

(3) 리비도(Libido) ⓑ

일반적으로 '성적에너지❶'를 말하며, 에로스와 타나토스로 구성된다.

에로스 (Eros)	㉠ 삶의 본능: 생명을 유지 · 발전시키고 사랑을 하게 하는 본능이다. ㉡ 이 본능으로 인해 인간은 자신을 사랑하고, 생명을 지속하며, 종족을 보존시킨다. 예 배고픔, 갈증, 수면욕, 성욕 등
타나토스 (Tanatos)	㉠ 죽음의 본능: 유기체가 무생물체로 환원(還元), 즉 되돌아가려는 본능이다. ㉡ 이 본능으로 인해 생명은 결국 죽고, 생존해 있는 기간에도 자기나 환경을 파괴하는 등 공격적인 행동을 한다. 예 자살, 경주용 자동차 운전, 산악 등반 등

선생님 가이드

❶ 라틴어인 리비도(Libido)는 갈망, 성적 욕망, 민감함 등의 의미를 가지고 있는 단어입니다. 이를 개념화시켜 주된 용어로 활용한 학자로는 프로이트 이외에도 분석심리이론가인 융이 있습니다. 다만, 융은 프로이트의 리비도 개념을 성적에너지를 넘어선 정신에너지로 확장시켜 제시하였다는 데에서 차이가 있습니다.

2. 심리성적 발달 단계 ⓑ

- 성격발달은 리비도(Libido)가 집중된 신체 부위에 따라 **구강기, 항문기, 남근기, 잠복기, 생식기의 5단계로 진행**된다.
- 특히 앞의 3단계, 즉 **구강기, 항문기, 남근기**가 성격발달에 가장 큰 영향을 준다.
- 고착(Fixation): 심리성적 발달 단계에서 한 단계 이후 다음 단계로 진행하지 못하고 머무르는 현상으로, **성인기 이후 역기능적 행동 발생의 원인**이 된다.

(1) 구강기(Oral Stage, 0~18개월)

① 리비도가 **구강(예 입술, 혀, 잇몸 등)에 집중**되어 구강을 통해 성적 · 공격적 욕구를 충족하는 시기이다.

② **최초의 양가감정(Ambivalence) 경험**: 구강기 후기의 영아는 이유(離乳)로 인한 욕구불만으로 인해 주 양육자인 어머니와의 상호작용과정에서 애정과 우호적 태도를 갖는 동시에 **적대적 · 파괴적이 되어 최초로 갈등을 경험**하게 된다.

③ 성격유형

구강 수동적 성격	㉠ 구강기 초기에 나타나며, 영아에게 과도하거나 역으로 부족한 식이가 주어지면 형성된다. ㉡ 고착 시 성인기 이후의 행동 표출: **수동적, 미성숙, 과도한 의타심, 잘 속음**
구강 공격적 성격	㉠ 구강기 후기에 나타나며, 영아가 자신의 치아를 가지고 깨물고 뜯는 행위를 하면서 형성된다. ㉡ 고착 시 성인기 이후의 행동 표출: **논쟁적, 비판적, 비꼬기, 의심, 타인을 이용 및 지배**

(2) **항문기(Anal Stage, 18개월~3세)**

① 리비도가 구강 영역에서 **항문에 집중**되는 시기로, 이때 영아는 부모로부터 **배변 훈련**을 받게 된다. 이는 영아에게 있어서 **생후 처음으로 본능적 충동이 외부로부터 통제받는 경험**이며, 영아는 이를 통해 쾌락을 지연시키는 방법을 배우게 된다.

② 성격유형

항문공격적 성격	㉠ 부모의 달램과 칭찬이 담긴 배변훈련에 대해 영아는 더 어지럽히거나 지저분하게 함으로써 반항한다. ㉡ 고착 시 성인기 이후의 행동 표출: 무질서, 어지르기, 낭비, 사치, 무절제, 반항적, 공격적
항문보유적 성격	㉠ 부모의 지나치고 엄격한 배변훈련에 대해 영아는 변을 배설하지 않고 참는다. ㉡ 고착 시 성인기 이후의 행동 표출: 청결, 질서, 절약, 인색, 쌓아두기

(3) **남근기(Phallic Stage, 3~6세)**

① 유아의 리비도가 항문에서 **성기(性器)로 집중**되는 시기로, 유아는 자신의 성기를 자세히 관찰하고 이를 대상으로 장난을 하기도 하며, 출생과 성에 대해 많은 호기심을 갖는다.

② 남아의 경우 **오이디푸스 콤플렉스**, 여아의 경우 **엘렉트라 콤플렉스**라는 이성의 부모에 대해 갖는 **무의식적인 성적 소망**을 보인다.

오이디푸스 콤플렉스 (Oedipus Complex)	㉠ 남아가 자신의 어머니를 사랑하고 아버지를 경쟁상대로 삼는 현상으로, 남아는 자신의 **아버지를 자신과 동일시**한다. ㉡ 거세 불안(Castration Anxiety): 남아가 어머니에 대한 사랑을 독차지하려고 아버지와 경쟁하며, 자신의 의도가 아버지에게 들켜 자신의 성기가 거세당하지 않을까 하는 불안을 경험하는 현상이다.
엘렉트라 콤플렉스 (Electra Complex)	㉠ 여아가 자신의 아버지를 사랑하고 어머니를 경쟁상대로 삼는 현상으로, 여아는 자신의 **어머니를 자신과 동일시**한다. ㉡ 남근 선망(Penis Envy): 여아는 자신의 생식기를 열등하게 여기고, 남성의 생식기를 부러워한다. 또한 자신에게 남근이 없는 것은 어머니 때문이라고 생각하고 이에 어머니를 비난하며, 아버지에 대한 사랑을 독차지하려고 어머니와 경쟁하는 현상이다.

③ 고착 시 성인기 이후 표출 행동

남성	경솔, 심한 과장, 야심적
여성	순진하고, 순결해 보이지만 난잡하고 유혹적이며 경박한 기질

(4) 잠복기(Latent Stage, 6~12세)

① 아동의 리비도가 **무의식 속으로 잠복**하는 시기로, 리비도는 신체 발육과 성장, 학습 활동, 친구와의 우정, 취미 등에 집중된다.

② 동일시의 대상이 남근기의 **동성부모에서 친구로** 바뀐다.

③ **고착 시 성인기 이후 표출행동**: 이성에 대한 정상적인 관심 대신 동성 간의 우정에 집착할 수 있다.

(5) 생식기(Phallic Stage, 12~20세)

① 사춘기와 더불어 시작되며, 성적 충동이 다시 증가하는 시기이다.

② 성적으로 완전히 성숙하게 되며, **이성에 대한 관심과 호기심이 급격히 증가**한다.

3. 자아방어기제(Ego Defense Mechanism)

(1) 개념과 특징 17. 서울시 (必)

① 원초아와 초자아 사이에서 발생하는 갈등으로 인한 불안과 긴장에서 **자아가 자신을 보호하기 위해 원천을 왜곡·대체·차단하는 무의식적 기제**로, 사회복지사는 클라이언트가 사용하는 방어기제를 통해 그의 성격적 특성을 파악할 수 있다.

② 특징

㉠ **긍정적으로 사용**되기도 한다. 단, 지나친 방어기제의 사용은 병리적 증상을 발생시킨다.

> 📋 **핵심 PLUS**
>
> **방어기제의 병리성 판단 기준**
>
> | | |
> |---|---|
> | 강도 | 갈등과 불안 상황에서 방어기제를 사용하는 **총 횟수는 적절했는가?** |
> | 균형 | 하나의 갈등과 불안 상황 하에서 **몇 가지 방어기제를 동시에 사용**했는가? |
> | 연령의 적절성 | 갈등과 불안 상황 하에서 사용하는 방어기제가 **사용자의 연령에 적합**했는가? |
> | 철회 가능성 | 갈등과 불안이 사라진 후에도 혹 방어기제가 사용되고 있지는 않는가? |

㉡ 대부분의 경우 한 번에 **2가지 이상의 방어기제가 동시에 사용**된다.

㉢ **구분**

미성숙한 방어기제	부정, 투사, 퇴행
타협을 반영하는 방어기제	전치, 격리, 반동형성, 억압, 합리화
성숙한 방어기제	승화

❶ 아래 방어기제의 종류 중에서 억압부터 승화까지의 10가지는 프로이트의 딸이며 정신분석이론가인 안나 프로이트(Anna Freud)가 제시한 것입니다. 그녀는 자신의 아버지인 프로이트의 방어기제에 대한 관점들을 정리해서 방어기제에 관한 이론을 체계적으로 수립하였습니다.

❷ 강박장애란 불안에 의해 의식적으로 자신이 원하지 않은 행동이나 생각을 반복하게 되는 강박사고와 강박행동을 하게 되는 장애를 말합니다. 세균감염에 의한 불안으로 하루에도 수십 번씩 손을 씻는 사람을 예로 들 수 있습니다.

❸ 투사를 영어로 'Projection'이라고 합니다. 빔프로젝터를 생각해봅시다. 빔프로젝터에서 나온 화면은 스크린에 투사되지요. 빔프로젝터를 방어기제를 사용하는 사람으로, 스크린을 타인으로 생각하면 이해하기 쉬울 것입니다.

(2) **종류**❶ 15 · 18 · 20. 국가직

① **억압(Repression)**: 용납하기 어려운 충동을 **무의식 속으로 추방시키는 무의식적 과정**으로, **불안에 대한 1차 방어기제**, 즉 갈등이나 불안을 해결하기 위해 **가장 많이 사용**된다.

> **에** 자신의 애인을 빼앗아 결혼한 친구의 얼굴을 의식하지 못하는 경우

② **퇴행(Regression)**: 잠재적 외상이나 실패가능성이 있는 상황에 처하게 될 때 해결책으로, 초기의 발달 단계로 후퇴하는 것이다.

> **에** 배변훈련이 충분히 된 아동이 동생이 태어난 후 부모의 관심이 동생에게 집중되자 대소변을 가리지 못하는 경우, 입원 중 간호사에게 아기 같은 행동을 하며 불안을 감소시키는 노인의 경우

③ **격리(Isolation)**: 과거의 고통스러운 기억과 연관된 **감정을 의식에서 분리하여 무의식으로 보내는 것**. 즉 기억은 남되 감정은 없는 상태로, **강박장애**❷를 일으킨다.

> **에** 한 청년이 자기 아버지의 죽음을 말할 때에는 비통한 감정을 느끼지 않으면서 아버지를 연상시키는 권위적인 남자가 죽는 영화를 볼 때에 비통하게 우는 경우

④ **취소(Undoing, 또는 원상복귀)**: 어떤 대상에게 피해를 주었을 경우 이로 인해 발생한 **죄책감을 원상복귀(또는 중화)하는 것**으로, 일종의 **보상이나 속죄행위**로 볼 수 있다.

> **에** 다른 여자에게 관심을 가진 남편이 아내에게 줄 비싼 선물을 고르는 경우

⑤ **투사(Projection)**❸: 용납하기 어려운 충동, 욕구, 감정 등을 타인에게 찾아 그에게 전가시키는 것으로, 일반적으로 **남을 탓하는 형태(~때문에)**로 나타난다.

> **에** 우리 속담 중 "똥 묻은 개가 겨 묻은 개 나무란다.", "다 엄마 때문에 실패했잖아!"라고 말하는 경우

⑥ **투입(Introjection)**: 투사와 반대되는 개념. 즉 외부 대상에 대한 적대적이거나 부정적인 감정을 자신에게 향하게 하는 것으로, **우울증을 발생시키는 중요한 기제**로 간주된다.

> **에** 아버지를 미워하는 것이 자신의 자아에 수용될 수 없기 때문에 자기 자신을 미워하게 되는 경우

⑦ **자기에로 향함(Turning Against the Self)**: 공격성과 같은 본능적인 충동이 남이 아닌 자신에게로 향하는 것이다.

> **에** 부부 싸움을 한 남편이 화가 나서 자기 머리를 벽에 부딪쳐 자해하는 경우

⑧ **역전(Reversal)**: 감정, 태도, 관계, 방향을 **반대로 변경**하는 것이다.

> **에** 매우 무기력한 아버지에게 무의식적으로 반항하면서 성장해 자신만만하고 유능하게 된 남성이 자신의 성공에 대해 죄책감과 불안을 갖게 되는 경우

⑨ **반동형성(Reaction Formation)**: 용납하기 어려운 충동을 **반대의 감정이나 행동으로 표현**하는 것으로, **감정의 역전**으로 볼 수 있다.

> **에** 우리 속담 중 "미운 놈 떡 하나 더 준다.", 남편이 바람피워 데려온 아이를 싫어함에도 오히려 과잉보호로 키우는 부인의 경우

⑩ 승화(Sublimation): 가장 성숙한 방어기제로, 공격적·성적 성향의 리비도를 **개인적으로나 사회적으로 용납될 수 있는 형태로 유용하게 전환**하는 것이다.

> 예 공격적 욕구를 가진 사람이 권투선수가 되는 경우

⑪ 동일시(Identification): 자신의 주위에 있는 **주요 인물의 행동이나 성향을 닮아**가는 것이다.

> 예 부모의 가장 싫은 점을 자신이 닮아가며 그대로 따라하는 경우

⑫ 부정(Denial, 또는 부인): **가장 원초적인 방어기제**로, 용납하기 어려운 충동, 욕구, 감정 등에 대해 **인정하기를 거부**하는 것이다.

> 예 불치병에 걸렸음을 알고도 미래의 계획을 화려하게 세우는 환자의 경우

⑬ 합리화(Rationalization): 불합리한 태도, 생각, 행동을 **정당하게 여겨 그럴 듯한 이유를 붙이는 것**으로, 신포도형, 달콤한 레몬형, 투사형, 망상형 등이 있다.

신포도형	추구하던 목표 달성에 실패한 후 본인은 처음부터 그런 것을 원하지 않았다고 주장하는 것이다.
달콤한 레몬형	자신이 현재 소유하고 있는 대상이야말로 진정 자신이 원하던 것이라고 스스로에게 각인시키는 것이다.
투사형	자신의 실수를 상대방에게 전가시키는 것이다.
망상형	자신의 능력에 대해 허구적인 신념을 가짐으로써 추구하던 목표 달성에 실패한 후 실패의 원인을 합리화시키는 것이다.

> 예 공부를 전혀 하지 않아 시험에서 떨어진 학생이 시험 당일 컨디션이 좋지 않아서 그렇게 되었다고 주장하는 경우

⑭ 보상(Compensation): 자신의 약점을 보충하고자 **자신의 강점을 지나치게 부각시키는 것**이다.

> 예 우리 속담 중 "작은 고추가 맵다.", 운동을 잘 못하는 사람이 공부에 열중하는 경우

⑮ 상환(Restitution): 죄책감에서 벗어나기 위해 **스스로 고행을 택하는 것**이다.

> 예 효도를 다하지 못한 죄책감으로 독거노인을 극진히 부양하는 자식의 경우

⑯ 해리(Dissociation): 이중인격(Dual Personality), 즉 성격의 일부가 **자아의 통제를 벗어나 하나의 독립된 기능**을 수행하는 것이다.

> 예 몽유병, 지킬박사와 하이드

⑰ 전치(Displacement, 또는 치환): 본능적 충동의 대상을 원래의 대상보다 **덜 위협적인 대상으로 옮겨서 발산**하는 것이다.

> 예 우리 속담 중 "종로에서 뺨맞고 한강 가서 눈 흘긴다." 부모에게 꾸중을 듣고 적대감으로 개를 발로 차는 아이의 경우

⑱ 대리형성(Substitution): 사회적으로 용납받기 어려운 생각이나 욕망 등을 **보다 더 수용될 수 있는 수준으로 전치**하는 것이다.

> 예 자신의 오빠에게 강한 성적 매력을 느끼는 여성이 오빠와 비슷한 외모를 가진 사람과 사귀는 경우

🏛 **기출 OX**

01 '부모의 사랑을 독차지하던 아이가 동생이 태어나 사랑을 빼앗기게 되면, 부모의 주의를 더 많이 끌기 위해 그리고 부모가 자신을 소홀히 여기게 될까 두려워하여 그 대처방법으로 옷에 오줌을 싸거나 손가락을 빠는 것과 같은 유아적인 행동을 한다.' 이 경우에 해당하는 자아방어기제는 퇴행이다. ( )
15. 국가직

02 퇴행이란 실패가능성이 있거나 심한 좌절, 불안감을 느낄 때 초기의 발달 단계나 행동양식으로 후퇴하는 것이다. ( )
18. 국가직

03 '대소변을 잘 가리던 아이가 동생이 태어나자 어머니의 관심을 끌기 위해 다시 대소변을 가리지 못하게 된 것'은 퇴행이다. ( )
20. 국가직

04 취소는 보상과 속죄의 행위를 통해 죄책감을 일으키는 충동이나 행동을 중화 또는 무효화하는 것이다. ( ) 18. 국가직

05 "저 남편은 부인을 때리고 나서는 꼭 퇴근 시간에 꽃을 사오더라"와 관련 있는 개념은 취소이다. ( ) 20. 국가직

06 "다 엄마 때문에 실패했잖아"와 관련 있는 개념은 투사이다. ( ) 20. 국가직

07 투입은 어머니를 미워하는 것이 자아에 수용될 수 없으므로 나 자신이 미운 것으로 대치시키는 것으로서 우울증을 야기하는 중요한 기제로도 여겨진다. ( ) 18. 국가직

01 ○
02 ○
03 ○
04 ○
05 ○
06 ○
07 ○

❶ 전환과 아래의 신체화를 잘 구분해야 합니다. 전환이나 신체화 모두 심리적 갈등이 신체를 통해 표출되는 것입니다. 다만 전환은 감각기관이나 수의근계 기관에, 신체화는 감각기관이나 수의근계 기관을 제외한 기관(결국 복부를 중심으로 한 인간의 내장기관이 되겠지요)에 증상으로 나타나는 것입니다. 이렇게 한 번 기억해보세요, "신체화는 배가 아픈 것이다. 그리고 신체화를 제외한 다른 증상은 모두 전환이다." 이렇게 말입니다.

❷ 결정론(Determinism) 용어가 생소하지요. 우리가 공부하는 성격이론에서의 결정론이란 인간행동의 근원에는 어떤 원인이 있고, 그 원인이 있다면 그렇게 결정될 수밖에 없다는 의미입니다. 즉 지금의 내 행동에는 무언가 이 행동을 유발시킨 원인이 명확히 존재하며, 이를 뒤집어 말하자면 그 원인이 제거되거나 변화되면 유발된 그 행동도 없어지거나 변화될 수 있다는 논리입니다. 한 마디로 인간행동의 자율성이나 자유의지를 인정하지 않는 인간관으로 이해하시면 됩니다. 앞으로 세 가지 결정론을 공부하게 될 겁니다.
- 프로이트의 정신결정론(또는 심리결정론)
- 스키너의 환경결정론
- 반두라의 상호결정론

⑲ **전환(Conversion)❶**: 심리적 갈등이 눈, 코, 입, 귀와 같은 **감각기관** 또는 신체의 근육 중 손이나 발처럼 자신의 의지로 움직일 수 있는 근육인 **수의근계 기관의 증상으로** 표출되는 것이다.

　　예 수험생이 시험장에서 시험지를 받아 본 순간 아무것도 보이지 않는 경우

⑳ **신체화(Somatization)**: 심리적 갈등이 **감각기관이나 수의근계통 이외의 다른 신체증상으로** 표출되는 것이다.

　　예 우리 속담 중 "사촌이 땅을 사면 배가 아프다.", 실적이 낮은 영업사원이 실적 보고를 회피하고 싶을 때 배가 아픈 경우

4. 특징

(1) **정신결정론(Psychic Determinism, 또는 심리결정론, 무의식적 결정론)❷** 23. 국가직

　① 모든 인간행동의 발생에는 그 원인이 있다는 관점으로, 마치 우연처럼 보이는 것일지라도 **무의식 속에 있는 어떤 원인이 이를 동기화시킨다고 보는 가정**이다.

　② 프로이트는 유아기인 만 5~6세 이전의 경험을 인간 성격발달(또는 인간행동)에 가장 중요한 원인으로 보았고, 따라서 **현재보다 과거를 중시하는 입장**을 취하였다.

　③ **무의식적 욕망과 충동과 과거의 경험을 강조**하고, 성격발달 단계에서 고착과 **퇴행을 고려**하였다.

(2) **인간관**

　① **비합리적 · 수동적 인간**: 인간은 통제할 수 없는 무의식적 본능의 지배를 받는 수동적 존재이다.

　② **결정론적 인간**: 인간의 기본적 성격구조는 유아기(6세 이전)의 경험에 의해 결정된다.

　③ **투쟁적 인간**: 인간은 자신의 무의식적 쾌락을 극대화하려 하지만 사회는 이를 억제하려 한다. 이로 인해 인간은 자신의 행복을 극대화하려 사회에 **지속적으로 대항하는 투쟁적 존재**이다.

(3) **사회복지실천에 미친 영향**

　① 사회복지사로 하여금 인간의 행동을 이해함에 있어 드러나지 않은 **무의식적 동기의 중요성을 통찰하도록 하였고**, 이는 사회복지사가 클라이언트의 문제를 사정하고 해결하는 데 새로운 시각을 제공해 주었다.

　② 사회복지사로 하여금 클라이언트의 심리 내적인 상황에 관심을 집중시켜 무의식의 존재, 자아와 방어기제의 역할 등에 대해 관심을 갖게 하였다.

　③ 사회복지사가 클라이언트의 **유아기적 경험의 중요성을 인식**하게 하였다.

　④ 사회복지사로 하여금 인간 **본능과 무의식적 동기의 중요성을 인식**시켰다.

　⑤ 정신결정론에 따른 직선적 원인론은 1920년 전후에 등장한 **진단주의 학파의 이론적 배경**이 되었다.

(4) 한계

① 인간을 무의식에 의해 지배되는 수동적 존재로 보아 성격발달에 있어서 **인간이 지닌 자유의지나 사회·환경의 영향력을 무시**하였다.

② 지나친 무의식적 결정론적·비합리적 인간관과 병리적 관점으로 인해 인간을 매우 부정적 존재로 가정하였다.

③ 성격발달에 있어서 지나치게 인간의 **공격성(Tanatos)과 성적충동(Eros)**을 강조하였다.

④ 남근선망의 개념이나 여아의 초자아 발달이 남아보다 부족하다고 주장하는 등, 여성을 열등하게 이해하는 **성차별적 관점**이 반영되어 있다. 이로 인해 프로이트는 **여권주의자들(Feminists, 또는 여성해방론자들)에게 크게 비판**을 받았다.

⑤ 주요 개념들을 과학적으로 검증하기 어려우며, 이론을 지지하는 자료들 역시 프로이트의 개인적인 재구성에 불과해 **과학성을 갖추지 못하였다는 비판**을 받아왔다.

3 정신역동이론(2) – 에릭슨(E. Erickson)의 심리사회이론

1. 주요 개념

(1) 자아(Ego)

① **프로이트는 자아(Ego)가 원초아와 초자아의 세력에 좌우된다는 수동적 자아관을 제시했지만, 에릭슨은 자아(Ego)에 대해 이 두 세력을 일정 정도 무시하고 자율적으로 기능하는 구조로 간주**하였다. 따라서 에릭슨의 심리사회이론은 자아의 자율적 기능을 강조했기 때문에 **자아심리이론 또는 자아중심이론**으로 불린다.

② **에릭슨에게 자아는 인간 성격의 핵심이며 행동의 기초**로, 일생 동안의 심리사회적 발달과정에서 **외부환경에 대처하고 적응하면서 형성되는 역동적인 힘**이며, 인간행동은 **의식수준에서 통제가 가능한 자아에 의해 동기화**된다.

③ 자아는 다양한 삶의 위기와 갈등에 적응하고, 사회로부터 개인의 고유성을 지켜주는 역할을 한다.

④ 자아의 발달에 대한 잠재력은 타고난 것이다. 단 이러한 잠재력의 실현은 **사회·문화(또는 환경)의 영향을 받아야 가능**하다.

(2) 자아정체감(Ego Identity) 🎓

① 자신에 대한 총체적인 지각과 수용으로, 시간이 흘러가면서 변화하는 자기 자신을 **지금까지의 자신과 같은 존재로 지각하고 수용하는 것**을 말한다.

② **청소년기의 주요 발달과업**은 이러한 자아정체감의 형성이다.

에릭슨(Erik Homburger Erikson, 1902~1994년)

에릭슨은 덴마크계 독일인으로, 1902년 독일의 프랑크푸르트에서 태어났다. 에릭슨이 태어나고 얼마 있지 않아 그의 아버지가 사망(또는 아내를 버리고 가출하였다는 주장도 있다)하였고, 그의 어머니는 홀로 에릭슨을 키우다가 에릭슨이 세 살이 되던 해에 유태인인 소아과 의사와 재혼하였다. 이러한 사실을 그의 어머니와 양부는 에릭슨에게 비밀로 하여 에릭슨은 성인이 된 이후에 이를 알게 되었다. 학창시절 에릭슨은 고대 역사와 미술에 재능을 보였고, 학교를 졸업하자 대학에 진학하지 않고 1년여 간 유럽 여행을 떠났다. 25세에 오스트리아 빈에 있는 사립학교에서 미술을 가르치면서 프로이트의 딸인 안나 프로이트를 알게 되었고, 이를 계기로 정신분석이론을 접하게 되었으며 더 나아가 정신분석학자가 되기로 결심하게 되었다. 그 후 히틀러의 반 유태 정책으로 인해 유럽을 떠나 미국 보스톤으로 이주를 하였고, 하버드 의과대학에서 심리학 연구자로 일하였으며, 이후 3년간은 예일대학교의 인간관계연구소에서 일하였다. 에릭슨은 프로이트의 심리성적발달 단계를 부정하고 심리사회적발달 단계를 제시하여 정신역동이론가 중에서 최초로 전생애적 성격발달 단계에 대한 이론적 기초를 수립하였으며, 자아정체감이라는 독보적인 개념체계를 완성하였다.

(3) **점성원칙(Epigenetic Principle)** (✍)

① 성장하는 모든 것은 유전적인 **기초안**을 가지고 있으며, 이 **기초안으로부터 부분이 발생**하고 각 부분이 **특별히 우세해지는 최적의 시기**가 있으며, 이 모든 부분이 발생하여 기능하는 전체를 이루게 된다는 개념이다. 다시 말해, **인간은 유전적으로 이미 예정된 단계를 거치며 발달한다는 것을** 의미한다.

② 심리사회적 자아발달은 점성원칙에 의해 진행된다.

(4) **심리사회적 위기**

심리사회적 자아발달 단계별로 **개인이 사회환경으로부터 받는 요구**로, 개인은 한 번도 경험해 보지 못한 사건이므로 위기로 체험되어진다.

2. 심리사회적 자아발달 단계

(1) **개관** 23. 국가직

① 에릭슨은 성격발달에 있어서 주로 **유전적·생물학적 요인**만을 강조한 프로이트와는 달리 유전적·생물학적 요인 이외에도 **사회적 힘**이 성격발달에 미치는 영향을 강조하였다. 즉 성격은 **생물학적 요인과 개인의 심리·사회·문화의 상호작용에 의해 결정**된다고 보았다.

② 프로이트의 심리성적발달의 5단계를 **8단계로 확장**하여 **전생애적 발달 단계**를 제시하였다.

③ 각 단계마다 심리사회적 위기를 경험하게 되며, 이러한 심리사회적 위기를 성공적으로 해결했을 때에 **기능적인 자아특질(Ego Quality, 또는 강점)**이 강화된다.

④ 각 단계에서는 성격발달에 영향을 주는 **사회적 힘**이 존재하며, 이를 **주요 관계범위**라고 한다.

(2) **세부 발달 단계발달**[1] 23. 국가직, 17. 지방직(추가), 19. 지방직 (✍)

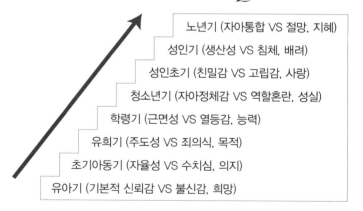

노년기 (자아통합 VS 절망, 지혜)
성인기 (생산성 VS 침체, 배려)
성인초기 (친밀감 VS 고립감, 사랑)
청소년기 (자아정체감 VS 역할혼란, 성실)
학령기 (근면성 VS 열등감, 능력)
유희기 (주도성 VS 죄의식, 목적)
초기아동기 (자율성 VS 수치심, 의지)
유아기 (기본적 신뢰감 VS 불신감, 희망)

단계	연령	심리사회적 위기	자아특질 (또는 강점)	주요 관계범위	심리성적 발달 단계와 비교
유아기	0~18개월	기본적 신뢰감 vs 불신감	희망	어머니	구강기
초기아동기	18개월~3세	자율성 vs 수치심과 의심	의지	부모	항문기
유희기	3~6세	주도성(또는 솔선성) vs 죄의식	목적	가족	남근기
학령기	6~12세	근면성 vs 열등감	능력	학교, 교사, 급우	잠복기 (또는 잠재기)
청소년기	12~20세	자아정체감 vs 역할혼란 (또는 혼미)	성실 (또는 충실)	또래집단	생식기
성인초기	20~24세	친밀감 vs 고립감	사랑	이성	
성인기	24~65세	생산성 vs 침체	배려	가족, 직장	–
노년기	65세 이상	자아통합 vs 절망	지혜	인류	

핵심 PLUS

프로이트 이론과의 비교

프로이트	비교 기준	에릭슨
상당한 수준의 폐쇄체계	체계관	상당한 수준의 개방체계
① 성적·공격적 충동 ② 불안과 무의식적 욕구	행동의 동기	① 일부 성적충동과 사회적 충동 ② 사회적 상호작용
원초아	성격의 중심	자율적 자아
사회적 기대와 자신의 충동 사이에서 갈등한다.	환경과의 관계	역사적·인종적 집단에 대한 결속력 으로 강화된다.
성적·공격적 충동을 통제하기 어렵다.	자기통제력	개인은 자신을 통제할 수 있다.
구강기, 항문기, 남근기 등 초기 아동 기에 형성되어 성인초기에 절정에 이 른다.	성격발달 기간	전 생애적으로 발달한다.

3. 특징

(1) 전생애적 발달 과정 제시

에릭슨은 영아기와 유아기 중심의 프로이트의 심리성적발달 단계를 심리사회적 발달 단계를 통해 **청소년기, 성인초기, 성인기, 노년기까지 확장**하여 **성격이론가 중 처음으로 전 생애적 발달을 제시**하였다.

(2) 사회환경의 중요성 강조

무의식과 성을 강조하는 프로이트의 정신분석이론에 기반하면서도, 인간발달에 영향을 미치는 **사회환경의 중요성을 강조**하여 발달 단계에서 **외부 환경에 대처하고 적응하는 과정**을 중요하게 다루었다.

기출 OX

01 아들러(Adler)는 각 발달단계에서 심리사회적 위기를 경험하지 않을 때 건강한 발달이 나타난다고 보았다. ( )

23. 국가직

02 에릭 에릭슨(Erik H. Erikson)의 심리사회적 자아발달의 8단계 과업에는 희망 대 절망, 자율성 대 수치심, 신뢰감 대 불신감, 근면성 대 열등감이 있다. ( )

19. 지방직

03 에릭슨(Erikson)의 심리사회적 발달 단계에서 제6단계(성인초기)의 심리사회적 위기는 친밀감 대 고립감이다. ( )

17. 지방직(추가)

04 에릭슨(Erikson)은 6~12세에 해당하는 아동이 성공적인 발달을 하게 되면 능력(competence)이라는 미덕을 획득한다고 보았다. ( )

23. 국가직

---

01 × 에릭슨(Erickson)은 각 발달단계에서 심리사회적 위기를 성공적으로 해결했을 때에 건강한 발달이 나타난다고 보았다.

02 × 희망 대 절망은 해당되지 않는다. 희망은 유아기의 자아특질이며 절망은 노년기의 심리사회적 위기에 해당한다.

03 ○
04 ○

(3) 인간 행동은 사회적 관심에 대한 욕구와 유능성에 대한 욕구에서 비롯된다고 보았으며, 또한 개인의 발달은 사회를 풍요롭게 한다고 주장하였다.

(4) **문화의 기여 강조**

각 발달 단계마다 문화적 목표, 사회적 기대와 요건, 문화가 개인에게 제공하는 것이 있어 개인에게 양육방법을 전수하고 교육기회를 제공하며 성이나 일에 대한 가치와 태도를 전달한다고 보았다.

(5) **양극의 단계(Bipolar Stages)**

인간 성격은 2개의 극단적인 요소, 즉 긍정적인 것과 부정적인 것 간의 비율로 결정된다고 보았다. **❶**

(6) **순환적 과정(Cyclical Process)**

각 세대는 **이전의 세대와 미래의 세대가 상호 연결**되어 있다고 보았다. **❷**

(7) **청소년기의 자아정체감 발달**을 강조하였다.

(8) 각 단계의 발달은 이전 단계의 심리사회적 갈등해결과 통합을 토대로 이루어진다고 보았다.

(9) **인간관**

① **합리적 인간**: 인간은 의식수준에서 통제가 가능한 **자율적 자아(Ego)에 의해 동기화되는 합리적 · 이성적 · 창조적인 존재**이다.

② **총체적 · 환경 속의 인간**: 인간의 성격발달은 생물학적 요인과 심리 · 사회문화적 요인의 상호작용에 의해서 결정된다.

(10) **사회복지실천에 미친 영향**

① 전생애적 발달 단계와 이에 따른 심리사회적 발달과업을 제시하여 사회복지사로 하여금 클라이언트의 **생애주기에 따른 실천개입의 지표를 제시**해 주었다.

② 사회복지사에게 **청소년기 자아정체감의 개념과 확립 과정에 관한 지식**을 제공해주었다.

③ **환경 속의 인간**이라는 사회복지실천의 주요 가치와 관련된 지식적 기반을 제공해주었다.

④ **홀리스(F. Hollis)의 심리사회모델의 이론적 기반**이 되었다.

(11) **한계**

① **사용되는 개념이 불명확하고, 과학적 근거나 경험적 증거, 실증적 연구가 미흡**하다. 따라서 검증이 어렵다.

② 프로이트의 정신분석이론처럼 **남성중심적 성향**을 가졌다.

③ 과도하게 작위적으로 프로이트 이론을 무리하게 연결 · 적용한 측면이 있다.

4 정신역동이론(3) - 융(C. Jung)의 분석심리이론

1. 주요 개념

(1) 원형(Archetype)

표상 불가능한 무의식적이고 선험적인 이미지로, **인간 정신에 존재하는 보편적이고 근원적인 핵**이다.

(2) 정신 (必) 23. 국가직

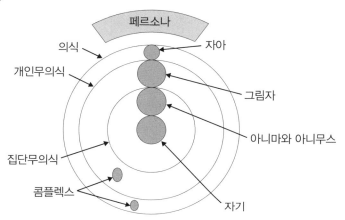

① 융에게 있어서 **성격에 해당**한다.

② **의식과 무의식으로, 무의식은 다시 개인무의식과 집단무의식으로 구성**된다.

의식 (Consciousness)	㉠ 경험의 공간으로, **정신분석이론의 의식에 해당**한다. ㉡ **자아**에 의해 지배당한다. **☑ 핵심 PLUS** **자아(Ego)** ① 의식적인 **사고, 감정, 감각, 직관**으로 이루어져 있다. ② **의식의 지배자**: 의식 속에 존재하는 유일한 원형으로, 의식을 지배한다. ③ **의식의 문지기**: 의식과 무의식을 결합시키는 역할을 한다. 즉 자아에 의해 의식화되지 않으면, 다시 말해 선택되지 않으면 보이거나, 들리거나, 생각나지도 않는다.
개인무의식 (Personal unconscious)	㉠ **정신분석이론의 전의식에 해당**한다. ㉡ 개인적 경험으로 형성된 **기억의 저장소**이다. ㉢ 개인무의식을 구성하는 가장 중요한 원형은 **콤플렉스와 음영**이다. **☑ 핵심 PLUS** **콤플렉스(Complex)와 음영(Shadow)** ① **콤플렉스(Complex)** • 특수한 종류의 감정으로 이루어진 무의식 속의 관념덩어리로, 일반적으로 질서 있는 사고의 흐름을 방해한다. • 완전히 무의식일 수도 있고 어떤 때는 의식하다가 다시 의식하지 못하게 되는 상대적 무의식일 수도 있다. 그래서 의식과 개인무의식에 존재한다. • 콤플렉스를 의식화하는 것이 정신 성숙의 과제이다.

융(Carl Gustav Jung, 1875~1961년)

융은 1875년 스위스에서 목사의 아들로 태어났다. 청년이 되어서는 가문의 전통과 목사가 되길 원하는 아버지의 권유를 뿌리치고 바젤대학에서 의학을 전공하여 정신과의사가 되었다. 그는 감정과 생리적 현상의 연관성을 연구하기 위해 단어연상검사를 이용했는데, 단어연상검사는 일련의 단어들을 한 번에 하나씩 피험자에게 보여주고 피험자의 머릿속에 떠오르는 단어를 대답하도록 하는 방법이다. 만약 피험자가 반응하기 전에 너무 오래 망설이거나 동요를 보이면, 이는 그 단어가 자신의 주요개념인 콤플렉스와 깊은 연관이 있다고 보았다. 융은 당시 유명한 정신분석학자였던 프로이트의 연구에 흥미를 갖고, 그와 학문적 교류를 하며 함께 정신분석학을 연구하기도 하였다. 다만, 프로이트의 성욕 중심적 이론체계에 대한 비판과 당시 프로이트와 함께 정신분석이론 학계의 거목으로 성장한 아들러의 이론체계를 모두 수용하여 1913년을 전후해서 독자적으로 이 둘의 양립에 관한 연구로 분석심리이론을 개척하기 시작하였다.

🏛 기출 OX

프로이트(Freud)는 인간의 무의식을 강조하였으며, 무의식을 개인 무의식과 집단 무의식으로 구분하였다. ( )

23. 국가직

✕ '무의식을 개인 무의식과 집단 무의식으로 구분한 것'은 융(Jung)이다.

	② 음영(Shadow, 또는 그림자) • 인간의 동물적 본성을 크게 포함하고 있어서 **스스로 인식하기 싫은 자신의 어둡고 부정적인 측면과 관련된 원형**으로, 자신이 모르는 무의식적 측면에 있는 부정적인 또 다른 나의 모습이며, 개인으로 하여금 모순된 행동을 하게 만든다. • 그러나 때로는 자발성, 창의력, 통찰력 등 완전한 인간성에 필수적 요소의 원천이기도 하다.
집단무의식 (Collective Unconscious)	⊙ 모든 개인의 정신이 공통으로 가지고 있는 **하부구조**를 말한다. ⓛ 조상 대대로 이어져 온 경험의 침전물: 개인무의식처럼 개인적 경험으로 형성된 것이 아니라 **모든 인류에게 공통적으로 유전되어 온 무의식**이다. ┌─ 📋 **핵심** PLUS ─┐ **자기(Self) 및 아니마(Anima)와 아니무스(Animus)** ① 자기(Self) • 중년기에 드러나는 집단무의식 내에 존재하는 타고난 핵심 원형으로, 성격 전체의 일관성, 통일성, 전체성, 조화성을 무의식적으로 추구한다. • 자기실현은 인간발달의 궁극적인 목표이며, 성격발달은 자기실현의 과정이다. ② 아니마(Anima)와 아니무스(Animus)❷ • 융은 유전적인 성차와 사회화로 인해 남성에게선 여성적 측면이, 여성에게선 남성적 측면이 억압되고 약화된다고 보았다. • 무의식 속에 존재하는 남성의 여성적인 면은 아니마이며, 반면 무의식 속에 존재하는 여성의 남성적인 면은 아니무스이다.

선생님 가이드

❶ 융은 중년기에 아니마와 아니무스가 자유롭게 실현될 때에 비로소 남성은 어머니로부터, 여성은 아버지로부터 자유로워질 수 있다고 보았습니다.

❷ '리비도'를 학문적 용어로 사용한 학자는 우리 교과 과정 중에 프로이트와 융 외에는 없습니다. 다만 프로이트는 리비도를 '성적에너지'로 국한시켰다는 데에서 융과 큰 차이가 있습니다.

(3) **리비도(Libido)❷**

(생활에너지) 프로이트의 리비도 개념을 확장시켜, 생물학적, 성적, 사회적, 문화적, 창조적인 모든 형태의 활동에 에너지를 제공하는 **전반적인 생명력(또는 삶의 에너지, 창의적인 생활력)**으로 보았다.

(4) **페르소나(Persona)**

① **자아의 가면**으로, 자아가 외부세계에 내보이는 이미지, 즉 **개인이 사회적 요구에 대한 적응(또는 반응)으로 내보이는 사회적 모습**이자, 외부세계와의 적응 과정에서 생긴 **기능 콤플렉스**이다.

② 사회에 적응하기 위해서는 일정 정도의 페르소나의 발달이 필요하지만, 자아가 페르소나와 지나치게 동일시되면 자신의 내면세계로부터 유리될 위험이 있다.

(5) **자기실현(Self-Actualization)과 개성화(Individuation)**

① **자기실현은 개성화(Individuation)**라고도 하며, **개성화란 개인의 의식이 다른 사람으로부터 분리되는 과정**으로, 모든 콤플렉스와 원형을 끌어들여 성격의 조화를 이루고 안정성을 유지하는 것이다. 결국 융에게 있어서 **성격발달은 개성화를 통한 자기실현의 과정**이다. 따라서 의식의 시작이 곧 개성화의 시작이며, 의식이 증가하면 개성화도 증가하게 된다.

② 개인의 자기실현은 무의식의 의식화를 통해서 이루어지며, 무의식의 원형인 음영, 아니마, 아니무스의 의식화가 이루어져야 가능하다.

2. 성격의 발달 및 성격의 유형

(1) 성격의 발달

① 융은 성격발달을 **아동기, 청년 및 성인초기, 중년기, 노년기의 4단계**로 규정하였다.

② 특히 성격의 여러 측면을 통합하여 자기실현을 할 수 있는 인생 후반기인 **중년기(또는 장년기)와 노년기의 성격발달❸**을 보다 중요하게 다루었다.

③ 중년기 이후의 자기실현, 즉 개성화를 위해 **아동·청소년기에는 외부환경에 보다 적극적으로 대응하여 자아를 발달시켜야 한다**고 보았다.

 선생님 가이드

❸ 성격발달 단계의 개념을 가진 정신역동이론가들이 각자 중요하게 여긴 발달 단계가 있습니다. 프로이트는 유아기를, 에릭슨은 청소년기를, 융은 중년기(또는 장년기)를. 각 발달 단계와 그 시기를 중요하게 여긴 대표 학자를 잊지 말고 함께 기억해주시길 바랍니다. 예를 들어 중년기 하면 누구? 네 맞습니다. 융이지요.

인생 전반기	아동기	㉠ 본능에 의해 지배되는 시기이다. ㉡ 자아가 형성되어 가는 시기이므로 성격형성에 미치는 영향은 중요하지 않다.
	청소년 및 성인초기	㉠ **정신적 탄생기**로 성숙해가면서 자아가 발달한다. ㉡ 외부환경에 적응하는 시기로, 중년기 이후의 자기실현, 즉 **개성화를 위해서는 외부환경에 적극적으로 대응해서 자아를 발달시켜야 한다.**
인생 후반기	중년기	㉠ 40세경부터 시작된다. ㉡ 노년기와 함께 **성격 발달에 있어서 가장 중요한 시기**이다. ㉢ 정신적 변화의 시기로 외향적 목표의 의미가 퇴색되기 시작한다. ㉣ 외부세계에 쏟았던 에너지가 **자기 내면**으로 향하고, 관심의 영역이 의식에서 무의식으로, 육체적이고 물질적인 것에서 종교적·철학적·직관적인 것으로 바뀐다. ㉤ 아니마와 아니무스의 화해로 **남성의 경우 아니마가, 여성의 경우 아니무스**의 원형이 나타난다. 이로 인해 남성은 여성적인 측면을, 여성은 남성적인 측면을 표현하게 되어 **남성은 덜 공격적으로 되고, 대인관계에 보다 많은 관심을 보이기 시작하는 반면, 여성은 보다 공격적이고 독립적이 된다.** ㉥ 자아의 발달, 페르소나 등으로 인해 **외부세계에 대처하는 역량이 발휘**된다.
	노년기	자신에게 진지한 관심을 갖고자 하는 시기로 죽음 앞에서 생의 본질을 이해하려는 시기이다.

(2) 성격의 유형

① 융은 **자아성향과 심리적 기능**이라는 2가지 축을 조합해 **8가지로 성격 유형**을 분류하였다.

② 자아성향은 삶에 대한 일반적인 태도를 가리키는 말로, 자아가 갖는 정신에너지의 2방향인 **외향성과 내향성**을 말한다.

외향성	㉠ 리비도가 **외부세계를 지향**하며, 객관적 사실과 조건에 의해 좌우된다. ㉡ 폭넓은 대인 관계를 유지하며, 사교적이고, 활동적이다.
내향성	㉠ 리비도가 **주관적 세계를 지향**한다. ㉡ 깊이 있는 대인 관계를 유지하며, 조용하고, 신중하며, 이해한 다음에 결정한다.

③ 심리적(또는 정신적) 기능은 **사고, 감정, 감각, 직관이라는 4가지로 분류**된다.

합리적 기능	사고형	⊙ 객관적인 진실과 원리원칙, 논리, 합리적인 계획 등에 따라 판단하고, **논리적이고 분석적이며 객관적으로 문제를 해결**한다. ⓒ **규범과 기준을 중시**한다.
	감정형	⊙ **감정 상태에 기준하여 판단**하고, 상황적이며 정상을 참작한 설명을 한다. ⓒ 특히 **대인관계에 큰 관심을 갖는다.**
비합리적 기능	감각형	⊙ 인간의 5가지 감각기능에 의존하여 실제로 경험하고 관찰할 수 있는 구체적이고 **사실적인 측면과 매우 일관성 있는 현실수용을 중시**한다. ⓒ **지금 또는 현재에 초점**을 맞추고 정확하고 철저하게 문제를 해결한다.
	직관형	⊙ 감각기능 이외에 **미래의 가능성과 자신의 육감 또는 직관을 통해 사물을 가능한 모습으로 보려**한다. ⓒ **미래지향적이고 신속하게 문제를 해결**한다.

3. 특징

(1) 성격의 여러 측면을 통합하여 자기실현을 할 수 있는 **인생의 후반기(중년기, 노년기), 특히 중년기를 강조**하였다.

(2) 전생애적 성격 발달 단계를 제시하였다.

(3) 집단무의식 개념을 도입하여 인간행동은 의식에 의해 조절될 수 있지만, 집단무의식의 영향을 받는다고 가정하였다.

(4) **인간관**

① 전체적인 인간: 인간의 정신(융은 성격 대신 정신이란 용어를 사용하였다)은 부분들의 단순한 집합이 아니라 하나의 전체성을 이루고 있다. 즉 **인간은 생물학적, 심리적, 사회·문화적 존재**로, 자기실현을 통해 무의식과 의식을 통합해 전체적인 정신구조를 형성한다.

② 미래지향적 인간: 인간의 행동은 과거, 즉 조상에게로부터 물려받은 여러 소인의 영향도 받지만 미래의 목표와 가능성에 의해서도 결정된다. 다시 말해, **인간은 역사적이면서 동시에 미래지향적인 존재이므로 인간 성격은 과거사건 및 미래에 대한 열망에 의해 형성**된다.

③ 가변적인(또는 성장지향적) 인간: 인간의 성격은 불변하는 것이 아니라 **전생애에 걸쳐 발달하고, 후천적으로 변화**될 수 있다. 또한 성격 발달은 타고난 소인을 표현해 나가는 것이지만 **후천적 경험에도 영향을 받기 때문에 인생 전반기와 후반기에 각기 다른 특성**을 보이며 변화될 수 있다.

(5) **사회복지실천에 미친 영향**

① 인생 후반기, 즉 **중년기 이후의 성격발달에 관한 통찰력을 제공**하여 중년기 이후의 위기와 문제를 사정할 수 있게 하였다.

② 인생 전반기인 아동기와 청소년 및 성인초기를 중년기 이후의 자기실현을 **위해 외부환경에 적극적으로 대응해서 자아를 발달**시켜야 하는 시기로 보아, 이 시기의 클라이언트에게 개입하는 사회복지사로 하여금 이들을 대상으로 적극적인 사회적 참여를 유도해야 하는 당위성을 제시하였다.

(6) 한계

① 지나치게 신비스럽고 이해하기 어려운 개념을 사용한다는 지적을 받는다.

② 클라이언트로 하여금 **현실에서 회피하고, 일정 부분 종교적 속성을 띤 환상속의 생활을 하게 만든다**는 비판을 받는다.

5 정신역동이론(4) – 아들러(A. Adler)의 개인심리이론

1. 주요 개념

열등감	→	보상	→	우월성 추구

(1) 열등감(Inferiority) 17. 국가직 ✍

① 인간의 보편적인 감정이며 행동의 동기가 되는 것으로, 개인이 잘 적응하지 못하거나 준비가 안 되어 해결할 수 없는 문제에 부딪혔을 때 생기는 **주관적인 자기평가**이다.

② 개인의 성장과 발달은 열등감을 극복하려는 시도에서 나온다.

(2) 보상(Compensation)

잠재력을 발휘하여 **인간을 자극하는 무의식적이며 건전한 반응**이다. 즉 열등감은 보상이라는 무의식적 반응을 일으키고, 이로 인해 열등감 극복을 위한 시도인 우월성의 추구가 생겨나며, 이는 인간의 성장과 발달의 동기가 된다.

(3) 우월성(Superiority) 추구(또는 우월을 향한 노력)

① 인간에게 공통된 기본적 동기로, 열등감을 보상하려는 욕구에서 발생하는 **개인적 · 사회적 수준에서 나타나는 실제적인 행위**를 말한다.

② 자신의 약점을 극복하고 잠재력을 극대화하기 위한 노력으로, **부족한 것은 채우고 · 미완성적인 것은 완성**하려는 경향성을 보인다.

③ **선천적으로 존재**한다. 단, **우월을 향한 목표**와 의미가 개인마다 다르기 때문에 실제로 어떻게 구현되는지는 개인마다 다르다.

④ 우월을 향한 목표는 **긍정적 경향 또는 부정적 경향을 취할 수 있다.**

긍정적 경향	사회적 관심이나 타인의 행복을 지향하는 이타적인 목표이다.
부정적 경향	개인적 우월성을 추구하는 자기존중, 권력, 개인적 허세 같은 이기적인 목표이다.

(4) 주요 인생 과업

일, 우정, 사랑

(5) 사회적 관심(Social Interest) ✍

① 각 개인이 **이상적 공동사회의 목표를 달성하고자** 사회에 공헌하려는 성향이다. 즉 개인이 타인의 행복에 기여하기 위해 자신의 개인적 우월의 목표를 포기하는 것을 말한다.

② **선천적으로 타고나는 것**이지만, 저절로 발생하는 것은 아니고 **의식적인 개발**❶을 **필요**로 한다.

③ 그 형성은 **아동기의 가족 관계, 특히 모자 관계에서 출발**한다. 다음으로 부자 관계에서 영향을 받는다.

(6) 활동 수준(Activity Level)

① 개인이 자신의 주요 **인생과업을 달성하고자 하는 활동성의 정도**를 말한다.

② 그 수준이 높을수록 활력적이고, 반면 낮을수록 우유부단하다.

(7) 생활양식(Life Style) ✍

① 아들러에게 있어서 **성격의 개념**으로, 개인이 **생의 목표에 도달하기 위하여 스스로 설계한 독특한 인생 좌표**이다.

② 개인이 어떻게 인생의 장애물을 극복하고, 문제의 해결방법을 찾으며, 어떤 방법으로 목표를 추구하는지를 결정한다.

③ 인생초기(4~5세경)에 **기본적인 생활양식이 형성**되고, 이후 **안정적으로 거의 변화하지 않는다.**❷

④ 사회적 관심과 활동수준에 따라 **지배형, 획득형, 회피형, 사회적 유용형** 등 4가지 유형으로 구분된다.

생활양식		사회적 관심	활동 수준	특성
역기능적 생활양식	지배형	낮음	높음	⊙ 인생과업의 달성 목표가 오직 **자기 지향적**이므로 독단적이고 공격적인, 즉 반사회적 성향을 보인다. ⓒ 자신의 이익이나 욕구충족 이외에 타인의 안녕이나 이득에는 관심이 없다.
	획득형 (또는 기생형)	낮음	중간	인생과업의 달성을 위해 **타인에게 의존하며 기생적인 방식**으로 자신의 욕구를 충족시킨다.
	회피형	낮음	낮음	성공으로 얻어지는 이득에 대한 상상보다 실패에 대한 두려움으로 모든 **인생과업을 회피**하려 한다.
기능적 생활양식	사회적 유용형	높음	높음	인생과업의 달성목표를 **자신뿐만 아니라 사회공동체의 발전**으로 여겨 자신과 타인의 욕구를 동시에 충족시키려 하며, 이를 위해 타인과 협력한다.

(8) 창조적 자기(Creative Self, 또는 자아의 창조적 힘)

① 본질적으로 각 개인이 스스로 그 자신의 성격을 만든다는 **개념**으로, 개인이 각자 자신에게 부여된 유전이나 환경과 같은 생의 조건들을 **자신만의 시각으로** 해석하여 **자신의 생활양식을 창조적으로 만들어 나가는 능력**을 말한다. 즉, 개인이 **자신의 인생 목표를 직시하고, 선택하고, 결정하는 능력**이다.

② 성격 형성에 있어서 개인의 자유와 책임을 강조: 개인은 자신의 생활양식을 스스로 창조할 자유를 갖고 있기 때문에 그가 어떻게 행동할 것인가에 대한 것도 결국 자신의 자유와 책임에 달려 있다.

(9) 가상적 목표(Virtual Goal)

① 개인이 추구하는 **현실에서는 검증되지 않는 가상의 목표**로, 미래에 실제하는 어떤 것을 의미하는 것이 아니라 현재의 행동에 영향을 미치는 **일종의 미래에 대한 기대**이다.

② 인간은 과거의 경험보다는 이러한 가상적 목표, 즉 **미래에 대한 기대로 더 동기화**된다.

③ 개인의 목표가 비현실적일수록 더 열등감에 지배되고, 건강한 사람은 **현실적인 목표를 세우고 실제대로 직면**한다.

2. 성격 발달

(1) 개관

① 개인심리이론에서는 성격구조나 발달 단계의 개념이 없다.

② 개인의 성격, 즉 생활양식은 개인의 가족 내에서의 경험이나 **가족형상**(또는 가족구조, **예** 부모와 자녀와의 관계, 가족의 크기, 형제와의 관계) 이외에도 **가족 내에서의 출생 순위**에 영향을 받는다.

(2) 출생 순위에 따른 생활양식의 특징

맏이	① 폐위된 황제: 출생 시에는 부모의 관심을 독차지하며 독자와 같은 생활을 시작하나, 동생이 태어나면 그러한 관심에서 멀어지게 된다. ② 권위적이고, 규칙과 법을 중시하며, 윗사람들에게 동조하는 생활양식을 발전시키면서 성장한다.
둘째 또는 중간 아이	① 매우 경쟁적이고, 끊임없이 손위형제를 능가하려고 노력한다. ② 반항아: 자신을 지배하고 있는 틀에 박힌 많은 것들을 수행하기보다는 아래 동생들이 첫째와 부모에게 대항하도록 선동한다.
막내 아이	① 가장 응석받이이기 쉽다. ② 특히 다른 형제들보다 훨씬 어리면 부모뿐 아니라 손위 형제들로부터도 지나친 사랑을 받는다. ③ 그러나 경쟁할 형제들이 여럿이므로 둘째 아이와 비슷하게 경쟁심이 강할 수도 있다.
독자	① 경쟁할 형제가 없는 독특한 위치에 있으므로 응석받이가 되기 쉽다. ② 자기중심적이고, 의존적이며, 소심하다.

선생님 가이드

❸ 아들러에게 있어서 '창조적 자기'는 성격 형성의 기본 요소입니다. 환경이나 유전적 요소 등은 창조적 자기를 실현하기 위한 재료일 뿐입니다.

❹ 아들러는 개인이 자신과 자신이 처한 환경을 어떻게 지각하는가에 따라 그의 행동이 동기화된다고 보았습니다. 결국 아들러에게 있어서 인간의 행동은 개인의 주관적인 지각이 반영된 산물입니다.

기출 OX

아들러(Adler), 에릭슨(Erikson), 프로이트(Freud), 융(Jung)은 성격이론을 인간의 발달 단계와 연관시켜 설명하였다. ( )　　14. 국가직

× '아들러(Adler)'는 해당되지 않는다. 아들러는 정신역동이론가들 중에 유일하게 성격구조나 발달 단계의 개념이 없다.

3. 특징 14. 국가직 ✓

(1) 정신역동이론가들 중에 유일하게 성격구조나 발달 단계의 개념이 없다.

(2) 프로이트와 마찬가지로 과거, 즉 생의 초기 경험이 성인기의 성격 형성에 크게 영향을 미친다고 주장했지만, 프로이트가 과거에 대한 탐색에 초점을 둔 반면, 아들러는 과거 경험이 현재에 미치는 영향을 더욱 중요하게 여겼다.

(3) 인간관

    ① **전체적 · 총체적 인간:** 개인은 **하나의 통합된 유기체**로, 이러한 통일되고 자아 일치된 성격구조를 생활양식이라고 한다.

    ② **역동적인 인간:** 개인은 역동적으로 완성을 추구하며, 개인적으로 중요한 인생목표를 향해 전진한다. 즉, 인간은 현재를 토대로 미래지향적인 인생의 목표를 추구하는 존재이다.

    ③ **창조적 인간:** 개인은 창조적 자기를 통해 자신만의 삶을 지속적 · 능동적으로 결정하고 창조해 나간다. 또한 **환경에 반응할 뿐만 아니라 환경에 영향을 미치며, 환경이 그들에게 반응하도록 만드는 창조적인 존재**이다. 즉, **개인이 지닌 창조적 힘이 인간의 본성을 결정**한다.

    ④ **주관적 인간:** 개인은 환경을 주관적으로 파악하고 주관적인 믿음에 따라 행동하여 개인별 생활양식을 형성해 나간다.

    ⑤ **사회적 인간:** 모든 인간은 협동하고 상호작용하는 사회적 관계를 맺을 수 있도록 선천적 능력을 타고났다.

(4) **사회복지실천에 미친 영향**

    ① **가족치료에 영향:** 개인의 생활양식이 가족 내에서의 경험, 가족구조, 출생 순위 등에 영향을 받는다는 개념은 가족치료에 유용한 지식적 기반을 제공하였다.

    ② **집단사회사업에 영향:** 집단경험을 통해 개인의 역기능적인 생활양식을 수정할 수 있다는 것과 사회적 영향에 대한 인식은 집단사회사업의 기초적 지식을 형성하는 데 활용되었다.

    ③ 사회복지사로 하여금 인간을 **하나의 통합된 유기체로 인식**하도록 하였다.

6 인지이론(1) – 피아제(J. Piaget)의 인지발달이론

1. 주요 개념

(1) **도식(Scheme, 또는 스키마)** 18. 서울시 ✓

    ① 인간이 주변 세계를 이해하고 그것에 대해 생각하는 **이해 또는 인지의 기본적인 준거틀**로, **사물이나 사건에 대한 전체적인 윤곽이나 개념**이라고 볼 수 있다.

    ② 개인은 반사운동이라는 기본적인 도식을 가지고 출생하며, 이러한 도식은 **적응과정을 통해 지속적으로 변화**한다.

피아제(Jean Piaget, 1896~1980년)

피아제는 1896년 스위스의 뇌샤텔에서 태어났다. 그는 어린 시절부터 과학자로서의 소질을 보였고, 특히 생물학, 그 중에서도 연체동물에 깊은 관심을 가졌다. 그는 이미 10살 때에 알비노 참새에 대한 소논문을 썼을 정도로 천재성 있는 과학자였다. 뇌샤텔 대학교에서 1921년에 생물학 박사 학위를 받은 후, 취리히 대학교에서 잠시 공부하였다. 그 후 스위스에서 프랑스 파리로 이주하여 비네 지능 검사를 만든 알프레드 비네(Alfred Binet)가 운영한 남학교에서 학생들을 가르쳤다. 그는 자신의 세 자녀가 성장하는 과정을 지켜보면서 아동의 사고는 성인의 사고와는 매우 다르다는 것을 발견하고, 자신의 인지발달이론을 창안하였다. 이 후 30여 년 동안 임상학 연구 방법을 사용해서 아동의 인지과정을 이해하는 일에 몰입하다가 1980년 9월에 사망하였다.

(2) 적응(Adaptation) 📖

① 개인이 상황이나 환경과 상호작용하여 **자신의 도식을 재구성하고 확장해 나가는 인지 과정**으로, 연령이 증가함에 따라 다양한 경험을 하게 되고 이를 통해 인지구조가 발달하게 된다.

② 적응 과정에는 **동화와 조절**이 있고, 이를 통해 개인은 **평형상태를 지향**한다.

③ 인지발달은 **동화와 조절기제를 활용**하여 환경에 적응하는 것이다.

동화 (Assimilation)	상황이나 환경의 변화를 개인이 지닌 **기존의 도식을 이용해 인지하는 과정**으로, 인지를 **양적으로 변화**시킨다. **예** 하늘을 나는 물체는 '새' 밖에 본 적이 없는 아동이 하늘을 나는 비행기를 처음으로 보고 "저건 새야"라고 말하는 경우
조절 (Accommodation)	기존의 도식으로는 상황이나 환경의 변화를 인지할 수 없을 경우 **기존 도식을 수정하여 인지하는 과정**으로, 인지를 **질적으로 변화**시킨다. **예** 하늘을 나는 물체는 '새' 밖에 본 적이 없는 아동이 하늘을 나는 비행기를 처음으로 보고 "저건 새야"라고 말할 때, 옆에 있는 엄마가 "저건 새가 아니라 비행기란다."라고 알려주면 아동이 이를 듣고 새와 비행기를 구분하게 되는 경우
평형상태 (Equilibrium, 또는 평형화)	동화와 조절 과정을 통해 **인지적 균형을 이룬 상태**를 말한다.

(3) 조직화(Organization) 📖

① 개인이 현재 가지고 있는 **상이한 2가지 이상의 도식들을 자연스럽게 결합하는 과정**을 말한다.

② 아동은 조직화 과정을 통해 보다 자연스럽고 세련된 인지 기능을 발휘할 수 있게 된다.

예 하늘을 나는 물체는 '새' 밖에 본 적이 없는 아동이 하늘을 나는 비행기를 처음으로 보고 "저건 큰 새야"라고 말할 경우, 아동이 지닌 '새'라는 도식과 '크다'라는 도식이 조직화된 것이다.

2. 인지발달 단계 📖

피아제는 개인의 인지발달 단계를 다음의 4단계로 설명하였다.

감각운동기 (0~2세)	→	전조작기 (2~7세)	→	구체적 조작기 (7~12세)	→	형식적 조작기 (12세~성인기)

(1) 감각운동기(Sensorimotor Stage, 0~2세)

시각, 청각 등 타고난 신체 감각과 다양한 반사운동을 이용해 환경을 인지하는 시기로, 가장 중요한 2가지 발달과업은 **대상영속성의 획득과 목적지향적 행동의 수행**이다.

대상영속성 획득	대상이 신체적 감각에서 사라져도 계속 존재하고 있음에 대한 인지를 획득해야 한다.
목적지향적 행동 수행	자신의 의도에 따라 계획된 목적행동을 수행할 수 있어야 한다.

🏛 **기출 OX**

피아제(J. Piaget)의 인지발달 개념에서 도식(scheme)이란 인간이 주변세계를 이해하고 그것에 대해 생각하는 이해의 틀이다. 연령이 증가함에 따라 많은 경험을 통해 인지구조가 발달하면서 질적인 변화를 하게 된다. ( ) 18. 서울시

○

(2) 전조작기(Preoperational Stage, 2~7세)

① 개념적인 조작능력이 충분히 발달하지 못한 시기로, 주로 **직관적인 사고**를 하며, **언어기술을 획득하여 언어의 발달이 급속하게 이루어진다.**

② 전조작기는 **전개념적 사고기(2~4세)와 직관적 사고기(4~7세)로 구분**된다.

③ 주요 특징

상징적 사고	㉠ **상징적 사고**란 유아가 실제하지만 당장 눈앞에 보이지 않는 대상을 감각운동기의 정신적 표상기에 형성한 여러 가지 '**상징적 표상**'으로 **대치하여 표현하는 사고**를 말한다. ㉡ 이러한 상징적 사고는 **상징놀이(또는 가상놀이, 상상놀이), 그림, 언어로 표현**된다.

상징놀이	• 상징적 사고에 따른 유아의 놀이 방법으로, 소꿉놀이나 병원놀이처럼 가상적인 사물과 상황을 실제 사물이나 상황처럼 상징하여 표현하는 것이다. • 유아에게 있어서 상징놀이는 전조작기 후반부로 갈수록 더욱 정교하게 수행된다.
그림	• 그림은 유아가 자신의 표상을 표출하는 중요한 상징적 표상의 수단이다. • 예를 들어 유아가 해를 그릴 때 이목구비(耳目口鼻)를 그리는 것은 해에 대한 유아의 표상이 표현되는 것이다.
언어	모든 사람들이 활용하는 보편적인 상징적 표상으로, 전조작기 유아의 언어발달은 상징적 사고를 가속화시킨다.

예 유아가 베개를 가지고 "자장자장" 소리를 내며 아기를 재우는 흉내를 내는 경우

자아중심성	㉠ **자아중심성**(Egocentrism, 또는 **자기중심성**)이란 유아가 자신을 사물의 중심으로 생각하여 자신과는 다른 관점이 존재한다는 사실을 이해하지 못하는 현상을 말한다.

자아 (또는 자기) 중심적 사고	• 유아가 **타인의 생각·감정 등이 자신의 그것과 같다고 생각하여 타인의 관점에서 상황이나 사물을 이해하지 못하는 사고**를 말한다. **예** 유아가 자신과 마주 하고 있는 선생님이 "오른손을 드세요"하면서 오른손을 들면 유아는 선생님의 말은 무시하고 선생님의 오른손은 자기의 왼손 방향에 있으므로 왼손을 들곤 한다. • 이러한 자아중심적 사고로 인해 유아는 **조망수용능력**을 갖지 못한다. **조망수용능력**(眺望收容 能力, Perspective Taking Ability)이란 자신과 타인의 관점을 분리해서 타인의 입장에서 그의 관점을 추론하여 이해하는 능력을 말한다.
자아 (또는 자기) 중심적 언어	• 유아가 타인과의 대화에서 **타인이 대화를 이해하는지 여부를 고려하지 않고 자신의 생각만을 일방적으로 전달하는 대화 방식**을 말한다. **예** 유아가 친구들과 놀고 있을 때에도 친구들과 대화를 하는 것이 아니라 혼자서 멋대로 이야기하는 경우 • 7세 이후 급격히 감소하여 **사회화된 언어**(Socialized Speech)로 대치된다.

ⓒ 이러한 자아중심성은 **자아(또는 자기)중심적 사고와 자아중심적 언어로 표현**된다.

핵심 PLUS

자아중심성 실험

피아제는 전조작기 유아를 대상으로 **세 산 실험(The Three-Mountain Task)** 이라고 불리는 자아중심성을 확인하기 위한 실험을 하였다.

〈산 모형〉

① **실험 과정**: 네모난 탁자 위에 크기와 색상이 다른 3개의 산 모형을 올려놓는다. → 탁자의 한 면에 의자를 놓아 유아를 앉히고 다른 3면에는 의자 위에 인형을 올려놓는다. → 유아에게 인형의 시각에서 산이 어떻게 보일지를 물어본다.
② **실험 결과**: 유아는 **인형 역시 자신과 같은 시각으로 산이 보일 것이라고 대답**하였다.

물활론적 사고	생명이 없는 사물에도 생명이 있다고 생각하는 사고를 말한다. 예 유아가 종이를 가위로 자르면 종이가 아파할 것이라고 말하는 경우
전환적 추론	사건과 사건 간에 전혀 논리적 관계가 없음에도 불구하고 이를 상호 연관 짓는 사고를 말한다. 예 유아가 자신의 동생이 아픈 이유가 자신이 동생을 미워해서라며 슬퍼하는 경우
인공론적 사고	모든 사물이나 현상은 인간이 만들었거나 또는 자기를 위해서 만들어졌다고 여기는 사고를 말한다. 예 유아가 해와 달은 우리를 비추게 하기 위해 사람들이 하늘에 만들어 두었다고 생각하고, 하늘은 누군가가 파란 물감으로 칠했기 때문에 파란색이라고 생각하는 경우
꿈 실제론	유아가 자신이 꾼 꿈과 현실을 명확히 구분하지 못하여 **꿈이 현실로 존재한다고 믿는 사고**를 말한다. 예 꿈에서 뽀로로를 만난 유아가 깨어난 후 엄마 역시 자신이 뽀로로를 만난 것을 알고 있다고 생각하는 경우
직관적 사고	유아가 어떤 사물이나 대상을 이해할 때에 그 사물이나 대상의 다양한 측면을 보지 못하고, **현저한 특징만을 가지고 사물이나 대상을 판단하는 사고**를 말한다. 예 동일한 양의 음료수를 긴 컵과 짧은 컵에 따르면 유아는 긴 컵을 선택하는 경향이 크다.
비가역적 사고	발생한 변화를 역방향으로 생각하여 이전의 상태로 돌려놓지 못하는 사고를 말한다. 예 유아에게 남동생이 있냐고 물었을 때에 "있다."라고 대답하였다면, 다시 그 남동생에게 형이 있냐고 물었을 때에 "형이 없다."라고 대답하는 경우

보존개념의 시작	⊙ 보존개념(Conservation)이란 대상의 **위치나 외적 형태가 변화해도** 그 **양적 속성이 변화되지 않는다**는 사실에 대한 인지를 말한다. ⓒ 이러한 보존개념은 **전조작기(또는 유아기)에 시작**되어 **구체적 조작기(또는 아동기)에 획득**된다. ⓒ 보존개념 실험  유아가 보는 앞에서 같은 부피와 모양을 가진 컵에 물을 가득 붓는다. → 그런 후 "어느 컵에 물의 양이 많니?"라고 물으면 유아는 "물의 양이 같다."라고 답한다. → 이후 다시 유아가 보는 앞에서 부피는 같지만 모양이 기존 컵과는 달리 넓게 생긴 컵으로 한쪽 컵의 물을 옮긴 후 같은 질문을 한다. → 이 경우 보존개념이 확립되지 않은 유아는 "기존 컵에 담긴 물의 양이 더 많다."라고 말한다. ⓔ 보존개념 획득을 위한 3가지 전제 개념

동일성	• 아무것도 가감하지 않았을 경우 **본래의 양은 동일하다는 것을 인지**할 수 있는 것이다. • 보존개념 실험에서 컵에 물을 더 붓거나 덜지 않았으므로 양쪽 물의 양이 같다는 것을 인지할 수 있어야 한다.
가역성 (또는 역조작성의 논리)	• 변화된 상태는 그 변화의 과정을 역으로 돌이키면 **본래의 상태로 되돌아갈 수 있다**는 것을 인지할 수 있는 것이다. • 보존개념 실험에서 물을 옮긴 컵의 물을 다시 원래의 컵에 붓게 되면 물의 양이 다시 같아진다는 것을 인지할 수 있어야 한다.
보상성	• **높이의 감소가 면적이라는 차원으로 보상된다**는 것을 인지할 수 있는 것이다. • 보존개념 실험에서 이 컵이 긴 반면 저 컵은 넓으므로 물의 양은 같다는 것을 인지할 수 있어야 한다.

(3) 구체적 조작기(Concrete Operational Stage, 7~12세)

① 전조작기의 비논리적인 직관적 사고에서 벗어나 **논리적 사고가 가능**해지면서 **인지능력이 비약적으로 발전**한다.

② 주요 특징

가역적 사고 (또는 역조작성의 논리)	전조작기 때의 비가역적 사고에서 벗어나 **가역적 사고가 가능**해진다.
보존개념의 획득	전조작기에 시작되었던 **보존개념을 획득**하게 된다.
조합기술의 획득	⊙ 조합기술이란 보존개념이 숫자에 적용되어 **숫자를 조작할 수 있는 능력**을 말한다. ⓒ 이를 통해 아동은 사칙연산이 가능해진다.

분류화(또는 유목화) 개념의 획득	㉠ 분류화란 대상을 상위개념과 하위개념에 따라 나누는 것으로, 일정한 특징에 따라 다양한 범주로 구분하는 능력을 말한다. 이때 분류 기준이 되는 특징은 형태, 색상, 무늬, 크기 등이다. ㉡ 아동은 점차 대상의 차이점을 구별하게 되고, 이 차이점으로 범주화할 수 있는 능력을 발달시켜 분류화가 가능해진다.
서열화 개념의 획득	서열화란 특정한 속성이나 특징을 기준으로 하여 **사물이 증가하는 또는 감소하는 순서대로 배열하는 능력**을 말한다. **예** 구체적 조작기의 아동들은 여러 개의 블록들을 가장 짧은 것부터 가장 긴 것까지 길이에 따라 배열할 수 있다.
탈중심화	㉠ 전조작기의 자아중심성을 극복함으로써 다른 사람의 시각에서 사물을 보는 능력이 발달한다. ㉡ 이로 인해 어떠한 상황 하에서 타인의 감정(또는 외부의 관점)을 추론하고 인지할 수 있는 **조망수용능력을 획득**하게 된다.

(4) 형식적 조작기(Formal Operational Stage, 12세~성인기)

① 구체적 조작기부터 가능해진 **논리적 사고가 비약적으로 발달해서 추상적 사고가 가능**해지고, 이를 기초로 다양한 논리적 사고가 전개된다.

② 주요 특징

추상적 사고	**형식적 조작 사고의 가장 중요한 특징**으로, 추상적인 사물에 대해서도 **창조적·독창적 상상**을 통해 논리적으로 접근할 수 있는 사고를 말한다. **예** "하늘을 나는 물고기를 요리해 먹으면 어떤 맛이 날까?"라는 질문에 대해 구체적 조작기의 아동은 문제 자체를 이해하지 못하고 대부분 "하늘을 나는 물고기는 없다."라고 대답한다. 하지만 형식적 조작 사고를 하는 아동의 경우에는 나름대로 답변을 만들어낼 수 있다.
가설·연역적 사고	**추상적 사고와 논리적 사고에 의해 경험하지 않고 가설을 수립**하여 가설에서 과거와 현재의 사례를 통해 **연역(또는 추론)할 수 있는 사고**를 말한다. **예** "공무원이 되기 위해서는 국가고시를 합격해야만 가능하다. 해커스는 공무원이 되었다. 따라서 (확인은 못했지만) 공무원 시험에 합격했을 것이다."처럼 사고하는 경우
체계적·조합적 사고	문제해결 시 해결에 필요한 요소들만을 골라 이를 체계적으로 조합하여 적용할 수 있는 사고를 말한다. **예** 청소년들에게 여러 가지 색의 물감을 주고 초록색을 만들어보라고 하면 여러 가지 색 중에서 노란색과 파란색만 찾아 초록색을 만들어 낼 수 있다.
상대적 사고	**상대적 관점에서의 사고하는 것**으로, 자신의 이상적인 기준에 따라 자신의 주장과 타인의 주장을 비교·분석할 수 있는 사고를 말한다.

반성적 추상화	⊙ 사고에 대한 사고로, 자신의 사고 내용에 대해 숙고하여 검토할 수 있는 사고를 말한다. ⓒ 즉, 구체적인 경험과 관찰이 없이도 **자신이 가지고 있는 기존의 정보에 기초해서 내적으로 추리할 수 있는 사고**이다. 예 "사회복지사와 클라이언트와의 관계는 악어와 악어새의 관계에 해당한다."와 같이 대상들 간의 관계를 기존의 정보에 기초해서 유추하는 경우
자기중심적 사고	전조작기 이후 **다시 한 번 자기중심적 사고를 하게 된다.**

3. 도덕성 발달이론

(1) 도덕성 발달이란 자기중심적 사고에서 벗어나서 타인의 관점에서 자신과 대상을 볼 수 있게 된다는 의미이다.

(2) 아동의 전반적 인지발달 수준이 아동의 도덕적 판단을 결정한다.

(3) 아동의 도덕성 발달 수준은 타율적 도덕성과 자율적 도덕성의 2가지 유형이 있으며, 타율적 도덕성으로부터 자율적 도덕성으로 발달해간다.

타율적 도덕성	① **전조작기의 도덕적 수준**이다. ② 이 시기 유아는 성인이 정한 규칙에 **맹목적으로 복종**해야 하며, 규칙은 불변적이며 지키지 않으면 벌을 받기 때문에 절대적으로 지켜야 한다고 생각한다. ③ 아동은 의도가 어떻든 간에 저지른 잘못이 크면 클수록, 더 나쁘다고 생각한다. 즉, 의도보다 결과에 치중한다.
자율적 도덕성	① **구체적 조작기의 도덕적 수준**이다. ② 이 시기의 아동은 규칙이 **상호 합의에 의해 제정**되며, 서로가 동의하면 언제든지 자율적으로 변화될 수 있다고 생각한다. ③ 행위의 결과보다 행위자의 의도에 따라 옳고 그름을 판단한다. ④ 규칙을 어겼다고 반드시 처벌받는 것은 아니며 정상참작이 필요함을 인정한다.

4. 특징

(1) **인지발달을 타고난 유전적 기질과 환경과의 상호작용의 결과(또는 상호작용에서 이루어지는 적응 과정)**라고 보았다. 즉 인간은 환경적인 자극을 있는 그대로 받아들이는 것이 아니라, 이를 주관적으로 표상하고 그 결과에 따라 행동한다고 주장하였다.

(2) 인간 본성의 변화와 성장가능성을 인정하여 **결정론적 시각을 부정**하였다.

(3) 성인기까지(형식적 조작기)의 인지발달 단계만을 제시하여 성인기 이후의 발달에 관해서는 논의하지 않았다.

(4) 각 단계를 내부적으로 일관된 체계를 갖추고 있는 하나의 완전체로 가정하였다.

(5) 인지발달에 있어서 퇴행의 가능성을 인정하여 발달이 완성되었더라도 낮은 단계의 사고로 전환이 가능하다고 보았다.

(6) 인지의 변화는 행동의 변화에 영향을 준다고 보았다.

(7) 인지구조는 **각 단계마다 사고의 방식이 질적으로 다르다고 보았다.**

(8) 각 발달 단계는 일생에 걸쳐 연속적으로 진행되며, 이전 단계에 근거해서 새로운 단계가 나타난다. 즉 이전 하위 단계는 새로운 상위 단계와 별도의 것이 아니라 서로 통합한다고 보았다. 다시 말해, 상위 단계는 하위 단계를 기초로 형성되고 하위 단계를 통합한다.

(9) **인지발달에는 정해진 순서와 단계(감각운동기, 전조작기, 구체적 조작기, 형식적 조작기)가 있으며,** 개인적 유전이나 문화 등에 관계없이 이러한 발달 단계의 순서와 발달 단계별 주요 특징이 나타나는 것에서는 개인차(또는 변화)가 없다. 단 **발달 단계별 성취연령(또는 인지적 유능성)에서는 개인차가 존재할 수 있다고 보았다.**

> 📌 모든 아동이 전조작기를 거쳐서 구체적 조작기로 이행하는 것은 같지만, 전조작기가 나타나는 시기는 일반적으로 2~7세 정도일 뿐, 그 시기는 개인별로 빠르거나 느릴 수 있다.

(10) 인지발달 과정을 자발적 과정으로 이해하여 아동은 성인의 지도 없이도 저절로 인지구조가 발달한다고 보았다.

(11) **인간관**

① 능동적 인간: 개인의 인지는 생물학적 요인에만 좌우되지 않고 **그가 처한 환경(**📌 가족, 학교, 지역사회 등**)과의 상호작용을 통해 변화하고 발달**한다. 또한 인간은 자신이 처한 그러한 환경적 자극을 있는 그대로 받아들이는 것이 아니라, **능동적으로 재해석하고 이에 반응할 수 있다.**

② 주관적 인간: 개인에게 있어서 객관적인 현실은 존재하지 않는다. 즉 개인이 지닌 도식(또는 스키마)에 따라 **주관적인 현실만이 존재**한다.

(12) **사회복지실천에 미친 영향**

① 사회복지사가 아동의 과학적·수리적 추리 과정 등 인지발달 과정을 이해하고, 이를 통해 **아동 대상 프로그램의 계획이나 실행 시에 필요한 이론적 토대를 제공**하였다.

② 사회복지사가 수행하는 **아동의 인지장애 파악과 인지치료 등에 필요한 이론적 배경을 제공**하였다.

(13) **한계**

① 성별에 따른 차이 이외에도 인지발달의 외적 요인으로 교육·문화·사회·경제·인종 등의 영향을 크게 고려하지 않았다.

② 감각운동기·전조작기의 영아나 유아의 인지능력을 과소평가하였다. 실제 이 시기의 영아나 유아의 능력은 피아제의 주장보다 더 뛰어나다는 것이 입증되었다.

7 인지이론(2) – 콜버그(L. Kohlberg)의 도덕성발달이론

1. 하인츠의 딜레마(Heinz Dilemma)

콜버그는 개인이 도덕적 딜레마 상황에 처하면, 어떻게 반응하고 자신의 행동을 어떻게 정당화하는가를 통해 도덕발달을 측정할 수 있다고 가정하고, **하인츠 딜레마(Heinz Dilemma)라는 가상의 상황을 제시**하여 도덕성 발달 단계를 제시하였다.

어느 마을에 하인츠라는 사람이 살고 있었고, 그의 아내는 암에 걸려 죽음을 앞두고 있었다. 그런데 그 부부가 사는 마을의 약사가 그 병을 치료할 수 있는 약을 200달러를 투자하여 개발하였다. 약사는 그 약 한 알에 2,000달러의 판매 가격을 책정하였다. 가난한 하인츠는 돈을 융통하기 위해 노력하였으나 실패하고 고작 1,000달러만을 준비하여 약사를 찾아가 "약을 반값에 주고 이후 자신이 나머지 1,000달러를 갚겠다."라고 애걸하였다. 그러나 약사는 이러한 하인츠의 제안을 거절하였다. 절망한 하인츠는 그날 밤 약사의 연구실에 몰래 들어가 약을 훔쳤다.
① 약을 훔친 하인츠는 처벌을 받아야 하는가?
② 약사가 그렇게 큰 약값을 요구한 것은 과연 정당한 것인가?
③ 약사가 부인을 죽인 것이나 다름없다고 비난받는 것은 정당한가?

2. 도덕성 발달 단계

도덕성 발달 단계를 **전인습 수준, 인습 수준, 후인습 수준으로 분류**하고, 각 단계마다 하위 2단계씩이 있어 **총 6개의 단계로 재분류**하였다.

(1) 전인습적 단계(Pre-Conventional Stage)

9세 이전 아동의 도덕성으로, 자신의 행동에 대한 도덕성, 즉 도덕적인가 아닌가를 자신의 행동이 가져올 결과로 판단하는 경향을 보인다.

제1단계 타율적 도덕성	① **처벌과 복종 지향: 타인에 의해 자신의 신체에 가해지는 물리적 처벌을 피하기 위해** 타인이 정한 규칙과 권위에 단순히 복종하는 것을 도덕적이라고 여긴다. ② 하인츠 딜레마의 예: "남의 것을 훔치는 것은 붙잡혀서 감옥에 가게 될 나쁜 행동이에요. 하인츠는 나쁜 사람이에요!"
제2단계 개인적 · 도구적 도덕성	① **도구적 쾌락 지향: 타인 중심에서 벗어나 개인의 욕구 충족을 위해 행동하는 것을 도덕적이라고 여긴다.** 즉 반드시 행위 후에 물질적인 보상을 받아 자신의 욕구가 충족되어야만 도덕적으로 본다. ② 하인츠 딜레마의 예: "하인츠는 약사가 원하는 만큼의 약값은 준비하지 못했어요…. 하인츠는 나쁜 사람이에요!"

(2) 인습**①**적 단계(Conventional Stage)

10세 이상의 아동·청소년·성인의 대다수가 해당되며, 도덕적 행동의 기준은 사회의 규범이나 기대에 대한 순응에 있다.

제3단계 개인 상호 간의 규준적 도덕성	① 대인관계와 사회적 지향: '착한 아이'를 지향하는 도덕성이다. 즉 부모나 친구와 같은 가까운 타인들에게 인정받아 개인 상호 간 조화로운 대인관계를 유지하기 위한 행위만을 도덕적이라고 여긴다. ② 다시 말해, 존경, 칭찬, 감사 등의 인정을 받기 위해 타인을 기쁘게 하고 만족시키는 것만을 도덕적이라고 본다. ③ 하인츠 딜레마의 예: "하인츠의 도둑질을 사람들이 좋게 보지 않을 거예요! 하인츠는 나쁜 사람이에요!"
제4단계 사회체계 도덕성	① 법과 질서 지향: 사회공동체가 질서 유지를 위해 제정한 법이나 규칙을 준수하는 것이 도덕적이라고 여기는 것으로, **도덕적으로 옳고 동시에 법적으로도 타당할 때만을 도덕적**이라고 본다. ② 이때부터 사회체계가 개인의 욕구를 능가한다. ③ 하인츠 딜레마의 예: "훔치는 건 법적으로 허용되지 않는 일이에요…. 하인츠는 나쁜 사람이에요!"

(3) 후인습적 단계(Post-Conventional Stage)

① 20세 이상의 소수의 사람만 해당한다. 즉 모든 사람이 이 단계에 도달할 수는 없다.

② 개인은 도덕적 가치와 원칙을 스스로 정의하고자 노력하며, 생명·자유·정의 등 기본적 인권을 자신의 원칙으로 삼고, 이것을 사회의 일반적 시각보다 우위에 둔다.

③ 또한 사회의 규범과 질서는 존중되어야 하지만 **자신이 수립한 원칙에 어긋나면 불복종하고 더 나아가 바꿀 수도 있다고 생각**한다.

제5단계 인권과 사회복지도덕성	㉠ 사회적 계약 지향: 모든 법이나 규범 역시 일종의 사회계약에 불과하므로 절대적이지 않다고 생각한다. 즉 **민주적 절차에 의해 용인된 법이나 규범만을 정당**하다고 인정한다. ㉡ 하인츠 딜레마의 예: "훔치는 것은 불법이지만 그래도 맥락적인 부분을 참작해야 해!"
제6단계 보편적 원리 (또는 일반윤리)	㉠ 보편적 원리 지향: 자유, 평등, 인간의 존엄성과 같은 **보편적 원리(또는 일반윤리)가 법과 규범보다 우선한다는 확고한 인식**이 형성되어, 개인적 가치에 따라 **자기 확신적인 매우 자율적이고 독립적인 다양한 형태의 도덕성**을 보인다. ㉡ 하인츠 딜레마의 예: "보편적인 관점에서 생명을 살리는 게 우선이야! 따라서 하인츠의 행동은 바람직했어요!"

 선생님 가이드

① 인습(Convention)이란 전통적으로 개인이 속해있는 사회공동체에서 공유되어온 규범이나 규칙 등을 말합니다. 따라서 콜버그의 도덕성 발달 단계에서 전인습이란 이런 인습 수준 이전의 도덕성을, 그러니까 사회공동체가 정한 규범이나 규칙이 아닌 한 개인으로서의 타인이나 본인 스스로 정한 기준을 따르는 것이고, 후인습이란 이러한 인습을 초월해 인류공동체가 지향하는 원리를 따르는 도덕성 수준을 말합니다.

3. 특징

(1) 도덕성 발달을 개인의 인지구조와 환경 간 상호작용의 산물이라고 보았다.

(2) 피아제의 인지발달이론을 도덕성 발달에 적용시켜 형성되었다. 다만, 피아제의 도덕성 발달 단계가 유아기(전조작기)와 아동기(구체적 조작기)까지를 다룬 반면, 콜버그는 전생애적 도덕발달 과정을 제시하였다.

(3) 도덕성 발달 단계가 높을수록 보다 도덕적 행동을 할 것으로 가정하였다. 즉, 단계가 높다는 것은 보다 높은 도덕적 수준의 도덕 발달을 의미하며, 이러한 가정 하에서는 하위 단계에 있는 개인이 상위 단계의 도덕적 추론을 능동적으로 표현할 수 없게 된다.

(4) **위계구조(또는 발달 단계)는 고정적, 개인이 도달하는 최종 발달 단계는 가변적**

아동의 도덕성 발달에는 위계적 구조가 있다고 가정하고, 도덕성은 이러한 위계에 따른 발달 단계를 따라 점차 새로운 도덕적 시각을 추가하면서 계속 발전하며, 보다 낮은 단계로 퇴행하는 경우는 없다고 보았다. 다만, 개인이 도달하는 최종 도덕발달 단계는 다를 수 있다고 보았다.

(5) **한계**

① 도덕적 사고만을 강조: 도덕적 사고와 도덕적 행위가 항상 일치하지는 않다는 사실을 간과하고, 도덕적 행동에 영향을 미치는 상황 요인을 무시한 경향이 있다.

② 모든 문화권에의 보편적 적용의 한계: 개인주의 성향이 강한 서구사회 중심의 문화적 편향성이 반영되어 **집단적 가치를 중시하는 동양 문화권 등에서는 '후인습적 수준' 발견이 어렵다.**

③ 성차별적 관점

　㉠ **남성만을 연구대상으로 삼았으며,** 따라서 여성의 특성을 고려하지 못하였다.

　㉡ 길리건(C. Gilligan)은 후속 연구를 통해 콜버그의 도덕성 발달 기준을 그대로 따를 경우 남성은 4단계 수준, 여성은 3단계 수준의 도덕성 발달 단계에 머물기 때문에 **남성의 도덕성 수준에 비해 여성의 도덕적 수준이 열등하게 인식**될 수밖에 없다고 보았다.

　㉢ 이에 길리건은 남성과 여성의 도덕성은 질적 차이가 있다고 가정하여 **남성의 도덕성을 권리와 책임을 중시하는 정의(Justice)적 도덕성으로, 여성의 도덕성을 배려·책임·관계·이타심 등을 중시하는 돌봄(Care)적 도덕성**으로 제안하였다.

④ 도덕적 퇴행 현상에 대한 이해 부족: 노년기의 인지능력 감퇴 등의 신체적·정신적 손상이 없는 한, 도덕적 퇴행은 없다고 주장했으나 일부 연구 결과 고교 시기 인습적수준에서 전인습적수준으로 퇴행하는 사례가 발견되었다.

8 행동주의이론(1) – 파블로프(I. Pavlov)의 고전적 조건화 이론

1. 고전적 조건형성(Classical Conditioning, 또는 고전적 조건화)

(1) 평소 특정한 반응을 이끌어내지 못했던 자극(**중성자극**, Neutral Stimulus, NS)이 무조건적인 반응(**무조건반응**, UnConditioned Response, UR)을 이끌어내는 자극(**무조건자극**, UnConditioned Stimulus, US)과 **연합하는 과정**을 말한다.

(2) 조건형성이 이루어지면 중성자극은 **조건자극**(Conditioned Stimulus, CS)이 되어 **조건반응**(Conditioned Response, CR)을 이끌어낸다.

(3) 파블로프는 이러한 조건형성을 증명하기 위해 '개를 대상으로 실험'을 하였다.

조건형성 이전	조건형성 과정	조건형성 이후
① 개는 음식을 보면 무조건 침을 흘린다. ② 여기서 음식은 무조건자극(US)이고, 침을 흘리는 반응은 무조건반응(UR)이다. ③ 종소리를 들려줘도 개는 반응이 없다. ④ 여기서 종소리는 어떤 반응도 이끌어내지 못하는 중성자극(NS)이다.	① 개에게 음식을 줄 때마다(US) 반복적으로 종소리를 같이 들려준다(NS). ② 이 과정을 무조건자극과 중성자극의 연합, 혹은 **조건형성**이라고 한다.	① 조건형성이 된 후에는 중성자극인 종소리(NS)만 들려주어도 침을 흘리게 된다. ② 조건형성이 된 후의 종소리는 조건자극(CS)이 되고, 조건형성이 된 후에 침을 흘리는 반사는 조건반응(CR)이 된다.

2. 소거(Extinction)

(1) 조건형성이 풀어져 **조건자극이 다시 중성자극으로 돌아가는 것**을 말한다.

(2) 파블로프의 개 실험에서 조건자극인 종소리만 들려주고 계속해서 음식을 제공하지 않는다면, 개는 조건자극인 종소리를 듣고도 침을 흘리지 않게 된다. 즉, 조건자극과 함께 무조건자극을 계속해서 제공하지 않는다면 조건반응을 하지 않게 된다.

3. 자발적 회복(Spontaneous Recovery)

(1) 소거가 이루어져 이미 조건형성이 풀어진 중성자극일지라도 이에 **반복적으로 노출시키게 되면 조건반응이 자발적으로 회복되는 현상**으로, 이는 학습된 내용이 영구적으로 소멸되는 것은 아님을 시사한다.

(2) 파블로프의 개 실험에서 음식과 연합시키지 않은 채 종소리만 반복적으로 개에게 들려주게 되면 별도의 조건형성 과정 없이 개가 침을 흘리는 반응이 다시 나타난다.

4. 자극일반화(Stimulus Generalization)

조건형성이 된 대상을 조건자극과 유사하지만 다른 자극에 노출시킬 경우에도 동일한 조건반응이 나타나는 현상을 말한다.

예 우리 속담 중에 "자라보고 놀란 가슴, 솥 뚜껑 보고 놀란다."

5. 반응적 행동(Reactive Behavior)

어떤 자극(Stimulous)에 의해서 직접적으로 유발된 반응(Response)을 말한다.

예 파블로프의 실험에서 개가 침을 흘리는 행동, 동공의 수축, 무릎 반사 등

9 행동주의이론(2) − 스키너(B. Skinner)의 조작적 조건화 이론

1. 주요 개념

(1) **변별자극(Discriminating Stimulus)**

유기체에게 **어떤 반응이 보상될 것이라는 단서 혹은 신호로써 작용하는 자극**으로, 유기체로 하여금 자신이 원하는 바람직한 결과를 얻기 위해 어떤 행동을 해야 할지를 암시해 준다.

예 아이가 벽에 낙서를 할 때 이를 본 어머니의 화난 얼굴은 아이로 하여금 자신이 처벌을 받는다는 신호로 일종의 변별자극이 된다.

(2) **조작적 조건화(Operant Conditioning, 또는 도구적 조건화)** 17. 국가직, 17. 지방직 (必)

① 조작이란 **강화자가 정한 유기체의 행동에 변별자극을 가하는 것**을 말한다.

② 유기체가 체감하는 특정 행동의 결과가 **긍정적이면 해당 행동의 빈도수가 자발적(또는 능동적)으로 증가**하고, **부정적이면 감소하게 되는 현상**을 이용하여 강화자가 유기체에게 변별자극을 제공하여 유기체로 하여금 강화자가 원하는 방식의 행동을 하도록 만드는 것이다.

(3) **조작적 행동(Operant Behavior)**

① **조작적 조건화를 통해 습득된 행동**을 말한다.

② 조작적 행동은 어떤 자극에 의해 일어나는 것이 아니라 스스로 일어나는 행동, 혹은 어떤 자극이 있었다고 하더라도 그것이 무엇인지 알 수 없었던 경우의 행동을 말한다. 즉 어떤 **유기체가 능동적으로 환경에 작용을 가하는 행동**을 말한다.

(4) **강화(Reinforcement)** (必)

강화자가 유기체에게 강화물을 제시하여 유기체의 특정한 **행동의 빈도수를 증가**시키는 것을 말한다.

스키너(Burrhus Frederic Skinner, 1904~1990년)

스키너는 1904년 미국 펜실베이니아주의 서스쿼해나에서 법률가인 아버지의 슬하에서 태어났다. 청년시절 작가를 꿈꿨으나, 자신에게 작가로서의 재능이 없다는 것을 깨달은 뒤에 하버드 대학교 대학원 심리학과에 입학하였다. 재학 중 조작적 조건화를 실험하는 스키너의 상자를 만드는 등, 관찰이 어려운 정신적 과정이 아닌 관찰 가능한 행동에 대한 연구로서 조작적 조건화 이론 체계의 기초를 확립하였다. 1931년에 하버드 대학교에서 박사학위를 받았으며 1936년까지 연구원으로 남아 있었다. 그 뒤에 미네소타 대학과 인디에나 대학에서 가르쳤고, 이후 1958년에 하버드 대학교로 돌아와 1974년에 은퇴할 때까지 심리학과 교수로 재직하다가 1990년에 사망하였다.

정적 강화	① 강화자가 유기체의 행동(또는 반응)의 결과로 **유쾌한 자극을 제시**하여 강화자가 정한 특정 행동의 빈도수를 증가시키는 것을 말한다. ② 즉, 유기체에게 유쾌한 강화물(또는 정적 강화물)을 제시하고, 이후 유기체가 강화자가 원하는 행동을 할 경우 그 **정적 강화물을 제공**하여 유기체의 행동을 강화시키는 방법이다. 예 아버지가 매일 늦잠을 자는 아이를 일찍 일어나게 하기 위해서 아이가 아침 일찍 일어날 때마다 용돈을 주기로 약속하였다면 아이에게 있어서 그 용돈은 정적 강화물이 된다.
부적 강화	① 강화자가 유기체의 행동의 결과로 **불쾌한 자극을 제거**하여 강화자가 정한 특정 행동의 빈도수를 증가시키는 것을 말한다. ② 즉, 유기체에게 불쾌한 강화물(또는 부적 강화물)을 제시하고, 이후 유기체가 강화자가 원하는 행동을 할 경우 그 **부적 강화물을 제거**하여 유기체의 행동을 강화시키는 방법이다. 예 아버지가 매일 늦잠을 자는 아이를 일찍 일어나게 하기 위해서 아이의 침대 위에 자명종을 놓았다면 아이에게 있어서 그 자명종은 부적 강화물이 된다.

🗹 **핵심** PLUS

강화물

강화를 위해 강화자에 의해 유기체에게 **사후적으로 제공되는 변별자극**을 말한다.

1차적 강화물	인간의 생존과 관련이 있어서 **훈련이나 경험이 없어도 강화의 효과를 발생**시키는 강화물을 말한다. 예 과자, 사탕, 물 등
2차적 강화물	훈련이나 경험을 통해 학습된 강화물로, 일반적으로 다른 1차적 강화물과 연합하여 강화물의 기능을 수행한다. 예 미소, 칭찬, 점수, 웃음, 돈 등

---

(5) 처벌(Punishment) ✍

강화의 반대 개념으로, 처벌자가 유기체의 특정한 **행동의 빈도수를 감소시키는** 것을 말한다.

정적 처벌	① 처벌자가 유기체에게 **불쾌한 자극을 주어** 유기체의 **바람직하지 못한 행동의 빈도수를 줄이는 것**을 말한다. ② 즉, 유기체의 특정 행동 뒤에 처벌자가 즉각적으로 유기체에게 불쾌한 자극을 제공하는 것이다. 예 선생님이 학교에서 거짓말을 한 학생을 공개적으로 창피주는 경우
부적 처벌	처벌자가 유기체에게 정적 강화물을 **철회하여(또는 빼앗아서)** 유기체의 바람직하지 못한 행동의 빈도수를 줄이는 것을 말한다. 예 아버지가 공부하지 않은 아이의 게임이나 인터넷을 할 수 있는 시간을 줄이는 경우

🗹 **핵심** PLUS

조작적 조건화의 원리

구분	행동(또는 반응) 후 제시	행동(또는 반응) 후 제거
유쾌한 자극	정적 강화	부적 처벌
불쾌한 자극	정적 처벌	부적 강화

스키너 상자 실험

스키너의 조작적 조건형성은 스키너 상자라고 불리우는 실험도구를 통해 실험되고 증명되었다. 스키너 상자에서는 빈 상자 안에 지렛대가 하나 들어 있으며, 이 지렛대는 먹이통과 연결되어 있어서 지렛대를 누르면 먹이가 나오도록 설계되었다. 우선 이 상자 안에 배고픈 상태의 흰 쥐를 넣은 후 흰 쥐가 상자 안에서 돌아다니다가 우연히 지렛대를 누르게 되고, 지렛대를 누르자 먹이가 나오는 것을 체험하게 된다. 아직은 지렛대를 누르는 것과 먹이가 나오는 것 간의 명확한 상관관계를 알지 못하는 흰 쥐는 상자 안을 돌아다니다가 다시 또 우연히 지렛대를 누르게 되고 역시 먹이가 나오는 것을 보고 지렛대를 누르는 행동을 자주 하게 된다. 이러한 과정이 반복되면서 흰 쥐는 지렛대를 누르면 먹이가 나온다는 사실을 학습한다.

(6) 소거(Extinction)

① 유기체의 어떤 반응에 대한 **강화를 중지하는 것**으로, 이를 통해 유기체가 하는 특정 행동의 발생빈도를 줄이거나 없애기도 한다.

② 소거와 처벌은 다른 개념으로, **처벌이 유기체의 바람직하지 못한 행동의 빈도수를 줄이는 것이 목적이라면, 소거는 일상생활에서 관심을 받아 강화되어 온 특정 행동을 무시(無視)하는 형태**로 나타난다.

> **예** 아이가 버릇없이 굴 때마다 어머니는 아이를 달래주거나 야단을 쳤다. 그래도 아이의 행동이 변화되지 않자, 어머니는 생각을 바꿔 아이를 달래주지도, 야단치지도 않았다. 그 결과 아이의 버릇없는 행동이 감소되었다.

(7) 강화계획(Reinforcement Plan)

① 강화자가 유기체의 **조작적 행동을 습득 및 유지시키기 위해 강화물을 제시하는 빈도 및 간격을 조절하는 행위**를 말한다.

연속적 강화계획	개인이 특정 행동을 할 때마다 **매회 연속적으로 강화하는 것**을 말한다.
간헐적 강화계획	**때에 따라 강화하는 것**, 즉 어떤 때에는 강화하지만 어떤 때에는 강화하지 않는 것을 말한다.

② 행동수정의 초기 단계에서는 연속적 강화가 효과적이나 일정한 수준에 오르게 되면 **간헐적 강화로의 전환이 더욱 효과적**이다.

(8) 간헐적 강화계획의 종류

시간간격과 유기체의 반응에 따라 4가지 형태의 계획을 수립할 수 있다.

고정간격 강화계획 (Fixed-Interval Schedule)	① **일정한 시간마다 유기체의 반응과는 상관없이** 강화물이 주어지는 것이다. ② 이로 인해 유기체는 자신에게 강화물이 제공되는 시간을 정확하게 인지할 수 있다. **예** 월급, 주급, 일당, 정기적 시험, 공부하는 자녀에게 1시간 간격으로 간식을 제공하는 경우, 공부하는 자녀에게 매주 정기적으로 용돈을 주는 경우 등
가변(또는 변동)간격 강화계획(Variable-Interval Schedule)	① **일정한 시간간격 없이, 단 고정간격 강화계획처럼 유기체의 반응과 상관없이** 강화물이 주어지는 것이다. ② 이로 인해, 유기체는 자신에게 강화물이 제공되는 시간을 정확하게 인지하지 못하고, **대략 평균적으로만 확인**할 수 있다. **예** • 사장님이 야근하는 직원들에게 간식을 10시에서 11시 사이 아무 때나 주는 경우 • 공부하는 자녀에게 처음에는 2과목을 끝낸 후, 두 번째는 5과목을 끝낸 후에 간식을 제공하는 경우 • 공부하는 자녀에게 하루 중 세 번의 간식을 주기로 하고 아무 때나 간식을 제공하는 경우 등
고정비율 강화계획 (Fixed-Ratio Schedule)	① **시간과는 관계없이 유기체의 반응에 따른 강화계획이다. 즉 유기체의 특정한 반응의 수에 따라 강화물이 주어지는 것**이다. ② 유기체는 자신의 특정 행동이 일정하게 반복한 후에 강화물이 주어진다는 것을 정확히 인지할 수 있다. **예** 복지관의 직원이 후원자 3명을 발굴할 때마다 일정액의 성과급을 지급받는 경우

가변(또는 변동) 비율 강화계획 (Variable-Interval- Ratio Schedule)	① 반응이 나타날 때마다 강화하지만, 반응의 빈도를 고정하지 않고 다양하게 정하여 이에 따라 강화하는 것이다. 즉 **평균적으로 몇 번의 반응이 일어난 후 유기체에게 강화물을 제공하는 강화계획이다.** ② 이로 인해, 유기체는 자신의 특정 행동이 일정하게 반복된 후에 강화물이 주어진다는 것을 명확하게 인지할 수 없다. **예** 카지노의 슬롯머신, 복권 등의 경우

(9) 강화계획의 반응률

행동의 반응비율이 가장 높게 나타나는 것부터 순서대로 나열하면 **가변비율계획 > 고정비율계획 > 가변간격계획 > 고정간격계획** 순이다.

(10) 행동조성(Shaping, 또는 행동형성)

복잡한 행동의 점진적인 습득을 설명하는 개념이다. 즉, 강화자가 정한 목표 행동에 도달하기까지 유기체의 행동을 단계적으로 세분화하여 강화하는 방법이다.

> **예** 물을 무서워하는 아이에게 수영이라는 행동을 가르치기 위해서 수영장에 발 담궈 보기, 얕은 물에서만 놀아보기, 조금 깊은 물에서 보조기구를 가지고 발장구 치기 등으로 단계를 나눈 후 아이가 각 행위를 수행할 때마다 적절한 강화물(칭찬, 선물 등)을 제공하면 아이에게는 수영이라는 행동이 새롭게 조성된다.

(11) 토큰경제(Token Economy)

조작적 조건화의 원리가 적용된 행동수정 방법으로, 유기체가 강화자가 정한 바람직한 행동을 할 때마다 **보상으로 강화물인 토큰을 제공**하는 것이다.

2. 특징

(1) 환경결정론(Environmentalism)

자율적인 인간의 존재를 부정하여 **인간의 자유의지와 자기결정의 가능성을 전적으로 배제**하였다. 따라서 **인간의 행동은 내적 충동보다는 외적 자극(또는 환경적 요인)에 의해서 동기화(또는 결정)**가 된다고 보고, 인간의 성격과 행동발달에 있어서 **환경의 영향력을 강조**하였다.

(2) 인간의 발달 단계 개념이 없지만, 각 연령 수준에서 반응하는 환경적 배려의 중요성을 강조하였다. 특히 아동기 때의 조작적 조건화는 사랑이나 즐거움 같은 긍정적 정서를 강화시킨다고 보았다.

(3) 인간관

① 기계적 인간: 인간의 행동 역시 자연적으로 발생하는 여러 현상처럼 일정한 법칙을 가지고 있다. 따라서 **인간행동은 강화자에 의해 예측과 통제가 가능**하다.

② 수동적 인간: 인간은 자유의지가 부정된 **환경적(또는 외적) 자극에 의해서만 동기화(또는 반응, 강화)**가 가능한 수동적 존재이다.

(4) **사회복지실천에 미친 영향**

① 인지행동모델, 행동수정모델, 과업중심모델 등의 사회복지실천모델에 이론적 배경이 되었다.

② 사회복지사로 하여금 클라이언트가 처한 **환경의 중요성을 인식**하게 하였다.

(5) **한계**

① 인간 성격발달과 관련하여 정신역동적인 측면을 무시하였다.

② 지나치게 **기계적이며 수동적인 인간관**으로 인해 인간을 부정적으로 이해하게 만들었다.

③ 이론의 구성 및 검증을 주로 **통제된 실험실에서 진행**하였기 때문에 이를 일상적인 생활에 직면하고 있는 **클라이언트들에게 일반화시키는 데에는 한계**가 있다.

🔟 행동주의이론(3) − 반두라(A. Bandura)의 사회학습이론

1. 주요 개념

(1) **인지(Cognition)** 23. 국가직

① **지식을 획득하고 사용하는 과정**으로, 인간은 이를 통해 장래를 계획하고 내적 **표준들에 의해 자신의 행동을 조절**하며 행동의 **결과를 예상**할 수 있다.

② 따라서 학습된 반응을 수행할 수 있는 의지는 인지적인 통제하에 있다.

(2) **모방(Imitation)** 17. 국가직 · 지방직 ✏️

타인의 행동을 관찰한 후 그의 행동을 단순히 따라하는 것으로, 주로 타인의 공격적 행동, 이타적 행동, 불쾌감을 주는 행동이 관찰을 통해 학습된다.

> **📋 핵심 PLUS**
>
> **모방의 대상**
> ① 위대하다고 생각하는 사람의 행동을 위대하다고 생각하지 않는 사람의 행동보다 더 잘 모방한다.
> ② 자신과 동성인 모델의 행동을 이성인 모델의 행동보다 더 잘 모방한다.
> ③ 돈, 명성, 높은 사회경제적 지위 등을 지닌 모델을 더 잘 모방한다.
> ④ 벌을 받은 모델은 거의 모방하지 않는다.
> ⑤ 연령이나 지위에서 자기와 비슷한 모델을 상이한 모델보다 더 잘 모방한다.

(3) **관찰학습[또는 모델링(Modeling)]** ❶ 17. 국가직 · 지방직 ✏️

① **타인의 행동을 모방하여 자신의 행동으로 동기화시키는 일련의 과정**으로, 스키너의 주장처럼 직접적인 강화의 결과를 통해서만 바람직한 행동을 형성할 수 있는 것이 아니라, 인간을 사회적인 존재로 보고 **타인의 행동과 그 결과를 관찰하는 것만으로도 행동수정이 가능**한 것을 의미한다.

반두라(Albert Bandura, 1925년 12월 4일~2021년 7월 26일)

반두라는 1925년 캐나다의 앨버타 먼다에서 폴란드계 밀농사꾼의 아들로 출생하였다. 이후 벤쿠버에 있는 브리티시컬럼비아 대학교에서 심리학을 전공하였고, 졸업 후에는 아이오와 대학교에서 석사와 박사 학위를 받았다. 인간의 행동은 환경적 자극에 의해 동기화된다는 보편적인 행동주의적 관점을 가졌지만 개인의 인지적 요인과 다른 내적사건들에 의해 중재된 최종 결과로 인간의 행동이 결정된다는 상호결정론을 주장하였다. 특히 그의 보보인형 실험(Bobo Doll Experiment)이 유명하다.

💬 선생님 가이드

❶ 모방과 관찰학습은 유사하지만 차이가 있는 개념들입니다. 모방이 타인의 행동을 단순하게 따라하는 것인 데 반해, 관찰학습은 모델의 여러 행동 중에서 특정 행동을 선택하여 이를 동기화시키는 것입니다. 예를 들어 영아가 엄마가 하는 말을 그대로 따라서 되뇌이면 모방이지만, 텔레비전에서 가수의 음악을 집중해서 듣고 자신도 이를 재현하면 모델링이 되는 것입니다.

🏛️ 기출 OX

01 반두라(Bandura)의 사회학습이론에서는 모방, 열등감, 조작적 조건화 등이 주요 개념이다. ( ) 17. 국가직

02 반두라(Bandura)의 사회학습이론에서 학습은 개인의 경험뿐만 아니라 관찰학습을 통해서 이루어진다. ( ) 17. 국가직

01 × 열등감은 아들러의 개인심리이론, 조작적 조건화는 스키너의 조작적 조건화이론의 주요개념이다.

02 ○

② 과정

제1단계: 주의(또는 주의집중) 과정	개인이 관찰학습의 모델이 되는 행동과 그 결과에 **주의를 기울이는 과정**이다.
제2단계: 보존(또는 파지, 기억) 과정	관찰학습의 모델이 되는 행동을 돌이켜보기 위해 관찰자가 하는 인지적 행위로, 일반적으로 관찰한 행동들을 **심상이나 언어로 표상하여 기억**한다.
제3단계: 운동재생 과정	관찰자의 행동이 모델 행동과 일치되기 위해서는 실제 운동적 반복이 필요하다. 이에 기억되어 있는 모델의 행동을 행동적 전환, 즉 본인의 신체로 직접 재생산하는 과정을 말한다.
제4단계: 동기화(또는 동기유발) 과정	⊙ 실제 행동으로 실현하고자 하는 동기나 욕구의 과정을 말한다. ⓒ 동기화를 결정짓는 요인은 행동의 결과가 어떤 것이냐 하는 것인데, 모델에게 주어진 행동의 결과가 어떤 것이었느냐에 따라 동기화의 결과가 달라지게 된다.

(4) **강화**(Reinforcement) (✎) 23. 국가직

① 강화가 조작적 조건화 이론에서는 **학습의 조건화를 위해 필요**하지만, 사회학습이론에서는 **학습에 영향을 주는 조건화를 촉진하는 요소로 활용**된다.

② 사회학습이론의 강화에는 **직접 강화, 대리 강화, 자기 강화**가 있다.

직접 강화	조작적 조건화이론에서의 강화 개념이다. 즉 과거에 자신이 직접 다른 사람으로부터 어떤 강화를 받았느냐에 따라 수행여부를 판단하는 과정이다.
대리 강화	⊙ 모델이 수행한 행동에 대해서 **어떤 보상이나 또는 처벌이 발생했는가의 결과를 관찰**하여 자신이 간접적으로 경험하게 되는 보상이나 처벌을 말한다. ⓒ 반두라에 따르면 처벌 받는 모델의 행동에 대해서는 모델링할 가능성이 낮아지고, 반대로 보상받는 모델의 행동에 대해서는 모델링할 가능성이 높아진다.
자기 강화	⊙ 모델의 특정 행동을 관찰하면서 자신도 그러한 행동을 하게 되면 보상을 받게 될 것인지, 아니면 처벌을 받게 될 것인지에 대해 스스로 판단을 내린 후 그 판단에 근거해서 모델의 행동을 모방하거나 또는 모방하지 않는 것을 말한다. ⓒ 다시 말해, 자기 스스로 목표한 일을 달성하고 자신에게 강화물을 주어서 행동을 유지하고 변화해 나가는 과정이다. 즉 스스로 자신의 행동을 강화하는 것이다. ⓒ 대리 강화와는 달리 **모델의 행동 결과까지 관찰하는 것이 아니라, 행동만 보고 그 결과를 유추해서 판단하는 것**이다.

보보인형 실험
(Bobo Doll Experiment)

1. **실험 과정**: 33명의 아동을 A, B, C 세 집단으로 분류한다. → 이들 세 집단의 어린이들에게 보보인형(플라스틱 인형)을 괴롭히는 영상을 보여주면서 동시에 A집단에게는 그 행동이 칭찬을 받는 장면을, B집단에게는 그 행동이 처벌을 받는 장면을, C집단에게는 아무런 장면도 보여주지 않았다. → 이후 세 집단의 아동을 집단별로 분리하여 각기 다른 방에 놓고 그들의 행동을 관찰하면서 주어진 영상에 나타난 장면을 모방한 아이들에게 보상을 주거나, 또는 아무런 보상을 주지 않았다.
2. **실험결과**: 실험에 참가한 아동들은 상당한 정도의 수준으로 영상의 장면을 모방한다는 것과, 그들의 모방행동에 대해서 보상을 주었을 때 모방의 정도가 더욱 높아진다는 것, 그리고 보상이 주어지지 않았을 때에는 모방의 정도가 낮아진다는 것이 확인되었다.

🏛 **기출 OX**

반두라(Bandura)는 인지적 요인을 강조하였으며 자기강화의 개념을 제시하였다.
( )   23. 국가직

○

(5) 대리학습(Vicarious Learning)

① **타인이 수행한 행동의 결과에 강화나 처벌(또는 대리 강화)이 수반되는 것**(예 친구가 학교 규칙을 위반해 벌을 서는 것을 본 경우)**을 관찰한 후에** 이를 자신에게 주어진 환경에 적용하여 **그 결과를 예측하여 행동**(예 학교 규칙을 준수하게 되는 것)**하는 학습방법**을 말한다.

② 즉 대리학습에서는 **모델이 보상 받은 결과를 보면** 자신도 보상을 받기 위해 모델의 행동을 모방하지만, 반대로 **모델이 벌을 받는 결과를 보면** 모델의 행동을 따라하지 않고, 그와 다른 행동을 하게 된다.

> 예 친구가 학교 규칙을 잘 준수해서 선생님에게 칭찬을 받는 것을 아동이 보았다면 그 아동은 대리로 강화를 체험한 것이며, 반대로 친구가 학교 규칙을 준수하지 않아서 선생님에게 벌을 받는 것을 보았다면 대리로 처벌을 경험한 것이 된다.

(6) 대리조건화(Vicarious Conditioning)

파블로프의 고전적 고전화 개념을 확장한 것으로, **중성자극이 조건자극화되는 과정을 직접 경험이 아닌 관찰만 해도 조건화가 되는 것**을 말한다.

> 예 벨 소리에 이어 고통스러운 전기충격을 주는 모델을 관찰만 시켜도 벨 소리에 대해 공포반응을 보이게 된다.

(7) 자기규제(Self-Regulation, 또는 자기조정, 자아규제)

① **개인이 스스로 자신의 행동을 감독하고 규율할 수 있는 인지적 능력**을 말한다. 즉 인간은 내적 기준을 가지고 그 기준 이상으로 행동했을 때에는 스스로 보상하지만 그것에 미치지 못할 때에는 스스로 벌을 주면서 **자신의 행동을 규제하고 조절**할 수 있다는 것이다.

② 이러한 자기규제는 **자기 강화를 통해 수행**되며, 인간은 **자기효율성을 성취**하기 위해서 자신의 행동을 규제할 수 있다.

③ **자기수행(또는 관찰) 과정, 자기판단 과정, 자기반응 과정**을 거친다.

자기수행 과정	목표를 성취할 수 있도록 스스로에게 동기를 부여하는 과정이다. 예 스스로에게 1년 뒤에 치루게 되는 공무원 시험에 합격하면 "해외여행 가자"라고 동기부여를 하는 경우

↓

자기판단 과정	자신의 행동이 자신의 기준에 부합하는지를 비교하는 과정이다. 예 최선을 다해 치룬 시험에서 합격하였다.

↓

자기반응 과정	자기판단 이후 스스로에게 보상이나 처벌을 주는 과정이다. 예 "시험에 합격했으니, 해외여행을 가자!"

(8) 자기효능감(Self-Efficacy, 또는 자기효율성, 자아효능감) 🔑

① **특정 과업을 성공적으로 완수하게 될 가능성에 대한 개인의 신념**으로, 인간은 **자기효율성을 성취**하기 위해 자신의 행동을 규제할 수 있다.

② 형성요인

성취 경험	특정 행동에 대한 **자신의 성공적 수행**으로부터 얻은 긍정적인 경험을 말한다. **예** '그래, 그 때도 해냈으니 지금도 할 수 있어!'
대리 경험	특정 행동에 대한 **타인의 성공적 수행**으로부터 얻은 긍정적인 경험을 말한다. **예** '저 사람도 해냈으니 나도 충분히 할 수 있어!'
언어적 격려	타인으로부터 받은 **긍정적인 언어적 원조**를 말한다. **예** 낙심해 있는 클라이언트에게 사회복지사가 "당신은 충분히 하실 수 있습니다."라고 말하는 경우
정서적 각성	특정 행동에 대한 **정서적 · 생리적인 반응**을 말한다. **예** 특정 행동을 앞두고 보이는 불안은 낮은 자기효율성, 유쾌함은 높은 자기효율성을 의미한다.

2. 특징

(1) **상호결정론(Reciprocal Determinism)** 17. 국가직 (必)

인간행동에서 개인(내적 영향력)과 환경(외적 영향력)을 모두 강조하는 개념으로, 인간의 성격은 **개인적 · 행동적 · 환경적 요소들 간의 지속적인 양방향적 상호작용에 의하여 발달**한다는 것이다.

(2) 개인의 성격을 발달하는 것이 아닌 단순히 학습되는 것으로 간주하여, 성격 발달의 과정과 단계에 대한 개념이 없다.

(3) 주관적이며 능동적인 인간관으로 스키너보다 인간을 긍정적으로 이해하고 있다.

┌─ 🗒 **핵심** PLUS ─

반두라의 사회학습이론과 스키너의 조작적 조건화 이론과의 비교

분류	스키너	반두라
인간과 환경과의 관계	① 환경결정론(환경 → 인간) ② 인간행동에서 외적 영향력만을 강조	① 상호결정론(환경 ⇌ 인간) ② 인간행동에서 외적 영향력과 내적 영향력을 모두 강조
강조	객관적인 자극 – 반응의 관계	인지와 같은 주관적인 요소의 관여
인간행동의 동기	환경적 자극	
강화에 관한 관점	강화자에 의한 외적 강화만이 가능	자기강화 강조
인간의 자기규제조정 능력	없음	있음

(4) 인간관

① **능동적인 인간**: 인간은 스스로 심상·사고·계획 등을 할 수 있는 생각하고 인식하는 존재이므로 장래를 계획하고, 내적 표준에 근거해 자신의 행동을 조정하며, 자기 행동의 결과를 예측할 수 있다.

② **모방하는 인간**: 인간 성격의 대부분은 **타인의 행동을 모방하여 형성**된다.

③ **주관적 인간**: 인간 행동은 **자신이 처해 있는 환경의 주관적 해석에 의해서 결정**된다.

(5) 사회복지실천에 미친 영향

① **모방학습의 중요성을 인식시켜** 아동의 성격발달에 있어서 **기능적인 역할모델의 중요성을 주지시켰다**. 특히 역할모델로서 부모의 역할행동의 중요성을 알게 하였다.

② 치료의 수단으로 **관찰과 모방이 클라이언트의 문제행동을 제거하는 데 유용하게 사용된다는 것**을 알게 하였다.

③ 개입 시 클라이언트의 **자기규제와 자아효능감 증진이 중요하다는 것**을 알게 하였다.

(6) 한계

① 인간행동의 예견력이 떨어진다는 측면에서는 정신역동이론가들에게, 인지를 행동의 동기로 보는 측면에서는 행동주의자들에게 비판을 받았다.

② 치료범위에 있어서의 제한, 즉 공포증과 같이 인간의 단순한 행동상의 문제만을 치료할 수 있을 뿐이라는 지적을 받았다.

11 인본주의이론(1) – 매슬로우(A. Maslow)의 욕구위계이론

1. 주요 개념

(1) 욕구의 위계 (✍) 23. 국가직

① 인간은 5가지 타고난 욕구를 지니고 있다. 또한 인간이 지닌 욕구는 **선천적**이며, 인간으로 하여금 **성장하도록 동기부여**를 한다.

② 욕구는 **강도와 중요도에 따라 '생리적 욕구 > 안전의 욕구 > 소속과 사랑(또는 애정)의 욕구 > 자기존중의 욕구 > 자아실현의 욕구'**라는 위계를 가지고 있다. 그리고 욕구는 위계에 따른 순서에 따라 나타난다.

③ 생리적 욕구가 가장 하위욕구이며 자아실현의 욕구 쪽으로 갈수록 상위욕구가 된다. 위계가 낮은 욕구일수록 강도와 우선순위가 높다.

④ 상위욕구는 하위욕구가 **일정부분 충족되었을 때**에 나타난다. 즉 욕구는 동시에 나타날 수 없다.

매슬로우(Abraham Harold Maslow, 1908~1970년)

매슬로우는 러시아에서 미국으로 이주한 유태인 부모의 일곱 자녀 중 맏이로 미국의 뉴욕의 브루클린에서 출생하였다. 그의 부모는 경제적으로 가난하였고, 교육을 받지 못했지만 그가 법학을 공부하고 변호사가 되기를 바랐다. 그는 부모의 뜻에 따라 뉴욕 시립대학교에 법학을 전공하기 위해 입학했지만, 적성에 맞지 않아 3학기 만에 포기하고 위스콘신 대학교에서 심리학 학사, 석사 학위를 취득하였다. 졸업 후 1년 뒤에, 컬럼비아 대학교에서 손다이크와 함께 작업하기 위해 뉴욕으로 돌아왔다. 졸업 후 처음에는 브루클린 대학교에서 가르쳤다. 이 시기 동안 아들러(A. Adler)와 프롬(E. Fromm)을 포함한 많은 당시 저명한 심리학자들과 교류하였고, 이후 1951년에 브랜다이스 대학교에서 심리학과장이 되었다. 그리고 거기서 인본주의 이론에 관한 연구를 본격적으로 시작하였다. 그는 당시 주류 심리학으로 통하던 프로이트의 결정론적 인간관과 스키너의 기계론적 인간관을 강하게 비판하고, 인간을 각자 자신의 성장 잠재력을 실현시킬 수 있는 본능적 욕구를 가진 매우 긍정적인 존재로 이해하는 제3심리학의 거두가 되었다.

🏛 기출 OX

매슬로우가 주장한 인간의 5가지 위계적 욕구를 순서대로 바르게 나열하면 생리적 욕구, 안전의 욕구, 소속과 애정의 욕구, 자기존중의 욕구, 자아실현의 욕구 순이다. ( )　　15. 국가직

○

(2) 욕구의 종류 15. 국가직 (必)

제1위계 생리적 욕구	① 인간의 **생존과 관련된 욕구**로, 인간의 모든 욕구 중에서 **가장 기본적이며 강력하게 나타나는 욕구**이다. ② 음식, 공기, 물, 수면, 성(性)에 대한 욕구가 있다.	하위 욕구
제2위계 안전의 욕구	① **질서 있고, 안정적이며, 예언할 수 있는 세계에 대한 욕구**를 말한다. ② 보호, 의존, 질서, 구조, 공포와 불안으로부터의 자유 등의 욕구 등에 대한 욕구가 있다.	기본적 욕구
제3위계 소속과 사랑 (또는 애정)의 욕구	① 타인과 친밀한 관계, 친구 관계, 사랑하는 관계를 맺기 위해 **어떤 집단에 소속되려는 욕구**를 말한다. ② 친분, 친목, 우정 등에 대한 욕구가 있다.	
제4위계 자기존중(또는 애정, 자존감)의 욕구	① **자신에게 또는 타인에게 존경이나 존중을 받고 싶어 하는 욕구**를 말한다. ② 능력, 신뢰감, 성취, 독립, 존경 등에 대한 욕구가 있다.	
제5위계 자아실현의 욕구	① **자신의 잠재력과 능력을 인식하고, 이를 충족시키고자 하는 욕구**로, 극소수의 사람들만이 자아실현을 달성할 수 있다. ② 인간은 생의 기간 동안 자신의 잠재력을 충족시킬 만한 자아실현의 기회를 가지고 있다. ③ 자아실현, 포부의 실현, 창조성 등에 대한 욕구가 있다.	성장 욕구 상위 욕구

(3) 결핍동기와 성장동기 23. 국가직

매슬로우에 있어서 욕구를 충족시키고자 하는 동기는 크게 **결핍동기와 성장동기**로 구분된다.

결핍동기	① 유기체가 삶을 유지하기 위해서 **자신 안에 있는 부족한 어떤 것을 충족시키려 하는 욕구**로, 일단 한 번 충족되면 더 이상 동기로 작용하지 않지 않는다. ② **생리적 욕구, 안전의 욕구, 소속과 사랑의 욕구, 자기존중의 욕구가 해당**된다.
성장동기	① 유기체가 삶을 창조하기 위해서 현재 상태에서 만족을 느끼면서 긍정적으로 가치 있는 목표를 추구하는 욕구로, 충족이 될수록 그 욕구가 더욱 증대된다. ② **자아실현의 욕구가 해당**된다.

2. 특징

(1) 정신결정론에 근거한 정신분석이론과 환경결정론에 근거한 행동주의이론을 비판하고 반대하는 제3세력의 심리학으로 등장하였다.

(2) 연령에 따른 욕구발달 단계를 구체적으로 제시하지 않았다.

(3) 개인이 잠재적으로 가지고 있는 자아실현의 욕구를 얼마나 성취했는가에 따라 개인별 성격차이가 발생한다고 보았다.

(4) 인간관

① **창조적 인간:** 창조성은 모든 인간이 태어날 때부터 잠재적으로 가지고 있었으나 문명화되면서 잃게 되었다. 그러나 이는 **누구에게나 잠재되어 있는 본성**이므로 특별한 자질이나 능력을 요구하지 않는다.

② **선한 인간:** 인간의 본성은 본질적으로 **선하고 존경받을 만하다.** 단지 인간의 약하고 파괴적이며 폭력적인 부분들은 인간의 본성이 아닌 외부 환경에 기인한다.

③ **자아실현을 하는 인간:** 자아실현의 **경향은 인간의 본성이다.** 따라서 인간은 살아가는 동안 자신의 선택과 운명에 대해 책임을 져야 한다.

④ **통합된 전체로서의 인간:** 인간의 성격은 **단일성과 전체성**을 가지고 있으므로 **인간은 통합된 전체**로 간주되어야 한다.

(5) 사회복지실천에 미친 영향

① 사회복지사에게 인간 욕구에 관한 지식을 제공하여 **욕구를 기반으로 클라이언트를 사정할 수** 있게 하였다.

② 인간본성에 대한 긍정적인 관점은 사회복지의 기본적인 가치와 부합된다.

(6) 한계

① 개인차나 상황 조건 등을 고려하지 않고, 욕구의 종류와 위계를 지나치게 획일화시켜 구분하였다.

② 사회의 가치에 따라 욕구의 위계가 달라질 수 있음을 간과하였다.

③ 인간행동이 단일 욕구가 아니라 복합적 욕구에 의해 동기화될 수도 있음을 간과하였다.

④ 인간의 천부적인 '창조성'에 대한 지나친 몰입으로 인해 인간행동의 내적인 측면과 환경의 영향을 무시하였다.

12 인본주의이론(2) – 로저스(C. Rogers)의 현상학적이론

1. 주요 개념 23. 국가직

(1) 자기[Self, 또는 자아, 자기개념(Self-Concept, 또는 자아개념)]❶ 🖉

① 로저스 이론의 **핵심적인 구조적 개념**으로, 자신이 어떤 사람인지에 대한 개념, 즉 **자신의 자아상(自我想)**을 말한다.

② 자신의 행동에 대해 타인이 어떻게 반응하는지 지각하면서 일관성 있는 자아상이 만들어 진다.

③ 여기에는 **현재의 자기**뿐만 아니라 자신이 되기를 바라는 **미래의 자아상인 이상적 자기(Ideal Self)**도 포함된다.

선생님 가이드

❶ 로저스는 자기(Self)와 자기개념(Self-Concept)을 혼용했습니다.

로저스(Carl Ransom Rogers, 1902~1987년)

로저스는 1902년 미국 일리노이주 시카고의 교외 오크 파크에서 부유한 엔지니어의 가정에서 5남 1녀 중 4째 아들로 태어났다. 그의 부모는 매우 보수적인 기독교 신앙을 가지고 있었으며, 이에 로저스는 종교적·윤리적 규율이 매우 엄격하고 비타협적인 분위기 속에서 성장하였다. 이에 그는 친구가 없었으며, 독서와 사색만을 즐기는 매우 고독한 아동기를 보냈다. 이후 위스콘신 대학에 입학하여 사학(史學)을 전공한 후, 고통 받는 사람들을 돕는 것은 목사와 정신의학자의 사명이라고 생각하여 목사가 되기 위해 뉴욕시에 있는 위스콘신 신학교에 입학한다. 그러나 곧 목사가 되는 것이 자신의 길이 아니라고 판단하고, 임상 및 교육심리학을 공부하기 위해 콜롬비아 대학의 사범대학으로 진학을 하게 된다. 그리고 거기서 1928년에 석사학위를 받고 1931년 임상심리학으로 박사학위를 받게 된다. 로저스는 현상학적인 관점에서 인본주의를 보려고 했던 심리학자이다. 그는 인간의 본성을 존중하고, 인간이 긍정적인 선천적 경향성을 가지고 있다고 보았다. 특히 개인의 주관적 경험에 대한 인정, 무조건적 긍정적 관심 등의 철학은 인본주의의 범위를 사회적으로 더욱 확장시키는 계기가 되었다. 1940년에는 오하이오 주립대학교 교수가 되었으며, 1947년에는 미국 심리학회(APA) 회장이 되었다. 이후 1987년 2월에 사망했으며, 며칠 뒤에 노벨 평화상 후보로 추천되었다.

(2) **자기실현 경향성(Actualizing Tendency, 또는 자아실현 경향성)** (必)

① 인간행동의 근본적인 동기로, 인간은 천부적으로 자신이 되고자 하는 그 무 엇도 될 수 있는 **가능성과 잠재력**을 지니고 있다.

② 이러한 잠재력은 인간이 사망할 때까지 그를 **유지·발전시키는 방향**으로 나 아간다.

(3) **현상학적 장(Phenomenal Field)** (必)

① **개인의 주관적인 경험의 현실세계**로, 인간의 현재 행동을 결정하는 것은 과 거자체가 아니라 **과거에 대한 개인의 현 시점에서의 주관적인 해석**이다.

② 다시 말해 과거의 사건 그 자체가 아니라 당시의 경험이 현실에서 어떻게 개 인에게 주관적으로 해석(또는 지각)되고 체험되는지가 중요하다.

(4) **가치의 조건화(Conditions of Worth)**

① 아동이 부모와 같이 자신에게 의미 있는 대상이 **자신에게 제공하는 태도에 따라 자신의 가치를 형성해 가는 현상**을 말한다.

② 다시 말해 의미 있는 대상이 규정한 조건들에 들어맞으면 가치가 있는 것이 되고, 그렇지 않으면 가치가 없게 된다.

③ 아동이 의미 있는 대상으로부터 주입받은 **"~ 행동을 하면 나쁜 아이, ~행동 을 하면 착한 아이"와 같은 판단이 가치의 조건화**가 된다.

④ 아동은 의미 있는 대상에게 긍정적 관심을 받기 위해 의미 있는 대상이 제시 한 가치 조건에 부합하려 한다.

⑤ 이러한 가치의 조건화는 **자기 경험과의 불일치 현상**을 만든다.

(5) **자기 경험과의 불일치**

① 가치의 조건화로 형성된 역기능적인 현상으로, 아동이 **자신에게 의미 있는 대상의 가치 조건에 부합하는 방향으로 자기(Self)를 형성해나가는 것**을 말 한다.

② 가치 조건에 따라 살아가게 되면 **자기 개념과 경험 간에 불일치를 경험**한다.

③ 이는 아동의 **자기실현 경향성의 성취를 방해**한다.

> 🔲 아이가 미술에 흥미를 가지고 있다. 그런데 그 아이의 부모님은 아이가 의사가 되기 를 바란다. 아이는 부모를 기쁘게 해주는 데서 자신의 의미를 찾으려 하고, 이에 자 기의 지금, 즉 현재의 경험인 미술을 부정하게 된다.

(6) **긍정적 관심**

① 인간에게는 **자기(Self)에 관해 긍정적인 개념을 세우려는 기본적인 욕구**가 있지만, 이러한 자기에 관해 긍정적인 개념을 세우기 위해서는 **타인으로부터 긍정적 존중**을 받아야 한다.

② 결국 자기에 대한 긍정적인 개념을 형성하는 데 중요한 것은 **자신을 대하는 타인들의 태도**이다.

③ 종류로는 **조건적 긍정적 관심과 무조건적 긍정적 관심**이 있다.

조건적 긍정적 관심	한 개인의 주관적인 경험이 의미 있는 타인이 제시한 '가치의 조건'에 의해 긍정적 또는 부정적으로 갈리는 상태를 말한다.
무조건적 긍정적 관심	인간 성격발달의 가장 중요한 요소로, 한 개인의 주관적인 경험이 의미 있는 타인으로 부터 **수용**, 즉 **있는 그대로 받아들여지는 상태**를 말한다.

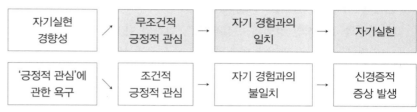

(7) **충분히(또는 완전히) 기능하는 사람(Fully Functioning Person)**

무조건적 긍정적 관심이 제공하는 결과로, 자신의 자기를 완전히 지각하고 자기성장을 이루며 타인과의 관계를 원만하게 만드는 건강하고 창의적인 성격을 가지고 있는 사람을 말한다.

> **☑ 핵심 PLUS**
>
> **충분히(또는 완전히) 기능하는 사람의 특징**
> ① **경험에 대한 개방성**: 자신의 경험을 전부로 여기지 않고, 새로운 경험을 지속적으로 시도한다.
> ② **실존적인 삶**: 현재에 충실하게 살아간다. 즉 과거의 회상이나 미래의 예측으로 인한 걱정 없이 매순간을 충분히 만끽한다.
> ③ **자신의 유기체에 대한 신뢰**: 자신을 신뢰하여 타인의 판단이 아닌 자신의 평가에 의해서 행동한다.
> ④ **창조성**: 독창적 사고력과 창조적 삶으로 스스로를 표현한다. 즉 사회문화적 구속에 동조하거나 수동적으로 적응하지 않는다.
> ⑤ **선택과 행동의 자유의식**: 자신의 인생의 선택에 있어서 자유로워 일시적인 생각이나 환경, 과거 사건들에 의해 미래를 결정하는 것이 아니라 스스로 미래를 결정하며 책임감 있게 살아간다.

📊 선생님 가이드

❶ 로저스(C. Rogers)는 최초로 비지시적 상담(또는 내담자 중심 상담)을 창안한 인본주의 심리학자입니다.

2. 특징

(1) 치료과정 중 사회복지사의 비지시적 접근(또는 상담❶)과 클라이언트의 능동적인 참여를 강조한다.

(2) 연령에 따른 성격발달 단계나 생애발달 단계를 제시하지 않았다.

(3) **인간관(긍정적인 인간)**

① **미래지향적인 인간**: 인간은 무한한 성장 가능성을 가지고 합목적적 · 합리적 · 건설적인 방향으로 지속적으로 성장해 나가는 존재이며, **낙관적이고 긍정적**이다.

② **주관적 인간**: 인간에게는 객관적 현실은 존재하지 않는다. 다만 그것을 주관적으로 인식한 현실 세계만이 존재한다. 따라서 **인간행동은 개인이 현실을 보는 방식에 기초**한다.

③ **합리적 인간:** 인간에게는 **자기이해와 자기실현을 위한 잠재적인 능력**이 있다.

④ **통합적 인간:** **인간은 통합적인 유기체**이므로 사회복지사는 **전체론적 관점**에서 접근해야 한다.

(3) **사회복지실천에 미친 영향** (*필*)

① **관계형성의 원칙 제시:** 사회복지사에게 **일치성과 진실성(또는 솔직성), 온화함, 무조건적 긍정적 관심(또는 존중), 수용, 공감적 이해, 감정이입, 적극적인 경청** 등 전문적 관계의 기본 원칙에 관한 지식을 제공하였다.

② **사회복지사의 기본적인 원조관계의 원칙을 제시**하였다.

  ㉠ 사회복지사의 개입 시 비지시적인 태도

  ㉡ 클라이언트의 주관적 경험 존중과 긍정적 관심 제공

  ㉢ 클라이언트의 능동적 참여

  ㉣ 클라이언트의 자기결정권 존중

  ㉤ 비심판적 태도

  ㉥ 적극적인 경청

  ㉦ 클라이언트 개인의 성장 추구

  ㉧ 지금·여기에의 초점

③ **사회복지실천 철학 제공:** 클라이언트의 존엄·가치·사회적 책임에 대한 소신 등은 사회복지실천의 기본적인 철학과 조화를 이룬다.

④ **상담의 대중화에 공헌:** 단순한 이론체계로 인해 깊이 있는 심리학 과정을 마친 자가 아니더라도 **관계의 친밀성만으로 상담을 통한 치료가 가능**하게 되었다.

(4) **한계**

① 클라이언트의 문제가 아닌 클라이언트의 자기통찰, 즉 클라이언트 자신에 대한 자기 인식과 이해만을 중요시하므로 **개입의 효과성 파악이 어렵다.**

② 유기체적 평가 과정, 완전히 기능하는 인간 등의 개념이 지나치게 추상적이고 모호하다.

③ 지나치게 비지시적 접근을 강조하므로 자칫 **사회복지사의 직무 정체성을 상실**하게 할 수 있다.

④ 클라이언트의 정서적인 요인만을 강조하므로 **인지적인 요인이 간과**될 수 있다.

⑤ 인간의 성격발달과 관련된 다양한 현상들(**예** 우울증, 수치심, 슬픔, 과음, 공격적·폭력적 행동 등)의 원인을 설명하지 못한다.

제2절 전생애발달의 통합적 이해

1 인간발달(Human Development)

1. 개념

기간	인간의 전생애 기간 동안[또는 출생(또는 태아기)에서부터 사망(또는 노년기)에 이르기까지]
범위	인간의 전인적인 측면(또는 신체적·심리적·사회적 측면 등)에 **상승적, 하강적(또는 퇴행적) 상태를 포함하는**
속성	• 양적, 질적**❶** • 연속적, 점진적, 체계적인 일련의 **종적 변화 과정❷**이다.

2. 유사 개념

(1) **성장(Growth)**

① 주로 신체 크기의 확대, 근력의 증강, 인지의 확장과 같은 **양적인 확대(또는 증가)**를 의미한다.

② 유전적인 요인과 더불어 환경적인 요인에도 영향을 받으며, 일정한 시기가 지나면 정지된다.

(2) **성숙(Maturation)**

① 주로 유전인자가 가지고 있는 정보에 의해 발생하는 **신체적·심리적 측면에서의 변화**를 말한다.

② 따라서 경험이나 훈련과 같은 환경요인의 영향은 받지 않으며, 체계적으로 일어난다.

　　예 청소년기의 2차 성징, 중년기 이후 여성의 폐경 등

(3) **학습(Learning)**

① 직·간접적인 경험이나 훈련 등과 같은 **외적 요인에 의하여 발생하는 변화 과정**이다.

② 주로 개인의 내적 변화, 즉 심리적·인지적 변화를 발생시킨다.

3. 인간발달 단계(또는 생애주기의 연령구분)

(1) **개념**

인간의 발달 과정 중 특정 연령에 이르렀을 때에, 발달의 여러 측면에서 두드러진 발달 행태를 보이게 되는 현상을 **연령별로 구분**한 것이다.

---

(2) 인간발달의 일반적인 단계❸

① 태아기

② 영아기(0~2세)

③ 유아기(3~6세)

④ 아동기(7~12세)

⑤ 청소년기(13~18세)

⑥ 청년기(19~34세)

⑦ 장년기(35세~64세)

⑧ 노년기(65세 이상)

2 태아기

1. 시기

(1) 태아기는 수정에서 출생까지의 기간인, 약 265~266일을 말한다.

(2) 이 시기는 다시 '발생기 → 배아기 → 태아기'로 구분된다.

① 발생기(Germinal Stage): **수정 후 2주까지의 시기**로, 수정란이 자궁벽에 착상되어 자리를 잡는 시기이다.

② 배아기(Embryonic Stage)

㉠ **수정 후 2~8주까지의 시기**로, 중추신경계와 심장 등 주요 기관과 조직이 형성 및 발달되는 등 **인간의 성장 과정 중 가장 성장이 활발한 시기**이다.

㉡ 자궁벽의 태반이 발달하고, 탯줄이 배아를 태반과 연결하여 영양분과 산소를 공급하며 이산화탄소와 배설물을 배출시킨다.

③ 태아기(Fetal Stage): **수정 후 9주째부터 출생할 때까지의 시기**로, 인간의 모습을 갖추는 시기이다.

2. 임신기간

임신기간은 **임신초기, 중기, 말기의 3단계로 구분**된다.

(1) 임신초기

① 임신 후 1~3개월의 기간을 말한다.

② 이 시기는 **태아 발달에 가장 중요한 시기**로, 태아는 '**뇌·척수 등을 포함한 중추신경계 → 심장 → 귀 → 팔·다리·눈 → 입 → 외부 생식기**'의 순으로 주요 기관의 대부분이 형성되어 **배아에서 인간의 모습을 갖추기 시작**한다.

③ 따라서 이 시기는 임산부의 약물복용·음주·흡연 등에 **태아가 가장 영향을 받기 쉬운 시기**이기도 하다.

(2) 임신중기

　① 임신 후 4~6개월의 기간을 말한다.

　② 특히 임신 후 4개월이 지나면, 즉 16~20주 사이부터 모체는 태아의 움직임인 태동(胎動)을 느낄 수 있다.

(3) 임신말기

　① 임신 후 7~9개월의 기간을 말한다.

　② 태아의 발달이 완성되고, 모체의 자궁 밖에서의 생존을 위한 생물학적 준비 과정을 마친다.

　③ 일반적으로 임신 후 7개월, 즉 30주 정도부터 자궁 밖 인큐베이터에서 조산아의 생존이 가능해지므로, 보통 임신 후 210일을 '생존가능연령'이라고 한다.

3. 태아의 성별 결정

(1) 정상적인 인간의 염색체는 성(性)을 결정하는 염색체인 성염색체 1쌍(2개)과 성염색체를 제외한 모든 염색체인 상염색체 22쌍(44개)으로 구성되어 총 23쌍(46개)의 염색체를 가지고 있다.

(2) 태아의 성별은 정자의 성염색체에 따라 결정되는데, X성염색체를 가진 정자와 난자가 수정하면 XX로 결합하여 '여아'가 출생하고, Y성염색체를 가진 정자와 난자가 수정하면 XY로 결합하여 '남아'가 출생하게 된다. 이에 따라 남성은 22쌍의 상염색체에 XY성염색체를, 여성은 22쌍의 상염색체에 XX성염색체를 갖추게 된다.

4. 태아기 발달에 영향을 주는 요인들

(1) 임산부의 나이

　① 임산부의 나이가 16세 이하이거나 35세 이상일 경우 유산 · 조산 · 사산 · 기형아 등의 발생 위험이 크게 증가하며, 특히 45세 이상 임산부의 경우 다운증후군 출산 가능성이 25명 중 1명으로 급증하게 된다.

　② 또한 고령임산부의 경우 난산(難産), 임신성 고혈압이나 임신중독증❶, 태반조기박리❷ 등의 위험이 발생하기 쉽다.

　③ 따라서 임산부의 나이는 임산부뿐만 아니라 태아 모두에게 영향을 미칠 수 있다.

(2) 임산부의 영양상태와 영양섭취

　① 일반적으로 임산부의 영양결핍 시 조산, 유산, 사산, 저체중아의 발생 위험이 높아진다.

　② 따라서 임산부는 단백질, 엽산, 철분, 칼슘, 비타민 등을 충분히 섭취해야 한다.

선생님 가이드

❶ 단백뇨가 포함되지 않은 임신 중의 고혈압을 임신성 고혈압이라고 합니다. 반면 단백뇨가 포함된 고혈압의 경우 이를 임신중독증으로 구별합니다.

❷ 태반조기박리란 정상적이라면 분만을 모두 마친 후에 태반이 자궁에서 떨어져 나와야 하지만, 고령임산부의 경우 분만이 이루어지지 않은 상태에서 태반이 먼저 떨어져 나오는 현상을 말합니다. 이는 임산부에게 심각한 출혈을 일으킬 수 있습니다.

(3) **임산부의 약물복용**

① 임신 1~3개월(임신초기)은 태아가 약물에 가장 취약한 시기이다.

② 일반적으로 **기형을 유발시키는 물질을 테라토겐(Teratogen)[3]**이라고 하며, 대표적인 테라토겐으로는 마약, 진정제인 탈리도마이드(Thalidomide), 항생제인 테트라싸이클린(Tetracyclines), 아스피린(Aspirin), 카페인(Caffeine) 등이 있다.

(4) **임산부의 생활습관**

① 임산부의 알코올 섭취: 임산부가 만성적으로 알코올을 섭취할 경우 **태아알코올증후군(Fetal Alcohol Syndrome)**이 나타날 수 있으며, 이는 태아에게 지적장애, 안면기형, 신경계기형 등의 증상을 발생시킬 수 있다.

② 임산부의 흡연 행위: 임산부의 **직접 흡연은 물론 간접 흡연 역시** 저체중아, 유산, 신생아 사망의 원인이 될 수 있다.

(5) **임산부의 질병**

① 임신 후 4개월 이전인 **임신초기에 발병한 풍진**은 태아에게 시각·청각·지적장애를 발생시킬 수 있다.

② **임산부의 당뇨병**은 기형아의 출산 가능성을 급증시킨다.

③ **후천성면역결핍증(Acquired Immune Deficiency Syndrome, AIDS)**은 모자 간 수직 감염률이 높아 태아도 감염될 수 있다.

④ **매독(Syphilis)과 같은 성병**은 태아의 유산, 사산, 기형아, 시각장애를 발생시킬 수 있다.

(6) **임산부의 내분비교란물질(또는 환경호르몬) 노출**

임산부가 다이옥신, 비스페놀 A, 폴리염화비닐(Polyvinyl Chloride, PVC)에 노출되면 기형아, 미숙아의 발생 가능성이 높아진다.

(7) **임산부의 방사선 노출**

방사선에 노출되면 유산, 사산, 기형아의 발생 가능성이 높아진다.

(8) **Rh 부적합 임신**

① 임산부와 태아의 혈액을 분류하는 체계인 **Rh 혈액형이 부적합한 임신**으로, 임산부가 Rh 음성이고 태아는 Rh 양성일 때 발생한다.

② 첫 번째 임신에는 발생하지 않지만, 다음 번 임신에서 태아의 혈액이 임산부의 혈액 안에 들어오면 항체가 만들어지는데, 이 항체가 Rh 양성인 태아의 적혈구를 공격하게 되고, 이로 인해 태아에게 심한 빈혈 현상이 나타난다.

(9) **임산부의 분만횟수**

일반적으로 **출산경험이 있는 임산부가 초산부보다 태내 환경이 유리**하다.

(10) **임산부의 사회적·경제적 요인**

임산부의 낮은 수입이나 낮은 사회경제적 지위 등이 태아에게 영향을 줄 수 있다.

선생님 가이드

❸ 테라토겐 또는 기형발생물질(또는 기형유발물질)이란 태내발달에 영향을 미쳐 심각한 손상을 일으키는 환경적 매개물을 말합니다.

(11) 임산부의 정서상태

임산부의 심각하고 지속적인 불안 · 우울 증상, 임산부가 출산을 원하는지 여부, 현재 자녀의 수, 자녀 양육과 관련된 경제적 여건, 임산부의 정서적 성숙도, 남편과의 관계 등이 태아에게 영향을 줄 수 있다.

5. 태아의 유전적 질환

(1) 유전적 질환(Genetic Disorder)의 개념과 발생요인

① 개념: 유전자 이상으로 발생하는 신체적 · 정신적 이상 증상을 말한다.

② 발생요인: 유전적 요인으로만 발생하기도 하지만, 주로 **유전적 요인과 환경적 요인이 상호작용**하여 발생한다.

(2) 종류

① 상염색체 이상으로 발생하는 유전적 질환

다운증후군 (Down Syndrome)	㉠ **21번째 상염색체가 1개 더 있어, 총 염색체 수가 47개이다.** ㉡ 일반적으로 염색체 이상으로 발생하는 증후군 중에 가장 높은 출생 빈도를 가진다. ㉢ 지적장애, 저신장, 넓고 짧은 두상, 넓은 미간, 짧은 목, 짧은 손가락, 넓은 손바닥, 처진 눈, 첫 번째와 두 번째 발가락 사이의 큰 간격 등이 주요 특징이다.
에드워드 증후군 (Edwards Syndrome)	㉠ 18번째 상염색체가 1개 더 있어서, 총 염색체 수가 47개이다. ㉡ 염색체 이상으로 발생하는 증후군 중에 다운증후군 다음으로 가장 높은 빈도를 가진다. ㉢ 출생 시 저체중, 콩팥 기형, 지적장애, 후두골 돌출, 작은 눈, 작은 턱, 작은 입, 검지가 중지 위치에 있음 등이 주요 특징이다.
페닐케톤뇨증 (Phenylketonuria)	㉠ **상염색체 이상**으로 발생하며, 아미노산(또는 단백질)에 포함되어 있는 페닐알라닌을 분해하는 효소인 **페닐알라닌 수산화효소가 결핍**되어 소변에 **페닐피루브산(Phenylalanine Hydroxylase)이 함유**되어 배출된다. ㉡ 구토, 습진, 금발, 백안, 흰 피부색, 굽은 등, 전신운동 발달의 지연, 땀과 소변에서 쥐오줌 냄새가 나는 등의 특징이 있다. ㉢ 출생 즉시 특수한 식이요법을 실시해야 지적 장애를 막을 수 있다.
묘성증후군 (Cri du Chat Syndrome)	㉠ **영아의 울음소리가 고양이 울음소리 같다고 해서 고양이 울음 증후군이라고도 한다.** ㉡ 5번 상염색체의 일부가 결실되어 발생한다. ㉢ 삼키고 빠는 능력이 저하되어 섭식에 문제가 생기고, 저체중아로 출생하거나, 발육이 부진하고, 인지 · 언어 · 운동 능력의 심각한 지체가 발생한다.

② 성염색체 이상으로 발생하는 유전적 질환

터너증후군 (Turner Syndrome)	㉠ **성염색체 이상으로 발생한다.** 즉 **X염색체가 1개로 전체 염색체수는 45개인 '여성'**에게서 발생한다. ㉡ 외형상은 여성이지만 사춘기의 2차 성징이 없고, 저신장, 조기 폐경 등의 특징을 보인다.
클라인펠터증후군 (Klinefelter Syndrome)	㉠ **성염색체 이상으로 발생한다.** 즉 **X염색체를 더 많이 가진 (@ XXY, XXXY, XXXXY) '남성'에게 발생**한다. ㉡ 외형상은 남자이지만 청소년기에 여성의 2차 성징이 나타나 가슴이 커지고, **남성의 정소발달이 불완전하여 정자 생산을 못해 생식이 불가능**하다. ㉢ 상체에 비해 긴 하체와 작은 고환 등이 특징이다.
혈우병 (Hemophilia)	㉠ **성염색체인 X염색체의 열성유전에 기인**하는 혈액 내 혈소판이 부족하거나 없어서 발생하는 선천성 질병이다. ㉡ 출혈된 혈액이 응고하지 않는 증상을 보인다. ㉢ **남성에게만 발생**한다.

3 영아기(0~2세)

1. 신체적 발달

(1) **제1급등 성장기** 23. 국가직

① 출생 후 가장 급속하게 신체적·심리적 발달이 이루어지는 시기로, 출생 후 1년 이내에 출생 당시에 비해 몸무게가 2~3배 정도 증가한다. 따라서 **제1급등 성장기**(the First Growth Spurt)라고 불린다.

② 영아기 이후에는 성장 속도가 느려져서 **제2급등 성장기인 청소년**(the Second Growth Spurt)기까지는 점진적으로 성장한다.

③ **영아의 운동발달은 머리에서 발로, 중심인 척추에서 말초방향**(@ 사지, 손, 발가락과 손가락 등)**으로, 전체 운동에서 세부 운동의 순서로 이행**된다.

④ **머리의 크기는 전신의 1/4 정도로 신체 비율상 크게 보인다.**

⑤ **신생아의 두개골에는 6개의 숫구멍(또는 천문)이 존재**한다. 숫구멍이란 신생아 또는 태아의 두개골 사이에 있는 연한 막의 구조물로, 신생아의 뇌가 성장함에 따라 두개골을 확장시키고 변형할 수 있게 하는 완충기능을 한다.

(2) 치아의 경우 생후 6~7개월경 아래턱의 앞니가 가장 먼저 나오고, 2년 6개월 안에 20개의 젖니가 모두 나온다.

(3) **반사운동** (✍)

① 외부자극에 대한 영아의 신체적 움직임은 **출생 직후부터 무의식적 반사운동**으로 이루어지며, 반사운동에는 **생존반사와 원시반사**가 있다.

② **생존반사란 영아가 환경에 적응하고 생존하기 위한 반사로 빨기반사, 젖찾기반사, 연하반사** 등이 있다. 반면, **원시반사란 인간 진화의 증거로 보여지는 반사로 모로반사, 걷기반사, 바빈스키반사, 쥐기반사** 등이 있다.

기출 OX

6~12세에 해당하는 아동은 제1차 신체적 성장 급등기에 해당하는 시기이다. ( )　　　23. 국가직

× '6~12세에 해당하는 아동'이 아니라 '0~2세에 해당하는 영아'가 옳다.

	젖찾기반사 (탐색반사)	영아는 입 근처에 무엇이 닿으면 그 쪽으로 입술을 내밀며 고개를 돌린다.
생존 반사	빨기반사	영아는 입에 닿는 모든 물체를 혀와 입술 등의 구강 구조를 통해 빨려고 한다.
	연하반사 (삼키기반사)	영아의 입에 음식물이 들어가면 삼킨다.
원시 반사	모로반사 (경악반사)	⊙ 영아는 갑자기 큰 소리를 들으면 팔과 다리를 벌려 무엇인가를 껴안으려는 듯 몸 쪽으로 팔과 다리를 움츠리는 자세를 취한다. ⓒ 생후 3~4개월경에 사라진다.
	걷기반사 (걸음마반사)	⊙ 영아의 몸통을 들어 세워 발을 지면에 닿게 하면 공중에서 다리를 움직이며 걸으려는 자세를 취한다. ⓒ 생후 3~4개월경에 사라진다.
	쥐기반사 (파악반사)	⊙ 영아는 손에 닿은 모든 물체를 움켜쥐고 놓지 않으려고 한다. ⓒ 생후 3~4개월 경에 사라진다.
	바빈스키반사	⊙ 영아의 발바닥을 간지럽히면 발가락을 부채모양으로 폈다가 다시 오므리는 행동을 취한다. ⓒ 생후 1년쯤에 사라진다.

(4) 감각기관 등의 발달

① **시각**: 인간의 감각능력 중 **가장 늦게 발달**한다. 영아는 전체보다는 부분을, 정지된 물체보다는 움직이는 물체를, 흑백보다는 컬러를, 직선보다는 곡선을, 단순한 모양보다는 복잡한 모양을, 인간의 얼굴 중 눈을 가장 선호한다.

② **청각**: 출생 후 얼마 되지 않아 성인 수준에 도달한다. 특히 영아는 **높은 음색의 여성 목소리에 잘 반응**한다.

③ **미각과 후각**: **선천적인 능력**이다. 특히 후각은 영아의 감각기관 중 가장 빨리 발달한다.

2. 심리적 발달

(1) 대상영속성(Objectpermanence) 획득

① 대상영속성이란 대상이 **신체적 감각의 영역에서 사라져도 계속 존재하고 있음에 대해 인지하는 능력**을 말한다.

② 대상영속성은 피아제의 감각운동기의 6가지 하위 단계 중 2번째 단계인 1차 순환반응기(1~4개월)에 출현하여, 마지막 6번째 단계인 **상징적[또는 정신적] 표상기[또는 통찰기(18~24개월)]**에 확립된다. 따라서 **영아기는 대상영속성이 발달하고 또한 획득하는 시기**이다.

(2) 상징적 표상의 시작

① 상징적 표상(Symbolic Representation)이란 자신의 감각을 통해 내재화된 어떤 대상에 대한 자신만의 심상(Image)을 말한다.

② 상징적 표상은 피아제의 감각운동기의 6가지 하위 단계 중 마지막 단계인 **상징적(또는 정신적) 표상기[또는 통찰기(18~24개월)]**에 시작된다. 즉 **영아기에 상징적 표상이 시작**된다.

(3) 기초적이며 불완전한 정서적 표현의 시작

① 출생 시 미분화된 영아의 정서 상태가 점진적으로 분화되어 **기초적이며 불완전한 정서적 표현이 시작된다.**

② 영아가 사용하는 기초적인 정서를 브리지스(Bridges)는 **1차적 정서**라고 하고, 그 5가지 종류로 기쁨, 분노, 공포, 불안, 애정을 들었다.

③ **1차적 정서**는 영아가 거울이나 사진 등을 통해 자신을 알아보기 시작하면서 **2차적 정서**로 바뀌는데, 그 종류로는 **당황, 수치, 죄책감, 질투, 자긍심** 등이 있다.

④ 영아는 **울음, 미소, 웃음**으로 이러한 정서를 표현한다.

울음		영아가 자신의 배고픔, 분노, 고통, 좌절을 표현하거나 알리기 위해 사용하는 수단이다.
미소		영아의 미소는 '반사적 미소 → 사회적 미소 → 선택적 미소'의 3단계를 거치며 발달한다.
	반사적 미소	영아의 중추신경이 발달하는 과정 중에 **자동적으로 나타나는 미소**로, 영아가 잠들기 직전에 주로 나타난다.
	사회적 미소	영아가 자신이 직접 보거나 자신과 상호작용을 원하는 대상들에게 **반응하는 차원에서 보이는 미소**로, 사회적 성격을 띠고 있으며, 생후 1~2개월경부터 나타나기 시작한다.
	선택적 미소	영아가 자신이 선택적으로 인식하는 특정 대상이나 소리에 반응해서 보이는 미소로, 생후 3개월 이후부터 나타나기 시작한다.
웃음		**생후 4개월경부터 시작**되며, 영아가 놀라거나 예측하기 어려운 상황에서 자신의 긴장을 해소하는 수단으로 활용되기도 한다.

(4) 불완전한 · 자기중심적 언어 표현의 시작

① 영아는 불완전한 언어를 사용하여 자신의 정서를 표현하기 시작한다.

② 언어 표현의 발달 단계

언어 이전의 발달 단계	㉠ 기간: 출생부터 10~13개월 사이 ㉡ 영아는 울음, 옹알이, 몸짓언어, 자기 소리와 타인의 소리를 모방하는 것과 같은 방법으로 언어 표현을 시작한다.
언어 이후의 발달 단계	㉠ 기간: 10~13개월, 18~24개월 사이 ㉡ **한 단어로 말하기**(📌 공룡 그림과 악어 그림을 모두 '악어'로 말한다), **2단어로 말하기**(📌 엄마 맘마!, 아빠 어부바! 등) 등의 방법을 사용한다.

3. 사회적 발달

(1) 애착(愛着)

① 애착(愛着)은 영아기의 가장 중요한 사회적 발달 과업이다. 애착이란 **영아와 양육자(주로 어머니) 간에 형성되는 애정에 기초한 긍정적인 유대관계(또는 신뢰관계)**로, 주로 **영아와 양육자 간의 신체적 접촉**을 통해 형성되며, 다른 사람이나 사물과의 관계를 형성하는 데 영향을 미치고 이후의 사회적 발달의 밑바탕이 된다.

② 영아의 **애착형성의 결정적 시기**는 출생 후 1.5~24개월 사이이다.

③ 애착반응(또는 불안반응)

낯가림	⑦ 낯선 사람에 대한 **영아의 불안반응**이다. ⑥ 일반적으로 생후 6~8개월경에 나타나기 시작하여 첫돌 전후에 최고조에 달하였다가 서서히 감소한다.
분리불안	⑦ 애착형성이 된 대상과 **분리될 때 경험하는 불안감**이다. ⑥ 일반적으로 생후 9개월경에 시작되어, 첫돌 무렵에 절정에 이르다가 대상영속성이 확립되는 20~24개월경에 사라진다.

(2) **대변훈련을 통한 독립심과 자율성 발달**

   영아기는 프로이트의 항문기 초기에 해당하며, 이때 배변훈련의 성공적인 수행은 영아의 독립성과 자율성의 발달에 영향을 준다.

4 유아기(3~6세)

1. 신체적 발달

(1) 지속적으로 성장하나, 영아기(0~2세)에 비해 성장 속도는 완만해진다.

(2) 치아의 경우 20개의 유치가 모두 **빠지면서** 영구치가 나오기 시작한다. 유치는 하악 앞니에서 상악 앞니의 순서로 빠진다.

(3) 영아기에 비해 운동능력이 현저하게 발달하여 대근육을 사용하는 운동인 달리기, 던지기, 기어오르기 등과 소근육을 사용하는 운동인 블록 쌓기, 젓가락질 · 숟가락질 · 만들기 · 그리기 등을 병행하여 수행한다.

2. 심리적 발달

(1) **급속한 수준의 언어능력 발달**

   ① 유아기의 후반부인 **5~6세를 기점으로 급속한 수준으로 언어능력이 발달**한다.

   ② 또한 **사회적 언어의 사용도 가능**해진다. 사회적 언어(Social Speech)란 타인을 이해시키고자 하는 의도에서 사용되는 언어로, 타인의 욕구를 고려하며 타인과의 의사소통을 시작하고 유지하기 위해 사용된다.

(2) **지능발달의 결정적 시기**

   뇌의 좌반구와 우반구가 각기 다른 기능을 수행하는 현상인 **뇌의 편측성이 시작**되어 **뇌기능이 급속히 발달**하고, 이에 **지능이 크게 발달**한다.

(3) **상징적 사고**

   ① **영아기와 유아기의 가장 큰 인지적 차이점**이다.

   ② 상징적 사고란 유아가 실재하지만 당장 눈앞에 보이지 않는 대상을 여러 가지 **'상징적 표상'으로 대치하여 표현하는 사고**를 말한다.

③ 유아는 **상징놀이(또는 가장놀이), 언어, 그림 등으로 자신의 상징적 사고를 표현**하며, 이는 사회정서 발달에 영향을 미친다.

④ 유아는 사고와 언어가 통합되기 시작하여 모든 사물에 이름이 있다는 것을 알게 된다.

(4) **자기(또는 자아)중심적 사고**

유아는 타인의 생각·감정 등이 자신의 것과 동일하다고 생각하여 **타인의 관점에서 상황이나 사물을 이해하지 못하는 자기중심적 사고**를 한다.

(5) **비가역적 사고**

비가역적 사고란 '역조작성의 논리'를 습득하지 못한 사고로, 유아가 변화된 상태에서 그 과정을 역으로 돌이키면 본래의 상태로 되돌아갈 수 있음을 아직까지 습득하지 못한 사고를 말한다.

(6) **물활론적 사고**

물활론적 사고란 유아가 **무생물에 생명이 존재한다고 상상**하여 생명이 있는 것과 없는 것을 구분하지 못하는 사고를 말한다.

예 유아가 인형이 바닥에 떨어졌을 때 인형이 아파할 것이라고 여기는 경우

(7) **전환적 추론**

유아가 한 **특정 사건과 전혀 관계없는 사건을 상호 연관 짓는 사고**를 말한다.

예 유아가 동생이 지금 아픈 이유를 자신이 동생을 미워해서라며 슬퍼하는 경우

(8) **인공론적 사고**

유아가 모든 사물이나 현상은 **인간이 인간을 위해 만들었다고 여기는 사고**를 말한다.

예 유아가 해와 달은 우리를 비추게 하기 위해 사람들이 하늘에 만들어 두었다고 생각하는 경우

(9) **꿈 실제론**

유아가 자신이 꾼 **꿈이 현실로 존재한다고 전적으로 믿는 사고**를 말한다.

(10) **직관적 사고**

① 유아가 사물이나 사건이 갖는 다양한 측면을 보지 못하고 **단 한 가지의 가장 두드러진 부분만을 가지고 이를 판단하는 사고**를 말한다.

② 유아가 보존개념, 서열화, 유목화 등의 개념을 획득하지 못하는 이유가 된다.

(11) **자기 주도성**

① 영아기 후반에 형성되기 시작된 독립심과 자율성이 **3~4세경**에 크게 증가한다.

② 유아는 무엇이든지 혼자서 해보려고 하며 자신이 가진 능력의 한계를 확인하려 한다.

③ 에릭슨은 이 시기를 **유희기라고 규정하고 놀이를 통해 주도성을 형성**하게 된다고 하였다.

(12) 자아통제능력의 발달

유아는 타인의 지시를 받지 않고 사회적으로 용인될 수 있는 바람직한 행동을 하기 위해서 노력한다. 특히 부모의 **배변 훈련을 통해 자아통제능력을 갖추기** 시작한다.

(13) 왕성한 호기심

유아는 모든 현상에 호기심이 왕성해지며, 이러한 호기심이 저지 받게 되면 **유아에게 죄의식이 형성**된다. 이러한 죄의식은 특정한 대상이나 상황에 대한 불합리한 공포로 발전될 수 있다.

(14) 제1의 반항기❶

유아는 자아통제 능력을 통해 **부모와 자신을 분리시키고 환경을 자기가 원하는 방식으로 통제**하려고 한다. 이는 독립심과 자율성의 발달을 더욱 가속화시킨다.

(15) 자아개념과 자아(또는 자기)존중감의 형성

① 영아기 때 형성된 신체적 자아개념이 더욱 세련되어져 **자신을 긍정적 혹은 부정적으로 인식하기 시작**한다.

② 또한 언어 및 인지 발달을 통해 **사회적 정보의 비교가 가능해짐**으로 인해 **자아존중감❷이 발달**된다.

③ 유아기의 자아존중감은 비현실적으로 긍정적이어서 대부분의 유아는 다른 유아보다 자신을 더 높게 평가하는 경향이 있다.

(16) 소유개념의 형성

3~4세경 유아의 '자아개념'이 자신에게 속한 물건이나 사람에게까지 확대되어 **소유개념이 형성**된다.

(17) 사회적 관심 발달

① 사회적 관심은 아들러의 개인심리이론의 주요개념으로, **이상적 공동사회의 목표 달성과 관련하여 개인이 자신을 사회에 공헌하려는 성향**을 말한다.

② 6세경 모자 관계와 부자 관계의 영향을 크게 받아 형성된다.

(18) 두드러진 정서분화

① 유아기의 정서체계는 **외부자극에 대한 강한 반응**으로 나타난다. 즉 **감정의 지속시간이 짧고, 변하기 쉽고, 강렬하게 표출되며, 여러 감정이 번갈아가며 나타난다.**

② 연령별 정서 분화의 특징

3~4세	즐거움 · 기쁨 · 사랑 · 공포 · 좌절감 등의 감정을 표현하며, **특히 가족에게는 애정을 표현**한다.
5~6세	방어기제를 사용하여 자신의 감정을 가장(假裝)하며, **가정 밖의 활동으로 인해 가족 내에서의 형제 간 애정의 질투가 감소**한다.

(19) 기초적 수준의 도덕성 발달

① 유아기는 **프로이트의 남근기**로 부모나 주위사람들을 동일시하는 과정 가운데 자신의 가치와 태도를 형성하고, 이를 내면화하여 **기초적 수준의 '양심체계'를 구축**하게 된다.

② 피아제는 유아기를 **타율적 도덕성의 시기**로, 콜버그의 역시 **전인습적 도덕발달 수준에 해당하는 시기**로 보았다.

3. 사회적 발달

(1) 사회적 관점 수용능력 발달의 시작

① 사회적 관점 수용능력이란 타인의 감정 및 사고 등에 이입할 수 있는 능력이다.

② 이 시기에 유아의 '사회적 관점 수용능력'은 시작되나, 그 발달 수준은 매우 낮으므로 유아는 대인 관계 상의 갈등을 객관적으로 해결할 수 없다.

(2) 사회성의 발달(또는 사회화)

유아는 **또래집단과의 집단놀이**를 통해 또래 관계가 증진되어 사회성이 발달한다.

(3) 성(性)개념의 발달

① 프로이트는 이 시기를 **남근기로 분류**하고 아동의 리비도가 더욱 강해지며 성기에 집중되는 시기로 보았다.

② 유아는 자신의 성기가 이성과 다르다는 것과 부모가 서로 다른 성을 가졌다는 사실을 이해함으로써 자신의 성역할을 깨우치게 된다.

③ 성(性)개념의 발달 단계

시기	단계	내용
3세경	성적 정체성	유아가 단순히 자신의 성별을 구분할 수 있는 단계로, 유아는 상황에 따라 자신의 성이 바뀔 수도 있다고 생각한다.
4~5세경	성적 안정성 (또는 항상성)	유아가 성인이 되어도 자신의 성이 변하지 않는다는 것을 인식하는 단계이다.
6~7세경	성적 일관성	유아가 인간의 외형이나 행동이 달라져도 그 성은 변하지 않은 것을 인식하는 단계로, 유아는 외모(예 옷차림, 말투 등)만으로 성을 구별하지 않게 된다.

④ 유아는 6~7세경에 **성개념을 획득**하여 '**성역할 고정관념**'이 확립되고, 이에 따라 '**성유형 행동❸**'이 발달되며, 부모의 기대와 문화적 기준에 맞는 성역할 기준을 내면화하게 된다.

(4) 놀이를 통한 사회성 발달

① 유아기에는 후기로 갈수록 부모를 벗어나서 또래와의 접촉이 많아지게 되고, 형제나 또래와 놀면서 경쟁하고 협력하는 과정을 통해 자신의 감정과 행동을 적절하게 표현하는 것을 배우게 되는 등, **사회적 발달이 촉진**된다.

② 특히 이 시기에는 혼자보다는 **집단놀이에 더 흥미**를 갖게 되면서 우정을 경험하기도 하지만 여전히 **자아 중심적 경향**이 강하다.

 선생님 가이드

❸ 성역할 고정관념이란 성에 대한 사회적 기대를 수용하는 것입니다. 반면 성유형 행동이란 자신의 성에 부합되는 성별 행위를 추구하는 것으로, 이 시기에 남아는 남자답게, 여아는 여자답게 행동하려고 애쓰게 되며, 자신을 동성의 부모와 동일시함으로써 자신의 성역할을 인식하는데, 이 과정에서 초자아의 분화가 이루어지게 됩니다.

5 아동기(7~12세)

1. 신체적 발달

(1) 영아기나 유아기에 비해 완만하나 지속적인 성장이 이루어진다.

(2) 성장에서의 성별 차이가 발생하여 10세 이전 남아가 여아보다 신장과 체중에서 우월하다. 단, 11~12세경에는 여아가 남아보다 성장이 우월해지고, 청소년기를 기점으로 다시 남아가 여아보다 성장이 우월해 진다.

(3) 얼굴 전체 윤곽이 변화되어 동그란 모양에서 길쭉한 모습이 되고, 코와 입이 커진다.

(4) **체형의 변화**

어깨가 넓어지고 팔다리가 길어지고 가늘어져서 유아기에 비해 전체적으로 가늘어진 체형을 갖게 된다. 또한 전신에서 머리의 크기가 차지하는 비중이 10%까지 줄어들어 성인 수준까지 작아진다.

(5) 6세경 유치가 빠지기 시작하여 12~13세경 모든 유치가 영구치로 바뀐다.

(6) **성적 중성기**로 성기(性器)의 발달이 별로 이루어지지 않는다.

(7) 운동기능이 지속적으로 발달하여 유아기에 비해 모든 운동 수행 능력이 정교화된다. 특히 자신의 신체를 이용한 운동(예 달리기, 던지기 등)과 단체스포츠(예 축구, 농구 등)에 관심을 가지고 즐기게 된다.

(8) 자신의 운동능력을 타아동과 비교하게 되고, 이는 자아존중감 형성에 영향을 줄 수 있다.

(9) 면역력이 발달하기 때문에 영유아기에 비하여 질병감염률이 떨어진다.

2. 심리적 발달

(1) **지적 기능의 분화**

유아기의 경우 운동지각이 발달하는 반면 아동기에는 **'공간지각'과 '시각지각'이 발달**하여 객관적 지각을 가지게 되고, 이를 활용한 축구나 야구와 같은 운동이 가능해진다.

(2) **보존개념의 획득**

① 보존개념 획득을 위한 전제 개념인 **'동일성', '가역성', '보상성'의 개념을 획득**하여 유아기(전조작기) 때에 나타나기 시작한 **보존개념을 획득**하게 된다.

② 보존개념은 일반적으로 '수 → 질량 → 무게 → 부피의 순서'로 획득되어 진다.

(3) **조합기술(또는 조합개념)의 획득**❶

① 조합기술이란 숫자에 대한 보존개념을 획득하여 **숫자를 조작할 수 있는 능력**을 말한다. 다시 말해, 일정한 수의 사물이 그 형태를 바꾸어도 **그 숫자는 변하지 않는다는 것을 이해할 수 있는 인지적 능력**이다.

② 조합기술의 획득으로 아동은 **사칙연산**을 할 수 있게 된다.

선생님 가이드

❶ 조합기술과 조합적 사고를 정확히 구분할 수 있어야 합니다. 아동기에는 조합기술을 획득하게 됩니다. 조합기술이란 숫자에 대한 보존개념획득을 통해 숫자를 조작할 수 있는 능력으로, 이를 획득한 아동은 일정한 수의 사물이 그 형태를 바꾸어도 그 숫자는 변하지 않는다는 것을 이해할 수 있게 됩니다. 반면, 조합적 사고란 청소년기의 주요 인지적 특성으로, 문제해결에 필요한 요인들만을 추려내어 이를 체계적으로 조합할 수 있는 것을 의미합니다.

(4) 논리적 사고의 시작

유아기의 직관적 사고에서 벗어나 '**논리적 사고**'가 **가능**해지므로 인지능력이 비약적으로 발전한다. 단 논리적 사고는 '**구체화시킬 수 있는 사물**'만을 대상으로 **가능**하다. 그래서 피아제는 이때를 **구체적 조작기**라고 하였다.

(5) 분류화(또는 유목화)와 서열화 개념 획득

① **분류화**란 여러 사물과 현상들을 그 속성의 유사성에 따라 분류하는 인지적 **능력**이며, **서열화**란 여러 사물과 현상들을 **어떤 특정의 속성이나 특징을 기준으로 하여 순서대로 나열하는 인지적 능력**이다.

② 아동기에는 이러한 **분류화와 서열화 개념을 획득**하게 된다.

(6) 탈중심화(Decenter)

유아기의 자아중심성에서 벗어나 타인의 관점과 사물의 다른 특성을 고려할 수 있게 되는 **조망수용능력**을 획득한다.

(7) 가역적 사고(또는 역조작성의 논리)

유아는 변화된 상태에서 그 과정을 역으로 돌이키면 본래의 상태로 되돌아갈 수 있음을 알게 된다.

(8) 비교적 안정된 정서

사회적 관계의 범위 확대로 분노의 표출과 동시에 **통제가 가능**해진다. 즉 **정서적 통제 및 분화된 정서 표현이 가능**해 진다.

(9) 언어발달

① 초등학교라는 **의무 교육 과정에서의 학습**으로 **읽기, 쓰기 능력이 급속히 발달**한다. 또한 자기중심성의 완화와 역할 기술 획득으로 **의사소통 기술이 발달**한다.

② 유머나 농담을 즐기며, 지나치리만큼 말이 많은 경향을 보인다.

③ 창의적 언어표현을 하며, 사실에 근거한 질문을 많이 한다.

(10) 지능발달

뇌의 성장❷, 학교 교육 등의 영향으로 **지능이 급격하게 발달**❸한다.

(11) 자기효능감과 자아존중감의 급격한 발달

① 자신이 스스로 상황을 극복할 수 있고 **자신에게 주어진 과제를 성공적으로 수행할 수 있다는 신념이나 기대**가 크게 증가한다.

② 또한 이들은 **인정받고 비평받는 것 모두에 민감**하다. 따라서 타인이 자기를 좋아하도록 관대하고 협조적으로 행동하게 된다.

(12) 도덕성 발달

피아제의 **자율적 도덕성 단계 · 콜버그의 인습적 도덕발달 단계**에 해당한다.

 선생님 가이드

❷ 이 시기 뇌의 용적은 성인의 95% 수준까지 발달하며, 이는 아동의 지능발달에 크게 영향을 미치게 됩니다.

❸ 지능은 11~12세경까지는 급속하게 발달하고 이후부터 완만하게 발달하여 17~18세경에 절정에 이르게 됩니다.

3. 사회적 발달

(1) 학령기

① 가정에서 학교로 생활(또는 사회적 관계)의 장이 확대되어 가족의 영향력이 감소되고, 교사나 친구에 대한 애정이 나타난다.

② 학교생활을 통해 인지적 · 사회적 · 학습 기술을 습득할 수 있게 되며, **학교에서의 성공 · 실패 경험은 아동의 자아발달에 큰 영향**을 준다.

③ 학년이 올라갈수록 급우들과의 상호작용이 확대되어 급우들 간의 관계는 강화되며, **성인보다는 또래집단의 승인을 받고 싶어 한다.**

(2) 도당기(徒黨期, Gang Age) 23. 국가직

① 이 시기에는 가족보다 또래 친구의 영향을 더 받는다. 즉 특별히 9~12세의 아동은 **또래 친구들과 함께 많은 시간을 보내면서 정서 및 사회적 발달에 영향을 받아 도당기**라고도 한다.

② 주로 동성 또래집단과의 팀놀이나 팀스포츠와 같은 **단체놀이를 통해 협동, 경쟁, 협상, 노동배분(또는 역할분담) 등의 사회성이 발달**되며, 따라서 **개인의 목표보다 집단의 목표가 우선시됨을 학습**한다.

(3) 대중매체의 영향

① 텔레비전, 영화, 인터넷과 같은 다양한 대중매체에의 노출은 사회성 형성에 영향을 준다.

② 또한 유행, 우상(예 가수, 영화배우, 스포츠 선수)과 수집활동이 공통적 관심거리가 된다.

(4) 학교공포증 발생

학교생활의 여러 가지에 대하여 공포심을 가진다. 특히 4~5학년 시기에 **등교거부증(School Refusal, 또는 학교공포증)**이 흔하게 나타난다.

6 청소년기(13~18세)

1. 신체적 발달

(1) 제2의 급등성장기

① 청소년기 시작 후 약 2.5~3년 동안은 신체적 성장 속도가 이전보다 약 2배 정도 빨리 진행되며, **골격이 완성**된다.

② 이러한 **청소년기의 신체적 성장은 부모의 물리적 처벌이나 통제를 불가능**하게 만들고, 가족 내에서 청소년이 기여해야 할 일을 증가시킨다.

(2) 성별의 차이

키나 몸무게 등에 있어서 **급격한 성장은 여성이 남성보다 2년 정도 빨리 시작**한다. 단 청소년기가 끝날 즈음에는 남성의 신체적 성장이 여성보다 우세해 진다.

청소년의 연령 규범

「청소년 기본법」	청소년은 9세 이상 24세 이하. 단, 다른 법률에서 청소년에 대한 적용을 다르게 할 필요가 있는 경우 따로 정할 수 있음
「청소년 보호법」	청소년은 만 19세 미만, 단 만 19세가 되는 해의 1월 1일을 맞이한 자는 제외함
「청소년 복지지원법」	청소년은 9세 이상 18세 이하
「아동청소년의 성보호에 관한 법률」	아동청소년은 19세 미만

기출 OX

6~12세에 해당하는 아동은 단체놀이를 통하여 개인의 목표가 집단의 목표보다 우선시됨을 학습하게 된다. ( )

23. 국가직

× '개인의 목표가 집단의 목표보다'가 아니라 '집단의 목표가 개인의 목표보다'가 맞다.

(3) 외형의 불균형

① 머리와 손발, 다리와 팔, 몸통의 순으로 성장함에 따라 외형이 불균형해 보인다.

② 청소년기는 **어느 발달 단계보다 신체 이미지가 자아존중감에 중요한 영향을 미치는 시기**로, 이러한 어색한 신체적 모습은 **청소년의 자아존중감에 부정적 영향**을 미칠 수 있다.

(4) 체형 등의 변화

① 남성은 근육이 늘어나며 체지방은 감소하는 경향을 보인다. 또한 어깨가 벌어지고, 음모 · 액모 · 수염 등이 나며, 음경과 고환이 확대된다.

② 여성의 경우에는 **체지방의 증가**로 피하지방이 많아져 **전체적으로 둥근 체형**을 갖고, 골반과 유방이 커지며 원추형으로 변화된다.

(5) 조숙(Prematurity, 早熟)

① 조숙이란 또래 청소년들보다 신체적 발달이 매우 앞서 있는 상태를 말한다.

② **남성의 조숙**은 **이성 관계에서 긍정적인 자아 개념**을 갖게 한다. 반면 **여성의 조숙**은 동년배 소년들과 잘 어울리지 못하게 하고, 성(性)에 대해 일찍 관심을 갖게 한다.

③ 일반적으로 조숙을 경험한 청소년의 경우 **성인기 이후 문제해결 능력이 상대적으로 높아지는 경향**이 있다.

(6) 성적 성숙 – 사춘기(또는 제2차 성징❶)

① **청소년기의 성적 성숙(또는 제2차 성징)**이란 각 성별 호르몬[남성의 경우에는 **안드로겐(Androgen)**, 여성의 경우에는 **에스트로겐(Estrogen)과 프로게스테론(Progesterone)**]이 다량으로 분비되면서 여성 또는 남성의 특징이 나타나는 현상으로, **개인차는 있지만 그 발달의 순서는 일정**한 편이다.

> **☑ 핵심 PLUS**
>
> **청소년기 성적 성숙의 발달 순서**
>
> ① **남성**: 고환 · 음낭 · 음경의 확대 → 음모 → 겨드랑이 체모 → 수염
> ② **여성**: 유방(또는 가슴) 발육 → 음모 → 겨드랑이 체모 → 초경

② 일반적으로 남성이 여성에 비해 2년 정도 늦게 시작하나 오래 지속된다.

③ 여성은 10~16세 사이에 초경을 경험하며, **초경 이후 약 1년간은 배란이 되지 않아 임신이 가능하지 않을 수도 있다.**

④ 남성의 사정능력은 14~15세 사이에 생긴다.

(7) 신체의 모든 부위에서 활기를 보인다.

(8) 내분비계 기능의 발달과 이로 인한 과다지방 형성으로 여드름이 생긴다.

선생님 가이드

❶ 성적 성숙은 1차 성징과 2차 성징으로 나눌 수 있습니다. 1차 성징이란 출생과 동시에 드러나는 생식기관의 특징, 즉 여성의 경우에는 난소 · 나팔관 · 자궁 · 질을, 남성의 경우에는 고환 · 음경 · 음낭 등의 신체상의 특징을 말합니다. 반면 2차 성징이란 사춘기가 시작되면서 발생하는 생리적 징후로, 여성의 가슴 발달과 남성의 넓은 어깨를 비롯하여 변성, 근육 발달 등의 변화가 나타나는 것을 말합니다.

2. 심리적 발달

(1) 자아정체감(Ego Identity) 형성(또는 획득) 🖉

① 자아정체감이란 자신에 대한 총체적인 지각과 수용으로, 시간이 흘러가면서 변화하는 자기 자신을 **지금까지의 자신과 같은 존재로 지각하고 수용하는 것**을 말한다.

② 청소년기의 주요 발달과업은 이러한 **자아정체감을 형성**하는 것이며, 이러한 **자아정체감을 형성하고 발달시키는 과정에서 정서적 동요를 경험**하게 된다.

> #### ☑ 핵심 PLUS
>
> **마샤(J. Marcia)의 자아정체감 이론**
>
> 마샤(J. Marcia)는 청소년기의 자아정체감을 청소년이 경험하는 위기와 이러한 위기에 몰입하는 정도인 전념을 기준으로 하여 4개의 영역으로 구분하였다.
>
> | 구분 | | 위기 | |
> |---|---|---|---|
> | | | 있음 | 없음 |
> | 전념 | 있음 | 성취
(전념을 통해 위기를 해결하였다) | 유실
(자신만의 위기는 없다.
다만, 부모 등이 제시한 정체감에
그대로 전념한다) |
> | | 없음 | 유예
(위기를 해결하지 못하고,
현재 진행 중이다) | 혼란
(위기와 전념 모두가 없다) |

(2) 심리사회적 유예기

청소년기는 개인적인 능력을 키우고, 주위로부터 인정받기 위해 **결정해야 할 수 많은 새로운 역할·가치 등을 반복적으로 실험할 수 있는 시기**로, 자아정체감이 형성되기 이전의 **일종의 인생 실험 기간**이다.

(3) 주변인

청소년기는 어린이와 어른 중 어느 쪽에도 속하지 못하고 주변을 맴도는 존재이다.

(4) 질풍노도(疾風怒濤)의 시기

① 청소년기는 '급작스러운 성적 성숙'으로 어른에 버금가는 신체적 발달이 이루어진다. 이로 인해 **만족감을 갖는 동시에 불안·우울·질투 등의 불안정한 정서 상태가 발생**하여 극단적인 정서변화·우울증·신경성 식욕부진증·비행행동 등의 인지·행동·정서적 변화가 발생하는 시기이다.

② 성별 불안과 장애

남성	몽정, 여드름 등으로 인해 발생한다.
여성	⊙ 체중증가로 타인에게 보이는 자신의 부정적 신체 이미지에 대한 불안감 때문에 지나친 식이요법을 통해 **체중감량을 시도하는 거식증이나 폭식증과 같은 섭식장애**가 나타난다. ⓒ 이러한 섭식장애는 남성에 비해 여성에게 더 많이 나타난다.

(5) 심리적 이유기(離乳期)

청소년기는 부모의 간섭·보호 등으로부터 독립하려는 경향이 발생하지만, 실제로는 독립하지 못하는 양가감정이 발생하는 시기이다.

(6) 제2의 반항기

① 유아기가 제1의 반항기였다면, 청소년기는 부모로부터 독립하려는 과정에서 **부모의 권위에 도전하여 상호 간에 갈등이 발생하는 제2의 반항의 시기**이다.

② 이 때 **체벌 등 부모의 강압적 훈육은 청소년에게 반항감을 발생시킬 수 있으므로 지양**해야 한다.

(7) 형식적 조작사고 23. 국가직

① **피아제의 형식적 조작사고의 시기**로 추상적 사고, 가설연역적 사고, 조합적 사고, 상대적 사고를 하게 된다.

② 청소년기의 형식적 조작사고는 **부모가 제시하는 규칙이나 가치의 논리적 모순을 찾아내어 부모로 하여금 그것에 대해 설명해주기를 요구**한다.

(8) 자기중심성

자신에 대한 지나친 몰두로 인해 자신과 타인의 관심을 구분하지 못하는 인지 상태를 말하며, 이는 **상상적 청중, 개인적 우화, 불멸의 존재로 표현**된다.

상상적 청중 (Imaginary Audience)	청소년이 **모든 사람들이 자신에게 관심을 가지고 있다고 생각**하여 상상적 청중을 머릿속에 만들어 내고, 다른 사람들은 청중이고 자신은 주인공이 되어 무대 위에 서 있는 것처럼 행동하는 특성을 말한다.
개인적 우화 (Personal Fable)	① 청소년이 자신의 감정과 사고는 너무나 독특한 것이어서 다른 사람들이 이해할 수 없을 것이라고 생각하는 것을 말한다. ② 자신을 주인공으로 생각하고 **자신에게만 통용된다는 의미에서 '개인적', 현실성이 결여되어 있다는 의미에서 '우화(Fable)'** 라고 한다.
불멸의 존재 (Immortality)	청소년이 다른 사람들은 죽을 수 있어도 자신은 절대 죽지 않는다고 믿는 **소영웅주의적 사고**를 말한다.

(9) 인지능력의 발달

기계적 암기나 지적 과제 수행의 속도와 같은 능력에서는 10대 후반이 가장 뛰어나고, 판단, 추론, 창의성 등의 인지적 능력은 전 생애를 통해서 발달한다.

(10) 부정적 감정의 경험

불안·우울·질투 등의 부정적인 감정의 기복이 심하게 발생하며, 자아의식이 서서히 발달하면서 혼자 있고 싶어 하고 또한 고독에 빠지기 쉽다.

(11) 이상적 자아와 현실적 자아의 괴리감

되고 싶어하는 자기인 이상적 자아(Ideal Self)와 현실적으로 평가하는 자기인 현실적 자아(Actual Self)의 괴리로 갈등과 고민이 생긴다.

제2편 사회복지기초 해커스공무원 **박정훈 사회복지학개론** 기본서

📖 **기출 OX**

6~12세에 해당하는 아동은 피아제(Piaget)가 제시한 형식적 조작기 단계의 사고가 주로 나타나는 시기이다. (   )

23. 국가직

✕ '6~12세에 해당하는 아동은'이 아니라 '청소년기는'이 옳다.

3. 사회적 발달

(1) 동성 친구와의 관계

이성에 대한 관심을 가지나 동성 친구들과의 활동에 더욱 많은 시간을 소비하며, **가장 친한 친구 역시 동성 친구**이며, 중요한 문제에 대한 논의의 대상도 동성 친구이다.

(2) 또래집단과의 관계

(애착대상이 부모에서 친구로 이동) 부모나 가족보다는 **동성 또래집단(또는 동년배 집단)에 참여**하여 다양한 경험을 하고, 또한 그들에게 인정(또는 지지)을 받고 싶어 하여 부모로부터 독립하려는 경향을 보인다. 이러한 또래집단은 청소년비행 발생의 중요한 요인이 되기도 한다.

(3) 이성과의 관계

① 이성 열광기(Girl-Crazy, Boy-Crazy Stage): 동성 또래집단과의 관계가 중요하지만, 성적 성숙과 사회적 기대로 이성 관계가 새로운 관심의 대상이 되기 시작한다. 다만 아직까지는 이성에 대해 소극적인 태도를 보여 **이성과의 관계는 집단으로 사귀는 것을 선호**한다.

② 청소년기는 **이성과의 관계에서 어떻게 기능해야 하는가를 실험하는 단계이**다. 이를 통해 성인으로서의 성역할과 성적 행동에 대한 기본적 태도를 만들어 가야 한다.

(4) 형제자매 간의 관계

형제자매 간의 경쟁의식이 점차 감소되고, 오히려 **자신들의 형제자매를 인생에서 의미 있는 다른 사람(Significant Others)으로 간주**하려 하며, 특히 **동성의 형제자매를 더 가깝게 지각**하고 서로 간에 애착하려는 경향을 보인다.

7 청년기(또는 성인초기, 19~34세)

1. 신체적 발달

(1) 청소년기의 어색한 모습은 사라지고 외관상 균형 잡힌 모습을 갖춘다.

(2) 신체적 기능이 최고조에 달한다. 육체적 힘은 25~30세 사이에 최고조에 이르며 그 후에는 점진적으로 쇠퇴하나 대부분의 신체적 능력과 기술은 규칙적으로 사용하기만 하면 그 기능이 청년기 이후에도 지속된다.

(3) 청년기의 가장 주요한 사망원인은 사고[1]이다.

2. 심리적 발달

(1) 최고조의 인지발달

감각기능과 지능이 모두 최고점에 이르지만, 더 새로운 지능발달은 거의 없다.

선생님 가이드

[1] 청년기의 가장 주요한 사망원인은 사고입니다. 반면 장년기의 가장 주요한 사망원인은 질병입니다.

(2) 형식적 조작사고의 연장

기계적 암기 수행능력 등은 10대 후반이 가장 뛰어나지만, 판단·추론 능력 등은 생애전반에 걸쳐 발달한다.

(3) 분리에 대한 양가감정 경험

부모로부터의 독립에 대한 갈망과 분리에 대한 불안감을 동시에 경험한다.

(4) 자율성의 발달

① 자신만의 인생의 목표와 희망을 명확히 정의한다.

② 부모로부터의 독립과 직업을 선택하고 활동함으로써 **공식적이고 완전한 성 인으로서의 삶을 시작**한다.

③ **사랑과 일을 통해 구체적으로 자아를 실현**한다.

3. 사회적 발달

(1) 청년기는 발달과업에 있어서 사회적 발달(또는 사회문화적인 요소)이 더 중요한 시기로, 사회적 관계가 확대되어 가족으로부터 독립을 준비하고자 한다.

(2) 직업의 준비와 선택

삶과 직업에 대한 목표와 희망을 명확하게 정의하고, 본격적인 직업 활동의 수행보다는 직업의 선택과 직업별로 요구하는 전문적 기술의 습득을 통해 경력을 쌓는 시기이다.

(3) 결혼과 가족형성

사랑하고 보살피는 능력이 심화되는 시기로, **자아정체감 확립과 친밀감 형성**으로 영속적 관계를 유지할 수 있는 **배우자를 선택하고 결혼**하여 가족을 형성한다.

(4) 사회적 성역할 정체감(Sex-Role Identity) 확립

성역할 정체감이란 사회가 각 성별로 적절하다고 인정하는 **특성, 태도, 가치관, 흥미 등을 동일시하는 과정**으로 그 성에 따른 사회의 역할기대를 내면화하는 과정이며, 청년기는 이러한 **사회적 성역할 정체감을 확립하는 시기**이다.

8 장년기(또는 중년기·성인중기, 35~64세)

1. 장년기의 특징

(1) 인생의 황금기

인생에 있어서 가장 왕성하고 활동적인 시기로, **사회·경제적 활동능력이 최고조에 이르러** 높은 성취감이 발생한다.

(2) 중간변화기(또는 생애 전환기)

가족생활, 직업경력, 친밀한 관계, 내적 생활 등 다양한 인생의 영역에서 새로운 측면이 나타나는 시기로, **자신의 과거에 대한 재평가를 통해 변화가능성을 탐색**해야 한다.

(3) 샌드위치 세대(또는 끼인 세대)

사춘기에서 성인기에 들어선 자녀와 노부모와의 중간적 위치에 있는 시기로, **자녀 및 부모에 대한 이중적인 부양의무가 발생하여 부모와 자녀의 역할을 동시에 수행**해야 하는 시기이다.

(4) 사추기(思秋期)

인생의 전반기에서 후반기로 넘어가는 전환의 시기로, 청소년기 때와 비슷한 **정체성의 위기를 경험**하고, 지금까지와 앞으로 있을 자신의 인생에 대해 의문을 갖게 되는 시기이다.

(5) 빈 둥지 증후군(Empty Nest Syndrome)의 시기

부모로서 자녀양육 역할이 줄어들고, 자녀와 분리되어 모두 집을 떠나고 부부만 남게 되는 시기이다. 이때 중년의 부부에게는 역할 변화가 요구된다.

(6) 위기의 시기

① 중년기의 위기는 자신도 결국 죽을 수밖에 없다는 **죽음에 대한 인식**에서 비롯되며, 이러한 중년의 위기는 방황, 갈등, 내적 고뇌를 일으킨다.

② **남성의 경우** 직업전환, 부부 관계의 갈등과 이혼 등이 위기 발생의 요인이 되고, **여성의 경우** 자녀나 남편, 노부모에 대한 걱정과 자신의 자아실현 등이 요인이 된다.

③ 중년의 위기로 인한 위기감으로는 자살시도, 우울증, 피로감, 불안감, 수면장애 등이 있다.

④ 다만, 이러한 위기감은 **남성보다 여성이 더 심하게 경험하는 경향**이 있다.

> **✓ 핵심 PLUS**
>
> **마모어(Marmor)의 4가지 장년기의 위기**
> ① 신체의 노화
> ② 사회문화적 스트레스의 증가
> ③ 경제적 스트레스의 증가
> ④ 이별과 상실로 인한 정신적 스트레스의 증가

2. 신체적 발달

(1) 노화가 점차 진행되어 신체적 능력과 건강이 약해지며, 신체구조상 전반적으로 신진대사가 둔화되면서 체중이 증가하고, 이에 따라 허리둘레도 늘어난다.

(2) 시각, 청각, 미각, 후각 등의 감각기능들이 쇠퇴하기 시작한다.

(3) 얼굴에 주름이 늘어가고 피부의 탄력도 줄어든다.

(4) 청년기에 비해 전반적으로 신체적 능력과 건강이 감퇴하기 시작한다.

(5) 장년기의 주요 사망원인으로는 고혈압, 심장병, 당뇨병, 뇌일혈(또는 뇌출혈)과 뇌경색, 암 등의 다양한 질병이 있다.

(6) 갱년기(更年期)

① 호르몬의 **변화**로 성적 능력의 저하가 일어나는 **갱년기**를 **경험**하게 된다.

② 성별 갱년기의 특징

여성	⊙ 개인적인 차이는 있지만 50대 전후에 **여성 호르몬인 에스트로겐**(Estrogen)의 분비가 1/6 정도로 줄어들면서 **폐경을 경험**하며, 이로 인해 가임기가 끝나게 된다. ⓒ 폐경기의 여성은 홍조현상(또는 안면홍조)❶, 두통, 수면장애, 호흡장애, 유방통증, 골반통, 관상동맥질환, 현기증, 우울증, 무기력증 등의 증상을 보인다.
남성	⊙ 남성의 갱년기 현상은 **남성 호르몬인 테스토스테론**(Testosterone)의 분비가 줄어들면서 생긴다. ⓒ 일반적으로 남성의 갱년기는 **여성에 비해 비교적 늦게 발생**하며, 남성은 폐경 시 성기능 저하 및 성욕감퇴를 경험하지만, 여성의 난자와는 달리 정액과 정자를 계속 생산할 수 있어서 생식능력은 존재한다. ⓒ 단, 남성의 갱년기는 여성에 비해 신체적 고통이 발생하지는 않으므로 **여성의 갱년기 장애가 남성의 갱년기 장애보다 더욱 뚜렷하게 경험**되는 경향이 있다.

3. 심리적 발달

(1) 인지 반응속도 감퇴

① 속도가 필요한 과제나 문제를 빠르게 해결하지 못하는 경향이 있다.

② **새로운 것의 학습능력은 저하**되지만 학습과 삶의 경험을 통해 습득한 지혜를 통합하여 사고하는 능력이 발달하여 **문제해결능력은 오히려 높아질 수 있다.**

(2) 개성화 경험

융에 따르면 장년기에는 외부에 쏟았던 에너지를 자기 내부로 돌리며 **개성화 과정을 경험**하게 된다.

(3) 단기기억능력의 감퇴와 결정성 지능의 발달

① 일반적으로 **단기기억능력은 미미한 수준으로 감퇴**하지만 장기기억능력은 변화가 없는 경향을 보인다.

② **유동성**(Fluid) **지능은 감소**❷하지만 **결정성**(Crystallized) **지능은 지속적으로 발달**한다.

③ **어휘력 · 언어능력 등이 최고조**에 이르고, 학습과 경험을 통합하여 사고하는 능력이 발달한다.

4. 사회적 발달

(1) 가족생활

① **최저 수준의 결혼생활 만족도**를 보여 **남성의 자살률**이 급격하게 증가하고, 이혼 · 별거 · 불륜 · 도피 등의 역기능적 현상이 빈번히 발생한다.

선생님 가이드

❶ 홍조현상이란 에스트로겐 감소로 여성에게 발생하는 갱년기 증후군입니다. 얼굴, 목, 상체 등에 후끈 달아오른 느낌과 더불어 피부가 붉어지는 증상이 나타납니다.

❷ 혼과 카텔(Hon & Cattell)은 지능을 그 형성 방법에 따라 결정성 지능과 유동성 지능으로 분류했습니다.
결정성 지능이란 학습과 경험을 통해 형성되는 어휘력, 언어능력, 추리력, 판단력 등의 지능으로, 장년기를 포함한 인생 전반에 걸쳐 발달됩니다.
반면 유동성 지능이란 타고난 지능으로 귀납적 추리력, 형태지각의 융통성, 통합능력 등의 지능을 말합니다. 보통 10대 후반에 절정에 도달하고 장년기에는 중추신경의 노화로 감퇴되는 경향이 있습니다.

② 자녀의 성장으로 인한 부모 역할 변화가 필요하며 **독립을 인정하는 방향으로 부모·자녀 관계를 재조정**해야 한다.

(2) 이 시기에는 직업적 성공에 이를 가능성과 반대로 직업전환(또는 실업)의 위기 상황에 처할 가능성이 공존한다. 따라서 직업전환에 필요한 기술습득을 위한 교육훈련 프로그램이나 직업전환 프로그램이 필요하다.

(3) 평균수명 연장·조기정년제의 시행 등으로 여가시간이 큰 폭으로 증가하여 여가활용의 문제가 매우 중요한 과제로 등장하였다.

9 노년기❶(또는 성인후기, 65세 이후)

1. 신체적 발달

(1) 흰머리, 창백하고 탄력 없는 피부, 주름살 및 노인성 얼룩반점, 구부정한 허리, 불안정한 걸음걸이 등이 외모적 특징이며, 일반적으로 60세부터 신장과 체중이 감소하기 시작한다.

(2) 기능손상과 만성질환(**예** 심장병, 당뇨병, 관절염, 고혈압, 신경통 등)으로 인한 스트레스를 경험한다.

(3) 연령이 증가함에 따라 수면 시간이 감소하여 수면장애가 발생한다.

(4) 기초 대사율이 감소하고 포도당 대사율은 증가하여 고혈당 현상이 발생한다.

(5) 인지기능 및 고등정신기능이 감퇴되는 기질성 정신장애인 치매가 발생하여 일상적 사회활동 및 대인관계 영위에 지장이 생긴다.

(6) 체온 유지능력의 저하로 추위에 민감해 진다.

(7) 중년기부터 발생한 원시현상이 더욱 심해진다.

(8) 청력이 저하되며, 특별히 남성의 청력 저하가 여성보다 심하다.

(9) 후각 기능의 저하로 식욕부진으로 인한 영양부족 현상이 발생한다.

(10) **생식기능 및 성교능력이 저하**된다. 단 남성 노인의 경우 여성 노인에 비해 70대에도 그 정도가 덜하다.

(11) **신장기능이 저하되어 신장질환에 걸릴 가능성이 증가**하고, **방광이나 요도기능의 저하로 야간에 소변보는 횟수가 증가**한다.

2. 심리적 발달

(1) **행동둔화(Behavioral Slowing) 현상**이 발생하여, 외부 자극에 의한 반응속도가 늦어지게 되고, 이로 인해 안전사고 발생 위험이 증가한다.

(2) 기억능력이 전반적으로 감퇴된다. 특히 **최근기억과 단기기억이 장기기억보다더욱 심하게 감소**된다.

(3) 자기중심적이고 원시적인 방법으로 문제를 해결하려는 경향이 관찰된다.

❶ 노년기란 일반적으로 65세부터 사망까지의 시기를 말합니다. 뉴가튼(Neugarten)은 75세 미만의 노인을 노년전기(the Younger Old)로, 75세 이후를 노년후기(the Older Old)로 구분했습니다.

선생님 가이드

우리나라 법령상의 노인의 연령 규범

법령	내용
「노인복지법」	• '65세 이상의 자'에게 경로우대 조치, 건강진단, 보건교육, 노인주거복지시설, 재가노인복지시설 입소 자격 부여 • 단, 노인복지주택 입소자격자는 '60세 이상의 노인'으로 정함(법 제33조의2)
「노인장기요양보험법」	'65세 이상의 노인'에게 장기요양보험 급여 제공함
「국민연금법」	연금수급연령은 60세로, 2013년 1월 1일부터 4년마다 1세씩 더한 연령에 적용되어 2033년에는 65세에 도달함
「고용상 연령차별 금지 및 고령자고용촉진에 관한 법률 시행령」	고령자를 55세 이상인 사람으로 정함
「장애인, 고령자 등 주거약자 지원에 관한 법률」	고령자를 65세 이상인 사람으로 정함

(4) 60세 이후 언어, 공간개념, 추리, 수리, 어휘 등의 능력이 현저히 감소되고, IQ 검사에서 젊은 사람들보다 다소 낮은 점수를 받는 경향이 나타난다.

(5) 노년기 후기에는 정보처리속도는 감소되지만, 추론능력 등 경험의 축적을 통해 형성된 능력은 유지되는 경향이 있다.

(6) 노년기 초기에는 새로운 문제와 상황에 대처하는 능력인 유동성 지능은 감소하지만 정보의 저장, 기술, 책략 등의 결정성 지능은 안정적이거나 증가하기도 한다. 그러나 결정성 지능 역시 노년기 후기로 갈수록 감소하는 경향이 있다.

(7) **정서 및 성격의 변화**

① 내향성 및 수동성의 증가: 상황 판단을 단지 **자신의 주관에 의존**하거나, **타인에게 의지**하려는 경향을 보인다.

② 조심성의 증가: 자신감이 결여되어 상황 대처에 있어서 **확실한 것만을 추구**하려는 경향을 보인다.

③ 경직성의 증가: 자신에게 일상적으로 **익숙한 태도와 방법으로 상황에 대처**하려고 하는 경향을 보인다.

④ 우울성향의 증가: 배우자의 사망, 경제적인 문제, 사회적 고립 등의 환경적 문제와 더불어 **과거 젊은 시절에 대한 회상이 증가**하여 우울 성향이 두드러지게 나타난다.

⑤ 생에 대한 회상의 증가: **지난 삶을 회상**하여 그 동안 해결하지 못한 문제의 해결을 시도하고, 이를 통해 새로운 인생의 의미를 발견하려는 경향을 보인다.

⑥ 친근한 사물에 대한 애착 증가: **과거부터 사용해 온 사물에 대해 특별한 애착반응**을 보이며, 이러한 행동을 통해 심리적 안정과 평온을 누리려 한다.

⑦ 성역할 지각의 변화: **남성은 친밀성, 의존성, 관계지향성**이 증가하며, **여성은 공격성, 자기주장, 자기중심성, 권위주의 성향**이 드러난다.

⑧ 의존성의 증가: 노화의 진행과 더불어 **경제적, 신체적, 정서적, 사회적 의존현상이 증가**한다.

⑨ 시간전망의 변화: 자신이 생존할 수 있는 시간을 계산하고, 그 시간이 얼마 남지 않았다는 사실을 회피하고자 **과거를 회상하거나 반대로 미래지향적**이 된다.

⑩ 유산을 남기려는 경향: 자손이나 사회에 재산, 기술, 지식 등 무엇인가를 남기려는 성향이 두드러지게 나타난다.

3. 사회적 발달

(1) **사회적 역할의 전환**

① 일반적으로 **노년기는 사회관계망의 축소로 사회적 역할이 축소**된다. 특히 수**단적(또는 제도적) 역할과 비공식적 역할이 축소**된다. 다만 **희박한 역할**은 증가하는 경향이 있다.

② 이로 인해 결국에는 무위(無爲) 상태에 이르고 **고독과 소외를 경험**하게 된다.

지위와 역할의 명확 정도에 따른 사회적 역할 유형(Rosow)

유형	지위의 명확정도	역할의 명확정도	예
수단적 (또는 제도적) 역할	명확	명확	가족의 가장, 기업의 부장 등
희박한 역할	명확	불명확	실직한 가장, 명예직 회장 등
비공식적 역할	불명확	명확	비공식적 리더, 범죄자 등

조부모의 역할 유형(Neugarten & Weinstein)

대리부모형	부모는 직업 생활을 하고, 부모를 대신하여 손자녀를 양육하는 유형
가족지혜 저장형	가족 내에서 가부장적 권위를 유지하며, 자손들에게 지식과 기술을 전수하고, 그들은 복종하는 유형
공식형	손자녀와 친밀한 관계를 유지하지만, 부모의 역할은 침해하지 않는 유형
재미추구형	손자녀를 여가활동의 주요 대상으로 여기고, 조부모와 손자녀 모두 이런 일상을 만족해 하는 유형
원거리형	가족 내의 특별한 행사 이외에는 접촉 빈도가 거의 없는 유형

(2) **사회적 관계의 변화**

① 과거 조부모의 역할 유형이었던 **대리부모형이나 가족지혜 저장형**에서 최근에는 **공식형이나 원거리형**으로 변화하고 있다.

② 조모가 조부보다, 외조부모가 친조부모보다 더욱 손자녀와 친밀한 경향을 보인다.

③ 배우자의 사망과 이로 인한 극심한 상실감 및 관련 행동(**예** 잦은 눈물, 불면증, 식욕상실, 체중 감소, 불안, 우울, 분노, 비통, 자살 등)을 보인다.

④ 노인의 재혼은 과거에 비해 개방적이나, 노인의 보수적 성도덕관·자녀의 반대·경제적 자립 능력 결여·전문 상담기관의 부족 등으로 실제 재혼까지 이르는 경우는 드물다.

⑤ **친구와 이웃이 상당부분 중복되는 경향**이 있다.

4. 죽음 수용(또는 비애) 과정(K. Ross) 19. 서울시 2차

(1) 미국의 정신의학자이며 심리학자였던 큐블러 로스(Kübler Ross, 1926~2004년)는 1969년에 쓴 그녀의 저서『죽음과 죽어감(On Death and Dying)』에서 200여명의 말기 암환자들이 죽음을 선고받고 이를 인지하기까지의 과정을 '**부정 → 분노 → 타협 → 우울 → 수용**'의 5단계로 제시하였다. (✐)

(2) **단계** 19. 서울시 2차 (✐)

1단계: 부정 (Denial)	① 자신이 죽게 된다는 사실을 강하게 부정하는 단계이다. ② 반응: "아니야, 그럴 리가 없어!"

↓

2단계: 분노 (Rage and Anger)	① 가족이나 의료진 등 주변의 건강한 사람들을 향하여 분노하는 단계이다. ② 반응: "다른 사람들은 모두 멀쩡한 데 왜 나만 이렇게 죽어야 되냐"

↓

3단계: 타협 (Bargaining)	① 죽음을 어느 정도 받아들이지만 절대자의 기이한 능력에 의지하여 죽음의 연기를 협상하고자 하는 단계이다. ② 반응: "이번 한 번만 살려주시면 앞으로 정말 착하게 살게요!"

↓

4단계: 우울 (Depression)	① 자신이 살아온 환경과 주변 사람들에 대해 강한 애착을 보이며, 이러한 것들과의 이별 때문에 우울증이 나타나는 단계이다. ② 반응: 웃음을 잃고 하루 종일 멍한 표정으로 있거나 울어버리기도 한다.

↓

5단계: 수용 (Acceptance)	① 우울증으로부터 벗어나 죽음을 완전히 수용하는 단계이다. ② 반응: 차분하게 자신의 감정을 정리하는 시간을 갖는다.

제2장 사회복지조사

제1절 사회복지조사의 개관

1 과학적 방법

1. 개념

(1) 지식을 습득하기 위해 과학적 절차와 수단을 사용하는 것을 말한다.

(2) 궁극적으로 사회복지조사론에서는 과학적 방법에서 활용하는 지식❶습득의 절차와 수단을 학습한다.

📋 핵심 PLUS

비과학적인 지식의 습득방법과 오류 12. 국가직

① 비과학적인 지식의 습득방법
- **전통(Tradition):** 사회적으로 인정된 선례, 관습 등을 비판 없이 그대로 수용하여 습득한 지식을 말한다.
- **권위(Authority):** 해당 분야 전문가나 높은 권위를 가진 사람의 말을 그대로 인용하여 습득한 지식을 말한다.
- **직관(Intuition):** 과학적 절차나 방법 없이 오직 자신의 통찰력에 근거하여 습득한 지식을 말한다.

② 비과학적인 지식 습득의 오류
- **루빈과 바비(Rubin & Babbie)**는 비과학적 방법으로 지식을 습득할 경우 발생하는 오류를 다음과 같이 지적하였다.
- **부정확한 관찰:** 과학적 절차와 수단을 적용하지 않는 일상적·무의식적 수준의 부정확한 관찰을 통해서 지식을 얻는 경우를 말한다.
  - 📝 일상적·무의식적으로 만난 클라이언트의 중요 정보를 기억하지 못해 추측으로 연상해 버리는 경우
- **과도한 일반화:** 관찰 결과 한 집단 내에서 발생한 일부 소수의 사건이나 경험을 근거로 현상의 공통적인 규칙성을 그 집단 전체에 관한 지식으로 여기는 경우를 말한다.
  - 📝 국민기초생활보장제도 상의 수급자인 몇 사람이 명품 옷을 입을 것을 보고, 모든 수급자들을 부정 수급자로 몰아가는 경우
- **선별적 관찰:** 연구자가 규칙성을 전제로 구축되어진 자신의 선입관에 근거하여 관찰하고 싶은 것만을 선별하여 관찰하는 경우를 말한다.
  - 📝 평소에 빈자들은 게으르다고 생각하던 사회복지사가 게으른 빈자들만을 주시하고, 부지런한 빈자들은 무시하는 경우
- **꾸며낸 지식(또는 고정관념):** 자신의 일반화된 지식에 위배되는 사실을 새로이 발견했음에도 불구하고 그러한 일반화된 지식을 유지하기 위해 스스로 거짓 지식을 만들어 내는 경우를 말한다.
  - 📝 게으름이 빈자를 만든다는 고정관념을 가진 사회복지사가 부지런한 빈자를 발견했을 때, 그들이 사실은 빈자가 아니라고 치부해 버리는 경우
- **사후소급가설:** 관찰을 먼저 한 후 관찰한 결과에 부합하는 가설을 새로이 설정하거나 원래의 가설을 수정하여 지식을 만들어내는 경우를 말한다.
- **비논리적 추론:** 논리적 근거가 부족하지만 그럴듯한 추론에 근거하여 판단을 내리고 이러한 판단을 지식으로 인정하는 경우를 말한다.
  - 📝 카지노에서 매번 잃기만 하는 도박사가 이번에는 반드시 딸 것이라고 생각하는 도박사의 오류(Gambler's Fallacy)

선생님 가이드

❶ 지식(Knowledge)이란 어떤 현상 또는 대상에 대해 알게 된 명확한 인식이나 그러한 것에 대한 설명을 사실이라고 믿는 것을 말합니다. 일반적으로 지식을 얻는 방법은 그 과학성 여부에 따라 비과학적 방법과 과학적 방법으로 구분할 수 있으며, 우리가 앞으로 사회복지조사론을 통해 공부할 지식습득 방법은 당연히 과학적 방법입니다.

🏛 기출 OX

'생태학적 오류'란 소수의 표본에서 얻은 결과를 전체에게 과도하게 확대 적용하는 것이다. ( )　　12. 국가직

× '생태학적 오류'가 아니라 '과도한 일반화'가 옳다.

- **자아의 개입**: 어떠한 현상을 이해하는 과정에서 자신의 자아, 즉 가치, 명예, 권위 등이 손상되어진다고 판단될 때 자신의 **자아를 보호하기** 위해 주관적 감정이 개입되어 객관적인 사실을 왜곡시키는 경우를 말한다. 쉽게 말해 **연구자의 자기변명**이다.
- **탐구의 성급한 종결**: 과도한 일반화·선별적 관찰·꾸며낸 지식·비논리적 추론 등으로 인해 어떠한 사실을 완벽하게 이해하기 전에 성급하게 탐구를 종결하는 경우를 말한다.
- **신비화**: 어떠한 관찰로도 현실적으로 이해되지 않는 사실을 초자연적인 신비한 원인 등으로 설명하여 지식으로 확정하려는 경우를 말한다.

2. 목적

(1) 인과관계 규명

과학적 방법은 현상에 대한 인과관계, 즉 **어떠한 원인(因)에 의해서 그러한 결과(果)로서의 현상이 발생하는지를 규명**해야 한다.

(2) 일반화

과학적 방법은 현상 속에 존재하는 **규칙을 일반화하여 이론으로 정립**해야 한다.

(3) 예측 및 통제

과학적 방법은 정립된 이론을 근거로 하여 **미래를 예측**할 수 있어야 한다.

3. 특징

(1) 논리적 체계성(또는 구체성)

과학적 방법은 일정한 규칙과 절차를 통해 진행되어 **논리적 일관성을 확보**해야 하며, 이를 위해 연역법, 귀납법 등의 **체계적이며 포괄적인 논리적 전개 방법을 사용**한다.

(2) 수정가능성(또는 변화가능성)

과학적 방법을 통해 형성된 지식이라도 언제든지 비판되고 수정될 수 있다. 따라서 결국 인간이 생산해 낸 **모든 지식은 잠정적**일 수밖에 없다.

(3) 경험성(또는 경험적 검증가능성)

이론은 현실세계에서의 경험, 즉 **인간의 감각기관에 의한 지각을 통해 검증**될 수 있어야 한다.

(4) 객관성

과학적 방법은 연구자의 상호 주관적인 동기가 있을지라도 표준화된 도구와 절차를 사용하여 누구에게나 동일하게 인식되어야 한다.

(5) 간주관성(間主觀性, Intersubjectivity, 또는 상호주관성, 공동주관성)

① 과학에서의 객관성은 과학자 공동체에 속한 모든 사람의 동의가 아니라 그 문제에 대해서 관심을 가지고 이를 이해할 수 있는 연구자 개인과 다른 연구자 개인의 주관성의 공통부분에서 결정되고, 그 결과 생기는 **간주관성이 가장 객관적인 의견으로 선택**된다. 따라서 **일부가 자기들끼리 동의한 것이라는 의미에서 간주간성**이라고 한다.

② 다시 말해, 사회과학에서의 **객관성**은 그저 높은 수준의 **간주간성**으로 이해할 수 있다.

(6) 반복(또는 재생)가능성

과학적 방법을 통해 형성되는 지식은 동일한 조건, 즉 절차와 방법을 되풀이 하였을 때에 누구나 동일한 결론을 얻을 수 있어야 한다. 즉 **재현과 반복의 가능성이 높아야 한다.** 따라서 연구의 반복을 요구한다.

(7) 간결성

과학적 방법은 **최소한의 정보로 최대한의 설명력을 확보**해야 한다. 즉, 가급적 적은 수의 변수로 보다 많은 현상을 설명하는 것이 바람직하다.

(8) 일반성

과학적 방법은 경험을 통해 얻은 구체적 사실로 **보편적인 원리를 추구**한다.

(9) 확률적 결정성

과학적 방법에서는 모든 현상에는 원인과 결과의 관계, 즉 인과관계가 존재한다고 가정한다. 단 특정한 원인과 특정 결과의 관계를 **완전히 설명하지 못하며, 다만 확률적으로 그 인과관계를 설명**한다.

(10) 허위화 가능성(Falsifiability, 또는 반증 가능성)에 대한 개방성

허위화 가능성이란 과학은 연역적 방법을 기초로 반증되는(또는 허위화되는) 사례를 하나씩 제거해 나가 결국에 합당한 이론을 구축하게 된다는 것으로, **연구자는 허위화 가능성에 대해 개방적**이어야 한다.

2 조사의 목적과 논리

1. 조사의 목적

(1) 기술(Description)

조사대상의 **사실적이며 객관적 현상을 있는 그대로 묘사하는 것**을 말한다. 즉, 현상의 형태, 구조, 흐름, 변화, 다른 현상과의 관계 등 현상의 속성이 무엇인가를 구체적으로 밝히는 것이다.

(2) 설명(Explanation)

인과관계를 규명하는 것이다. 즉, 기술된 현상의 원인을 밝히는 것으로 '왜(Why)'라는 물음에 대한 답을 찾는 것이다.

(3) 보고(Reporting)

기술과 설명된 내용을 정리하여 **조사의 결과를 발표하는 것**을 말한다.

(4) 예측(Prediction)

보고된 내용을 기초로 하여 **미래에 발생할 개연성을 지닌 현상을 전망하는 것**을 말한다.

2. 조사의 논리

(1) 연역법(Deduction) ㉘

① **일반적인 사실이나 법칙으로부터 특수한 사실이나 법칙을 추론**하는 방법으로, **가설을 수립하고 이를 검증하는 형태**로 진행된다.

② 논리 전개 방법: 이론 → 가설 → 조작화 → 관찰(또는 측정) → 검증 순으로 전개된다.

③ 질적조사보다는 **양적조사에 주로 사용**된다.

> 예 "(일반적인 사실이나 법칙) 모든 사람은 죽는다."에서 "(특수한 사실이나 법칙) 소크라테스는 죽는다."로 추론하는 경우

(2) 귀납법(Induction) ㉘

① 경험적인 세계에서 경험적으로 관찰된 특수한 또는 구체적 사례의 공통적인 유형을 발견해 이를 보편적인 원칙인 이론으로 확장시키는 추론 방법으로, **관찰된 현상을 경험적으로 일반화시키는 형태**로 진행된다.

② 논리 전개 방법: 주제 선정 → 관찰 → 경험적 일반화(또는 유형 발견) → 결론 순으로 전개된다.

③ 양적조사보다는 **질적조사에 주로 사용**된다.

> 예 "(개별적이나 특수한 사실에 대한 경험적 관찰) 소크라테스는 죽었다. 플라톤도 죽었다. … 그러므로 모든 사람은 다 죽는다."

(3) 연역법과 귀납법의 관계

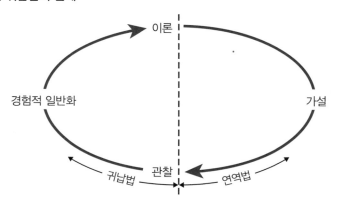

① 연역법의 **가설은 관찰을 통해 형성된 이론에 의해 만들어**진다. → 관찰을 통해 경험적 일반화가 이루어지고, 이러한 일반화는 이론을 수정하게 된다. → 수정된 새로운 이론은 새로이 수정된 가설을 형성함으로써 연역법과 귀납법은 **상호 지속적인 순환 또는 보완 과정**을 거치게 된다.

② 따라서 조사 시 연역법과 귀납법은 **상호 순환적 관계(또는 보완적 관계)**를 맺는다.

3 인식론과 과학철학

1. 인식론

인식론(認識論, Epistemology)이란 지식의 본질과 이를 규명하는 방법을 다루며, "지식이란 무엇인가?" 또는 "그러한 지식을 어떻게 얻을 수 있는가?"에 관한 논의와 주장이다. 사회복지조사의 대표적인 인식론으로는 **실증주의와 해석주의**가 있다.

(1) 실증주의(Positivism, 또는 경험주의)

① **기본 가정: 사회현상 역시 자연현상과 같은 객관적 실제,** 즉 일정한 규칙과 법칙이 있으며, 이로 인해 예측과 통제가 가능하다고 주장한다.

② 목적

    ⊙ **경험적 관찰을 통해 이론을 재검증**하고자 한다.

    ⓒ **인과관계 규명 또는 일반화를 추구**한다.

③ 방법

    ⊙ **연역법에 기초한 양적연구**를 중시한다.

    ⓒ 주로 관찰과 측정이 가능한 인간의 사회적 행동이나 현상만을 조사하고자 한다.

    ⓒ 자연과학의 조사 방법을 사회과학에도 동일하게 적용하고자 한다. 따라서 **통계, 실험, 표준화된 척도의 사용 등 객관화 및 표준화된 과학적 절차와 분석도구의 사용을 중시**한다.

    ⓔ 일반화를 추구하므로 **적은 수의 표본으로 현상을 일반화하는 것은 오류**라고 본다.

    ⓜ **반증 가능성(또는 허위화 가능성)에 대해 개방적**이어야 한다.

(2) 해석주의(Hermeneutics, 또는 반실증주의)

① **기본 가정: 현상에 대한 연구자의 직접적이며 완전한 이해는 불가능**하다고 가정한다.

② 목적

    ⊙ 인간의 일상적인 언어나 행동의 사회적 맥락을 분석하여 고찰하고, 사회적 행동과 경험을 해석하고 이해하여 **인간 삶의 주관적 의미를 깊이 있게 탐색**하고자 한다.

    ⓒ **'사회적 세계에 대해 그 속에서 살아가는 사람이 생각하고 있는 것이 무엇인가를 최대한 분명히 하는 것'**을 목적으로 한다. 즉, 실증주의가 인간행동에 대해 행위자가 아닌 관찰자(또는 연구자)의 입장에서 인과 관계를 밝히려는 데 관심을 두는 데 반해, **해석주의는 행위자의 입장에서 그 행위의 의미를 이해**하려고 한다.

③ 방법

    ⊙ **귀납법에 기초한 질적연구**를 통해 현상의 해석을 추구한다.

ⓒ 실증주의가 중시하는 표준화된 과학적 절차와 분석도구는 한계가 있다고
주장한다. 따라서 **조사 시 연구자의 가치나 태도의 활용을 중시한다.**

2. 과학철학

(1) 반증주의(Falsification)

① 대표적인 학자로 포퍼(K. Popper)가 있다.

② 과학은 기존 이론이나 가설의 모순을 입증할 사례를 발견하는 데에서 시작
되며, 이론이나 가설은 반증 가능성이 높을수록 더 큰 의미를 가지게 된다고
본다.

③ 즉, 반증주의란 **연역적 방법을 기초**로 해서 반증되는(또는 허위화되는) 사례를
하나씩 제거해 나가 결국에 합당한 이론을 구축하는 방법으로, 이를 위해서는
허위화의 가능성(또는 반증 가능성)에 대해 개방적이어야 한다고 주장한다.

(2) 과학적 혁명(Scientific Revolutions)

① 토마스 쿤(T. Kuhn)이 그의 저서 『과학 혁명의 구조(The Structure of
Scientific Revolutions, 1962년)』에서 주장하였다.

② 패러다임(Paradigm)

ⓐ 어떤 분야에 대해 **과학자들이 현상을 바라보는 관점 또는 도식**으로, 일반
대중이 아닌 과학자(또는 학문) 공동체의 사회적 성격이 그 시대의 패러다
임을 선택하게 한다.

ⓑ 이렇게 선택된 패러다임은 한 시대의 사회 전체가 공유하는 이론이나 방
법이 된다.
> 예 2세기 당시의 과학자 공동체가 선택한 우주관인 천동설이 그 시기의 다른 모든
> 천문 현상을 설명하는 패러다임이 되었다.

③ **과학적 진보의 유형**: 과학은 '**전과학 → 정상과학 → 위기 → 과학적 혁명**'의
단계를 밟으며 발전해 간다.

전과학 (Prescience)	과학자(또는 학문 공동체)가 일반적으로 합의한 패러다임이 출현하지 않은 단계이다. 예 프톨레마이오스가 아직까지 천동설을 주장하지 않은 단계
정상 과학 (Normal Science)	과학자(또는 학문) 공동체의 합의에 의해 형성된 패러다임이 그 시대 사회 전체에 공유된 단계이다. 예 프톨레마이오스가 주장한 천동설이 아무런 의심의 여지 없이 인정된 단계
위기 (Crisis)	기존 패러다임으로는 이해하기 어려운 현상이 점점 많이 보고됨에 따라 그 시대의 **정상과학에 대한 불신이 나타나는 단계**이다. 예 여러 천문학자들의 조사 결과 천동설의 오류가 무수히 등장한 단계
과학적 혁명 (Scientific Revolution)	위기 이후 **기존 패러다임을 대체하는 새로운 패러다임이 확립되는 단계**로, 이때 기존 정상과학 단계에서 형성된 지식은 모두 폐기되고 전혀 다른 새로운 지식이 이를 대체하게 된다. 예 코페르니쿠스(Copernicus)의 지동설이 등장하여 기존의 천동설을 대신한 우주관으로 확립된 단계

④ 주장
   ㉠ 과학적 혁명을 통해 기존의 패러다임은 완전히 폐기되고, 새로운 패러다임이 그 시대를 장악하므로 **지식은 누적적으로 형성될 수 없다.** 따라서 **시대적 패러다임의 우월을 비교할 객관적 기준 역시 존재하지 않는다.**
   ㉡ 과학적 진리는 사회의 성격에 영향을 받는다.

⑤ 비판
   ㉠ 패러다임 변화는 **혁명적이지 않고 점진적일 수도 있다.**
   ㉡ 특히, **사회과학의 패러다임 폐기는 자연과학에 비해 흔하지 않다.**
   ㉢ 또한 **한 시대에 여러 가지 패러다임이 공존할 수도 있다.**

❹ 사회복지조사의 윤리

1. 개관
(1) 사회복지조사의 대상은 주로 인간의 행동 및 사회현상이므로 윤리적인 문제가 발생하기 쉽다.
(2) 조사로부터 얻을 수 있는 사회적 이익이 반드시 비용을 초과해야 하는 것은 아니다.
(3) 원칙적으로 조사윤리는 조사의 공익적 가치보다 우선해야 한다.

2. 윤리적 원칙
(1) **조사 내용상의 원칙**
   ① 조사 내용은 사회적 통념상 인정받을 수 있어야 한다.
   ② 조사 내용은 인간 생활에 이익을 줄 수 있어야 한다.
   ③ 연구자는 자신의 조사에 대해 **연구윤리위원회의 지도나 허가**를 받아야 한다. **연구윤리위원회**(Institutional Review Board)란 인간을 대상으로 하는 조사의 전과정에서 인권의 침해를 방지하고, 복지를 증진시키기 위한 목적으로 연구자가 수행하는 조사의 승인 · 감시 · 검토의 업무를 수행하는 대학 등에 설치된 위원회를 말한다.

(2) **조사 과정상의 원칙**
   ① 조사 과정이나 결과가 조사대상자에게 신체적 · 정신적 · 심리적 · 물질적 · 법적 피해를 주어서는 안 된다.
   ② 조사 시작 전에 조사대상자의 자발적인 '고지된 동의'를 받아야 한다. 특히 조사대상자를 부당하게 속이는 행위를 해서는 안 된다.
   ③ 단, 아동 · 장애인 · 노인 등 **판단능력이 상실된 참여자에게는 그의 후견인에게 고지된 동의를 받을 수 있다.**

고지된 동의(Informed Consent) 18. 국가직

① **개념:** 조사 시작 전 조사의 전반적인 내용과 과정을 조사대상자에게 알려주는 절차로, 조사자를 보호하기 위해 활용될 수도 있다.

② **동의 내용**
- 조사의 목적
- 조사 완료까지 예상되는 기간 및 절차
- 조사에 참여하거나 중간에 그만둘 수 있는 권리
- 조사 참여를 거부하거나 그만 두었을 때 예상되는 결과
- 조사 과정 중 예측되는 위험, 고통, 불편 등
- 조사에 참여함으로써 얻을 수 있을 것으로 예상되는 이득
- 비밀보장의 한계
- 참여에 대한 보상(또는 혜택)

④ 조사에 대한 조사대상자의 반응성을 줄이기 위해 **조사대상을 속여야 하는 경우에는 다른 대안을 충분히 고려한 후에 진행**해야 한다.

(3) 조사 결과와 보고상의 원칙

① 보고 시에는 조사 과정에서 **드러난 문제점과 실패도 모두 보고**해야 한다.

② 익명성과 비밀성의 보장

익명성	㉠ 익명성이란 연구자가 조사대상자의 신분을 노출시키지 않아 **신원을 알리지 않고, 응답하게 하는 것**을 말하며, 익명성이 보장되지 않으면 조사 참여자가 응답을 거부할 수도 있다. ㉡ 익명성 보장 방법 • 자료수집 단계부터 조사대상자가 누구인지 연구자조차 모르도록 **설문조사 시에 조사대상자의 성명 등을 표기하지 않는다.** • 자료의 처리 과정에서 **조사대상자가 누구인지 식별할 수 있는 항목을 제거한 후 자료를 공개**한다.
비밀성	㉠ 비밀성이란 연구자의 의지와 관련된 것으로, **조사참여자의 응답 내용을 노출시키지 않는 것**을 말하며, 비밀성이 보장되지 않으면 조사 참여자의 불성실한 응답이 나올 수 있다. ㉡ **비밀성이 보장된다고 익명성도 함께 보장되지는 않는다.** 예를 들어 면접조사의 경우 비밀성은 보장될 수 있지만, 익명성을 보장하기는 어렵다.

③ 보고서 작성상의 원칙: 조사의 부정행위인 **위조, 변조, 표절** 등을 해서는 안 된다.

위조 (Fabrication)	존재하지 않는 조사 자료나 조사 결과 등을 허위로 만들어 보고하는 행위를 말한다.
변조 (Falsification)	조사 자료, 조사 과정, 조사 결과 등을 인위적으로 조작하거나 자료를 임의로 변형, 삭제함으로써 조사 내용 또는 결과를 왜곡하는 행위를 말한다. 즉 조사 보고서에는 변조 없이 조사 결과의 문제점과 실패도 모두 보고되어야 한다.
표절 (Plagiarism)	이미 발표되거나 출간된 자신 및 타인의 아이디어, 조사 과정, 조사 결과 등을 적절한 인용, 즉 출처 표시 없이 **전부 또는 일부를 조사에 사용하거나 다른 형태로 변화시켜 사용**하는 행위를 말한다.

5 사회복지조사와 증거기반실천(Evidence-Based Practice, EBP)

1. 개념 21. 지방직

증거기반실천이란 사회복지사가 클라이언트에게 사회복지실천을 하기 전에 가능한 모든 과학적 조사를 평가(또는 검토)하고 또한 이를 응용하여 사회복지실천의 효과성을 가장 높일 수 있는 개입 방법을 선택하고 또한 이를 적용하기 위해 이러한 평가와 적용의 기준과 절차에 대해 체계적으로 접근을 할 수 있도록 원칙과 방식을 구조화해 놓은 것이다.

2. 단계

일반적으로 증거기반실천은 다음과 같은 단계로 진행된다.

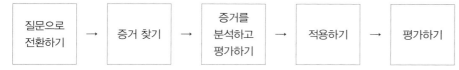

질문으로 전환하기 → 증거 찾기 → 증거를 분석하고 평가하기 → 적용하기 → 평가하기

(1) 질문으로 전환하기

사회복지실천 시 의사결정과 관련되어 **궁금한 점을 답변 가능한 질문으로 전환하는 단계**로, 특정 개입 기법, 사정도구, 평가도구, 프로그램의 효과성 등, 의사결정과 관련되어 궁금한 내용을 다양한 형태의 질문으로 구성할 수 있다.

> **예** • "치매노인의 인지 정도를 확인 할 수 있는 가장 타당하고 신뢰할 수 있는 측정도구는 무엇이 있을까?"
> • "치매노인의 인지 치료에 가장 효과적인 치료기법은 어떤 것이 있을까?"
> • "현재 치매노인에게 제공되고 있는 우리 복지관의 프로그램과 다른 복지관의 프로그램 중 어떤 것이 더 효과적일까?"

(2) 증거 찾기

질문에 답이 될 수 있는 **최선의 증거를 최대한 효율적으로 찾는 단계**로, 대학·국회 전자도서관이나 한국학술정보원 등에 있는 자료, 인터넷 검색엔진을 통한 검색 이외에도 **개입의 효과성을 제시하고 있는 다양한 문헌 자료를 찾는 것**이다.

(3) 증거를 분석하고 평가하기

수집된 증거를 다양한 기준(**예** 타당성, 효과성, 적용 가능성 등)에 따라 **비판적으로 평가하는 단계**로, 증거는 그 속성에 따라 **위계 수준, 즉 등급을 가지고 있으며, 가능한 한 가장 높은 수준의 등급의 증거를 실제 적용하는 것**이 바람직하다.

(4) 적용하기

비판적 평가의 결과를 사회복지실천에 적용하는 단계로, 선택된 실천방법에 대해 클라이언트에게 고지하여 클라이언트가 고지된 참여자가 되도록 해야 한다. 또한 기관의 조건이 이러한 실천방법을 실현할 수 있는지도 고려해야 한다.

(5) 평가하기

① **실제 실행된 결과를 평가하는 단계로**, 이러한 평가가 사회복지사의 일상적인 활동 중에 하나가 되기 위해서는 평가를 위한 자료수집 방법이 아주 정교하거나 시간이 많이 소요되는 것이어서는 안 된다. 따라서 효과성 평가의 경우 **단일사례설계나 사전-사후 검사설계와 같은, 보다 효율적인 방법을 활용**하는 것이 바람직하다.

② 또한 사회복지사는 **자신의 실행 경험을 동료들과 공유해야만 효과적인 개입 방법을 확산**시킬 수 있다.

3. 장점과 적용 시 한계

(1) 장점

① 사회복지사의 경험이나 견해 등 **권위에 기반한 실천이 아닌 검증된 증거에 기반한 실천을 가능**하게 한다.

② 이미 검증된 증거에 기반한 사회복지실천을 하므로 **개입 시 클라이언트에게 발생할 수 있는 문제를 최소화**할 수 있다.

③ **증거를 선택하고 이를 적용하는 의사결정 과정에 클라이언트를 참여**시키므로 클라이언트의 자율성과 자기결정권을 보장할 수 있다.

④ 사회복지사로 하여금 증거를 확보하고 검토하는 과정에서 **현대적인 사회복지실천 지식과 기술에 관한 내용과 수준을 파악**할 수 있다.

⑤ 사회복지사에게 필요한 정보를 효율적으로 찾고 이를 비판적으로 평가하는 방법을 학습시킬 수 있다.

(2) 적용 시 한계

① 증거부족의 한계: 과연 사회복지사들이 적용할만한 높은 등급의 증거를 확보하는 것이 가능한 것인가와 관련된 문제로, 특히 우리나라는 증거로서 적용할 수 있는 매뉴얼이나 연구 자료 등이 많이 축적되어 있지 않은 것이 현실이다.

② 사회복지실천 현장에서의 적용 한계: 사회복지실천 현장에서 사회복지사가 실제 담당하고 있는 사례의 수가 너무 많고, 사회복지사들이 증거를 찾고 이를 이해하여 실제 적용할 수 있는 능력 역시 심각하게 고려되어야 한다.

제2절 사회복지조사 과정(1) - 조사 문제와 가설의 설정

핵심 PLUS

사회복지조사 과정 20. 국가직

일반적으로 사회복지조사는 조사 문제 설정에서부터 보고서 작성까지의 과정으로 진행된다.

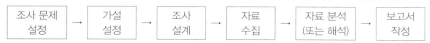

조사 문제 설정 → 가설 설정 → 조사 설계 → 자료 수집 → 자료 분석 (또는 해석) → 보고서 작성

① 조사 문제 설정(또는 연구주제 선정, 문제의 제기)
- 조사하고자 하는 문제에 집중해서 주제를 선정하는 조사 과정의 첫 단계로, 조사는 조사 문제의 설정에서 시작되며 따라서 조사의 전 과정에서 핵심적인 부분이다.
- 사회복지조사의 경우 사회나 클라이언트의 문제에서 조사 문제가 시작한다.

② 가설 설정(또는 가설 구성): 설정된 조사 문제를 구체화하여 기본적인 모형을 수립하고, 구체적인 가설을 수립하는 단계이다.

③ 조사 설계: 조사 대상을 선정한 후, 조사 대상 변수들 간의 논리적 구조를 결정하고 가설설정에서 일반화에 이르기까지에 필요한 제반활동, 즉 표본추출 방법, 주요 변수의 개념화 및 조작화, 측정도구의 선정 및 신뢰도와 타당도 검증, 자료 수집(예 설문지 조사, 면접, 관찰, 내용분석, 기존 통계자료 분석 등) 및 분석방법 등에 대한 계획을 세우고 이를 결정하는 단계이다.

④ 자료 수집: 정해진 조사 설계를 집행하여 분석될 자료를 수집하는 단계이다.

⑤ 자료 분석(또는 해석): 수집된 자료를 편집(Editing)하고 코딩(Coding)하는 등의 절차를 거친 후에 통계적 방법을 활용해 분석하는 단계이다.

⑥ 보고서 작성: 조사의 마지막 단계로, 조사 결과를 정리해서 보고서 형태로 작성하는 단계이다.

1 조사 문제 설정

1. 조사 문제의 개념과 특징

(1) 개념

연구자가 알고 싶어 하는 의문으로서 조사의 주제가 된다.

(2) 특징

① 모든 조사는 조사 문제를 가지고 출발한다. 즉, 조사 문제에서 출발한다.

② 사회복지의 조사 문제들은 기초지식을 위한 조사 문제보다 직접적으로 실천 현장에서 나타나는 의문들을 비교적 많이 다루며, 조사 결과들은 이러한 의문에 대해 실용적인 성격의 해답을 제시한다.

③ 조사 문제 형성에 관련된 아이디어는 **클라이언트에 대한 관찰**, 연구자 자신의 개인적인 경험, 사회적 요청, 다른 연구자와의 참여와 토론, 선행연구에 대한 고찰 등을 통해 생길 수 있다.

기출 OX

사회복지조사 연구 과정은 문제 설정, 조사 설계, 자료 수집, 자료 처리 및 분석, 결과해석 및 보고서 작성의 순서로 진행된다. ( )
20. 국가직

○

2. 조사 문제의 선정 및 서술기준

(1) 선정기준

① 창의성: 조사 문제는 **창의성과 독창성**을 지녀야 한다.

② 경험적 검증 가능성: **경험적 차원에서 해답을 제공**할 수 있어야 한다.

③ 윤리적 배려: 조사의 실질적 대상인 **인간에 대한 윤리적 배려**가 있어야 한다.

④ 현실적 제한에 대한 고려: 조사 과정 중 소요되는 비용 · 시간 · 윤리성 등, **현실적인 요건을 고려해서 허용되는 범위 내에서 선정**해야 한다.

(2) 서술기준

① 연구자의 **관심이나 의문의 대상**이 서술되어야 한다.

② 주로 **의문문의 형태**로 서술되어야 한다.

③ **단순명료하게** 서술되어야 한다.

④ 변수와 변수 간의 관계가 **정(+) 또는 부(−)의 관계**로 서술된다.

⑤ 조사 문제에 서술된 각 변수는 측정 가능해야 하고, 서술된 변수 간의 관계가 **경험적으로 검증 가능**해야 한다.

⑥ 다루는 범위가 **한정적이거나 구체적으로** 서술되어야 한다.

⑦ 조사 문제가 반드시 변수 간의 관계를 예측할 필요는 없다.

⑧ 사실 혹은 거짓 중의 하나로 판명될 수 있어야 한다.

> **예** 교육 수준이 높아지면 소득 수준도 높아지는가?

2 분석단위와 관찰단위

1. 분석단위

(1) 개념

조사 문제 설정과 관련하여 **연구자가 실제로 분석하려는 대상**을 말하며, 이는 자료 수집 시 표본의 크기를 결정하는 데 사용되는 기본단위가 된다.

> **예** 장기요양기관을 이용하는 노인들의 제도 만족도를 조사할 때, 노인 개개인을 대상으로 만족도 조사를 할 경우에는 분석단위가 노인 개인이지만, 노인의 장기요양등급별(1~5등급)로 조사할 경우에는 집단이 된다.

> **예** 노인 10명씩이 구성원으로 포함된 5개의 집단의 경우, 분석단위를 집단으로 결정하면 표본의 크기는 5이지만, 개인으로 결정하면 50(5개 집단×10명의 노인)이 된다.

(2) 분석단위의 분류

개인	① 사회복지조사에서 **가장 일반적으로 선택되는 분석단위**이다. ② 개개인의 특성을 분석하여 집단과의 상호작용을 기술할 때 주로 사용된다. 　**예** 클라이언트 개개인의 행위 · 태도 · 속성, 지역사회 주민들의 욕구, 일반 국민들의 복지의식 등
집단	**인간 개개인이 모인 집합체**를 말한다. 　**예** 부부, 또래집단, 학과, 학급, 동아리, 시 · 도 등의 행정구역, 국가 등

공식적 사회조직	**공식적 목표 수행을 위해 조직된 개개인이 모인 집합체**를 말한다.
	예 사회복지기관, 군대, 법인, 시민단체, 종교단체, 기업, 학회 등
사회적 가공물	① 인간 자체가 아닌 **인간에 의해 창조된 생성물**을 말한다. ② 일반적으로 사회적 매체와 사회적 상호작용으로 분류된다.

	사회적 매체	책, 그림, 시, 건물, 차량, 노래, 신문사설, 인터넷 광고물 등
	사회적 상호작용	결혼행위, 직업행위, 교통사고, 이혼, 간통 등

(3) 분석단위의 오류 21. 국가직, 19. 서울시 1차 ✎

생태학적 오류	**집단을 분석단위로 한 조사 결과에 기초하여 개인에 대한 결론을 내리는 오류**이다.
	예 17개 시·도(집단)를 조사하여 대학 졸업 이상의 인구비율이 높은 지역이 낮은 지역에 비해 중위 소득이 더 높음을 알게 되었고, 이를 통해 <u>학력 수준이 높은 사람(개인)</u>이 낮은 사람에 비해 소득 수준이 높다는 결론을 이끌어 내는 경우
개인주의적 (또는 개체주의적) 오류	**생태학적 오류의 반대 개념**으로, **개인을 분석단위로 한 조사 결과에 기초하여 집단에 대한 결론을 내리는 오류**이다.
	예 현 정부의 사회복지정책을 지지하는 <u>부유한 유권자(개인)</u>를 발견한 후, 이를 통해 <u>부유한 유권자들(집단)</u>은 현 정부의 사회복지정책을 지지한다는 결론을 내리는 경우
환원주의 (또는 축소주의적) 오류	연구자가 사회현상의 다양한 발생 원인을 고려하지 않고, **자신이 지닌 개념의 범주 내에서만 현상을 지나치게 제한하거나 단순화해서 설명**하려고 하는 데에서 발생하는 오류이다.
	예 청소년 일탈의 원인을 밝히는 데 있어서 가족학자는 가족의 문제로만, 사회학자는 사회구조적 요인으로만 보려고 하는 경우

2. 관찰단위

(1) 개념

실질적 자료 수집의 단위이다. 즉, 누구를 대상으로 하여 분석단위와 관련된 자료를 획득할 것인가에 대한 기본단위이다.

(2) 일반적으로 분석단위와 관찰단위는 동일한 경우가 많지만, 때에 따라 다를 수도 있다.

예 연구자가 김씨 가족의 연간 총소득을 알아보기 위해 가장인 김씨에게 소득과 관련하여 질문하여 가족의 소득 관련 자료를 수집한 경우 분석단위는 김씨 가족이지만 관찰단위는 가장인 김씨가 된다.

3 인과관계(因果關係)

1. 개관

(1) 원인과 결과의 관계

원인과 이로 인해 발생한 결과 간의 관계를 말한다. 이때 **원인이 되는 변수를 독립변수(X), 결과가 되는 변수를 종속변수(Y)**라고 한다.

(2) 비대칭적 관계

독립변수(X)가 변하면 종속변수(Y)도 변하지만, 역으로 종속변수(Y)의 변화가 독립변수(X)를 변화시키지는 못하는 관계이다.

2. 인과관계 추론 조건과 상관관계와의 관계

(1) 인과관계 추론의 3가지 조건(J. Mill) 12. 국가직 ✍

① **공변성**: 독립변수(원인)와 종속변수(결과)가 일정한 방식으로 **함께 변해야** 한다.

② **시간적 우선성**: 독립변수(원인)가 종속변수(결과)를 **시간적으로 앞서야** 한다.

③ **통제성(또는 외부설명의 배제)**: 결과의 변화가 추정된 원인이 아닌 **제3의 변수** 등에 의해 설명될 가능성이 없어야 한다. 즉 독립변수와 종속변수의 관계는 허위적 관계가 되어서는 안 된다.

> 예 "아동보호 전문기관의 A 사회복지사는 지역사회의 아동학대 발생을 줄이기 위해 예방 프로그램을 실시하였다. 프로그램을 시행한 후 지역사회의 아동학대 발생 비율을 조사한 결과, 그 비율이 줄어들었음을 발견하고 예방 프로그램이 효과적이라고 판단하였다." 이 경우 독립변수가 되는 예방 프로그램의 실시가 아동학대 발생비율을 줄였으므로 '공변성'이, 원인이 되는 예방 프로그램이 결과가 되는 아동학대 발생비율보다 시간적으로 앞섰으므로 '시간적 우선성'은 성립되었지만, 외생변수를 통제하지는 않았으므로 통제성에 있어서는 문제가 된다.

(2) 상관관계와 인과관계

① **상관관계**: 한 변수의 변화가 다른 변수를 정(+) 또는 부(−)의 관계로 변화시키는 모든 관계를 말한다.

> 예 "키가 큰 사람은 몸무게도 무거운 경우가 많다." 이 경우 키와 몸무게는 정(+)의 상관관계를 가지고 있다.

② **인과관계**: 하나의 변수가 원인이 되고, 다른 변수는 결과가 되는 관계, 즉 **원인과 결과의 관계**를 말한다.

> 예 "키가 큰 사람은 몸무게도 무거운 경우가 많다."는 상관관계일 수는 있어도 인과관계라고는 말 할 수 없다. 왜냐하면 키가 큰 사람 중에서도 몸무게가 가벼운 사람들이 있고, 몸무게를 결정하는 요인은 키 이외에도 다양하기 때문이다.

③ 상관관계와 인과관계의 관계

ㄱ 상관관계가 성립한다고 인과관계가 반드시 성립되는 것은 아니다.

ㄴ 두 변수 간에 인과관계가 성립되면 상관관계도 성립하게 된다.

ㄷ **즉, 인과관계는 상관관계이지만, 상관관계를 인과관계라고 말할 수는 없다.**

4 변수

1. 개념, 변수, 상수

(1) 개념(Concept)

① 어떠한 대상, 대상의 속성, 현상에 대한 **추상적인 이미지, 인식, 기호, 상징** 등이다.

② 사회과학에서 사용하고 있는 개념들은 **다양한 사회적 현상들을 추상화한 것**이다.

　예 성(性), 빈곤, 평등, 사회복지 등

(2) 변수(Variable) ㉘

① 조작적 정의의 산물(또는 결과물)로, 계량적으로 수치를 부여하여 **최소한 2가지 이상의 변수값(또는 변량)을 갖는 개념으로 경험적으로 측정 가능**하다. 즉, 개념이 변수값을 갖게 되면 변수가 된다.

② 변수는 **모든 형태의 척도(명목, 서열, 등간, 비율)를 활용**할 수 있다.

③ **개념과 변수와 관계**: 개념과 변수를 엄격히 구분하자면 개념은 추상적인 관념이며, 변수는 이러한 개념을 대상으로 일종의 조작화, 즉 측정 가능하게 만든 것이다. 따라서 변수보다는 개념의 범주가 더 넓고, 이에 **모든 개념들이 변수는 아니지만 모든 변수는 개념이 된다.**

　예 성(性)이라는 개념은 남과 여라는 2개의 변수값으로 구분되기 때문에 변수가 될 수 있다.

(3) 상수(Invariable)

① 어떤 상황하에서도 변하지 않는 값이다.

② 변수의 **변수값(또는 변량)은 상수로 구성**되어 있다.

　예 성(性)이라는 변수는 '남과 여'라는 상수로 구성되어 있다.

2. 기능에 따른 변수의 종류

(1) 독립변수와 종속변수 ㉘

독립(Independent) 변수(X)	① 원인변수, 예측변수, 설명변수, 조작변수라고도 한다. ② 인과관계 모형 내에서 원인이 되는 변수이다.
종속(Dependent) 변수(Y)	① 결과변수, 기준변수, 피예측변수, 피설명변수, 반응변수, 가설적변수라고도 한다. ② 인과관계 모형 내에서 **결과가 되는 변수**로, 독립변수에 의해 변수값을 가진다. 즉 다른 변수에 의존은 하지만 다른 변수에 영향을 미칠 수는 없는 변수를 말한다.

　예 "교육 수준이 낮을수록 빈곤할 가능성이 크다." 이 경우 독립변수는 교육 수준, 종속변수는 빈곤이 된다.

(2) 매개(Mediating)변수(또는 개입변수) ㉘

① 독립변수(X)와 종속변수(Y)의 **중간에 놓여 두 변수 사이를 연계하는 변수**로, 이때 독립변수의 효과가 매개변수를 거쳐 종속변수에 전달된다. 따라서 매개변수는 **독립변수의 결과인 동시에 종속변수의 원인**이 된다.

② **구조**: 독립변수 → 매개변수 → 종속변수

③ **매개변수가 2개 이상인 연구모형도 가능**하며, 모든 측정 수준(명목, 서열, 등간, 비율)의 변수가 매개변수로 사용될 수 있다.

예 "노인의 사회참여가 높을수록 자아존중감이 향상되고, 자아존중감의 향상으로 생활만족도가 높아진다." 이 경우 노인의 사회참여는 독립변수, 자아존중감은 매개변수, 생활만족도는 종속변수가 된다.

노인의 사회참여	→	자아존중감	→	생활만족도
독립변수		매개변수		종속변수

(3) 조절(Moderating)변수(또는 조건변수) (必)

① 독립변수(X)가 종속변수(Y)에 미치는 효과의 강도를 중간에서 조절하는 변수로, 조절변수의 범주에 따라 독립변수와 종속변수의 관계 정도가 변화한다.

② 조절변수가 존재할 때에만 **독립변수와 종속변수 간의 이론적 관계가 성립**하지만, 독립변수와 조절변수 간에는 **인과관계가 있을 필요는 없다.**

③ **매개변수와의 차이점:** 조절변수는 독립변수가 종속변수에 미치는 영향을 조절하는 반면, 매개변수는 독립변수의 영향을 받아 이를 종속변수에 전달하는 기능을 한다.

예 "연령의 많고 적음에 따라서 지역사회응집력에 거주기간이 미치는 영향력은 다를 것이다." 이 경우 연령은 조절변수, 거주기간은 독립변수, 지역사회응집력은 종속변수가 된다.

(4) 선행(Leading)변수 (必)

① **시간적으로 독립변수(X)에 앞서면서 독립변수에 유효한 효과를 행사하는 변수를 말한다.**

② **선행변수를 통제해도 독립변수와 종속변수 간의 인과관계는 그대로 유지**되지만, 독립변수를 통제할 경우 선행변수와 종속변수 간의 관계는 사라진다.

③ **구조:** 선행변수 → 독립변수 → 종속변수

예 자폐아동에게 정서지원 프로그램 제공의 효과를 조사하려고 하는데, 평소 아동의 가족 내에서의 정서적 지지 정도가 매우 큰 경우, 가족 내에서의 정서적 지지가 선행변수, 정서지원 프로그램이 독립변수, 프로그램의 효과가 종속변수가 된다.

정서적 지지	→	정서지원 프로그램	→	프로그램의 효과
선행변수		독립변수		종속변수

(5) 외생(Extraneous)변수 (必)

① 개입 시 실제로는 인과관계가 없는 독립변수와 종속변수를 표면적으로 **마치 인과 관계가 있는 것처럼 보여지게 만드는 변수**를 말한다. 이때 외생변수를 통제할 경우 기존의 인과 관계는 사라지게 된다.

② 외생변수가 개입한 경우 독립변수와 종속변수 간의 관계를 **가식적 관계(또는 허위적 관계, 의사관계)**라고 한다. 따라서 외생변수는 **독립변수와 종속변수 모두에 영향을 미치는 제3의 변수이다.**

③ 외생변수는 인과관계 모형 내의 독립변수 이외에 **인과관계 모형 밖에서 종속변수에 영향을 미치는 변수**이다. 즉 외생변수는 실제 종속변수를 발생시킨 원인이 되므로 **독립변수와 종속변수 간 관계를 대안적으로 설명**할 수 있다.

> 🔲 여성 직원들이 많을수록 복지관 이용자 수가 증가한다는 가설을 검증하고자 할 때, 직원들의 친절도 역시 이용자 수에 영향을 미칠 경우, 직원의 친절도가 외생변수가 된다. 이때 외생변수인 직원의 친절도를 통제하게 되면 여성 직원들과 복지관 이용자 수 사이의 인과관계는 사라지게 되고, 이를 가식적 관계라고 한다.

(6) 내생(Endogenous)변수

인과 관계 모형 밖에 있는 외생변수에 의해 발생하는 결과변수를 말한다.

> 🔲 연구 모형: 가정폭력이 피해 여성의 우울증에 미치는 영향은 여성이 맺고 있는 사회적 네트워크의 수준에 따라 달라진다. 이 경우 내생변수는 우울증이다.

(7) 억압(Repressive)변수

① **외생변수의 반대 개념**으로, 개입 시 실제로는 인과관계가 성립하는 독립변수와 종속변수 간에 **마치 인과관계가 성립되지 않는 것처럼 보여지게 만드는 변수**를 말한다. 이때 억압변수를 통제할 경우 성립되지 않았던 인과관계가 나타나게 된다.

② 억압변수가 개입한 경우 독립변수와 종속변수 간의 관계를 **가식적 영(0)관계**라고 한다.

> 🔲 일반적으로 교육 수준과 소득 간에 인과관계가 존재한다. 하지만 연령이라는 변수가 교육 수준과 소득에 영향을 미쳐서 연령이 높을수록 교육 수준은 낮고, 소득 수준은 높을 수가 있다. 이 경우 연령이 억압변수가 된다. 이때 억압변수를 통제하게 되면 교육 수준과 소득 사이의 인과관계가 나타나게 되고, 이를 가식적 영관계라고 한다.

(8) 통제(Control)변수

조사자가 **독립변수와 종속변수 간의 가식적(또는 허위적) 관계를 밝혀 독립변수와 종속변수 간의 명백한 인과관계를 조사하기 위해 의도적으로 도입하는 변수**이다. 독립변수와 종속변수에 직·간접적으로 영향을 미칠 수 있는 **매개변수, 조절변수, 외생변수 등의 제3의 변수가 조사 설계에서 고려되어 통제❶**되면 통제변수가 된다.

> 🔲 연구자가 사회복지사의 이직 원인을 알아보는 경우, 이직의 원인은 급여 수준, 업무 만족도, 직장의 분위기 등 다양하다. 이때 연구자가 급여 수준과 이직과의 관계를 파악하고자 할 때 다른 요인들인 업무 만족도와 직장의 분위기를 통제변수로 도입할 수 있다. 이때 업무 만족도와 직장의 분위기라는 도입된 통제변수가 종속변수인 이직에 유의미한 영향을 줌에도 불구하고, 연구자가 정한 독립변수인 급여 수준 역시 여전히 유의미하게 영향을 줄 경우 그 독립변수의 종속변수에 미치는 영향력은 큰 것이다. 반대로 유의미하지 않은 영향을 준다면 그 독립변수는 그 종속변수에 미치는 영향력이 약한 것이라고 추정할 수 있다.

선생님 가이드

❶ 사회복지조사에서 통제란 조사자가 자신이 확인하려고 하는 변수만을 남기고 나머지 조건은 모두 동일하게 만드는 절차를 말합니다. 그래야만 자신이 확인하려고 하는 변수들 간의 관계가 명확해질 수 있습니다.

3. 속성에 따른 변수의 종류

(1) 질적변수와 양적변수

질적변수	변수값을 숫자로 표현할 수 없는 변수이다. 즉 몇 개의 범주를 정해놓고 측정 대상을 이 범주들 중 어느 하나에 속하게 하는 변수를 말한다. 예 성별(남, 여), 인종(황인종, 백인종, 흑인종), 종교(개신교, 카톨릭, 오옴진리교, 이슬람교)
양적변수	변수값을 숫자로 표현할 수 있는 변수로, 이산변수와 연속변수가 있다. 예 사람의 키나 몸무게, 한 가정의 소득, 고속도로 통행량 등

(2) 이산변수와 연속변수 12. 국가직

이산변수	① 변수값과 다른 변수값 사이에 간격은 존재하지만, 그 간격을 계량적으로 측정할 수 없는 변수를 말한다. ② 명목 수준 또는 서열 수준의 변수가 해당한다.
연속변수	① 변수값과 다른 변수값 사이에 간격이 존재하고, 그 간격을 계량적으로 측정할 수 있는 변수를 말한다. ② 등간 수준 또는 비율 수준의 변수가 해당한다.

(3) 관측변수와 잠재변수

관측(Observed 또는 측정)변수	직접적으로 관찰 또는 측정이 가능한 변수를 말한다. 예 자원봉사 활동을 한 횟수, 기부한 금품의 액수 등
잠재(Latent)변수	① 구성체로, 직접적으로 관찰 또는 측정되지 않는 변수를 말한다. 여기서 구성체(Construct)란 직접적인 관찰에 의해서 측정할 수 있는 것이 아닌 간접적인 관찰에 근거하여 이론적으로 만들어진 추상적인 개념이다. 예 지능, 우울, 이타심, 적개심, 친밀도, 욕구 등 ② 따라서 관측변수에 의해 간접적으로 측정된다. 예 이타심이라는 잠재변수는 자원봉사 활동을 한 횟수, 기부한 금품의 액수 등의 관측변수를 통해 간접적으로 측정될 수 있다.

4. 변수 간의 관계

(1) 독립변수와 종속변수라는 두 변수 간의 변화가 어떠한 양상으로 진행되는가를 의미한다.

(2) 이러한 양상에는 방향과 크기가 있다.

방향	① 정(+)의 관계: 독립변수의 값이 증가(또는 감소)할 때, 종속변수의 값도 증가(또는 감소)하는 경우를 말한다. 예 교육 수준이 높아지면(↑) 소득 수준도 높아진다(↑). ② 부(-)의 관계: 독립변수의 값이 증가(또는 감소)할 때, 종속변수의 값은 감소(또는 증가)하는 경우를 말한다. 예 교육 수준이 높아지면(↑) 빈곤률은 감소한다(↓).
크기	① 완전 관계: 독립변수의 값이 종속변수의 값을 완전하게 결정하는 경우를 말한다. ② 영의 관계: 변수들 간에 인과관계가 전혀 존재하지 않을 경우를 말한다. ③ 확률적으로 대부분의 조사들은 완전 관계와 영의 관계 사이에 존재한다.

5 가설의 설정

1. 가설(Hypothesis)의 개념, 근원, 종류

(1) 개념

① 조사 문제에 관한 **임시적인 답**으로, **연구가설**이라고도 한다.

② 독립변수와 종속변수를 포함한 두 가지 이상의 변수 간의 관계에 대한 잠정적인 진술이며, 검증 가능한 형태로 서술한 문장이다.

(2) 근원

① **선행연구나 이론적 명제에서 연역적으로 도출**될 수 있다. 따라서 이론적 배경을 가져야 한다.

② 직접적인 관찰들로부터 **직관(Intuition)적으로 도출**될 수 있다.

③ 일반인들이 공통적으로 갖고 있는 **신념에서 도출**될 수 있다.

(3) 종류

① 방향성 유무에 따른 구분

방향성 가설 (또는 지시적 가설)	선행연구의 이론적 근거에 따라 변수 간의 관계에 대해 **연구자가 기대하는 방향을 제시한 가설**을 말한다. **예** 사회복지사의 경력이 많을수록 서비스의 질이 달라질 것이다.
비방향성 가설 (또는 비시지적 가설)	선행연구의 이론적 근거는 있지만, 다양한 결과들로 인해 그 방향을 추론하기 힘들 때 변수 간의 관계는 일정부분 예측하나, **관계의 정확한 특성에 대해서는 예측하지 않는 가설**을 말한다. **예** 사회복지사의 경력과 서비스의 질은 관련이 있을 것이다.

② 변수의 수에 따른 구분

단순가설	하나의 독립변수와 종속변수 간의 관계만을 서술한 가설을 말한다. **예** 우울증 환자의 민감성이 높을수록 자살행위의 욕구가 증가할 것이다(독립변수: 민감성, 종속변수: 자살행위 욕구).
복합가설	⊙ 둘 이상의 독립변수와 종속변수 간의 관계를 서술한 가설을 말한다. ⓒ 여러 개의 독립변수로 하나의 종속변수를 설명하거나, 하나의 독립변수가 여러 개의 종속변수를 설명하도록 설정된 가설이다. **예** 우울증 환자의 민감성과 심각성이 높을수록 자살행위의 욕구가 증가할 것이다(독립변수: 민감성과 심각성, 종속변수: 자살행위의 욕구).

2. 가설의 조건과 형식

(1) 조건

① **이론과의 연관성**: 가설은 사회현상을 검증하기 위해서 개발된 이론을 검증하기 위한 목적과는 별개로 가설을 검증한 결과를 기반으로 이론을 구성할 수 있다. 따라서 **가설은 이론과 연관**되어 있거나 **이론을 배경**으로 해야 한다.

② **경험적 검증 가능성**: 가설은 **경험적(또는 실증적) 검증을 통해 조사 문제를 해결**해 줄 수 있어야 한다. 또한 이러한 경험적 검증을 위해서는 변수의 조작적 정의가 필요하다.

③ **한정성**: 가설은 **두 가지 이상의 변수들 간의 관계를 구체적으로 표현**해야 한다. 단 3개 이상의 변수들이 포함된 가설의 검증은 어려워질 가능성이 있기 때문에 가설은 가급적 단순하게 구성하는 것이 바람직하다.

④ **가치중립성**: 가설은 연구자의 가치, 편견, 주관적 견해를 가급적 배제(또는 최소화)한 **가치중립적**이어야 한다.

⑤ **계량화 가능성**: 가설은 측정 가능한 변수들 간의 관계를 **통계학적인 방법으로 계량화(또는 수량화)시킬 수 있어야 한다.**

⑥ **논리적 간결성**: 가설은 내용상 **명료하게(또는 간결하게)** 진술되어야 한다.

⑦ **확률성(또는 개연성)**: 가설은 조사 문제에 대한 잠정적인 추론으로 반드시 **확률적 속성**을 가져야 한다. 즉 가설 자체가 개연성을 가진다.

(2) 형식

① **조건문 또는 비교문의 형식**을 갖춘다.

조건문	⊙ 만약 A하면 B할 것이다(If A, then B). ⓒ 여기서 A를 가설의 선행조건, B를 가설의 결과조건이라고 한다. ⓒ 일반적으로 A가 진실이면 B도 진실이라는 관계로 구성된다.
비교문	A할수록, B하다.

② 정(+) 또는 부(−)의 관계로 기술된다.
예 교육 수준이 높아지면 소득 수준도 높아진다.

3. 가설의 통계적 검정[1]

(1) 개념

표본의 통계치에 근거하여 **연구가설의 진위여부를 검정하는 통계적 추론 방법**을 말한다.

(2) 검정 절차

가설설정	→	유의 수준 설정	→	검정통계량 산출	→	기각·채택 판단

🖥 **선생님 가이드**

❶ 원래 가설의 통계적 검증은 ~~가설설정 단계가 아닌~~ 자료 분석 단계에서 추리통계의 ~~한 목적으로 수행됩니다.~~ 다만 본 단원에서 가설에 대한 전반적인 내용을 다루고 있으므로 함께 공부하려하니, 이 점 참조 바랍니다.

(3) 가설설정

가설의 통계적 검정을 위해 가장 먼저 수행하는 절차로, **통계적 가설 검정을 위해 반드시 필요한 가설인 영가설과 대립가설을 설정**하는 것이다.

연구가설 (Research Hypothesis)	연구자가 **연구를 통해 검증하고자 하는 가설**이다. **예** 성별은 남녀의 연봉에 영향을 줄 것이다.
영가설 (Null Hypothesis, H_0, 또는 귀무가설)	① 연구가설을 반증하기 위한 목적으로 사용되는 가설로, 변수 간의 관계가 단지 표집오차, 즉 우연에 의해 발생했다고 진술하는 가설로 독립변수가 종속변수에 영향을 미치지 않는다고 설정된 가설이다. 다시 말해, **변수 간 관계가 존재하지 않는다는 것을 가정하는 가설**이다. ② 처음부터 기각(Reject, 또는 버릴 것)이 목표인 가설이다. 즉 참일 가능성이 적어 **처음부터 버릴 것이 예상되는 가설**이다. ③ "두 모집단의 평균 간에 차이가 없을 것이다(모수치는 ~와 같다. 모수치는 ~와 차이가 없을 것이다)"라고 가정한다. 따라서 **영가설(H_0)은 $\mu_1=\mu_2$로 표시**된다. 　**예** "성별은 남녀의 연봉에 영향을 줄 것이다."라는 연구가설에서 영가설은 "남성의 연봉과 여성의 연봉은 같다." 즉, "성별은 남녀의 연봉에 영향을 주지 않는다."가 된다.
대립가설 (Alternative Hypothesis, H_1)	① 영가설과 반대되는 가설로 연구가설과 같으며, **채택(Accept)이 목표인 가설**이다. ② 따라서 영가설이 기각되면 저절로 채택된다. 그러나 만약 영가설이 기각되지 않으면 "영가설이 참이다."라는 의미가 되어 영가설이 채택된다. ③ "모수치는 ~와 다르다." 또는 "모수치는 ~와 차이가 있다."라고 가정한다. 따라서 **대립가설(H_1)은 $\mu_1\neq\mu_2$로 표시**된다. 　**예** "성별은 남녀의 연봉에 영향을 줄 것이다."라는 연구가설에서 대립가설은 "남성과 여성의 연봉은 다르다." 즉 "성별은 남녀의 연봉에 영향을 준다."가 된다.

(4) 임계값, 유의 수준, 유의확률

임계값 (Critical Value)	영가설의 채택과 기각의 기준점으로, **유의 수준을 통해서 알 수 있다.**
유의 수준 (Level of Significance, α)	① 제1종 오류(영가설이 실제로 참임에도 불구하고 이를 기각해서 대립가설을 채택할 오류)가 **발생할 가능성으로, 유의 수준(α)는 제1종 오류를 범할 수 있는 최대의 허용치**가 된다. ② 즉, 통계학적 분석을 통해 부정확한 결론이나 우연에 따른 결과를 얼마나 배제시킬 수 있는가에 대해 판단하는 것으로, **유의 수준 이상으로 제1종 오류가 발생하면 신뢰도가 떨어진다.** ③ 연구자에 의해 결정되며, 일반적으로 0.1, 0.05, 0.01, 0.001이 사용된다. 　**예** 95%의 신뢰도를 기준으로 한다면 1-0.95인 0.05가 유의 수준의 값이 된다.

유의확률 (Significance Probability, p)	① 처음에 유의 수준(α)을 얼마로 잡아야 가설검정 시 영가설을 기각할 수 있는지를 계산한 값으로, 그 범위는 0~1 사이이다. ② 유의확률(p)의 값이 유의 수준(α)보다 작으면($p < \alpha$) 영가설이 기각되고 대립가설을 채택할 수 있으며, 반대로 유의확률(p)의 값이 유의 수준(α)보다 크면($p > \alpha$) 대립가설을 기각하고, 영가설을 채택한다. **예** 유의 수준(α)을 0.05로 정했을 때, 계산된 유의확률(p)값이 0.05보다 낮게 나와야 1종 오류가 발생할 확률이 5/100 아래로 떨어지고 연구자는 비로소 영가설을 기각하고 대립가설을 채택할 수 있다.

(5) 가설검정의 오류

① 가설검정의 오류에는 **제1종 오류와 제2종 오류**가 있다.

제1종 오류	㉠ 영가설이 실제로 참임에도 불구하고 이를 기각하여 대립가설을 채택할 오류를 말하며, 이 때 제1종 오류가 발생할 확률을 유의 수준이라고 한다. 즉 유의 수준이 증가하면 1종 오류가 증가하고, 유의 수준이 감소하면 1종 오류가 감소하게 된다. ㉡ 유의 수준은 알파(α)로 표시한다. 따라서 **알파(α)는 1종 오류가 발생할 확률**이 되고, '$1-\alpha$'는 영가설이 실제로 참일 때 영가설을 채택할 확률이 된다. ㉢ 신뢰 수준을 높이면 1종 오류를 줄일 수 있다.
제2종 오류	㉠ 영가설이 실제로 거짓임에도 불구하고 이를 채택하여 대립가설을 기각할 오류를 말한다. 즉 거짓인 영가설을 기각하지 못하는 것을 말한다. ㉡ 2종 오류가 증가하면 통계적 검정력은 감소한다. ㉢ 베타(β)로 표시한다. 즉 베타(β)는 2종 오류가 발생할 확률이 되고, '$1-\beta$'는 귀무가설이 실제로 거짓일 때 귀무가설을 기각할 확률이 된다. ㉣ 표본의 크기가 작으면 통계적 검정력이 떨어져 2종 오류가 발생하기 쉽다. 따라서 검정력을 충분하게 설정함으로써 제2종 오류를 범할 위험을 줄일 수 있다. 다시 말해, 실제 존재하는 차이를 탐지할 수 있을 정도로 **표본의 크기를 크게 만들면 2종 오류를 일정 부분 통제**할 수 있다.

구분	귀무가설(H_0) 참	귀무가설(H_0) 거짓
귀무가설(H_0) 채택	옳은 결정($1-\alpha$)	제2종 오류(β오류)
귀무가설(H_0) 기각	제1종 오류(α오류)	옳은 결정($1-\beta$)

제3절 사회복지조사 과정(2) - 조사 설계

1 조사 설계와 조사의 유형

1. 조사 설계(Research Design)

(1) 개념

"조사 문제에 대한 해답 또는 가설의 규명을 어떻게 할 것인가?"에 관한 계획으로, 조사 문제에 대한 해답을 얻기 위해서 조사 대상을 선정한 후, 조사 대상 변수들 간의 논리적 구조를 결정하고 가설설정에서 일반화에 이르기까지 필요한 제반활동에 대한 **계획을 세우는 단계**이다.

(2) 목적

① **조사 문제에 대한 해답을 얻거나 가설을 규명**하기 위해서이다.

② 외생변수의 영향력과 오차를 줄이기 위해서이다.

(3) 조사 설계에 포함되어야 할 내용

① 주요변수의 개념정의와 측정 방법

② 구체적인 자료수집 방법[**예** 실험, 서베이(Survey), 관찰, 내용 분석, 2차 자료 분석 등]

③ 모집단, 표본 수, 표집 방법 등

④ 설문지(또는 질문지)의 신뢰도와 타당도 검증

⑤ 자료 분석의 절차 및 통계기법 등

2. 목적에 따른 조사유형

(1) 탐색적 조사(Exploratory Research) (必)

① 예비조사(또는 사전조사): 조사 문제의 발견, 변수의 규명, 가설의 도출, **조사하려는 문제의 핵심적인 요소가 무엇인지를 확인**하기 위해 실시하는 조사이다.

② 조사 전(前) 조사: 조사 설계를 확정하고 본격적인 **조사 과정을 개시하기 전**에 조사 설계의 타당성을 검증하기 위해 실시하는 조사이다. 따라서 **명확한 연구가설이나 조사계획의 수립이 필요하지 않다.**

③ 일반적으로 조사 문제에 대한 사전지식이 부족하거나 개념을 분명하게 하기 위해서 실시한다.

④ 종류

문헌조사	조사 문제에 대한 지식이 부족할 경우 가장 먼저 수행하는 탐색적 조사로, **관련된 선행조사 자료 등 문헌을 조사하는 방법**이다. **예** 학술논문, 학술지 등을 활용하는 경우
경험자 조사	전문가 의견조사라고도 하며, 조사 문제와 관련되어 **경험이나 지식을 갖춘 사람을 찾아가서 정보를 획득하는 방법**이다. **예** 노인의 특성에 관한 조사를 위해 대학의 노인복지학과 교수를 찾아가 인터뷰하는 경우
특례조사	사례조사[1]의 한 유형으로, 조사 문제와 유사한 상황의 소수 표본을 추출하여 사전에 집중적으로 진행하는 조사이다. **예** 서울시 동작구의 특성에 관한 조사를 위해 이곳에 새로이 이사 온 사람들만을 대상으로 인터뷰하는 경우

선생님 가이드

❶ **사례조사(Case Study)**란 특정 개인, 가족, 집단, 지역사회 등을 조사목적과 관련된 가능한 한 모든 각도에서 종합적으로 연구하여 이를 전체적으로 파악하려는 목적으로 수행되는 대표적인 질적조사 방법을 말합니다.

(2) **기술적 조사** (必)

① 특정 현상에 대해 **정확하고 사실적인 기술(또는 묘사)**을 목적으로 수행하는 조사이다.

② 6하 원칙 중 누가, 언제, 어디서, 무엇을, 어떻게 등 사실(**예** 현상의 분포, 비율, 크기 등)과 관련이 있다.

③ **조사 문제와 가설 설정 이후에 실시**하기도 한다.

④ **인구주택총조사, 여론조사** 등이 있다.
   예 아동복지법 개정에 찬성하는 사람의 비율은 얼마인가?

(3) **설명적 조사** (必)

① 변수 간의 **인과관계를 규명하여 가설을 검증하기 위한 조사**이다.

② 6하 원칙 중 **"왜(Why)"에 대한 해답을 얻는 것**과 관련이 있다.

③ **실험조사** 등이 있다.
   예 가족 내 영유아 수와 의료지출은 어떤 관계를 가지는가?

3. 시간에 따른 조사의 유형

(1) **횡단조사** 12. 지방직(추가) (必)

① **정태적(靜態的) 조사**: 일정 시점에서 모든 표본(또는 다수의 분석단위)을 **반복 없이 1회에 한하여 조사**하는 조사 방법이다.

② 조사 대상이 지리적으로 넓게 분포되어 있을 경우나 조사대상의 수가 많은 경우에 주로 사용한다.

③ 반복적인 조사를 수행하는 **종단조사에 비해 경제적**이다.

④ **탐색, 기술, 설명의 목적**을 가진다.
   예 여론기관의 여론조사, 인구 · 주택 센서스 조사와 같은 현황조사 등

(2) **종단조사(Longitudinal Study)** 14 · 15. 지방직, 19. 서울시 2차 (必)

① **동태적(動態的) 조사**: 시간 간격을 두고 표본을 **반복적, 즉 2회 이상 조사**하는 조사 방법으로, 일정기간 동안 시간의 흐름에 따른 **조사대상의 변화 추이를 파악하는 데 유리**하다.

기출 OX

01 우리나라 인구센서스조사는 대표적인 횡단적 연구이다. ( ) 12. 지방직(추가)

02 "베이비부머들의 은퇴 시기가 다가오는데 이들의 노후 준비 상황이 매년 어떻게 변하는지를 알 수 없을까?"하는 의문이 발생했을 때의 조사 방법은 종단적 조사 설계이다. ( ) 14. 지방직

01 ○
02 ○

② 장시간에 걸쳐 반복적으로 조사를 하므로 **횡단조사에 비해 비용이 많이 들어 비경제적**이다.

③ 횡단조사에 비해 **인과관계의 검증에 유리**하다.

④ **양적연구와 질적연구에서 모두 활용**될 수 있다.

⑤ 종류로는 **패널조사, 경향성조사, 동년배 집단조사**가 있다.

패널(Panel) 조사	⑦ 개념: 반복적인 조사 시 매 조사 시점마다 조사주제와 조사의 대상(또는 표본)이 동일한 조사이다. ⓛ 장점 • 매 조사 시점 마다 동일인을 조사하므로 다른 종단조사에 비해 **시간적 변화에 대한 가장 명확한(또는 포괄적인) 자료의 획득**이 가능하다. • 독립변수의 시간적 우선성을 확보할 수 있어 내적타당도를 높일 수 있다. ⓒ 단점 • 비경제성: 조사대상의 추적 관리에 소요되는 비용으로 인해 **다른 종단조사에 비해 비경제적**이다. • 패널 상실: 매 조사 시점마다 조사 대상인 패널을 유지하는 것이 어렵다. 이는 내적타당도 저해요인인 '**중도탈락(또는 표본의 상실)**' 문제를 발생시킨다. • 검사효과: 매 조사 시점마다 동일인을 조사하므로 **검사효과가 발생**할 수 있다. • 성숙효과: 조사 시점 간 시간 간격에 따라 **성숙효과가 발생**할 수 있다. • 패널 조건화(Panel Conditioning): 조사가 반복됨에 따라 패널이 **연구자의 조사 의도를 파악해서 조사 결과를 왜곡**시킬 수 있다.
경향성 (Trend, 또는 추이, 추세) 조사	⑦ 개념: 반복적인 조사 시 매 조사 시점마다 **조사주제는 동일하나, 조사의 대상(또는 표본)이 서로 다른(또는 변화하는) 조사**로, 특정 연령 집단의 주기별 변화를 조사한다. ⓛ 장점: 패널조사처럼 동일한 표본을 조사할 필요가 없으므로 **경제적**이다. 예 시대에 따른 우리나라 20대 남성들의 사회복지정책 인식도를 조사한다고 할 때에 이를 위해서 1970년, 1980년, 1990년, 2000년의 20대 남성들 중의 일부를 조사하고, 그 조사 결과들을 비교·분석하는 경우
동년배 집단 (Cohort, 또는 코호트, 동류집단, 동년배) 조사	⑦ 코호트(Cohort)란 **특정한 시기에 태어나 동일시점에 특정한 사건을 경험한 사람들**을 일컫는 말이다(예 6·25세대, 베이비붐 세대, X세대, 386세대 등). ⓛ 경향성 조사처럼 본질적으로 조사의 대상(또는 표본)은 서로 다르지만 코호트라고 하는 동질적 속성을 갖춘 대상을 조사하는 조사이다. 예 베이비부머 세대의 사회복지인식도 변화를 파악하기 위하여 이들이 성년이 된 후 10년마다 500명씩 새롭게 표집하여 조사한 경우

(3) 유사종단조사 19. 서울시 2차 (✍)

① 특정집단의 변화에 대한 **횡단조사**로, 종단적 조사 실시의 어려움을 감안하여 **종단조사와 횡단조사를 결합한 조사 방법**이다.

② 주로 어떤 한 시점에서 조사가 이루어지지만(횡단조사) 그 결과는 여러 시점에 걸쳐 반복적으로 조사한 것처럼 나타나게 할 때에 활용한다.

> 📖 횡단조사를 실시하여 각 연령대별(예 10대, 20대, 30대, 40대, 50대, 60대 이상)로 사회복지에 관한 의식을 조사함으로써 과거부터 오랜 시간에 걸친 의식의 변화를 추론해 볼 수 있다.

4. 용도에 따른 유형

(1) 순수조사

지적호기심 충족을 위해 사회적 현상에 대한 **순수한 지식 습득에만 목적을 둔** 조사이다.

(2) 응용조사

① 조사 결과를 사회문제 해결 등에 활용하고자 하는 목적하에 실시하는 조사이다.

② 종류로는 **욕구조사와 평가조사**가 있다.

5. 조사대상의 범위에 따른 유형

(1) 전수조사(Complete Enumeration Survey)

연구자가 조사 대상으로 삼은 전체 집단, 즉 **모집단을 대상으로 그 요소를 모두 조사하는 조사**이다.

> 📖 우리나라 통계청에서 실시하는 인구주택총조사

(2) 표본조사(Sample Survey)

연구자가 조사 대상으로 삼은 전체 집단을 대상으로 조사하는 것, 즉 전수조사가 현실적으로 어려울 경우 전체집단을 대표할 수 있는 부분 집단의 **표본을 추출하여 이들을 대상으로 조사한 특성(또는 통계치)으로 전체 집단의 특성(또는 모수)을 추정하는** 조사이다.

2 개념적 정의와 조작적 정의

1. 개념적 정의(Conceptual Definition, 또는 명목적 정의, 개념화, 구성적 정의, 사전적 정의)

(1) 측정하고자 하는 개념을 **사전적(辭典的)으로 정의하는 과정**이다.

(2) 이를 명확히 하지 않으면 측정하려는 개념이 아닌 다른 개념을 측정하는 오류를 범할 수 있다.

> 📖 사랑이라는 개념을 개념적 정의하면 "한 사람이 다른 사람을 좋아하는 마음"이다.

2. 조작적 정의(Operational Definition, 또는 조작화)

(1) 측정하고자 하는 개념을 **수량화시켜 경험적·가시적으로 측정(또는 관찰) 가능한 형태로 재정의하는 과정**으로, 표준화된 척도는 조작화의 산물이며, 양적조사에서 매우 중요한 과정이다.

(2) 이를 명확히 하지 않으면 측정이 불가능해 질 수 있다.

(3) 개념화와 조작화는 모두 변수와 변수를 구성하는 속성들을 구체화하는 작업들이다. 그러나 개념화는 추상적인 상태의 구체화이고 조작화는 경험적인 구체화라는 점에서 차이가 있다.

(4) 특징

① **추상적 세계인 개념과 경험적 세계인 측정을 연결하는 교량적 역할**을 한다.

② **개념의 조작화 방법은 다양**하므로, 특정 개념에 대한 조작적 정의는 연구자 사이에서 일치하지 않을 수도 있다.

③ **조작적 정의의 산물이 곧 변수이다.**

④ 조작적으로 정의된 개념을 통해 **'측정'**을 한다.

> 📌 사랑이라는 개념을 조작적 정의하면 "한 사람이 다른 사람을 포옹한 횟수"이다.

3. 개념의 조작화 과정(또는 개념의 경험화 과정)

(1) 개념의 조작화 과정은 '개념 → 개념적 정의 → 조작적 정의 → 측정'의 순서로 진행된다. 🈯

(2) 개념의 조작화 과정 중에 개념이 가장 추상적이며, 조작적 정의와 측정이 가장 구체적이다.

4. 범주화(Categorization)

(1) 범주화란 변수의 속성이 가질 수 있는 값의 범위를 결정하는 행위를 말한다.

(2) 개념의 조작화 과정에서는 범주화의 요건인 **상호배타성과 포괄성(또는 총망라성)**을 모두 지켜야 한다.

상호배타성	어떠한 변수를 표현하는 속성은 다른 속성과는 **명확히 구분되어야** 한다.
포괄성 (또는 총망라성)	제시된 범주는 모든 대상의 **모든 응답을 포함**하고 있어야 한다.

> 📌
>
> 〈보기〉
> 당신의 종교는 무엇입니까?
> ① 개신교 ② 천주교 ③ 이슬람교 ④ 불교 ⑤ 기타____
>
> 〈보기〉에서 응답범주에 기술된 각 종교들은 상호 명확히 구분되므로 '상호배타성'을 갖춘 것이며, 응답범주 중 '⑤ 기타____'를 기술하여 포괄성(또는 총망라성)도 갖추었다.

3 측정(Measurement)

1. 개념과 기능

(1) 개념

일정한 규칙을 따라 측정하고자 하는 대상에 수치나 상징을 부여하여 이들을 밝혀내는 일련의 과정을 말한다.

(2) 기능

① 추상적 세계와 경험적 세계의 교량(Bridge)적 기능과 계량화 기능을 한다.

② 사건이나 현상을 세분화하고 양적인 의미를 보유한 기호로 수(數)를 사용하여 수들 간의 관계를 통계적 분석을 통해 분석할 수 있는 정보를 제공한다.

③ 조사 결과에 대한 반복 및 의사소통 기능을 한다.

(3) 특징

① 의미 있는 측정은 측정 절차들이 실제와 경험적으로 합치할 때에 가능하다. 즉 측정은 개념의 현상적 구조와 경험적 측정값들이 일치될수록 정확해진다.

② 사회복지학을 포함한 사회과학에서는 많은 경우 개념들을 측정하기 위해 특질들 자체보다는 특질을 나타내는 지표들(Indicators)을 활용하는 경우가 많다.

  예 소속감, 자아존중, 지능 등

③ 측정의 수준(Level of Measurement)에 따라 명목, 서열, 등간, 비율의 4가지 유형으로 분류한다.

2. 수준

(1) 명목(Nominal)측정 20. 국가직 (必)

① 가장 낮은 수준의 측정이다.

② 대상의 특성이 범주화되거나 분류된다. 즉 대상에게 부여되는 숫자는 범주화나 분류를 위한 이름에 불과하고 서열이나 양적의미가 없다.

③ 산출 가능한 통계치로는 최빈값이 있다.

  예 성별, 종교, 인종, 결혼 여부, 사회복지사의 근무 지역 동(洞), 운동선수의 등 번호, 주민 등록번호, 출신고등학교, 정신장애·지체장애 등의 장애유형 등

변수	범주와 측정값
성별	① 남 ② 여
종교	① 기독교 ② 불교 ③ 천주교 ④ 기타

(2) 서열(Ordinal)측정 20. 국가직 🖉

① 명목측정 수준의 기능을 모두 가지고 있다. 즉 범주화하거나 분류할 수 있다.

② 이 외에 범주들 간의 **상대적 순서(예** 높고 낮음, 많고 적음, 처음과 나중 등)**의 개념**이 있다.

③ 산출 가능한 통계치로는 **중앙값(또는 중위값)**이 있다.

예 5점 척도로 측정된 서비스 만족도, 학력, 학점, 등수, 사회복지사의 근무기관 평가등급 점수(A, B, C, D) 교육 수준(중졸 이하, 고졸, 대졸 이상), 석차로 평가된 성적 등

변수	범주와 측정값
만족도	① 매우 불만족 ② 불만족 ③ 보통 ④ 만족 ⑤ 매우만족
학력	① 초등학교 졸업 이하 ② 중졸 ③ 고졸 ④ 대졸 이상
학점	① A ② B ③ C ④ D ⑤ F

(3) 등간(Interval)측정 20 · 23. 국가직, 19 · 22. 지방직 🖉

① 서열측정 수준의 기능을 모두 가지고 있다. 즉 상대적 순서 개념을 가지고 있다.

② 범주 사이에 일정한 간격(또는 등간격)이 연속선상에 존재한다.

③ 비율측정과의 가장 큰 차이점은 **절대적 영(Zero) 개념❶**이 없는 것이다. 등간측정의 0은 경험세계에서 속성이 존재하는 **임의의 영(Zero)**이다.

④ 사칙연상 중 **가감(+, −)만 수행이 가능**하다.

⑤ 산출 가능한 통계치로는 **평균값, 중앙값, 최빈값**이 있다.

예 시험성적(또는 점수), 지능지수, 섭씨온도 등

변수	범주와 측정값
시험성적	0점 … 20점, 25점, 30점 … 95점, 100점
지능지수(IQ)	~ 100, 101, 102 … 152
섭씨 온도	0℃ … 15.5℃ … 20℃

(4) 비율(Ratio)측정 20. 국가직, 19 · 22. 지방직 🖉

① 가장 높은 수준의 측정으로, 등간측정 수준의 기능을 모두 가지고 있다.

② 경험세계에서 속성이 존재하지 않는, 즉 실제적 의미를 가진 **절대적 영(Zero) 개념**이 있다.

③ 사칙연산, 즉 **가감승제(+, −, ×, ÷)가 모두 가능**하다.

④ 분산 및 표준편차를 포함한 **모든 통계치의 산출이 가능**하다.

예 연령, 무게, 신장, 사망률, 출생률, 소득, 사회복지사가 이수한 보수교육 시간(분), 정규교육을 받은 기간(년) 등

📊 선생님 가이드

❶ 등간측정과 비율측정은 모두 0이라는 개념을 가지고 있습니다. 그런데 각 측정이 사용하는 0의 개념적 속성은 전혀 다릅니다. 등간측정의 경우 '임의의 영'을 사용하는데, 이는 물리적 실체나 현상이 아닌 인간사회에서 관찰된 현상에 대해 나름의 단위를 정해 만든 개념입니다. 대표적인 것이 시험점수인데요, 시험점수란 학업 성취 정도를 수치로 얻어내기 위해서 관련 연구자들이 임의의 척도를 만들어 낸 것에 불과합니다. 예를 들어 대학수학능력점수에서 20점을 맞은 학생 A와 100점을 맞은 학생 B의 점수를 비교해서 B가 A의 5배 점수를 받았다고 이를 물리적으로 해석할 수 있을까요? 대학수학능력시험점수는 물리적 현상이 아닌 사회적 약속으로, 그 점수가 0점이라는 것은 수학능력이 0임을 의미하는 것이 아닙니다. 더 나아가 점수가 100점이라는 것은 수학능력이 완성되었다는 의미가 아닌, 그저 어떤 현상에 대한 사회적인 약속에 수치를 부여한 것에 불과합니다. 온도 역시 대표적인 등간측정인데, 0℃는 결코 존재하지 않는 온도를 의미하는 것은 아닙니다. 쉽게 말해 물리적으로 물이 어는 온도로, 인간 사회에서 물이 어는 온도는 0℃로 하자고 정한 것에 불과합니다. 그 자체가 물리적 속성을 가지고 있는 것이 아니지요. 반면 비율측정에서 사용하는 절대적 영(Zero) 개념은 물리적으로 해석이 가능한 개념으로 경험적으로 존재하지 않는 것을 말합니다. 예를 들어 막대기 A의 길이는 100cm이고, 막대기 B의 길이는 50cm일 때에 막대기 A는 막대기 B보다 2배 더 깁니다. 또한 막대기의 길이가 0이라면 이는 "막대기가 존재하지 않는 것"을 뜻합니다.

🏛 기출 OX

01 비율측정은 명목, 서열, 등간측정의 특성을 모두 가진다. ( )　19. 지방직

02 비율측정은 절대영점을 가지고 있다. ( )　19. 지방직

03 비율측정은 사칙연산(+, −, ×, ÷)이 불가능하다. ( )　19. 지방직

04 학점, 몸무게는 명목척도이다. ( )　20. 국가직

01 ○
02 ○
03 × '불가능하다.'가 아니라 '가능하다.'가 옳다.
04 × '학점'은 서열척도이고, 몸무게는 비율척도이다.

3. 서열

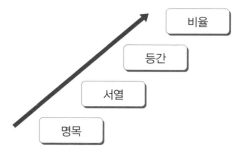

(1) 서열 (必) 23. 국가직

| 명목측정 | < | 서열측정 | < | 등간측정 | < | 비율측정 |

(2) 높은 수준의 척도는 낮은 수준으로 변경이 가능하지만, 낮은 수준의 척도는 높은 수준으로 변경할 수 없다. 또한 높은 수준의 척도는 낮은 수준의 변수를 측정할 수 있지만, 낮은 수준의 척도는 높은 수준의 변수를 측정할 수 없다. (必)

조건 척도	분류	서열	등간격	절대적 영	산술적 계산 범위	응답률의 개연성	획득 가능한 정보의 양
명목측정	O	X	X	X	= ≠	높아짐	적어짐
서열측정	O	O	X	X	= ≠ > <	↑	↑
등간측정	O	O	O	X	= ≠ > < ±	↓	↓
비율측정	O	O	O	O	= ≠ > < ± × ÷	낮아짐	많아짐

4 측정오류(Measurement Error, 또는 측정오차)

1. 개관

(1) 측정하려고 하는 대상의 실제 모습(참값)과 측정 결과 사이에 발생한 차이(측정값)로, 오류의 정도는 측정대상과 측정도구(또는 척도)의 성격에 따라 차이가 나타난다.

(2) 이러한 측정오류(또는 오차)에는 체계적 오류와 무작위 오류(또는 비체계적 오류)가 있다.

2. 체계적 오류(Systematic Error)

(1) 개관 (必)

① 측정대상에 어떠한 영향이 체계적으로 미쳐 측정 결과에 **편향(Bias)**, 즉 **측정 결과가 일정하게 모두 높거나 낮아지는 경향으로 일정한 양태와 일관성을 발생시키는** 오류를 말한다.

② 이는 **척도의 구성이나 측정 과정에서 발생**할 수 있다.

③ 발생 시 측정의 **타당도를 낮춘다.**

(2) 발생원인 23. 국가직

편향에 의한 오류	고정반응에 의한 편향	① 응답자가 **앞선 질문에 자신이 응답해 온 응답유형을 염두하고**, 그 수준에서 이후 자신의 응답을 쉽사리 모두 결정해 버려서 발생하는 오류를 말한다. ② 이는 **일정한 패턴을 지닌 질문문항이 연속될 경우에 발생**할 수 있다. ③ 이러한 경우 측정의 결과는 측정하려는 개념이 아닌 응답자의 단순한 고정반응을 측정한 것일 수 있다.
	사회적 적절성 (또는 바람직성)의 편향	① 주로 **연구자의 유도성 질문에 대해 응답자가 연구자에게 자신의 이미지를 좋게 보이려고 자신의 의사가 아닌 연구자가 유도한 의향이나 보편적인 사회적 가치에 부합되는 방향으로 응답**하여 발생하는 오류를 말한다. 따라서 연구자가 응답자에게 유도성 질문을 할 경우에 주로 발생한다. ② 측정의 결과는 측정하려는 개념이 아닌 연구자의 의향이나 보편적인 사회적 가치를 측정한 것일 수 있다. **예** 동성애에 관한 찬반 여부를 질문할 경우 응답자 본인의 의사는 이에 찬성하지만 조사에 이를 표현할 경우 비난받을 수 있다는 생각에 동성애를 반대하는 방향으로 응답하는 경우
	문화적 차이에 의한 편향 (또는 문화적 편견)	질문문항과 응답자 간의 **문화적·인구학적 차이에 의해서 응답자가 질문문항을 제대로 이해하지 못하여 발생하는 오류**를 말한다. **예** 한국인들의 사회복지 인식도를 측정하기 위해서 만든 도구를 외국인 결혼 이주 여성들에게 적용한 경우
인구통계학적, 사회경제적 특성에 의한 오류		① 선행효과: 응답자가 고학력자일수록 응답문항 중 앞쪽에 있는 것을 선택하는 경향 때문에 발생하는 오류를 말한다. ② 후행효과: 응답자가 저학력자일수록 응답문항 중 뒤쪽에 있는 것을 선택하는 경향 때문에 발생하는 오류를 말한다.
개인적 성향에 의한 오류		① 관용의 오류: 무조건 긍정적인 입장에 응답(무조건 매우 좋음)하는 경우를 말한다. ② 가혹의 오류: 무조건 부정적인 입장에 응답(무조건 매우 나쁨)하는 경우를 말한다. ③ 중앙집중경향의 오류: 무조건 중립적인 입장에 응답(무조건 보통)하는 경우를 말한다. ④ 대조의 오류: 자신과는 상반되는 타인의 속성에 대해 부정·긍정 등의 평가를 하는 경우를 말한다. **예** 소득이 적은 사람들이 재벌들을 무조건 나쁘게 평가하는 경우 ⑤ 후광효과(Halo Effect)에 의한 오류: 측정대상의 특정 속성에 대한 **자신의 인상을 근거로 하여 측정대상의 전체 속성을 평가하는 경우**를 말한다. **예** "현재 이 정부의 노인복지정책은 엉망이야! 그러므로 이 정부의 모든 사회복지정책은 다 엉망일거야!"라고 하는 경우
연구자가 태도와 행동을 구분하지 못했을 경우		연구자가 자신이 측정하려고 하는 대상이 응답자의 태도인지 행동인지를 명확히 구분하지 못하고 질문문항을 만들어서 적용한 경우에 발생하는 오류를 말한다. **예** 화장장의 필요성에는 긍정적인 '태도'를 보이는 사람이, 본인이 사는 지역에 그 시설이 들어서는 데에는 반대하는 '행동'을 보이는 경우

🏛 기출 OX

측정 시 발생하는 비체계적 오류에는 문화적 차이에 의한 편향, 사회적 적절성 편향 등이 있다. (   )   23. 국가직

✕ '비체계적 오류'가 아니라 '체계적 오류'가 옳다.

(3) 줄이는 방법

① 체계적 오류는 발생 시 측정의 타당도를 낮추므로, **타당도가 확보된 표준화된 척도를 사용**하여 상당부분 줄일 수 있다. 따라서 타당도와 신뢰도를 갖춘 척도를 사용한다.

② 편견이 없는 단어와 용어를 사용하여 **문화적 차이에 의한 편향(또는 문화적 편견)** 등을 줄일 수 있다.

③ 익명으로 응답하게 하여 **사회적 적절성(또는 바람직성)의 편향의 오류** 등을 줄일 수 있다.

④ 다양한 조사 방법을 활용한다. 즉, 동일한 정보를 수집하기 위해 몇 가지 다른 방법을 사용하는 **삼각측량을 통해서도** 줄일 수 있다.

⑤ **비관여적 관찰**은 객관성 확보에 있어서 매우 중요하며, 따라서 체계적 오류를 최소화시킬 수 있다.

3. 무작위 오류(Random Error, 또는 비체계적 오류)

(1) 개관 21. 국가직, 17. 지방직(추가) 📝

① 우연적 또는 가변적인 원인들에 의해 **일시적으로 발생하여 측정의 결과를 일정한 경향성(또는 일관성) 없이 분산시키는 오류**를 말한다.

② 발생 시 측정의 **신뢰도를 낮춘다.**

③ 오차의 원인을 밝히는 것이 어려우므로 사전에 알 수 없고 통제 또한 매우 어렵다.

(2) 발생 원인

① **측정자로 인한 오류:** 측정자의 건강, 사명감, 컨디션, 관심사 등

② **측정대상자로 인한 오류:** 측정대상자의 긴장, 피로, 컨디션, 관심사 등

③ **측정환경으로 인한 오류:** 측정장소, 측정시간, 소음, 좌석배치 등

④ **척도로 인한 오류:** 척도에 대한 사전 교육 부족, 척도의 문항이 지나치게 많은 경우 등

⑤ **자료 분석 과정 중의 오류:** 코딩왜곡, 즉 자료를 코딩하는 과정에서 잘못 입력하는 경우 등

(3) 줄이는 방법

① 측정대상자가 이해할 수 있는 용어의 사용 등, 척도의 내용을 명확히 한다.

② 측정 항목 수를 가능한 늘린다.

③ 측정자의 측정방식이나 태도에 있어서 일관성을 갖춘다.

④ 측정대상자가 잘 모르거나 관심이 없는 것은 측정하지 않는다.

⑤ **신뢰도와 타당도를 갖춘 척도**를 사용한다.

⑥ 측정자에게 척도에 대해 사전 교육과 훈련을 충분히 시킨다.

⑦ 관찰 시 관찰 대상자가 자신이 관찰 당하고 있다는 사실을 모르게 한다.

⑧ 기존의 자료 이용 시 그 자료를 너무 신뢰하지 않는다.

⑨ 자료 수집 시 다양한 방법을 활용한다.

⑩ 응답 환경을 세심하게 배려하여 진행한다.

5 측정의 타당도와 신뢰도

1. 타당도(Reliability)의 개념 16. 지방직

(1) 척도가 측정하고자 의도한 것을 얼마나 정확히(또는 제대로) 측정하고 있는지의 정도이다. (必)

(2) 척도의 측정값과 실제값과의 일치정도를 의미한다.

2. 타당도 평가 방법

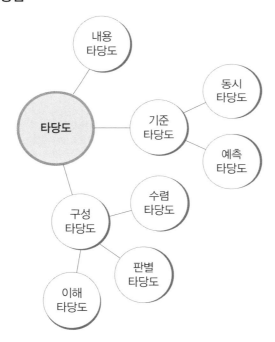

(1) **내용(Content)타당도[또는 액면타당도(안면타당도, 표면타당도)❶, 논리적 타당도]**

① 척도가 가지고 있는 **적절성과 대표성의 정도**를 의미한다. 즉, 척도를 구성하고 있는 내용들이 자신이 측정하고자 하는 개념이 포함하고 있는 의미의 범위를 담고 있는 정도를 말한다.

② **주관적 타당도**: 그러나 현실적으로 사회과학에서 다루는 개념은 대부분 추상적이어서 그 내용을 객관적인 절차나 기준에 의해 판단하기 어려우므로 **주로 관련 개념에 대한 전문가의 판단이나 합의에 근거하여 결정**될 수밖에 없다.

　⑪ A초등학교는 4학년 수학능력시험의 내용타당도를 확보하기 위해 수학교사들의 회의를 통해 연산, 논리, 기하 등을 포함하기로 결정하였다.

선생님 가이드

❶ 내용타당도와 액면타당도는 모두 평가자의 주관적 판단에 근거해서 타당도가 정해집니다. 따라서 두 가지 용어를 혼용하는 것이 일반적입니다. 다만 액면타당도는 전문가가 아닌 일반인이, 내용타당도는 일반인이 아닌 전문가의 판단에 의지한다는 아주 미세한 차이점이 있습니다.

기출 OX

타당도란 사회복지조사에서 조사도구가 측정하고자 의도하였던 개념을 정확히 측정하는지를 나타내는 것이다. ( )

16. 지방직

○

(2) **기준(Criterion)타당도(또는 실용적 타당도)**

　① **기준이 되는 척도가 필요한 타당도** 평가 방법이다. 즉 타당도가 확인된 다른 척도를 기준으로 삼아, 현재 개발되어 타당도를 평가하려는 특정척도의 타당도를 평가하는 방법이다.

　② 척도를 현재 존재하는 다른 척도와 비교하므로 **'경험적 세계'를 기반**으로 한다.

동시(Concurrent) 타당도 (또는 일치타당도)	⊙ 기준이 되는 척도가 타당도를 **평가하려는 척도와 현재 상태나 상황에 어느 정도 부합되는지의 정도**를 의미한다. ⓒ 즉 타당도 평가를 원하는 척도를 기준이 되는 척도와 **동시에 적용하여 두 척도 사이의 결과를 비교**한 후 상호 **동일한 결과치가 발생하면 동시타당도가 있다고 추정**할 수 있다. 예 새로 개발된 주관적인 행복감 측정도구를 사용하여 측정한 결과와 이미 검증되고 널리 사용되고 있는 주관적인 행복감 측정도구의 결과를 비교하여 타당도를 확인한 경우
예측(Predictive) 타당도 (또는 예언타당도)	⊙ 동시타당도와는 달리 기준이 되는 척도가 타당도를 평가하려는 척도와 **미래 상태나 상황에 어느 정도 부합되는지의 정도**를 의미한다. ⓒ 즉 타당도 평가를 원하는 척도를 기준이 되는 척도보다 **먼저 적용한 후 시차를 두고 기준 척도와의 결과를 비교한 후 상호 동일한 결과치가 발생하면 예측타당도가 있다고 추정**할 수 있다. 예 종합사회복지관 채용시험에서 A의 성적은 높았고 B의 성적은 낮았지만 두 사람 모두 같은 복지관에 입사했다. 입사 후에 B가 A보다 업무능력이 뛰어난 것으로 나타날 경우 이 복지관에서 사용한 채용시험의 예측타당도는 낮다고 할 수 있다.

　③ 종류로는 **동시타당도와 예측타당도**가 있다.

(3) **구성(Construct)타당도(또는 개념타당도, 구성체타당도, 개념구성타당도)**

　① 타당도를 평가할 때 그 척도가 측정하고자 하는 개념과 관련이 있는 **특정한 이론(Theory)으로부터 도출된 구성체(Construct)가 그 척도를 사용하여 측정한 실제 측정값과 어느 정도 연관이 있는지를 판단하는 방법**으로, 가장 수준이 높은 타당도이다.

　② 여기서 **구성체**란 직접적인 관찰에 의해서 측정할 수 있는 것이 아닌 **간접적인 관찰에 근거하여 이론적으로 만들어진 추상적인 개념**이다(예 지능, 우울, 이타심, 적개심, 친밀도, 욕구 등).

　③ 즉, 구성타당도는 측정하고자 하는 추상적인 개념이 척도에 의해 제대로 측정되었는지를 파악하는 방법이다.

　④ 척도의 측정값을 개념이나 이론과 비교하므로 **'이론적 세계(또는 모형)'를 기반**으로 한다.

⑤ 종류로는 **수렴타당도, 판별타당도, 이해타당도**가 있다.

수렴(Convergent) 타당도 (또는 집중타당도)	㉠ **판별타당도의 반대 개념**이다. ㉡ **서로 다른 방법으로 동일한 개념을 측정**했을 경우 각 결과치 간 상관관계가 높고 낮음을 분석하여 타당도를 평가하는 방법이다. ㉢ 이때 **높은 상관관계**가 발생하면 수렴타당도가 있다고 **추정**할 수 있지만, 낮은 상관관계가 발생하면 수렴타당도가 없거나 적다고 추정할 수 있다.
판별(Discriminant) 타당도	㉠ **수렴타당도의 반대 개념**이다. ㉡ **서로 다른 개념을 동일한 방법으로 측정**했을 경우 각 결과치 간 상관관계가 높고 낮음을 분석하여 타당도를 평가하는 방법이다. ㉢ 이때 **높은 상관관계**가 발생하면 판별타당도가 없거나 적다고 **추정**할 수 있지만, 낮은 상관관계가 발생하면 판별타당도가 있다고 추정할 수 있다. 예 우울척도 A의 측정치가 우울척도 B보다는 자아존중감척도 C의 측정치와 더 일치할 때 척도 A의 판별타당도는 문제가 된다.
이해(Nomological) 타당도	㉠ 척도가 **이미 검증되어진 보편적인 이론이나 모델의 체계적인 법칙에 부합하는 정도**를 가지고 타당도를 평가하는 방법이다. ㉡ 즉 측정에서 사용된 특정한 개념과 실제 조사된 개념들 간의 관계가 이론에 명시된 체계적인 법칙에 부합된다면 이해타당도가 높다고 추정할 수 있다.

3. 신뢰도(Validity)의 개념 23. 국가직

(1) 측정도구인 척도를 가지고 동일한 대상에게 반복하여 측정하여도 동일한(또는 일관된) 결과가 나오는 정도이다. ✍

(2) 측정결과의 일관성, 안정성, 예측가능성 정도를 의미한다.

4. 신뢰도 평가 방법 22 · 23. 국가직

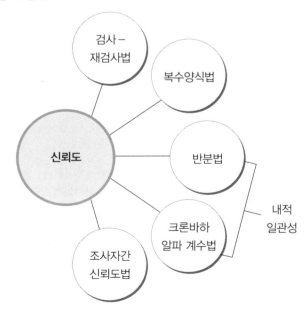

(1) 검사-재검사법(또는 재검사법)

① 동일한 대상에게 동일한 척도를 가지고 시차를 두고 두 번 반복하여 측정한 후 측정 점수 간 상관관계 정도로 신뢰도를 추정하는 방법이다. 이때 **상관계수가 높을수록 신뢰도가 높다고 추정**한다.

② 장점: 적용이 간편하다.

③ 단점: 첫 검사 후 다시 검사를 실시하므로 **주시험 효과와 성숙효과가 발생**할 수 있다.

(2) 복수양식법(또는 대안법, 유사양식법, 평행양식법)

① 평가하고자 하는 척도와 동등한 것으로 추정되는 매우 유사한 척도를 개발하여, 동일한 대상에게 거의 시차를 두지 않고 측정한 후 그 상관관계 정도로 신뢰도를 추정하는 방법이다.

② 장점: 검사-재검사법에 비해 **주시험 효과를 제거하는 데 유리**하다.

③ 단점: 별도로 매우 유사한 척도를 개발하는 것이 현실적으로 어렵기 때문에 **최근에는 사용하지 않는 추세**이다.

(3) 내적일관성법(또는 내적일관성 분석법)

① 척도 내 문항들 간 상관관계를 분석하여 신뢰도를 평가하는 방법으로, **가장 일반적인 신뢰도 평가방법**이다.

② 1개의 척도를 1회에 적용하여 신뢰도를 평가하며, 종류로는 **반분법과 크론바하알파계수법**이 있다.

반분법(또는 이분절 기법)	⊙ 개관 • 척도가 동일한 개념을 측정한다는 동질성(Homogeneity)이 갖추어진 척도의 문항을 반분하여 별도의 2개 척도를 만든 후, 동일한 시간에 각각 두 개의 척도를 동일한 대상에게 적용하여 두 척도의 상관관계 정도로 신뢰도를 추정하는 방법이다. • 척도 전체의 문항이 같은 개념을 측정해야만 적용이 가능하며, 반분된 척도의 문항 수는 그 자체가 완전한 척도를 이룰 수 있을 만큼 충분해야 하는데 최소한 8~10개 정도는 되어야 한다. ⓒ 장점 • 동일인을 대상으로 1회만 측정하므로 편리하며, 따라서 현실적으로 쉽게 활용할 수 있다. • 반분된 척도를 동시에 적용하므로 검사-재검사법의 단점들을 제거할 수 있다. 즉 주시험효과를 통제할 수 있다. ⓒ 단점 • 척도 전체의 신뢰도는 측정이 가능하지만, 개별 문항의 신뢰도나 특정 문항이 척도 전체의 신뢰도에 미치는 영향을 별도로 측정할 수 없다. 따라서 척도의 전체적인 상관관계가 낮을 경우 어떤 문항의 신뢰도에 문제가 있는지를 알 수 없고, 또한 신뢰도를 높이기 위해서 어떤 문항을 수정하거나 제거해야 할지를 알 수 없다. • 측정문항이 적을 경우에는 사용이 어렵다. • 반분하는 방법에 따라 다양한 상관계수, 즉 신뢰도 계수가 산출될 수 있다.

크론바하알파 계수법 (Cronbach's Alpha)	⊙ 내적 일관성 측면에서 신뢰도를 측정하는 가장 포괄적인 방법으로, 반분하는 방법에 따라 신뢰도계수가 달라지는 반분법의 문제를 해결하기 위해서 신뢰도를 저해하는 항목을 찾아내어 척도에서 제외시킴으로써 척도의 신뢰도를 높인 방법이다. 즉 반분하여 산출한 모든 문항 조합들의 상관관계(또는 신뢰도계수들)의 평균값으로 신뢰도를 구한다. ⓛ 크론바하알파계수의 특징 • 0~1까지의 값을 가지며, 1에 가까울수록 신뢰도가 높다. • 척도를 구성하는 문항들 간의 상관관계가 증가할수록 커진다. • 문항의 수와 응답자수가 증가할수록 커진다. • 일반적으로 크론바하알파계수가 0.6~0.7 이상이면 척도의 신뢰도가 있는 것으로 간주된다. • 반분법과는 달리 단일한 신뢰도 계수를 산출할 수 있다. • 신뢰도를 저해하는 문항을 찾아내어 이를 제외시킴으로써 척도의 신뢰도를 높이는 데 사용된다. • 통계 프로그램을 통해 간단히 산출할 수 있다.

(4) 조사자(또는 상호관찰자)간 신뢰도

연구자가 신뢰도의 척도가 된다. 즉 복수의 조사자가 측정한 측정값을 상호 비교하여 그 일치정도를 통해 신뢰도를 측정하는 방법이다.

5. 신뢰도 제고 방안 19. 국가직

(1) 척도의 모호성을 제거하기 위해 척도를 구성하는 문항을 분명하게 작성한다.

(2) 특정 개념을 측정하기 위해 측정항목(또는 하위변수)을 늘리고 항목의 선택범위(또는 값)를 넓힌다. 문항 간의 상관관계가 유사한 경우 항목의 수를 늘리면 척도의 신뢰도가 높아진다.

(3) 측정자의 태도와 측정방식의 일관성을 유지시킨다.

(4) 조사대상자가 무관심하거나 잘 모르는 내용은 측정하지 않는다.

(5) 사전에 신뢰도가 검증된 표준화된 척도를 사용한다.

(6) 동일하거나 유사한 질문을 2회 이상 실시한다.

6. 타당도와 신뢰도의 관계 23. 국가직, 19. 서울시

(1) 비대칭적 관계이다. 즉 타당도가 높으면(↑) 신뢰도도 높지만(↑), 신뢰도가 높으면서(↑) 타당도가 낮은 경우(↓)도 있다. 즉 타당도가 높으면서 신뢰도가 낮은 경우는 없다.

(2) 타당도는 신뢰도의 충분조건이며, 신뢰도는 타당도의 필요조건이다.

$$타당도 \rightarrow 신뢰도$$

(3) 다만, 아무리 좋은 척도라도 완벽한 타당도와 신뢰도를 가질 수는 없다.

▲ 타당도와 신뢰도가 모두 높은 경우   ▲ 타당도는 낮고, 신뢰도만 높은 경우   ▲ 타당도와 신뢰도가 모두 낮은 경우

6 척도(Scale)

1. 개관

(1) **측정을 위한 도구**를 말한다.

(2) 이러한 척도는 그 측정 수준에 따라 크게 **명목척도, 서열척도, 등간-비율척도로 구분**된다.

2. 명목척도

(1) 각 범주에 부여된 **숫자나 부호가 단순히 분류의 기능만을 하도록 구성된 척도**이다.

(2) 각 범주는 **상호배타성, 포괄성, 단일차원성, 논리적 연관성**을 갖추어야 한다.

> **예** 당신의 종교는 무엇입니까?
> ① 개신교　② 카톨릭　③ 불교　④ 이슬람교　⑤ 기타＿＿＿

3. 서열척도

(1) 측정대상의 측정값 사이에 **상대적 순서관계를 확인할 수 있게 하는 부호나 수치를 부여**하는 척도이다.

(2) 종류로는 **총화평정척도(또는 리커트척도), 거트만척도, 사회적거리척도, 의미분화척도**가 있다. Ⓝ

총화평정척도 (Summated Rating Scale) 17. 서울시	① 개관 　㉠ **리커트척도(Likert Type Scale)**라고도 하며, 주로 **양적연구에 사용**된다. 　㉡ 특정한 대상이나 상황에 대해 **개인의 태도나 가치의 강도를 서열화된 다수의 문항으로 측정하는 방법**으로, 각 항목의 측정값을 총합하여 계산한 것이 측정하고자 하는 개념을 대표한다는 가정에 근거한 단순합계 척도의 대표적인 방법이다. 　㉢ 개별 문항의 중요도(또는 기여)는 동등해야 하고, 문항 간 내적일관성이 높아야 한다. 　㉣ 이때 태도나 가치는 양극단적인 연속체라고 가정하여, 긍정적 반응과 부정적 반응을 측정한다. ② 장점 　㉠ 다른 척도들에 비해 척도를 구성하는 데 소요되는 시간과 비용이 적게 들어 **척도나 지수개발에 용이**하다. 　㉡ 다수의 문항을 가지고 측정하므로 타당도가 높다.

ⓒ 내적 일관성 검증을 통해 신뢰도가 낮은 문항은 삭제하여 신뢰도를 높일 수 있다.

③ 단점
　ⓐ 각 응답자들의 측정값이 동일할지라도 **등간격이 확보**되지 않는다. 즉 등간 수준의 측정이 어렵다.
　ⓑ 각 항목의 측정값을 총합하므로 개별 문항은 큰 의미가 없다.
　ⓒ **재생가능성(Reproducibility, 또는 재현성)이 부족**하다. 즉 동일한 총합의 점수를 갖는 2명의 응답자가 각 문항에 대하여 동일한 응답을 했는가를 재현하는 것이 어렵다.

예 프로그램 참여 후 생활 태도 변화에 관한 당신의 생각에 V표 해주세요.

번호	문항	매우 아니다	아니다	보통 이다	매우 그렇다	그렇다
1	하루의 삶을 매우 활기차게 시작한다.	①	②	③	④	⑤
2	타인과 교류하며 보내는 시간이 많아졌다.	①	②	③	④	⑤
3	삶의 의미를 찾았다.	①	②	③	④	⑤
4	삶이 재미있다.	①	②	③	④	⑤
5	웃음이 많아졌다.	①	②	③	④	⑤
	계					

거트만척도
(Guttman Scale)
17. 서울시

① 개관
　ⓐ **누적척도의 대표적인 방법**으로, **문항 간 서열성이 존재**한다. 즉 강도가 다양한 어떤 가치나 태도를 가장 약한 것으로부터 가장 강한 것에 이르기까지 **서열적 순서를 부여하여 구성**한다.
　ⓑ 가치나 태도가 일관성이 없거나 상호 상충되어서는 안되는 '**단일차원성**'을 갖추어야 한다.
　ⓒ **구성절차**: 척도 구성항목을 선정한다. → 응답자의 응답을 스칼로그램(Scalogram) 용지에 기입한다. → **재생계수**❶를 구한다. → 구성항목을 조정하여 척도를 구성한다.

② 장점
　ⓐ 경험적 관측을 토대로 척도가 구성되므로 **이론적으로 우월**하다.
　ⓑ 다른 척도와는 달리 응답자 개인의 성향을 서열화하기 때문에 개인차에 대한 조사를 할 때 특히 유용하다.
　ⓒ 복잡한 수리적 과정 없이도 서열적 수준에서 척도화가 가능하다.

③ 단점
　ⓐ 현실적으로 척도 구성 항목을 내용의 강도에 따라 일정한 순서로 배열하는 것이 어렵다.
　ⓑ 재생계수가 높으면서 위계적으로 구성된 문항을 만들고 배열하는 것이 매우 어려우므로 많은 문항을 척도화할 수 없다.
　ⓒ 개인을 대상으로 한 번에 2개 이상의 변수를 측정하는 다차원적인 조사를 할 수 없다.

예 장애인 복지시설 건립에 관한 의견조사이며, 해당되는 것에 V표 해주세요.

질문문항	그렇다	아니다
1. 장애인 복지시설을 우리 시에 짓는 것은 괜찮다.		
2. 장애인 복지시설을 우리 구에 짓는 것은 괜찮다.		
3. 장애인 복지시설을 우리 동네에 짓는 것은 괜찮다.		
4. 장애인 복지시설을 우리 옆집에 짓는 것은 괜찮다.		

선생님 가이드

❶ **재생계수**(Coefficient of Reproducibility, CR)
- 연구자가 거트만척도의 절차에 의해 만든 척도의 단일차원성, 누적성의 정도를 파악하기 위한 검증 방법입니다.
- '1 - 응답 오차수 ÷ (문항 수 × 응답자 수)'로 계산합니다.
- 그 값이 1일 때 완벽한 척도구성 가능성(Scalability)을 갖지만, 보통 0.9이상이 되면 적합한 척도로 사용이 가능합니다.

보가더스의 사회적 거리 척도 (Bogardus Social Distance Scale) 17. 서울시

① 개관
  ㉠ 보가더스(E. Bogardus)가 개발한 척도로, 인종 및 민족, 사회계급, 직업형태, 사회적 가치 등에 대한 사회적 거리감, 즉 친밀감, 무관심, 혐오감의 정도를 측정하기 위해 **하나의 연속성을 가진 문항들로 구성된 척도**이다.
  ㉡ 거트만척도와 같은 **누적척도**로, 거트만척도와 유사하지만 **마지막 가장 극단적인 문항의 경우에는 누적되지 않는 특성**이 있다.
② 장점
  ㉠ **집단 간 사회적 거리❶를 측정하는 데 유용**하다.
  ㉡ 적용 범위가 넓다.
  ㉢ 예비조사나 단기간 내에 조사를 마치고자 하는 데 유리하다.
③ 단점
  ㉠ 항목 간의 사회적 거리가 같다는 등간격을 가정하지만 이를 경험적으로 입증할 수 없다.
  ㉡ 척도의 용도가 제한적이어서 보편적으로 사용되지는 않는다.

예 각 집단(이주노동자, 북한이탈주민)에 대해 귀하는 어느 수준까지 받아들일 수 있는지 제시된 7가지 문항 중 최고 수준에 'ㅇ' 표 해 주시기 바랍니다.

수준		문항	이주노동자	북한이탈주민
최고 수준	7	결혼하여 가족으로 받아들이겠다.		
	6	친구로서 받아들이겠다.		
		· · ·		
최저 수준	2	방문객으로만 받아들이겠다.		
	1	우리나라에서 추방한다.		

의미분화 척도 (Semantic Differential Scale, 또는 어의변별척도, 어의차별척도의 미차이척도)

① 개관
  ㉠ 일직선으로 도표화된 척도의 양극에 서로 상반되는 형용사를 배열하고 양극단 사이에서 5~7점의 척도를 배치하여 해당 속성을 평가하는 척도이다.
  ㉡ 이후 측정값은 **평균이나 중앙값을 가지고 분석**한다.
② 장점
  ㉠ 구성이 용이하여 사용하기가 쉽다.
  ㉡ 가치나 태도와 같은 주관적인 개념 측정에 용이하다.
③ 단점
  ㉠ 제시되는 형용사에 따라 적절한 평가의 차원이나 판단기준을 확보하기 힘들다.
  ㉡ 특정 어의분화척도를 상이한 장소와 시간에 일반화하여 적용하기가 어렵다.

예 우리 복지관의 장애인 편의시설과 관련하여 귀하의 생각을 조사하고자 합니다. 해당하는 것에 V표 해주세요.

안전하다.	1---2---3---4---5---6---7	위험하다.
편리하다.	1---2---3---4---5---6---7	불편하다.
좋다.	1---2---3---4---5---6---7	나쁘다.

4. 등간-비율척도

(1) 개관

① 측정값 사이에 일정한 거리인 **등간격**과 절대 영점을 가지고 비율 수준을 측정할 수 있는 척도를 말한다.

② 종류로는 **서스톤척도**가 있다.

(2) 서스톤척도(Thurstone Scale, 또는 유사등간척도, 등현등간척도법) 17. 서울시

① 등간수준의 측정이 어려운 리커트척도의 단점을 해결하기 위해 개발되었다.

② 어떤 사실에 가장 우호적인 태도와 가장 비우호적인 태도를 나타내는 **양극단을 등간격으로 구분하여 여기에 수치를 부여한 척도**이다.

③ 측정을 하기 위해서는 가중치(또는 척도치)가 부여된 일련의 문항을 나열하고, 응답자가 각 문항에 찬성 또는 반대 등의 응답을 하게 한 후, **응답자가 찬성한 모든 문항의 가중치를 합하여 이의 평균을 낸다.**

④ 구성절차

㉠ 측정하고자 하는 변수를 명확히 규정한다.

㉡ 연구자가 조사하고자 하는 개념과 관련된 다양한 의견을 광범위하게 수집한다.

㉢ 수집된 의견들을 다양한 수준에서 100여개 정도로 압축한다.

㉣ 수집한 의견을 작은 카드에 적어 다수(약 10~15명)의 **사전문항평가자들에게 사전평가를 실시**하여 선호성의 정도를 측정한다.

㉤ 사전문항평가자들에게 각 의견을 선호 수준에 따라 일정하게 지시된 범주로 분류하도록 하고, 호의성 정도에 따라 분류된 각 집단에 적절한 수치를 부여한다.

㉥ 척도상의 각 점수를 대표할 수 있는 문장을 몇 개씩 선정하여 척도를 구성하되, 사전문항평가자들 간에 이견이 큰 문항은 제외한다.

㉦ **선정된 각 문항에 대한 중앙값을 가중치로 부여**하고, 이를 순서대로 배열한다.

⑤ 장점: 여러 척도 중에서 유일하게 등간 수준 이상으로 측정할 수 있다.

⑥ 단점: **사전문항평가자에게 의존**하므로 **평가자의 편견 개입 가능성**을 배제할 수 없으며, 평가를 위한 문항 수가 많고, 동원되는 평가자들이 다수이므로 척도 구성에 있어서 **시간과 인원이 많이 소요**된다. 즉 다른 척도들에 비해 **척도 개발이 비경제적**이어서 최근에는 널리 사용되지 않는다.

예 사형제도에 관한 당신의 의식을 조사하고자 합니다. 해당하는 것에 V표 해주세요.

가중치	문항	찬성	반대
0.0	1. 사형제도는 전면 폐지되어야 한다.		
1.5	2. 사형제도는 문명화된 국가의 형벌제도가 아니다.		
2.4	3. 사형제도는 범죄를 다루는 데 합리적인 방법이 아니다.		
3.4	4. 사형제도는 필요는 하지만 없애야 할 제도이다.		
4.9	5. 사형제도는 정당하고 또한 필요하다.		

7 내적타당도와 외적타당도

1. 개념

(1) **내적타당도(Internal Validity)** 14. 국가직 📝

① 변수 간의 인과관계 정도이다. 즉 종속변수의 변화가 독립변수에 의해 발생한 것임을 확신할 수 있는 정도로, 사회복지실천과 관련해서는 **개입의 효과성을 확인하기 위해 확보해야 하는 요소**이기도 하다.

② 조사 결과에 대한 대안적 설명 가능성 정도를 의미한다.

(2) **외적타당도(External Validity)** 14 · 22. 국가직

조사 결과의 일반화 정도이다. 즉 독립변수의 종속변수에 대한 영향이 상이한 대상이나 상황에서도 적용되는 정도를 말한다. 📝

2. 내적타당도와 외적타당도와의 관계

(1) 내적타당도와 외적타당도는 일반적으로 상호 상충관계(또는 부적관계)에 있다. 즉 어느 하나가 높아지면 다른 하나는 상대적으로 낮아지는 경향을 보인다.

(2) 내적타당도를 높이기 위해서 독립변수를 인위적으로 조작하는 정도를 높이면 종속변수의 효과성은 높아지지만, 조작정도를 높였기 때문에 이를 다른 집단에 적용하는 데 있어서는 한계가 발생할 수밖에 없다.

3. 내적타당도 저해요인

(1) **내적타당도 저해요인 중 내재적 요인과 외재적 요인의 상호작용**

① **우연한 사건(History, 또는 역사적 요인, 역사, 외부 사건)** 16. 국가직, 17. 지방직(추가) 📝: 실험 진행 중에 연구자가 전혀 의도하지 않았던 사건이 우연히 발생하여 종속변수에 영향을 주는 경우를 말한다.

> 예 우울증 치료를 받던 남성 노인이 여성 노인을 만나면서 우울증 치료 프로그램 없이도 우울증이 개선된 경우, 이 경우 여성 노인과의 만남이 우연한 사건이 된다.

② **성숙(Maturation, 또는 성장효과, 시간적 경과)** 16. 국가직 📝: **단순한 시간의 경과에 따른 인간의 성장과 변화가 종속변수에 영향을 주는 경우를 말하며, 일반적으로 실험기간이 길어지면 발생**할 수 있다.

> 예 노인들이 요양원에서 서비스를 받은 후에 육체적으로 약해졌다. 이 결과를 통해 사회복지서비스가 노인들의 신체적 능력을 키우는 데 전혀 효과가 없다고 추론할 경우, 노인들은 시간의 경과에 따라 불가항력적으로 신체적 노화가 진행되며, 따라서 분명 서비스는 효과가 있지만 노인이라는 특수성이 마치 효과가 없는 것처럼 만들었다. 이렇듯 성숙이 내적타당도 저해요인으로 적용될 수 있다.

③ **검사효과(Testing, 또는 테스트효과, 측정효과, 검사요인, 시험효과)** 18. 서울시 📝

㉠ **사전검사를 할 경우에 발생**한다. 즉 **사전검사와 사후검사에서 사용된 척도가 동일할 때**, 사전검사가 검사대상자에게 영향을 미쳐 사후검사의 측정값에 영향을 주는 경우를 말한다.

ⓒ 종류로는 **주시험효과와 상호작용시험효과**가 있다.

주시험효과	사전검사 X 사후검사 • 독립변수와 상관없이 동일한 측정을 반복하여 발생하는 효과로, **사전검사가 사후검사에 영향을 미치는 경우**를 말한다. • 이는 **내적타당도를 저하**시킨다. 📖 공무원 시험과 관련하여 박정훈 선생님의 시험 대비 강의의 효과성을 알아보기 위해서 수험생에게 사전에 다년도 공무원 시험을 치르게 하였다. 이후 강의를 수강하지 않았음에도 불구하고 전년도 공무원 시험을 가지고 다시 시험을 보았을 때에 좋은 점수가 나온 경우, 사전검사로 강의 전 치룬 공무원 시험의 기억이 사후검사로 다시 치룬 시험에 영향을 주었다고 추정할 수 있다.
상호작용시험 효과 (또는 검사와 개입의 상호 작용 효과)	사전검사 X 사후검사 • 독립변수에 조작을 하기 전에 실시한 **사전검사가 독립변수 자체에 영향을 주는 경우**를 말한다. 즉 독립변수의 효과를 원래의 효과보다 더 크게 만들어 사후검사에 영향을 주는 것이다. • 이 결과를 전체 모집단에 적용할 수 없기 때문에 **외적타당도를 저하**시킨다. 📖 사회복지공동모금회의 TV광고가 인지도에 미치는 영향을 측정하는 경우, 광고를 노출시키기 전에 사회복지공동모금회에 대한 인지도를 먼저 측정하게 되면 나중에 그 광고에 노출될 때 보다 주의를 기울이게 되어 광고의 효과가 더욱 커질 수 있다.

④ **도구효과**(Instrumentation) 16. 국가직, 17. 지방직(추가) 🔖: 사전검사와 사후검사의 척도나 검사자(또는 연구자)가 동일한 경우에 발생하는 검사효과를 제거하기 위해 **사전검사와 사후검사에서 사용된 척도나 검사자(또는 연구자)를 달리하여 사용한 것이 종속변수에 영향을 주는 경우**를 말한다.

  📖 연구자의 화술이나 태도, 기술 등이 달라지게 되면, 측정결과에 상당한 차이가 발생할 수 있다.

⑤ **통계적 회귀**(Statistical Regression) 17. 지방직(추가), 18. 서울시 🔖

ⓐ 모집단에서 표본을 추출하거나 실험집단을 구성할 때 종속변수를 기준으로 너무 낮거나 반대로 너무 높은 측정값을 보이는 **극단적 성향의 집단을 조사의 대상으로 선정할 경우**에 발생한다.

ⓑ 이들 집단이 독립변수의 조작과는 상관없이 **시간이 지날수록 모집단의 평균값으로 수렴하는 경향을 보이는 것**을 말한다.

  📖 사전검사에서 우울점수가 지나치게 높은 5명의 노인을 선정하여 우울감소 프로그램을 제공한 후 동일한 도구로 사후검사를 실시하였더니 이들의 우울점수가 낮아졌다. 이 경우 사전검사에서 우울점수가 **지나치게 높은 노인들**을 선정하였으므로 이들 집단은 독립변수의 조작 없이도 시간이 지날수록 모집단의 평균값으로 수렴하는 통계적 회귀 현상이 발생했다고 추정할 수 있다.

🏛 **기출 OX**

사전조사에서 매우 높은 값이나 낮은 값을 응답한 경우 사후조사에서 통계적 회귀가 일어나 내적타당도에 위협이 나타난다. ( )   18. 서울시

○

⑥ 실험대상의 상실(Experimental Mortality, 또는 실험대상의 변동, 중도탈락, 연구대상의 상실) 16. 국가직 ✍: 실험 과정 중에 참여하고 있던 대상자가 여러 이유로 인해 **조사 과정에서 탈락하여 종속변수에 영향을 주는 경우**를 말한다.

⑦ 개입의 확산(Diffusion or Imitation of Treatments, 또는 모방): 통제 부재 하에 발생하는 **실험집단과 통제집단 간의 상호교류 현상**이다. 즉 실험집단에게만 제공된 개입이 실험집단과 통제집단 간의 상호교류를 통해 통제집단에게도 확산되어 **통제집단의 대상자들이 실험집단의 대상자를 모방함으로 실험의 효과를 알 수 없게 되는 경우**를 말한다.

  📋 지역사회 노인들을 대상으로 건강증진 프로그램의 효과성을 알아보기 위해 두 곳의 경로당을 정해 한 곳의 이용 노인들을 실험집단으로, 다른 한 곳의 이용 노인들을 통제집단으로 선정한 후 실험집단에게만 건강증진 프로그램을 제공한 경우, 실험집단에 소속된 노인들이 통제집단의 노인들에게 제공된 건강증진프로그램의 내용을 전수하여 양 집단이 유사한 속성을 가지게 된 경우가 있을 수 있다.

⑧ 인과관계 방향의 모호성(Ambiguity about the Direction of Causal Influence, 또는 인과적 시간 순서): 변수들 중에 어느 것이 원인이고 어느 것이 결과인지 모를 경우를 말한다.

  📋 사회복지관에서 직원의 월급이 인상되어 직무몰입도가 높아졌는지, 직무몰입도가 높아져서 월급이 인상되었는지를 구분할 수 없는 경우가 있다.

(2) 내적타당도 저해요인 중 외재적 요인(실험조사 시작 전에 발생하는 요인)

선택의 편향(Selection Bia, 또는 선정편향, 선택효과, 선택의 편의, 선정요인, 선발요인, 편향된 집단선택, 선정의 편견, 표본 선정의 편파성): 실험 전 실험집단과 통제집단은 비슷한 속성이 균등하게 분포되도록 할당되어야 하나, **잘못된 할당으로 두 집단이 서로 이질적인 경우**를 말한다.

  📋 매우 건강한 90대 노인들 중 남성은 실험집단으로, 여성은 통제집단으로 분류한 후 1년 동안 건강관련 서비스를 제공한 결과 실험집단으로 분류된 남성 노인의 건강상태가 통제집단으로 분류된 여성 노인의 건강상태보다 더 나빠진 경우, 실제로는 건강관련 서비스가 효과가 있지만 실험집단과 통제집단의 성별 속성이 전혀 이질적이어서 그 효과가 억압된 것으로 선택의 편향 현상이 발생할 것으로 추정할 수 있다.

(3) 내적타당도 저해요인 중 내재적 요인과 외재적 요인의 상호작용

선택과의 상호작용(또는 선발과 성숙의 상호작용): 선택의 편향과 성숙효과 간의 **상호작용이 종속변수에 영향을 주는 경우**를 말한다.

  📋 사회복지사 A는 노인들의 인지능력 개발을 위한 프로그램을 개발하기 위해 90대 남성 노인 20명으로 실험집단, 90대 여성 노인 20명으로 통제집단을 구성하였다. 이때 실험집단과 통제집단이 균등하게 선정되지 않았으므로 선택의 편향이 발생하고, 동시에 초고령 노인의 경우 프로그램과는 상관없이 시간의 경과에 따라 인지능력이 급속히 감퇴함으로 성숙효과도 발생하였다.

프로그램의 효과성을 판단하는 다음의 연구설계에서 내적타당성을 저해하는 요인으로 가장 적절하지 않은 것은? 16. 국가직

―〈보기〉―

학교폭력의 피해를 당한 지 1주일 이내인 학생들을 대상으로, '정서불안완화' 프로그램을 실행하였다. 프로그램 참여를 원하는 17명의 학생들에 대해서 프로그램 시작 전에 불안증 수준을 측정하는 검사지로 사전검사를 실시하였다. 2주에 걸쳐 하루 2시간씩 참여하는 프로그램을 실시한 후, 종료 시까지 남은 10명의 참여자들을 대상으로 동일한 검사지를 통해 불안증 수준을 재측정하는 사후검사를 실시하였다. 사후검사 결과 사전검사에 비해 불안증 수준이 감소하였다. 이에 이 프로그램은 불안증을 완화시키는 데 효과적이라고 결론을 내렸다.

① 도구효과(instrumentation effect)
② 성숙효과(maturation effect)
③ 외부 사건(history)
④ 연구대상의 상실(experimental mortality)

해설 --

참고로 〈보기〉에서는 '동일한 검사지를 통해 불안증 수준을 재측정하는 사후검사를 실시하였다.'라는 지문을 통해 검사효과 역시 확인할 수 있다.

① 도구효과란 사전검사와 사후검사의 척도나 검사자(또는 연구자)가 동일한 경우에 발생하는 검사효과를 제거하기 위해 사전검사와 사후검사에서 사용된 척도나 검사자(또는 연구자)를 달리 하여 사용한 것이 종속변수에 영향을 주는 경우를 말한다. 〈보기〉에서는 확인할 수 없다.

② 성숙효과(또는 성장효과, 시간적 경과)란 단순한 시간의 경과에 따른 인간의 성장과 변화가 종속변수에 영향을 주는 경우를 말하며, 일반적으로 실험기간이 길어지면 발생할 수 있다. 〈보기〉에서는 '2주에 걸쳐 하루 2시간씩 참여하는 프로그램을 실시한 후'라는 지문을 통해 이를 확인할 수 있다.

③ 외부사건(History, 또는 역사적 요인, 역사, 우연한 사건)이란 실험 진행 중에 연구자가 전혀 의도하지 않았던 사건이 우연히 발생하여 종속변수에 영향을 주는 경우를 말한다. 이는 외생변수의 하나로 〈보기〉에서 학생들의 불안증 감소에 정서완화프로그램 이외에 다른 외부사건이 영향을 미쳤다는 것을 배제할 수 없다. 다시 말해, 모든 실험설계에서는 완벽하게 외부사건을 통제하는 것이 사실상 불가능하다.

④ 연구대상의 상실(또는 실험대상의 변동, 중도탈락, 실험대상의 상실)이란 실험과정 중에 참여하고 있던 대상자가 여러 이유로 인해 조사 과정에서 탈락하여 종속변수에 영향을 주는 경우를 말한다. 〈보기〉에서는 '남은 10명의 참여자들을 대상으로'라는 지문을 통해 이를 확인할 수 있다.

답 ①

4. 내적타당도 저해요인 통제방법

내적타당도 저해요인을 통제한다는 것은 결국 **외생변수가 종속변수에 미치는 효과를 통제하는 방법**이다. 즉 독립변수 이외의 다른 변수가 종속변수에 개입할 조건을 통제해야 한다.

(1) 무작위할당[또는 난선화(亂選化)] 🕮

제비뽑기, 컴퓨터 난수 발생프로그램 등을 활용하여 **실험집단과 통제집단으로 하여금 동질적 속성을 갖추도록 할당**하는 것으로, **가장 효과적인 내적타당도 저해요인 통제 방법**이다.

(2) **배합(Matching, 또는 짝짓기)** Ⓛ

    ① 사전에 집단의 속성을 파악하여 **실험집단과 통제집단 할당 시 두 집단의 이질적 구성요소를 최소화시켜 이들을 균등하게(또는 동일비율로) 할당하는 방법**으로, 일반적으로 **무작위할당과 병행하여 사용**한다.

    ② 종류로는 **정밀배합법과 빈도분포배합법**이 있다.

정밀배합법	동일한 속성을 지닌 한 쌍의 조사대상자를 골라 이들을 실험집단과 통제집단에 각각 배치하는 방법이다.
빈도분포배합법	실험집단과 통제집단에서 통제하려는 변수값의 평균치를 동일하게 만드는 방법이다.

       예 실험집단과 통제집단의 연령, 성별 등의 비율을 동일하게 만든다.

(3) **실험 기간의 단축**

    역사, 성장, 선택과의 상호작용 등을 통제할 수 있다.

(4) **측정도구의 변경**

    사전검사와 사후검사에서 사용하는 척도를 조금 다른 것을 사용하면 검사효과를 통제할 수 있다.

(5) **연구자에 대한 훈련**

    연구자로 하여금 동일한 방법과 절차를 시행하도록 훈련하여 척도와 관련된 영향을 통제할 수 있다.

(6) **조사대상자의 선별**

    극단적인 측정값을 보이는 조사대상자를 표본에서 제외하여 통계적 회귀를 통제할 수 있다.

(7) **무작위할당과 배합의 적극 활용**

    무작위할당을 하되, **최대한 많은 변수를 배합**하여 선정요인과 선택과의 상호작용을 통제할 수 있다.

5. 외적타당도 저해요인

(1) **표본의 대표성(Sample Representativeness)** Ⓛ

    선정된 표본이 모집단의 특성을 대표할 수 없는 경우이다.

(2) **상호작용시험효과(또는 검사와 개입의 상호작용 효과)**

    사전검사가 개입에 영향을 미쳐서 사후검사에 영향을 줄 경우 개입의 효과성은 사전검사를 받은 사람에게만 나타날 수 있다.

       예 청소년의 사회복지인식도 조사를 실시할 경우 사전 인식도 조사가 이후 진행되는 조사에 영향을 미칠 수 있다.

(3) **선정요인(또는 선정편향)과 개입의 상호작용 효과**

    개입이 선정된 특정 집단에게만 영향을 미칠 경우, 개입을 통해 얻어진 결과를 현실에 있는 모든 대상에게 그대로 일반화시키는 것은 사실상 어렵다.

(4) 역사적 요인과 개입의 상호작용 효과

개입이 실시되었던 상황과 결과를 이후 시간의 경과로 인해 변화된 사회적 상황에 그대로 적용하여 일반화시키는 것은 사실상 어렵다.

(5) 조사의 반응성(Research Reactivity, 또는 연구대상자의 반응성) 11. 국가직 ✍

① 개입으로 인해 일상적인 조사대상자의 행동이 변화되는 현상이다. 이러한 일상적이지 못한 행동에서 얻어진 결과를 그대로 일반화시키는 것은 사실상 어렵다.

② 종류로는 **플라시보 효과와 호손 효과**가 있다.

플라시보 효과 (Placebo Effects, 또는 위약 효과)	사전검사가 조사대상자의 민감성에 영향을 주는 현상으로, 조사대상자가 자신에게 개입이 주어지지 않았음에도 불구하고 마치 개입을 받고 있는 것처럼 행동하는 것을 말한다.
호손 효과 (Hawthorne Effect)	① 조사대상자가 자신이 개입을 받고 있다는 사실을 인지하여 **일상과 다르게 행동하는 현상**을 말한다. 즉 조사자가 상주(常住)함으로 인해 조사대상자 자신들이 조사의 대상이 되고 있다는 사실을 인식해서 **평소와 다른 반응을 일으키는 것**으로, 실험을 진행하는 조사의 존재 자체가 실험에 영향을 주고 있다는 것을 의미한다. ① 실험이 아닌 현실에서는 조사대상자가 조사자를 의식할 필요가 없으므로 호손효과로 얻어진 실험결과를 일반화시키기 어렵다.

6. 외적타당도 저해요인 통제방법

(1) 표본의 대표성 확보 14. 국가직 ✍

표본의 대표성을 확보하기 위해서 **확률표집(또는 무작위 표집)**을 실시하고, **표본의 크기를 크게** 할 수 있다.

(2) 조사자의 자질과 훈련

자질을 갖추고 훈련을 받은 조사자가 조사하게 하여 개입이 동일하게 진행되도록 해야 한다. 즉 조사에 관심이 있는 조사자에게 구체적인 정보, 다시 말해 조사대상자, 개입에 대한 충분한 정보 등이 제공되어야 **조사가 반복될 수 있다. 또한 동일한 조사 결과가 산출되고 축적되어야 외적 타당도가 있는 조사로 인정**받을 수 있다.

(3) 플라시보 효과(Placebo Effect) 통제 14. 국가직 ✍

① 플라시보 효과를 통제하기 위해서 조사대상자에게 조사상황을 미리 알려주지 않거나, **플라시보 통제집단(Placebo Control Group)설계(또는 가실험 통제집단설계)**를 적용할 수 있다.

② 플라시보 통제집단설계(또는 가실험 통제집단설계)란 플라시보 현상의 발생이 의심되는 상황에서 이를 확인하기 위해 실험집단과 통제집단 이외에 위약집단을 설정하여 3개의 집단을 비교하는 방법이다.

	구분				
R	실험집단	○	×	○	
	통제집단			○	
	위약집단	○	×(위약)	○	

* R: 단순무작위할당

O: 검사를 통해 얻는 관찰값(또는 측정값)

X: 개입(또는 조작)

(4) 호손 효과 통제

호손 효과를 통제하는 대표적인 방법으로는 3진단법이 있는데, 이는 **통제집단**을 하나 더 추가하여 두 개의 통제집단을 구성하고 하나의 통제집단에는 실험을 전혀 경험하지 못하도록 전면 통제를 하고, 다른 하나의 통제집단에는 위약(僞藥)으로 개입을 하는 것, 즉 통제집단을 추가하는 것이다.

구분		실험적 처치	효과
R	실험집단	개입	개입의 효과가 나타남
R	통제집단(1)	위약 개입	실험집단과 동일한 효과발생, 단 효과의 강도는 약간 낮음
R	통제집단(2)	아무런 처치를 하지 않음	아무런 효과가 없음

8 실험설계[또는 실험디자인(Experimental Design)]의 개관

1. 개념과 요소

(1) 개념 11. 국가직, 12. 지방직(추가), 18. 서울시 (必)

(내적타당도가 높은 설계) 특정한 변수 간의 인과관계를 규명하기 위해서 의도적으로 실험환경을 조성하여 조사(또는 원하는 변수를 미리 설정하여 측정)하는 방법으로, 주로 현상에 대한 단순한 기술보다는 설명을 목적으로 한다.

(2) 요소 (必)

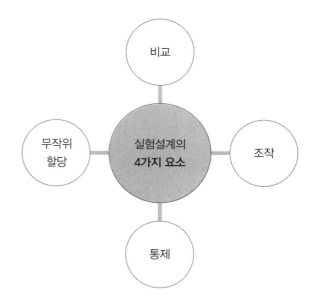

① (종속변수의) 비교: 실험(또는 개입, 실험처치) 전후에 종속변수의 검사를 통해 실험집단과 통제집단의 종속변수의 차이를 파악하는 것을 말한다. 이 경우 실험 전에 실시하는 종속변수에 대한 검사를 사전검사, 실험 후에 실시하는 종속변수에 대한 검사를 사후검사라고 한다.

② (독립변수의) 조작: 실험집단에만 독립변수를 제공하고, 통제집단에는 독립변수를 제공하지 않는 것을 말한다.

③ (외생변수의) 통제: 내적타당도 저해요인들을 제거하는 것으로, 외생변수를 통제함으로써 실험집단에 제공된 독립변수가 종속변수에 미치는 영향을 명확히 파악하여 인과관계를 규명할 수 있다.

④ 무작위할당: 실험집단과 통제집단의 할당 시 동일한 속성과 분포를 지닌 동질집단으로 만들기 위해서 **단순무작위하는 것**을 말한다.

2. 실험설계의 종류

실험설계는 **실험요소의 적용 여부에 따라** 순수실험설계, 유사실험설계, 원시실험설계로 구분된다.

(1) 순수실험설계(또는 진실험설계) 🔖

① 실험설계의 4가지 요소인 **비교, 조작, 통제, 무작위할당을 모두 갖춘** 실험설계이다.

② 모든 실험설계 중에서 **내적타당도가 가장 높은** 설계이다.

③ 종류: 통제집단사전사후검사설계, 통제집단사후검사설계, 솔로몬 4집단설계, 요인설계가 있다.

(2) 유사실험설계(또는 준실험설계, 의사실험설계) 11 · 22. 국가직, 14. 지방직, 18. 서울시 🔖

① 실험설계의 4가지 요소 중 **무작위할당이 없고, 이외에도 1~2가지 요소가 제외된** 실험설계이다.

② 종류: 단순시계열설계, 복수시계열설계, 비동일통제집단설계가 있다.

(3) 원시실험설계(또는 전실험설계) 🔖

① 실험설계의 4가지 요소 중 대부분이 제외된 실험설계이다.

② 종류: 1회 사례 설계, 단일집단 사전사후검사설계, 정태적집단비교설계가 있다.

3. 실험설계에서 사용하는 기호

X	실험집단에 대한 처치(Treatment), 개입(Intervention)의 조작을 의미한다.
R	무작위할당에 의한 실험집단과 통제집단의 할당을 의미한다.
O	검사를 통해 얻은 관찰값 또는 측정값을 의미한다.

🏛 **기출 OX**

01 유사실험설계에는 무작위할당이 시행된다. ( )   18. 서울시

02 유사실험디자인에는 시계열디자인과 비동일통제집단 디자인이 있다. ( )   11. 국가직

03 "실험설계처럼 완벽하지 않지만, 독립변수 조작과 외적 변수 통제가 가능하고 비교집단을 설정할 수 있는 상황인데 어떤 방법이 좋을까?"의 의문사항이 발생했을 때의 조사 방법은 유사실험설계(준실험설계)이다. ( )   14. 지방직

04 독립변수의 조작은 가능하지만 대상을 무작위할 수는 없고, 독립적 관찰을 여러 번 할 수 있으면 유사실험설계를 적용할 수 있다. ( )   22. 국가직

01 × '시행된다.'가 아니라 '시행되지 않는다.'가 옳다.
02 ○
03 ○
04 ○

9 실험설계의 종류

1. 순수실험설계(또는 진실험설계)

(1) **통제집단사전사후검사(Pretest-Posttest Control Group)설계(또는 통제집단전후비교설계)** 23. 국가직

R	O_1	X	O_2
R	O_3		O_4

① 무작위할당(R)을 통해 실험집단과 통제집단을 할당한 후에 **실험집단과 통제집단의 종속변수에 대한 사전검사를 실시**한다.

② **실험집단에만 실험처치를 한 후**에 실험집단과 통제집단의 종속변수에 대한 사후검사를 실시한다.

③ (O_2-O_1)이 (O_4-O_3)의 측정값이 서로 다를 경우 실험처치의 효과가 있다고 추정할 수 있다.

④ **사전검사와 이에 따른 검사효과의 발생으로 주시험효과로 인한 내적타당도 저해와 상호작용시험효과로 인한 외적타당도 저해가 모두 나타날 수 있다.**

(2) **통제집단사후검사(Posttest-Only Control Group)설계(또는 통제집단후비교설계)**

R	X	O_1
R		O_2

① 사전검사로 인해 발생하는 주시험효과와 상호작용시험효과를 통제하기 위해서 **통제집단사전사후검사설계에서 사전검사를 하지 않는 설계**로, 무작위할당으로 통제집단과 실험집단을 나누고 **실험집단에만 실험처치**를 한다.

② (O_2-O_1)의 측정값이 서로 다를 경우 실험처치의 효과가 있다고 추정할 수 있다.

③ 사전검사를 하지 않으므로 검사효과는 통제할 수 있지만, 최초 실험집단과 통제집단의 할당 시 두 집단의 동질성을 확인할 수 없기 때문에 **선택의 편향을 완전히 배제할 수 없고**, 측정 결과가 단지 독립변수의 조작(또는 실험처치) 결과라고 단정할 수 없다.

(3) **솔로몬 4집단(Solomon Four-Group) 설계(또는 솔로몬설계연구)**

A	R	O_1	X	O_2
B	R	O_3		O_4
C	R		X	O_5
D	R			O_6

① 가능한 모든 외생변수를 통제하기 위한 목적으로 **솔로몬(Solomon)**이 제안한 방법이다.

② **통제집단사전사후검사설계와 통제집단사후검사설계를 결합한 설계**로, 2개의 실험집단과 2개의 통제집단 등 총 4개의 집단으로 구성된다.

③ 우선 A, B, C, D의 4개의 집단을 무작위로 선정하고, A, B 집단은 사전검사를 하지만, C, D 집단은 사전검사를 하지 않는다. → 그리고 A, C 집단에는 독립변수를 가하고, B, D 집단은 통제집단의 성격으로 실독립변수를 가하지 않는다.

장점	단점
㉠ **주시험효과를 도출 및 통제**하여 내적타당도를 높일 수 있는 동시에, **상호작용 시험 효과(또는 검사와 개입의 상호작용 효과)** 역시 도출 및 통제하여 외적타당도도 높일 수 있다. 즉 **검사효과(Testing)를 통제**할 수 있다. ㉡ **외부사건(또는 역사)이나 성숙과 같은 기타 외생변수의 통제**도 가능하다. ㉢ 따라서 실험설계 중 **내적타당도와 외적타당도가 가장 높고**, 따라서 가장 이상적인 설계유형이다.	현실적으로 무작위할당을 통해 4개의 집단을 구성하는 과정의 복잡성과 비용의 소요로 인해 실제 적용에는 한계가 있으며, 따라서 선호하지 않는 설계이다.

(4) 요인(Factorial) 설계

① 독립변수가 복수인 경우에 활용하는 실험설계로, 독립변수의 속성에 따라 **행렬을 만들고 행렬의 각 범주에 따라 집단을 구성하는 실험설계**이다.

핵심 PLUS

요인설계의 주효과와 상호작용효과

우울증을 앓고 있는 노인을 대상으로 우울증 개선 프로그램과 면담의 주당 시간 강도를 각각 조절할 경우

구분		면담(B)	
		주당 3시간(B_1)	주당 10시간(B_2)
우울증 개선 프로그램(A)	주당 1시간 제공(A_1)	10	25
	주당 5시간 제공(A_2)	20	30

① 요인은 독립변수이며, 그 요인은 다시 강도에 따른 요인수준을 갖는다.
② 주효과와 상호작용효과를 동시에 확인하기 위해 활용된다. 여기서 주효과란(Main Effect)란 각 요인 수준이 변할 때 나타나는 반응값, 즉 종속변수의 변화를 뜻한다. 위에서 요인A의 주효과는 수준이 A_1에서 A_2로 변할 때 유발되는 반응값의 차이로, 20-10=10이 된다. 또한 상호작용효과(Interaction Effect)란 각 요인 간 상호작용으로 발생하는 효과를 말하며, 따라서 요인A와 요인B의 상호작용효과는 B_1수준에서 계산된 A의 주효과와 B_2 수준에서 계산된 A의 주효과 간의 평균적 차이가 된다.

---

② **분산분석(ANOVA)**을 활용해 집단 간 변수의 주효과와 집단 내 변수의 주효과, 집단 간 변수와 집단 내 변수의 상호작용효과를 검정할 수 있다.

장점	단점
㉠ 주효과와 상호작용효과를 동시에 확인할 수 있다. ㉡ 특히 다른 실험설계에 비해 **집단비교 결과의 일반화 가능성이 높아져 외적타당도가 높다.**	독립변수의 갯수가 증가할수록 **시간과 비용이 많이 소요**되어 활용이 어려워질 수 있다.

예 우울증을 앓고 있는 노인을 대상으로 우울증 개선 프로그램과 면담의 주당 시간 강도를 각각 조절할 경우

구분		면담	
		주당 3시간	주당 10시간
우울증 개선 프로그램	주당 1시간 제공		
	주당 5시간 제공		
	주당 10시간 제공		

2. 유사실험설계(또는 의사실험설계, 준실험설계, 반실험설계)

(1) 단순시계열(Simple Time-Series)설계(또는 시간연속설계)

$O_1 \, O_2 \, O_3 \, O_4$	X	$O_5 \, O_6 \, O_7 \, O_8$

① 유사실험설계 중 유일하게 **통제집단 없이 실험집단만 있는 실험설계**로, 동일한 실험대상에게 실험처치가 있기 전과 후에 **여러 번에(최소 3회 이상) 걸쳐 검사 횟수를 늘려 비교의 시점을 확대하는 방법**이다.

② 실험 전과 후의 검사 횟수를 늘리게 되면 실험처치 이전에 몇 차례에 걸쳐 이루어진 측정값들의 경향이 간접적인 통제집단의 역할을 할 수 있다고 가정한다. 이에 따라 실험의 효과성을 파악하기 위해 개입 전과 개입 후에 여러 번에 걸쳐 검사를 실시하고, 이를 통해 **종속변수의 변화를 추적·비교**할 수 있다.

③ $(O_5+O_6+O_7+O_8)-(O_1+O_2+O_3+O_4)$의 측정값이 서로 다를 경우 실험처치의 효과가 있다고 추정할 수 있다.

④ **실험처치 효과의 발생 시기를 알 수 없는 경우**나, **종단조사에서 많이 활용**된다.

⑤ 사전검사에 따른 **주시험효과, 상호작용시험효과(또는 검사와 개입의 상호작용 효과)** 이외에도 통제집단이 없으므로 **우연한 사건** 등의 발생을 배제할 수 없다.

(2) 복수시계열(Multiple Time-Series)설계(또는 다중시계열 설계, 복수시간연속설계)

$O_1 \, O_2 \, O_3 \, O_4$	X	$O_5 \, O_6 \, O_7 \, O_8$
$O_9 \, O_{10} \, O_{11} \, O_{12}$		$O_{13} \, O_{14} \, O_{15} \, O_{16}$

① **단순시계열 설계에 통제집단을 추가하여 내적타당도를 높인 실험설계**로, 실험집단과 통제집단에 대해 개입 전과 개입 후 여러 차례 종속변수를 측정한다.

② $[(O_5+O_6+O_7+O_8)-(O_1+O_2+O_3+O_4)]-[(O_{13}+O_{14}+O_{15}+O_{16})-(O_9+O_{10}+O_{11}+O_{12})]$의 측정값이 서로 다를 경우 실험처치의 효과가 있다고 추정할 수 있다.

(3) 비동일통제집단(Nonequivalent Comparison)설계(또는 비동일비교집단설계)

O_1	X	O_2
O_3		O_4

① 순수실험 설계 중 **통제집단사전사후검사설계**에서 단순무작위가 아닌 작위적(또는 임의적)으로 할당한 실험설계이다.

② $(O_2 - O_1)$과 $(O_4 - O_3)$의 측정값이 서로 다를 경우 실험처치의 효과가 있다고 추정할 수 있다.

③ **사회복지 분야에서 프로그램의 효과성을 평가하는 데 많이 활용**된다.

④ **역사, 성숙** 이외에도 특히 임의적으로 나눈 실험집단과 통제집단 간의 교류를 통제하기 어려워 **개입의 확산(또는 모방)과 같은 내적타당도 저해 요인**이 발생할 수 있다. 또한 **사전검사를 실시하므로 검사효과 역시 발생**할 수 있다. 따라서 조사자에게는 외부요인을 통제하기 위해 조사 대상 집단에 대한 이해가 선행되어야 한다.

3. 전실험설계(또는 선실험설계, 원시실험설계)

(1) 1회 사례(One Shot Case)설계(또는 일회검사 사례 설계, 단일집단 사후검사설계)

| | X | | O_1 |

① 연구자가 실험대상에 대하여 **한 번의 실험처치를 한 후 이 실험처치가 미쳤을 것이라고 판단하는 특성을 한 번만 관찰하는 설계**이다.

② 내적타당도와 외적타당도에 영향을 미칠 수 있는 요인들을 전혀 통제할 수 없다.

(2) 단일집단 사전사후검사(One-Group Pretest-Posttest)설계

| | O_1 | X | O_2 |

① **1회 사례 설계보다는 진일보한 설계**로, 실험처치를 하기 전에 변수를 측정한 다음 실험처치 이후에 측정한 것과 비교하는 설계이다.

② **1회 사례 설계에 비해 시간적 우선성과 비교의 기준은 존재**하지만, 내적타당도와 외적타당도에 영향을 미칠 수 있는 요인들을 전혀 통제할 수 없다.

(3) 정태적 집단비교(Static Group Comparison)설계(또는 고정집단비교설계, 비동일집단 사후검사설계)

① 순수실험 설계 중 **통제집단사후검사설계에서 단순무작위가 아닌 작위적으로 할당한 실험설계**로, 실험집단과 개입이 주어지지 않은 통제집단을 사후에 구분해서 종속변수의 값을 비교한다.

② **상관관계 연구와 유사한 성격**을 지닌다.

③ 즉 2개의 집단을 임의적으로 할당한 후 하나의 집단에 대해서는 실험처치를 하고 다른 집단에는 실험처치를 하지 않은 후 비교하는 설계이다.

④ 내적타당도와 외적타당도에 영향을 미칠 수 있는 요인들을 전혀 통제할 수 없다.

10 단일사례설계(Single Subject Design)

1. 개념과 특징

(1) 개념 ✔

조사의 대상	개인 · 가족 · 소집단(또는 단체) · 조직 · 지역사회 등을 대상으로
조사의 크기	1개의 사례(표본의 크기 '1', 분석단위 '1', 표집요소의 수 '1')의 '행동❶'에 대한
조사의 목적	**개입의 효과성(또는 유의성)**을
조사의 시점	**시계열적**으로
조사의 횟수	**반복적으로 관찰❷**하여
조사의 방법	**시각적 · 통계학적 · 임상적 · 이론적 유의성** 등을 이용해 **분석**하는 조사기법

(2) 특징 18. 국가직, 12. 지방직(추가) ✔

① 단일 조사 대상에 대해서 개입 전과 개입 후를 비교하여 그 개입효과성을 평가해야 할 경우에 효과적으로 사용할 수 있어 **조사 과정과 실천 과정을 통합**할 수 있다.

② 개입과 이로 인해 실제 클라이언트에게 변화가 발생하는지의 유무와는 상관없이 사회복지사와 클라이언트가 **개입 중간에(또는 도중에) 문제를 점검하여 즉각적인 피드백을 주고받을 수 있으므로** 개입의 지속 여부 판단 및 사후계획 수립을 진행하고, 개입 방법을 수정하여 효과적인 개입을 할 수 있다.

③ **통제집단을 구하기 어려운 경우에 사용**할 수 있다.

④ 표본의 크기가 1개이므로 일반적으로 **내적타당도는 높으나 외적타당도는 낮다.** 다만, **반복적인 시행과 관찰로 통제집단의 효과**를 볼 수 있으므로 **개입효과성의 일반화가 가능**하다.

⑤ 조사 대상에 대한 즉각적인 조사가 요구될 경우에 사용할 수 있다.

2. 기본구조 18. 국가직

표적행동과 관련하여 기초선국면과 개입국면으로 구성되어 있다.

(1) 표적행동(Target Behavior) ✔

① 개입을 통해 변화가 기대되는 **조사대상자의 관찰 가능한 행동**으로, **종속변수에 해당**한다.

② 표적행동을 측정 가능하도록 계량화시킨 것을 **측정지수(또는 조작적 지수)**라고 하는데, 이러한 측정지수에는 **문제가 없다는 것을 보여주는 긍정적 지표**와 **문제가 있다는 것을 나타내는 부정적인 지표**가 있다.

(2) **기초선 국면(Baseline Phase)** (필)

① A로 표시한다.

② 측정을 위한 비관여적 관찰 기간으로, **표적행동이 안정화될 때까지 반복**하여 측정해야 한다.

③ 이때 **최소한의 관찰(또는 자료 수집)횟수는 3회 이상**이어야 통제집단의 기능을 할 수 있으며, 개입 전 **표적행동의 변화가 심할수록 관찰의 횟수는 증가**해야 한다.

④ 개입의 효과가 클수록 기초선이 짧을 수도 있다.

⑤ 그 기간을 줄여서 **성숙효과(또는 성숙요인)를 통제**할 수 있다.

(3) **개입 국면(Intervention Phase)** (필)

① B로 표시한다.

② 표적행동에 대한 개입 기간으로, **독립변수에 해당**하며, 이 기간 동안 개입과 더불어 표적행동의 상태에 대한 관찰이 병행된다.

③ 개입 국면 중 관찰의 횟수나 기간은 기초선과 같은 정도로 하는 것이 바람직하며, 최소한의 **관찰 횟수는 기초선 국면과 같이 3회 이상** 되어야 한다.

④ 개입 시기를 달리하여 역사적 요인을 통제할 수 있다.

3. 절차

단일사례설계는 '**문제의 확인 → 문제의 규명 → 개입목표의 설정 → 조사 설계 → 자료 수집 → 자료 분석**'의 절차에 따라 진행된다.

(1) **문제의 확인**

문제란 클라이언트 자신이나 혹은 제3자에 의해 확인된 것으로, 클라이언트에게 해결되어야 할 문제를 말한다.

(2) **문제의 규정**

개입의 목표를 명확히 설정하기 위해서 문제는 구체적이며 동시에 명확히 규정되어야 한다.

예 클라이언트는 매일 소주를 5병씩 마신다.

(3) **개입목표의 설정**

개입의 목표는 **구체적·측정 가능·달성 가능·결과지향적·시간제한적**이어야 한다.

예 클라이언트는 음주량을 현재 수준의 1/5로 줄인다.

(4) **조사 설계**

개입의 구체적인 계획이 수립하는 단계로, 다음과 같은 내용을 설계한다.

① 설계유형: AB, ABA, ABAB, BAB, ABCD, 복수기초선설계 등

② 기초선 관찰(또는 자료 수집)의 시기

③ 개입의 시기 및 기간

④ 자료 수집자(또는 관측자): 클라이언트 자신, 사회복지사, 클라이언트 주변의 제3자 등

⑤ 자료 수집 방법: 직접관찰, 자기보고 평가 척도, 표준화된 측정도구 등

⑥ 자료기록 방법: 시간간격기록, 빈도기록, 지속기간기록, 정도기록, 간헐점검 기록, 영구적 생산물기록 등

(5) 자료 수집

조사 설계에 따라 개입 전과 후에 자료를 수집한다. 또한 수집된 자료는 즉시 도표로 표시하고 자료에 드러난 경향성을 검토한 후, 변화가 없는 것으로 판명되면 개입의 계획 또는 방법 등을 수정·변경할 수 있다.

(6) 자료 분석(또는 개입평가)

4. 설계유형 11. 지방직(추가)

(1) AB 설계(또는 기본시간연속설계, 기본단일사례연구설계)

① 하나의 기초선과 하나의 개입국면으로만 이루어진 **가장 기본적인 설계유형**으로, **쉽게 여러 유형의 문제에 적용이 가능**하다.

② 개입 전의 기초선 측정과 개입 후의 측정을 동일하게 구성하면 바람직하다.
    예 기초선 국면에서 1주간 3회 정도 실시했으면 개입 후에도 1주간 3회 정도 측정을 한다.

③ 외생변수의 통제가 어려워 **개입의 효과성을 파악하는 데 한계[❶]**가 있다.

(2) ABA 설계

① AB 설계에 개입을 중단하는 두 번째 기초선을 추가한 설계유형으로, **준실험설계의 단순시계열설계를 단일한 대상에 적용한 것**으로 볼 수 있다.

② 일반적으로 첫 번째 기초선에서 관찰된 표적행동의 빈도가 높았으나 **개입을 종료한 후 두 번째 기초선에서 그 빈도가 다시 높아지면 개입이 효과적이었다**고 추정할 수 있다.

③ 장점과 단점

장점	단점
⊙ 두 번째 기초선(또는 반전 기간[❷], 제2 기초선)을 가짐으로써 **개입의 효과에 대한 인과 관계 파악이 용이**하다. ⓒ AB 설계에 비해 역사(또는 우연한 사건) 등의 외생변수를 통제할 수 있다.	⊙ 개입의 효과성을 검증하기 위해서 개입을 중단하고 두 번째 기초선을 갖는 것이 자칫 **윤리적인 문제**가 될 수 있다. ⓒ 두 번째 기초선 기간 동안에 표적행동의 빈도가 다시 높아지지 않는 경우, 즉 문제가 다시 악화되지 않는 상태가 되는 경우 ABA설계의 적용은 불가능해진다. 이는 두 번째 기초선 동안에도 상태가 악화되지 않는다는 것은 개입이외의 다른 요인이 변화를 일으켰거나 아니면 개입의 효과가 지속적이어서 원상태로 돌아갈 수 없다는 것을 의미하기 때문이다.

(3) ABAB 설계(또는 반전설계, 철회설계)

① ABA 설계에 B국면을 추가한 설계유형이다. 즉 **개입과 철회를 반복하여 수행하는 것으로, 개입의 효과를 가장 크게 확신할 수 있는 설계이다.**

② 장점과 단점

장점	단점
2번의 기초선 국면과 2번의 개입 국면을 관찰함으로써 **개입의 효과에 대한 확신**을 가질 수 있다. 따라서 이 설계에서는 개입 이외에 다른 요인(또는 외생변수)으로 인해 변화가 일어났을 가능성은 거의 배제될 수 있다.	⊙ 개입지속효과가 발생할 수 있다. **개입지속효과**란 첫 번째 개입으로 나타난 효과가 개입을 철회해도 쉽게 사라지지 않아서 반전 기간(두 번째의 A기간) 동안에 표적행동의 상태가 다시 악화되지 않고 첫 번째 개입과 같은 상태가 반전 기간이나 및 2번째 개입 기간에도 계속되는 것으로, 이때 ABAB 설계는 무의미하게 된다. ⓒ ABA 설계처럼 개입의 효과성을 검증하기 위해서 개입을 중단하고 두 번째 기초선을 갖는 것이 **윤리적인 문제가** 될 수 있다.

(4) BAB 설계(또는 선개입 설계) 🏅

① **개입 이후에 기초선을 설정하는 설계**이다. 즉, 기초선 기간의 설정 없이 개입을 먼저하고 그 다음에 개입을 중단하는 반전의 단계를 거쳐서 다시 개입을 하는 설계유형이다.

② 장점과 단점

장점	단점
⊙ **위기적 상황에 활용**된다. 즉 클라이언트가 위기적 상황에 있어서 즉각적으로 개입해야 할 경우에 유용하다. ⓒ **초기 기초선을 측정하기 어려워 사전 자료를 확보하기 어려운 상황에서 활용**할 수 있다.	⊙ 반전국면에 개입 이외의 다른 요인이 변화를 일으킬 수 있다. ⓒ 첫 번째 개입의 효과가 지속적이어서 기초선 상태로 돌아갈 수 없을 수도 있다.

(5) ABCD 설계(또는 복수요인설계, 다중요소설계) 🏅

① 하나의 기초선에 다수의 각기 **다른 개입 방법들을 연속적(또는 순차적)으로 도입하는 설계유형**으로, ABAB 설계에서처럼 개입 도중에 기초선 기간을 재설정한 후에 각기 다른 복수의 개입 방법을 연속적으로 적용하여 각각의 개입 방법의 효과성을 비교한다. 여기서 A는 기초선이고, B, C, D는 각기 다른 개입 방법들이다.

② 즉, 첫 번째 개입 방법을 도입하였을 때에 일정한 경향성이 나타나면 새로운 개입 방법을 도입하고, 이후 또 다른 경향성이 발견되면 순차적으로 다른 개입 방법들을 도입하는 것이다.

🏛 **기출 OX**

BAB 설계는 응급상황에 놓여 개입이 우선적으로 필요한 클라이언트에게 개입을 먼저 시작한 후, 개입의 효과를 확인하기 위해 개입을 중단하고, 다시 개입하는 연구설계 방법이다. ( ) 11. 지방직

○

③ 설계 유형은 ABC, ABCDE 등으로 융통성 있게 개입 방법의 수를 늘리거나 반대로 축소가 가능하며, 때로는 ABAB설계와 혼합된 ABAC나 ABACAD로도 변형될 수도 있다.

④ 또 다른 변형으로는 '강도변화설계(Change Intensity Designs)'가 있는데, 이는 각기 다른 개입 방법 대신 **각 개입 단계마다 개입의 양이나 수준을 서로 다르게 하는 것**이다.

> **예** 치매 노인들을 대상으로 인지치료 프로그램을 제공하는 경우에 그 프로그램이 효과가 없는 것으로 드러나면 인지치료 프로그램의 제공 시간을 늘리거나 경력이 더 많은 프로그램 진행자로 교체하는 경우

⑤ 장점과 단점

장점	단점
㉠ 서로 다른 개입 방법의 효과성을 비교하는 데 유리하여 클라이언트에게 적합한 새로운 개입 방법을 시도해 볼 경우에 유용하다. ㉡ ABAB 설계에서 보이는 윤리성 문제가 발생하지 않는다.	순서효과, 이월효과, 우연한 사건과 같은 문제가 발생할 수 있다. ㉠ 순서효과(Order Effect): 개입의 순서가 개입의 효과에 영향을 미치는 것으로, 동일한 대상에게 둘 이상의 개입 방법을 연속적으로 적용할 경우 어떤 개입을 먼저 했는가에 따라 발생할 수 있는 반응에서의 효과를 말한다. 예를 들어 개입 D에서 효과가 나타났지만, 만일 개입 D에 B나 C가 적용되었다면 개입의 효과가 없었을 수도 있다는 것이다. ㉡ 이월효과(Carryover Effect): 첫 번째 개입이 그 다음의 개입에 영향을 미쳐 발생하는 효과이다. ㉢ 우연한 사건(또는 역사): 개입 기간 중 연구자가 의도하지 못했던 사건이 발생해서 종속변수에 영향을 주는 것이다. ABCD 설계에서는 우연한 사건이 발생하는데, 예를 들어 실제로는 B, C, D 개입 방법이 모두 효과가 없지만 D 개입 기간에 우연한 사건으로 인하여 변화가 발생해서 효과가 있는 것처럼 추정될 수도 있다.

(6) **복수기초선 설계(또는 다중기초선설계, 중다기초선설계)** 🖉

① 동일한 개입 방법을 각자 다른 여러 문제, 상황, 대상자에게 적용하여 개입의 효과성을 파악하는 설계유형이다.

② 종류로는 문제 간 복수기초선설계, 상황 간 복수기초선설계, 대상자 간 복수기초선설계가 있다.

문제 간 복수기초선 설계	하나의 개입 방법이 **동일한 상황 하에 있는 같은 대상자**의 상호 **독립적인 다른 문제(또는 표적행동)의 해결**에도 효과가 있는지를 평가하는 설계이다. 예 음주, 흡연, 폭력행사 등의 상호 독립적인 문제행동을 가지고 있는 A 클라이언트에게 음주하는 행동을 줄이기 위해 음주를 하지 않는 날마다 상품권을 지급할 경우, A의 3가지 행동이 기초선 기간에는 높은 빈도나 시간을 나타냈었는데 상품권을 지급한 시점, 즉 개입 후부터는 낮은 빈도나 시간을 나타내 보인다면 개입이 여러 가지의 다른 행동의 변화에 영향을 미쳤다고 볼 수 있다.
상황 간 복수기초선설계	하나의 개입 방법이 **동일한 대상자의 동일한 문제(또는 표적행동)**를 **두 가지 이상의 다른 상황**에서 치료하는 데 효과가 있는지를 평가하는 설계이다. 예 과도한 음주를 하는 클라이언트에게 음주를 하지 않는 날마다 상품권을 지급하되 그의 가정에서, 친구들과의 만남 자리에서, 퇴근 후에라는 3가지 상황에서 실시한다. 이러한 3가지 상황에 있어서 개입 전의 기초선 기간에는 음주행동이 과도했는데, 개입 후에는 그러한 음주행동이 줄어들었다면 상품권을 활용한 개입 방법은 과도한 음주 행동의 개선에 영향을 미쳤다고 볼 수 있다.
대상자 간 복수기초선설계	**동일한 상황 하에서 같은 문제(또는 표적행동)를 가진 두 명 이상의 사람에게 하나의 개입 방법을 실시**하여 그 개입 방법의 효과성을 알아보기 위해 사용하는 설계로, **대상자의 수가 증가할수록 내적타당도가 증가**하는 특성이 있다. 예 과도한 음주를 하는 클라이언트 A,B,C에게 음주를 하지 않는 날마다 상품권을 지급하였을 때에 3명의 클라이언트에게 각각 일어난 변화가 같거나 또는 다른지를 비교한다.

③ 장점과 단점

장점	단점
㉠ 다른 설계들과는 달리 2번째 기초선 국면을 두지 않기 때문에 성숙이나 역사 요인 등의 외생변수를 통제할 수 있어 개입과 표적행동 간의 인과 관계를 정확히 추정할 수 있으며, 윤리적인 문제에서도 자유롭다. ㉡ 동일한 개입 방법이 각기 다른 문제(표적행동)와 다른 상황들에서는 어떻게 변화가 나타나는지를 확인해 볼 수가 있다.	대상자 간 복수기초선설계에서는 대상자 간 동시변화 가능성이 있고, 기능적으로 유사하고 독립적인 대상자를 선정하는 것이 어렵다. 또한 **대상자에게 개입의 제공이 지연**될 수도 있다.

5. 개입의 평가 18. 국가직

예 ABA 설계

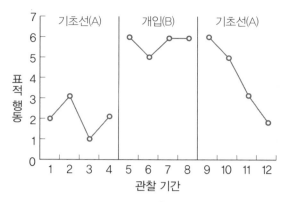

(1) 시각적 유의성(또는 시각적 분석) 18. 국가직 ✎

시각적 유의성(또는 시각적 분석)이란 **기초선단계와 개입단계에 그려진 그래프에 나타난 파동, 수준, 경향의 변화를 통해 개입의 효과를 확인하는 방식**이다.

① 변화의 파동(Variability): 관찰점들에 대한 안정성을 나타내 주는 것으로 개입 후 변화에 대한 예측이 가능하다. 다만, 변화의 파동이 심할 경우 효과 판단이 어려울 수 있다.

② 변화의 수준(Level): 기초선과 개입 간 점수 수준의 차이가 클 때 개입의 효과가 있음을 보여준다.

③ 변화의 경향(Trend): 자료의 방향성을 나타내는 것으로 목표행동이 증가했는지, 감소하고 있는지를 보여준다.

(2) 통계학적 유의성(또는 통계학적 분석) 18. 국가직 ✎

① 클라이언트의 변화가 우연히 일어난 것이 아닌 **확률적 판단에서 나오는 절차인지에 대한 검토**를 말한다.

② 종류로는 **평균비교법과 경향선 접근법**이 있다.

평균비교법	㉠ 주로 **기초선 국면이 안정적일 경우에 사용**하는 통계학적 분석기법으로, **기초선 국면과 개입 국면의 평균을 산정하여 비교하는 방법**이다. ㉡ 개입 국면의 평균이 기초선 국면의 평균에 비해 2 × 표준편차 이상 차이가 날 경우 개입이 효과적이라고 추정한다.
경향선접근법	㉠ 주로 **기초선 국면이 불안정적일 경우에 사용**하는 통계학적 분석기법으로, 기초선 국면의 관찰점을 전반부와 후반부로 양분하여 각 평균을 구해 두 점을 잇는 직선을 그어 개입 국면까지 연장하는 경향선을 긋게 되면 **기초선의 변화의 폭과 기울기**가 보여진다. ㉡ 개입 국면에서의 관찰점이 모두 경향선 아래 또는 위에 있으면 개입이 효과적이라고 추정한다.

(3) **임상적 유의성 분석(또는 실질적 유의성 분석, 임상적 분석)** ✍

    ① 클라이언트의 문제에 얼마나 **의미 있는 변화**가 일어났는지에 대한 검토이다.

    ② 시각적 분석이나 통계학적 분석을 통해서 개입이 변화를 이끌어내었다는 것이 확인되었을 경우라도 그것이 실질적으로 어떤 가치가 있는지를 분석하는 것이다.

    ③ 드러난 객관적인 변화가 대상자에게 **진정한 원조로 작용하였는지, 그것이 비용이나 효과성의 문제는 없는지**를 분석하기 위해 사용한다.

(4) **이론적 유의성 분석(또는 이론적 분석)** ✍

단일사례설계상의 결과가 대상자에 대한 **개입의 근거가 되는 이론에서 제시하는 변화의 방향과 일치**하는지에 대한 검토를 말한다.

11 표집(Sampling)의 개관

1. 개념

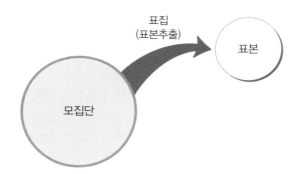

표집
(표본추출)

모집단

표본

(1) 표본추출 또는 표본선정이라고도 하며, 모집단 내에서 모집단을 대표할 표본을 추출하는 과정을 말한다.

(2) 이는 모집단의 모든 요소를 대상으로 조사하는 전수조사의 수행이 어려울 경우, 모집단의 일부 요소만을 표본으로 추출하여 표본의 속성인 통계치를 통해 모집단의 속성인 모수치를 추정하는 방법이다.

(3) 일반적으로 표본이 모집단을 잘 대표하기 위해서는 가능한 한 확률표집을 하는 것이 바람직하다.

(4) 표집 시 가장 중요한 요인은 대표성과 적절성이다.

대표성	① 표본이 모집단을 대표하여 **일반화가 가능한 것인가**에 관한 문제이다. ② 표본이 모집단과 유사한 특성과 유사한 분포를 갖도록 추출되었을 때에 대표성을 갖게 된다. ③ 조사에 있어서 어떤 것이 중요한 가설인가에 따라서 대표성이 달라진다.
적절성	**어느 정도 크기의 표본을 추출하는 것**이 일정한 정확성을 적은 비용으로도 가질 수 있게 해주는가에 관한 문제이다.

(5) 표집 시 조사목적, 문제형성 등 조사 과정을 고려해서 실시해야 한다.

2. 전수조사와 비교한 표본조사의 장단점

(1) 장점

① 전수조사에 비해 신속하고, 경제적인 조사가 가능하다. 즉, **시간과 비용을 절약**할 수 있다.

② 대규모 모집단을 대상으로 수행하는 전수조사보다 실행적인 측면에서 가능성이 더 크다.

③ 조사 과정을 보다 잘 통제할 수 있어서 정확한 자료를 얻을 수 있다.

④ **무한 모집단처럼 전수조사가 불가능할 경우**❶에도 사용이 가능하다.

⑤ 비표집오차를 줄일 수 있다.

(2) 단점

① 모집단을 대표할 수 있는 표본을 찾기가 어려우므로 일반화 가능성이 떨어진다.

② 모집단의 크기가 작은 경우에는 표집의 의미가 없다.

③ 복잡하고 어려운 표집설계를 할 경우 **전수조사보다 비경제적**일 수 있다.

④ **표집오차가 발생**한다.

3. 표집 관련 주요 용어

(1) 모집단

① 연구자가 **관심을 가지고 조사하고자 하는 이론상의 전체집단**을 말한다. 즉, **모든 분석단위의 집합**이다.

② 모집단을 정의할 때에는 연구자 자신이 정한 조사주제와 목적에 따라 구체적인 변수와 특성을 사용하여 정확히 정의해야 한다.

> 예 아동 양육시설에 거주하는 아동을 대상으로 설문조사를 실시하기 위해 아동복지협회에 등록된 전체 대상자명부에서 초등학생, 중학생, 고등학생으로 모집단을 구분하고 모집단의 비율에 맞게 무작위로 표본을 추출할 경우 모집단은 아동 양육시설 거주 아동이다.

(2) 표집요소(또는 표본추출요소)

① 모집단을 구성하고 있는 개별 대상으로, 결국 **요소의 총합이 모집단**이 된다.

② 일반적으로 **분석단위와 일치**한다.

③ 종류로는 개인, 집단, 조직, 지역사회, 국가 등이 있다.

> 예 현재 공무원 시험을 준비하는 수험생 전원이 모집단으로 규정된 경우 표집요소는 '개인'이 된다.

(3) 표집단위(또는 표본추출단위)

① 표본이 추출되는 각 단계에서 **표본으로 추출되는 표집요소들의 단위**이다.

② 따라서 모집단에서 표집 과정이 한 번의 절차로 이루어질 경우에는 모집단의 요소가 표집단위가 되어 **분석단위와 일치**한다. 그러나 집락표집의 경우에는 한 번이 아닌 여러 번의 표집 과정을 거치게 되므로 각 단계마다 표집단위가 달라지게 된다. 다시 말해, **집락표집은 표집요소와 표집단위가 일치하지 않는다.**

예 서울특별시 내 전체 중학교를 모집단으로 하여 이 가운데 30개의 학교를 집락표집으로 표집하는 경우, 먼저 서울의 행정구역인 구 단위에서 3개를 무작위로 표집한 후에 각각의 구에서 10개씩의 학교를 무작위로 표집한다. 이 경우 **첫 번째 표집단위는 구**가 되지만, **두 번째 표집단위는 학교**가 된다.

(4) 표집틀(또는 표집프레임)

① **모집단의 명단**, 즉 표본으로 추출된 요소들의 전체 명단을 말한다.

② 바람직한 표집틀은 모집단의 요소들을 모두 포함하는 **포괄성(또는 총망라성)**과 이러한 요소들이 상호 중첩되지 않는 **상호배타성**을 가지고 있어야 한다.

> 예 A 초등학교 학생들의 사회복지관련 인식도를 조사하기 위해 A 초등학교 학생들을 모집단으로 규정할 경우 표집틀로 '학생들의 출석부나 인명부'를 활용할 수 있다.

(5) 표집률(또는 표집비율)

① 모집단에서 개별 요소가 선택될 비율을 말한다. 즉, 모집단 크기에 대한 표본의 크기이다.

② **표본의 크기÷모집단의 크기×100**으로 계산한다.

> 예 총 학생 수가 2,000명인 학교에서 800명을 표집할 때의 표집률은 800명÷2,000명×100이므로 40%이다.

(6) 표집간격

① 표집 시 추출되는 **요소와 요소 간의 간격**으로, **체계적 표집(또는 계통표집)**에서 활용한다.

② **모집단의 크기÷표본의 크기**로 산출한다.

(7) 모수(Parameter, 또는 모수치, 모치수)

① **모집단의 속성에 대한 대푯값**을 말한다.

② 표본조사의 경우 모수는 표본의 속성에 대한 대푯값인 **통계치를 통해서 추정**된다.

(8) 통계치(Statistics)

① **표본의 속성에 대한 대푯값**을 말한다.

② 모집단 전체의 모든 표집요소를 조사하는 전수조사의 경우에는 **모수와 통계치의 구분이 불필요**하다.

4. 표집절차 ✐

12 표집 방법

일반적으로 표집 방법은 표집 과정 중에 **무작위 방법**의 적용 여부에 따라 **확률표집과 비확률표집**으로 구분된다.

1. 확률표집과 비확률표집의 비교 17·22. 국가직, 13. 지방직 ✍

확률표집	구분	비확률표집
① 표집 시 무작위 방법을 사용하는 표집 방법이다. 이로 인해 모집단 내의 각 표집단위가 표본으로 추출될 확률은 동일하며, 또한 알려져 있다. ② 표본분석결과의 **일반화가 가능**하여 주로 **양적연구**에서 사용된다. ③ 표본의 크기가 같다면 표집오차의 크기는 **층화표집<단순무작위표집<집락표집** 순이다.	개관	① 표집 시 무작위 방법을 사용하지 않고 **작위적**●으로 표집하는 방법이다. 이로 인해 모집단 내의 표집단위가 표본으로 추출될 가능성은 연구자의 주관성 등에 의존할 수밖에 없다. ② 모집단이 너무 방대하거나 확률표집을 할 수 있는 근거가 적은 경우에 사용할 수 있어서 주로 **질적연구**에서 사용된다.
① 비확률표집에 비해 **주관성, 편향적 선정 등 연구자의 편견을 배제**할 수 있다. ② 표본의 대표성이 있다. ③ 표집오차의 추정이 가능하다.	장점	① 확률표집에 비해 사용이 쉽고 시간과 비용이 적게 들기 때문에 **사회조사**에서 널리 사용된다. ② 표집틀이 없는 경우에도 사용할 수 있다.
① 비확률표집에 비해 시간과 비용이 많이 든다. ② 표집틀이 있어야 한다. 즉, 연구자가 모집단의 규모와 특성을 알고 있을 때 사용할 수 있다.	단점	① 주관성이나 편향적 선정과 같은 연구자의 편견을 배제하기 어렵다. ② 표집오차 추정이 어렵다. ③ 표본 분석 결과의 일반화가 어렵다.
① 단순무작위표집 ② 계통표집 ③ 층화표집 ④ 집락표집	종류	① 임의표집 ② 유의표집 ③ 할당표집 ④ 눈덩이표집

2. 확률표집의 종류

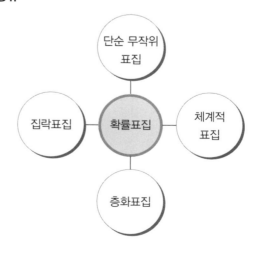

(1) 단순 무작위(Simple Random)표집

① 개관

㉠ 가장 기본적인 확률표집 방법으로, 무작위 방법을 이용해 모집단을 구성하는 **각 요소에 대해 동등한 선택의 기회를 부여하는 표집 방법**이다.

㉡ 표집 시 모집단을 정확히 정의해야 하며, **완전한 표집틀을 갖추어야만 한다.**

② 표집순서

㉠ 모집단과 표집틀을 작성한다.

㉡ 각 요소에 고유번호를 부여한다.

㉢ 표본의 크기를 결정한다.

㉣ 무작위 방법으로 정해진 표본의 크기만큼 표집단위를 추출한다. 이때 난수표, 추첨법, 컴퓨터를 이용한 난수추출 등의 방법을 사용할 수 있다.

③ 표집 시 유의사항

㉠ 표집 시 전체 모집단에 변화가 있어서는 안 된다.

㉡ 표집 시 선정 방법의 변화가 있어서는 안 된다. 예를 들어 처음에는 난수표로, 나중에는 추첨 등의 방법을 혼용하여 사용해서는 안 된다.

④ 장점과 단점

장점	단점
㉠ 표집단위가 표본으로 추출될 확률이 동일하여 편파의 가능성이 희박하고, 이에 **추출된 표본이 모집단을 잘 대표한다.** ㉡ 모집단에 대한 **사전 지식이 필요 없다.** ㉢ **표집오차의 계산이 용이하다.** ㉣ 확률표집 방법 중 적용이 가장 용이하다. ㉤ 다른 표집 방법과 쉽게 결합하여 사용할 수 있다.	㉠ 연구자가 모집단에 대해 가지고 있는 **지식을 충분히 활용할 수 없다.** ㉡ 층화표집에 비해서 표집오차가 크다. ㉢ 비교적 표본의 크기가 커야만 적용이 가능하다. ㉣ 표집 과정 중에 표집 방법을 바꿀 수 없다. ㉤ **표집틀을 작성하는 것이 어렵다.**

예 A 초등학교 학생들 1,000명을 대상으로 한 사회복지 인식도 조사에서 100명을 단순 무작위로 표집하는 경우가 해당되며, 이때 각 학생들이 표본으로 추출될 기회(또는 확률)는 100/1,000, 즉 1/10이 된다.

(2) 체계적(Systematic) 표집(또는 계통표집)

① 개관

㉠ **첫 번째 표본은 표집틀 내 요소 중 무작위 방법을 통해서 표집하고, 이후 표본은 표집간격에 따라 표집하는 표집 방법**이다.

㉡ 표집틀의 각 요소의 배열은 **일정한 경향성 없이 무작위**로 이루어져 있어야 한다.

② 표집순서❷

㉠ 표집간격(k)을 정한다. 이때 표집간격은 모집단의 크기를 표본의 크기로 나눈 값으로 한다.

선생님 가이드

❷ 예를 들어 1,000명을 번호 순서대로 배열한 모집단에서 4번이 처음 무작위로 선정되고 9번, 14번, 19번, … 등이 차례로 체계표집을 통해 선정되었을 경우, 표집간격은 '14~9, 19~14…'에 따라 '5'가 되며, 표본의 크기는 모집단의 크기인 1,000명을 표집간격 5로 나눈 값인 200이 됩니다.

ⓛ 최초의 표본을 무작위로 추출한다.

ⓒ 표집간격에 맞추어 매 k번째마다 표본을 추출한다.

③ 표집 시 유의사항

ⓐ **최초의 표본은 반드시 무작위 방법을 통해 표집해야 한다.**

ⓑ 표집틀 내의 각 요소의 배열은 일정한 규칙 없이 무작위로 이루어져 있어야 한다.

④ 장점과 단점

장점	단점
ⓐ 단순무작위표집에 비해 시간이 절약된다. ⓑ 간단하여 쉽게 사용이 가능하다. ⓒ 단순무작위표집에 비해 표본의 대표성이 잘 보장된다.	ⓐ 표집틀 내 모집단 내 요소의 배열이 일정한 경향성을 지니는 **주기성(Periodicity)**을 보일 경우, 대표성에 문제가 발생할 수 있다. ⓑ 연구자는 모집단의 요소에 관한 지식을 지니고 있어야 한다. ⓒ 모집단의 크기가 유한하고 표집틀이 있는 경우에만 사용할 수 있다.

예 인사혁신처에서 공무원시험 합격자 명단 중 수험번호가 가장 앞 쪽인 10명 중 무작위로 첫 번째 요소를 추출한 후, 첫 번째 요소로부터 매 10번째 요소를 추출하여 합격자들의 특성을 파악한 경우

(3) **층화(Stratified)표집(또는 유층표집)** 15. 국가직 🖉

① 개관

ⓐ **동질적인 모집단일수록❶ 이질적인 모집단보다 표집오차가 작다는 이론에** 근거한 표집 방법이다.

ⓑ 이에 모집단을 보다 **동질적인 몇 개의 층(Strata, 또는 하위집단)으로 나눈 후, 각 층에서 단순무작위 방법을 이용해 표집한다.**

ⓒ **층별 하위집단 내 동질적, 하위집단 간 이질적인 특성을 보인다.**

② 표집순서

ⓐ 모집단을 일정한 범주에 근거하여 2개 이상의 집단 내 동질적이며, 집단 간 이질적인 하위집단들로 분리하며, 이러한 하위집단을 층(Strata)이라고 한다.

ⓑ 각 층에서 추출할 표본의 크기를 모집단의 구성비 등에 따라 정한다.

ⓒ 각 층별로 무작위 방법을 사용하여 표집한다.

③ 표집 시 유의사항

ⓐ **층 안에서는 속성적인 측면에서 동질적이어야 하며, 층 간에는 이질적이어야 한다.** 또한 그 이질의 정도는 클수록 좋다.

ⓑ 층화 시 사용되는 기준의 자료가 정확하고 이용 가능해야 한다.

선생님 가이드

❶ 이러한 이론에 근거한 표집 방법으로는 층화표집 이외에도 비확률표집 중에 할당표집이 있습니다.

기출 OX

'성인의 정치의식을 조사하기 위하여 소득을 기준으로 최상, 상, 하, 최하로 구분한 다음, 각각의 계층이 모집단에서 차지하고 있는 비율에 맞추어 1,000명의 표본을 4개의 소득계층별로 무작위 표집하였다.' 이 사례에 해당하는 표집 방법은 층화표집이다. ( )   15. 국가직

○

④ 종류

비례층화표집	㉠ 모집단에서 각층이 차지하는 비율에 따라 각 층별 표본의 크기를 정하여 표집하는 방법이다. ㉡ 다만 층이 여러 개인 경우 비례적인 추출이 어려우며, 각 층 간의 비교도 어렵다.
비비례층화표집 (또는 가중표집, 불비례층화표집)	㉠ 모집단에서 각층이 차지하는 **비율과는 상관없이 동일한 표본의 크기를 정하여 표집하는 방법**이다. ㉡ 모집단을 구성하는 어떤 요소가 그 수는 적지만, 그 요소가 지닌 특성이 중요한 의미를 지닐 경우에 주로 사용한다.
최적분할 비비례층화표집	㉠ 비비례층화표집의 변형이다. ㉡ 층의 크기가 매우 작은 경우 비례층화표집을 사용하면 그 의미가 매우 약해지므로 보다 동질적인 층에서는 비교적 적은 수의 표본을, 다소 이질적인 층에서는 보다 많은 수의 표본을 선정하는 방법이다.

⑤ 장점과 단점

장점	단점
㉠ 모집단을 구성하고 있는 **모든 요소를 골고루 포함**시킬 수 있다. ㉡ 층화가 잘 이루어지면 단순무작위표집보다 적은 표본으로 대표성을 확보할 수 있다. ㉢ 층화가 잘 이루어지면 단순무작위표집이나 계통표집에 비해서 활용시간과 비용이 적게 든다. ㉣ 동질적 대상은 표본의 크기를 줄여도 대표성을 높일 수 있다.	㉠ 층화 시 모집단에 대한 연구자의 정확한 사전 지식이 요구된다. ㉡ 연구자가 모집단에 대한 지식이 없으면 소요되는 시간과 비용이 클 수 있다. ㉢ 층화 시 초점을 어디에 맞추느냐에 따라서 다른 표집이 나타날 수 있다. ㉣ **표집틀이 반드시 필요하다.**

> 🗒 A 초등학교 학생들을 대상으로 한 사회복지인식도 조사에서 학생들을 성별(남과 여), 종교(기독교, 불교, 천주교) 등의 속성에 따라 하위집단으로 구분하고 각 하위집단에서 단순무작위로 표집하는 경우

(4) 집락(Cluster)표집(또는 군집표집) 21. 국가직

① 개관

㉠ 모집단을 **이질적인 요소를 포함하는 몇 개의 집락으로 나눈 후, 집락을 표집단위로 하여 단순무작위로 몇 개의 집락을 표집한 후 표집된 집락에 대해 그 요소를 전수조사하는 방법이다.**

㉡ 층화표집과는 달리 집락, 즉 **하위집단 내 이질적, 하위집단 간 동질적인 특성을 보인다.** ❷

㉢ **집락 내에서는 이질성이 크고 집락 간에는 동질성이 크도록 집락을 설정하면, 표집오차와 조사비용을 동시에 줄일 수 있다.**

㉣ 선정된 각 집락은 다른 조사의 표본으로도 사용될 수 있다.

🖥 **선생님 가이드**

❷ 층화표집은 하위집단 내 동질적, 하위집단 간 이질적인 반면, 집락표집은 하위집단 내 이질적, 하위집단 간 동질적 속성을 지니는 것이 표집오차를 줄이는 데 바람직합니다.

🏛 **기출 OX**

집락표집법은 모집단에서 다수의 하위집단을 먼저 무작위 추출한 뒤, 하위집단별로 최종 자료 수집의 표본 단위를 무작위로 추출하는 것이다. ( ) 21. 국가직

○

② 표집순서

    ⊙ 모집단을 상호배타적인 하위집단인 집락으로 구분한다.

    ⓒ 분된 하위집단 중에서 무작위로 표집한다.

③ 장점과 단점

장점	단점
⊙ 모집단에서 개별적인 요소가 아닌 집락을 먼저 추출한 후 다시 여기서 표본을 추출하므로 시간과 비용이 적게 든다. ⓒ 최종집락에서 요소를 추출하므로 전체 모집단에 대한 표집틀이 아닌 **최종집락의 목록만 있으면 된다.** ⓒ 단순무작위 표집에 비해 시간과 비용 면에서 효율적이다.	⊙ 집락이 동질적이면 표집오차의 개입 가능성이 높아진다. ⓒ 모집단의 요소는 단일집락에만 속하도록 조치해야 한다. ⓒ 집락 단계의 수가 많을수록 표집오차가 커진다.

④ 다단계집락표집

    ⊙ 집락표집을 변형한 표집 방법으로, **두 단계 이상의 표집을 거쳐 최종적인 조사단위를 선정하는 방법**이다.

    ⓒ 최초의 집락수가 많으면 그 이후의 집락수는 작아진다.

    ⓒ 표본의 대표성을 높이기 위해서 **충화표집과 병행**하고, **최초의 집락수를 크게 하는 것**이 좋다.

    ⓔ 전국 또는 광역시 등 **광범위한 지역을 대상으로 하는 대규모 조사에서 주로 사용**된다.

       예 우리나라 국민의 주거 실태조사를 할 때에, 먼저 시·도 단위에서 무작위로 표집하고, 표집된 시·도에서 시·군·구로, 다시 여기에서 읍·면·동을 표집한 후, 해당 지역의 주민명부 등의 표집틀을 활용하여 무작위로 표본을 선정한다.

3. 비확률표집의 종류

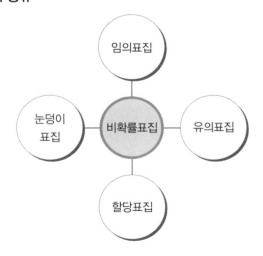

(1) 임의(Convenience)표집(또는 편의표집, 우발적 표집, 가용표집) 🔏

① 개관

ㄱ 표집의 편리성, 즉 조사 시간·편의성·경제성만을 염두하여 정해진 표본의 크기와 범위 내에서 연구자가 **작위적으로 표집하는 표집 방법**이다.

ㄴ 주로 **탐색적 조사, 설문지의 사전검사, 질적조사에서만 부분적으로 활용**된다.

② 장점과 단점

장점	단점
ㄱ 연구자가 쉽게 이용 가능한 대상을 표집할 수 있다.	ㄱ 연구자의 편견이 개입될 가능성이 높다.
ㄴ 표집에 소요되는 시간과 비용을 절약할 수 있다.	ㄴ 표본의 편중이 발생하여 표본의 대표성이 떨어지고, 이로 인해 일반화 가능성도 낮아진다.

📕 시민들의 사회복지 관련 인식도를 조사하기 위해서 길거리에서 아무나 붙잡고 인터뷰하는 경우

(2) 유의(Purposive)표집(또는 의도적 표집, 판단표집, 목적표집) 🔏

① 개관: 연구자가 **조사목적에 부합되는 대상을 주관적으로 판단**하여 작위적으로 표집하는 표집 방법으로, **주로 탐색적 조사에서 활용**된다.

② 장점과 단점

장점	단점
ㄱ 표집 시 비용이 적게 들고 편리하다.	ㄱ 표본의 대표성이 없다.
ㄴ 연구자가 모집단에 대한 명확한 지식을 갖추고 표집을 할 경우 표집의 정확성이 높다.	ㄴ 연구자가 모집단에 관한 지식을 가지고 있어야 한다.

📕 국민기초생활보장 제도의 개선과 관련된 의견을 조사하기 위해서 해당 분야의 전문가인 사회복지학과 교수를 대상으로 인터뷰하는 경우

(3) 할당(Quota)표집 🔏

① 개관

ㄱ 층화표집처럼 **이질적 집단보다 동질적 집단에서 추출한 표본의 표집오차가 작다**는 이론에 기초한다.

ㄴ **층화표집에서 무작위가 아닌 작위적(또는 임의적) 방법으로 표집하는 것**이다. 즉 다양한 기준에 의해 모집단을 여러 하위집단으로 분류하고 각 집단별로 사전에 정해진 비율로 작위적(또는 임의적) 방법을 통해 표집한다.

ㄷ 각 범주에 할당된 응답자의 비율이 정확해야 하고, 모집단의 구성비율은 최신의 것이어야 한다.

ㄹ **여론조사 등에서 많이 사용**된다.

② 표집 순서

ㄱ 모집단의 주요 속성을 대표할 수 있는 일정 수의 범주를 정한다.

ㄴ 각 범주를 대표하는 표본의 수인 할당량을 결정하여 **할당표를 작성**❶한다.

ㄷ 각 범주마다 할당된 수의 표본을 작위적(또는 임의적)으로 추출한다.

제2편 사회복지조사 해커스공무원 박정훈 사회복지학개론 기본서

🖥️ **선생님 가이드**

❶ 할당표란 표집대상자의 인구사회학적 특성 등에 따라 기준을 정하고, 각 기준별로 어느 크기만큼의 표본을 조사할지를 미리 정한 것을 말합니다. 할당이 끝나면 조사를 수행하되, 할당량이 채워진 조사대상자는 조사를 멈추고, 채워지지 않은 조사대상자는 계속 조사를 하게 됩니다.

③ 장점과 단점

장점	단점
㉠ **비확률표집 방법 중 가장 정교한 방법**으로 사회조사에서 널리 사용된다. ㉡ 단순무작위 표집에 비해 적은 비용으로 표집이 가능하다. ㉢ 표집이 쉽고 빠르다. ㉣ 모집단을 구성하고 있는 각 계층을 골고루 포함시킬 수 있으므로 **비확률표집 중에서는 표본의 대표성이 가장 높다.**	㉠ 범주를 정하는 데 있어서 연구자의 편견이 개입될 수 있다. ㉡ 연구자가 모집단에 관한 지식을 가지고 있어야 한다.

예 초 · 중 · 고등학생의 행복도를 조사하기 위해 모집단에서 차지하는 비율에 맞춰 조사대상자를 작위적으로 표집하는 경우

(4) 눈덩이(Snowball)표집(또는 누적표집)

① 개관

㉠ 연구자가 **모집단을 잘 모르거나 조사대상자가 눈에 띄지 않았을 때에 활용하는 표집 방법**이다.

㉡ 조사 과정 중에 최초 표본과의 라포(Rapport)를 통한 제보나 소개를 통해 **표본의 크기를 점차 늘려 나가는 방법**으로, 서로 **상호작용을 하는 연결망을 가진 사람들이나 조직들을 대상**으로 조사할 경우에 주로 활용된다.

㉢ 전문가들의 의견조사나 소규모 사회조직의 조사에 적합하다.

㉣ **주로 질적연구에서 사용**한다.

② 표집순서

㉠ 처음 1~2명의 표본을 추출한다.

㉡ 그들과의 라포 관계를 활용하여 그들이 상호작용하는 연결망에 속한 3~4명의 사람을 소개받아 표본으로 정한다.

㉢ 표본의 크기가 원하는 수만큼 확보되거나 더 이상 새로운 표본을 얻을 수 없는 경우에 표집을 중단한다.

③ 장점과 단점

장점	단점
㉠ 조사대상자의 신분을 노출시키지 않으므로 사생활을 보호할 수 있다. ㉡ 사회적 연결망을 가진 사람들의 특성을 파악하는 데 적절하다.	㉠ 최초의 표본을 발굴하는 것이 어렵다. ㉡ 표본의 대표성을 확보하는 것이 어렵다.

예 성매매 여성들의 삶의 질에 관한 조사를 위해 일단 성매매에 종사하는 여성 1명을 표집한 후 그녀가 활동하는 집창촌의 여성들을 그녀의 소개를 받아 표본으로 삼아 표본의 크기를 점진적으로 늘려가는 경우

13 표본의 크기와 오차

1. 표본의 크기의 개념

(1) 모집단으로부터 표집되는 표집단위의 적절한 수에 관한 논의로, 무작위로 추출된 표본의 크기는 표본의 대표성과 관련이 있고, 표본의 대표성은 표본의 질을 판단하는 주요 기준이 된다. 즉, 표본의 대표성이 클수록 표본의 질이 좋다고 볼 수 있다.

(2) 표본의 크기가 커지면 모수와 통계치의 유사성이 커져 표본을 통해 모집단의 특성을 추정하는 정확성이 높아진다. 따라서 일반적으로 양적연구에서는 표본의 크기가 클수록 유의미한 조사 결과를 얻을 수 있다.

(3) 단, 표본의 크기가 커지면 비용·시간·인력, 비표집오차 등이 증가한다. 따라서 무조건 표본의 크기가 크다고 바람직한 것은 아니다.

2. 표본의 크기를 정하는 요인

(1) **소요되는 비용·시간·인력**

실질적으로 가장 큰 영향을 미치는 요인으로, **표본의 크기가 증가할수록 조사를 위해 사용되어지는 비용, 시간, 인력 또한 증가**한다.

(2) **이론에 기초한 표본설계**

잘 구성된 이론에 기초하여 표본을 설계할 경우 작은 표본만으로도 유효한 결과를 도출할 수 있다.

(3) **모집단의 이질성과 동질성 정도**

① 이질성과 동질성이란 **모집단을 구성하고 있는 요소 간 속성의 차이 정도**를 의미한다. 즉, 요소 간에 차이가 있으면 이질성이, 차이가 없으면 동질성이 있다고 본다.

② 일반적으로 모집단의 요소들이 상호 동질적일수록 표집오차가 작아지고, 반면 이질적일수록 표집오차가 커진다. 따라서 모집단의 요소들이 상호 이질적인 경우 표본의 크기를 크게 해야 표집오차를 줄여 표본의 대표성을 확보할 수 있다.

③ 반면, 모집단의 요소들이 상호 동질적일수록 더 작은 표본의 크기를 가지고도 모수를 추정할 수 있다.

(4) **표집 방법과 자료수집 방법**

표집 방법	① 동일한 표집 방법을 사용하면 **표본의 크기가 클수록 표본의 대표성**은 커진다. ② **층화표집의 경우** 다른 확률표집 방법에 비해 상대적으로 **표본의 크기가 작아도 신뢰도와 정확도를 확보**할 수 있다. ③ 반면 **집락표집의 경우** 동일한 표본의 크기하에서 다른 확률표집 방법에 비해 **표본오차를 더욱 크게 발생시키므로 표본의 대표성이 가장 떨어진다.**

자료수집 방법 (또는 조사 방법)	① 실험설계, 질적조사, 사례조사의 경우 조사의 특성상 표본의 크기가 작은 편이다. 특히 사례조사의 경우에는 해당 사례가 표본의 크기가 된다. ② **기술적 조사 수행 시** 설명적 조사나 탐색적 조사에 비해 **더 큰 표본의 크기가 요구된다.**

(5) 범주 및 변수의 수

한 변수 내의 범주(Category)의 수가 증가할수록(↑), 분석변수가 많아질수록 (↑) 표본의 크기는 커져야 한다.

(6) 신뢰 수준, 모집단의 분산, 표준오차

표본의 크기(또는 표본의 수)는 조사자가 선택하는 신뢰 수준, 모집단의 분산 (Population Variance, 또는 모분산), 표준오차(또는 추정오차)에 따라 달라진다. 즉, 모집단의 분산이 클수록(↑), 신뢰 수준이 높을수록(↑), 표본오차를 작게 할수록(↓) 표본의 크기가 커져야 한다.

> **핵심 PLUS**
>
> **신뢰 수준**
>
> **통계치를 통해 추정**[①]하려는 모수의 신뢰성 정도로, 모집단의 분산, 즉 통계치가 모수로부터 어느 정도 차이가 나는지를 보여주는 개념이다.
> **예** 신뢰 수준을 95%에서 99%로 높이려면 표본의 크기를 늘려야 한다. 여기서 신뢰 수준이 95% 라는 것은 동일한 조사를 100번할 경우 오차범위 내 동일한 결과가 나올 횟수가 95번이라는 의미이다.

3. 오차

표집 시 발생하는 오차로는 표집오차와 비표집오차가 있다. 이러한 표집오차와 비표집오차를 통틀어서 전체오차라고 한다.

표집오차 (Sampling Error, 표본오차)	① 개관 　㉠ **표집 과정(또는 표본의 선정 과정)에서 발생하는 오차로 전수조사에서는 발생하지 않고, 표본조사에서만 발생**한다. 　㉡ **통계치에서 모수치를 뺀 값**을 말한다. 즉 모수치와 통계치가 일치하지 않고 분산되어 있는 정도이다. 　㉢ 실질적으로 전수조사가 아닌 이상 모집단의 속성인 모수치를 알 수 없기 때문에 **표본조사를 통해 얻어진 통계치를 통해 모수치를 추정**하게 되며, 이때 연구자가 정한 일정한 신뢰 수준에서 나타날 수 있는 추정된 오차의 범위를 말하며, 일반적으로 **신뢰 수준이 높을수록 표집오차는 증가**한다. 　㉣ **표집오차가 작을수록 표본이 모집단을 대표하는 정도인 정확도가 높아진다.** ② 특징 　㉠ **확률표집에서만 표집오차의 추정이 가능**하다. 즉 비확률표집에서는 표집오차의 추정이 불가능하다. 　㉡ **동일한 조건하에서 이질적 집단보다 동질적 집단에서 추출한 표본의 표집오차가 작아지고, 표본의 크기(또는 규모)가 커질수록 표집오차는 감소하여 모수와 통계치의 유사성이 커진다.**

비표집오차 (Nonsampling Error)	① 표집 과정 이외의 과정에서 발생하는 오차를 말한다. 즉 조사 설계 상의 오류, 무응답, 연구자의 착오나 편견 등이 원인이 되어 발생하는 오차이다. ② 표본조사와 전수조사에서 모두 발생한다. ③ 전수조사에서 발생하는 비표집오차로 인해 전수조사가 표본조사보다 부정확할 가능성이 있다. ④ 표집오차와 마찬가지로 완전 제거는 불가능하지만, 조사원의 훈련, 검토 과정 추가 등의 방법을 통해 어느 정도는 감소시킬 수 있다.
전체오차 (Whole Error)	① 표집오차와 비표집오차로 구성된 오차이다. ② 클 경우 표본의 대표성에 문제가 발생한다.

4. 표집오차와 비표집오차의 관계

(1) 개관

① 표집오차와 비표집오차는 상호 독립적으로 발생한다.

② 표집오차나 비표집오차 중 어느 하나라도 커지면 전체오차가 증가하여 표본의 대표성에 문제가 된다.

(2) 표본의 크기와의 관계 – 다른 조건이 모두 일정하다고 가정할 때

① 표본의 크기가 커지면(↑) 표집오차는 감소(↓)하지만, 비표집오차는 증가(↑)한다.

② 반면에 표본의 크기가 작아지면(↓) 표집오차는 증가(↑)하지만, 비표집오차는 감소(↓)한다.

③ 최소한의 표본크기는 표집오차의 신뢰도구간 범위에 따라 결정된다.

제4절 사회복지조사 과정(3) - 자료 수집

회독 Check! 1회 □ 2회 □ 3회 □

1 자료

1. 자료(Data)의 개념

(1) 사회조사 수행의 바탕이 되는 재료를 말한다.

(2) 자료가 의미 있게 정리되면 정보가 된다.

2. 자료의 종류

(1) 속성에 따른 종류

양적자료	① 정량적 자료, 수치적 자료(Numerical Data)라고도 한다. ② 수치로 측정이 가능한 자료이다. 　예 온도, 지능지수, 가격, 주가지수, 실업률, 매출액 등
질적자료	① 정성적 자료, 범주형 자료(Categorical Data)라고도 한다. ② 수치로 측정이 불가능한 자료이다. 즉 분류만을 목적으로 한 자료이다. 　예 전화번호, 운동선수의 등번호, 성별, 혈액형, 종교 등

(2) 생성 주체에 따른 종류

	1차 자료 (Primary Data)	연구자가 조사 목적을 달성하기 위해서 **직접 수집한 자료[또는 원자료 (Raw Data)]**로, 설문지를 기초로 한 우편조사, 면접조사, 전화조사, 관찰 등의 방법으로 수집된다.	
		장점	단점
		① 조사목적에 적합한 정확도, 타당도, 신뢰도 등을 평가할 수 있다. ② 수집된 자료를 의사결정이 필요한 시기에 적절하게 이용할 수 있다. ③ 원자료에서 누락된 변수와 **결측값❶**을 추적하고 복구할 수 있다.	원자료(Raw Data)를 수집하기 위한 과정에서 **2차 자료에 비해 많은 비용, 인력, 시간이 소요**되므로 먼저 조사목적에 부합되는 2차 자료를 찾아본 후에 그런 자료가 없을 경우에 수집하는 것이 바람직하다.
	2차 자료 (Secondary Data)	2차 자료란 현재의 조사목적에 도움을 받을 목적으로 **수집한 1차 자료를 제외한 기존의 모든 자료**로, 주로 **정부나 공공기관 또는 산하연구기관들에서 제공하는 통계자료**를 말한다.	
		장점	단점
		① 원자료의 수집 과정이 없기 때문에 1차 자료에 비해 상대적으로 수집에 드는 비용, 인력, 시간이 적게 든다. ② 비교적 적은 비용으로 대규모 사례분석이 가능하다. ③ 공개된 자료의 경우 수집이 용이하다. ④ 기존의 자료를 수정·편집해서 분석할 수 있다. ⑤ 자료의 시계열적 분석을 통해 장기간 변화의 추이분석이 가능하다. ⑥ 공공기관에서 정기적으로 발행하는 시계열 자료의 경우 계속적인 수집이 가능하다.	① 조사의 자료 수집목적, 분석단위, 조작적 정의 등이 수행 중인 조사와 일치하지 않을 수 있어서 **조사의 타당도를 저하**시킬 수 있으며, 이러한 경우 사용이 곤란할 수 있다. ② 원자료에서 누락된 **변수와 결측값을 추적하거나 복구할 수 없다.** ③ 자료가 오래 되어 시의적절한 정보를 제공해주지 못할 수도 있다.

선생님 가이드

❶ 결측값(Missing Values)이란 자료 수집을 위한 설문조사 시 응답이 누락된 항목들을 말합니다. 즉 측정되어야 할 항목이지만 다양한 이유로 제대로 측정이 되지 못한 오기(誤記)나 불기(不記)를 의미하는 것입니다. 주로 설문지를 활용해서 수집된 자료인 1차 자료에서는 결측값이 발생하면 복구가 가능하지만 2차 자료의 경우에는 시간의 흐름이나 정책의 변화에 따라 발생하는 기존 자료와의 차이, 천재지변으로 인한 자료의 훼손으로 발생한 자료의 오차에 대해 수집된 자료 중에서 분석 가능한 자료만을 대상으로 재검토는 가능하지만 주로 문서라는 특성 상 원자료에서 발생하는 누락된 변수와 결측값을 추적하고 복구하는 것은 불가능합니다.

2 서베이(Survey)

1. 개념 12·22. 국가직 (必)

(1) 주로 현상의 기술(Description)을 목적으로, 모집단의 속성을 파악하기 위해서 모집단에서 모집단을 대표할 수 있는 표본을 표집하여 이들을 대상으로 문서화된 설문지를 통해 설문조사를 하는 방법이다.

(2) 모집단을 대표할 것이라고 추정되는 대규모 응답자들을 통해 정보를 구현할 수 있다.

(3) 개인, 집단, 사회적 가공물(Social Artifacts) 등을 분석단위로 사용할 수 있으며, 주로 확률표집을 사용하되 표본의 소재(Location)에 관한 정보가 부족할 때에는 눈덩이 표집과 같은 비확률표집도 활용할 수 있다.

기출 OX

델파이기법은 지역사회의 잠재적 서비스 대상자들에 대해 확률표집을 적용한 설문자료를 수집한다. ( )　　12 국가직

× '델파이기법'이 아니라 '서베이'가 옳다.

2. 장점과 단점

(1) 장점

① 비교적 적은 비용으로 **대규모 모집단의 특성(또는 태도와 성향)**을 기술하는 데 유리하다.

② 실험조사에 비해 **조사 결과를 일반화시키는 데 더욱 유용**하다. 즉 **외적타당도가 높다.**

(2) 단점

① 외생변수의 통제가 어려워 **인과관계를 규명하는 것이 어렵다.** 즉 내적타당도가 낮다.

② 일반적으로 실험조사와 비교해서 모집단의 크기가 크므로 조사 시 시간과 비용이 많이 든다.

3. 종류

우편조사, 배포조사, 온라인조사(또는 인터넷조사), 면접조사, 전화조사 등이 있다.

3 설문지(또는 질문지)의 작성

1. 질문의 형태

(1) 개방형 질문(또는 주관식 질문) (빈출)

① 응답범주가 구체화되어 있지 않은, 즉 미리 유형화된 **응답범주를 제시하지 않는 질문** 유형이다.

　예 당신은 현재 우리나라의 노인복지정책을 어떻게 생각하십니까?

② 장점과 단점

장점	단점
㉠ 응답자가 자유롭게 응답할 수 있어 다양한 정보를 얻는 데 유리하다. ㉡ 탐색적 조사에서 유용하게 사용된다. ㉢ 소규모 조사에 적합하다.	㉠ 폐쇄형 질문에 비해서 응답률이 낮은 편이다. ㉡ 응답의 해석에 연구자의 편견이 개입될 수 있다. ㉢ 응답자에게 심리적 부담감이 발생할 수 있다. ㉣ 표현능력이 부족한 응답자에게 정확한 답변을 기대하기가 어렵다. ㉤ 자료의 분석이나 해석에 많은 시간이 소요된다. ㉥ 통계적인 방법으로 자료를 분석하고 처리하는 것이 어렵다.

(2) 폐쇄형 질문(또는 객관식 질문) ✍

① 응답범주가 구체화되어 있는, 즉 미리 유형화된 응답범주들을 제시해 놓은 질문 유형이다.

② 폐쇄형 질문의 응답범주는 **상호배타성과 포괄성을 갖추어야 한다.**

상호배타성	응답범주 내의 각 항목은 다른 항목과는 **명확히 구분**되어야 한다. 즉 중복되거나 중첩되어서는 안된다.
포괄성(또는 총망라성)	응답범주는 모든 대상의 **모든 응답을 포함**하고 있어야 한다.

③ 장점과 단점

장점	단점
⊙ 개방형 질문에 비해 응답자가 질문에 응답하는 것이 용이하다.	⊙ 응답자는 응답범주에 맞추어서 응답할 수밖에 없다.
ⓒ 개방형 질문에 배해 응답의 통계적 처리가 편리하다.	ⓒ 이로 인해 응답자의 충분한 응답을 반영하기 어렵다.

④ 질문 유형

찬반식 질문	응답자가 **예·아니오 또는 찬성·반대로만 응답할 수 있는 질문 유형**이다. 예 당신은 우리 복지관이 제공하는 서비스에 대해 만족하시나요? 　① 예　　　　　　② 아니오
평정식 질문 (또는 리커트 척도식 질문)	응답범주들에 그 **중요성, 우선순위 등에 따라 순서를 부여한 질문 유형**이다. 예 당신은 우리 복지관에서 제공하는 서비스 프로그램을 어느 정도 만족하십니까? 　① 매우 불만족한다.　② 불만족한다.　③ 보통이다. 　④ 만족한다.　　　　⑤ 매우 만족한다.
행렬식 질문	주로 **리커트척도에서 활용하는 질문 유형**으로, 일련의 동일한 응답범주를 가지고 있는 동일한 질문 문항을 행과 열에 맞추어 질문하는 유형이다. 예 프로그램 참여 후 생활 태도 변화에 관한 당신의 생각에 V표 해주세요. <table><tr><th>번호</th><th>문항</th><th>매우 아니다</th><th>아니다</th><th>보통 이다</th><th>매우 그렇다</th><th>그렇다</th></tr><tr><td>1</td><td>하루의 삶을 매우 활기차게 시작한다.</td><td>①</td><td>②</td><td>③</td><td>④</td><td>⑤</td></tr><tr><td>2</td><td>타인과의 교류로 보내는 시간이 많아졌다.</td><td>①</td><td>②</td><td>③</td><td>④</td><td>⑤</td></tr><tr><td>3</td><td>삶의 의미를 찾았다.</td><td>①</td><td>②</td><td>③</td><td>④</td><td>⑤</td></tr><tr><td>4</td><td>삶이 재미있다.</td><td>①</td><td>②</td><td>③</td><td>④</td><td>⑤</td></tr><tr><td>5</td><td>웃음이 많아졌다.</td><td>①</td><td>②</td><td>③</td><td>④</td><td>⑤</td></tr></table>
다항 선택식 (Multiple Choice) 질문	**여러 개의 응답범주를 나열해 놓고 그 중에 몇 가지를 선택하게 하는 질문 형태**이다. 예 당신은 우리 복지관에서 제공하는 프로그램 관련 정보를 어디에서 얻으셨나요? 다음 중 2개만 선택해 주세요. 　① 라디오 홍보 　② 신문 홍보 　③ 생활정보지 홍보

	④ 현수막 홍보 ⑤ 친구를 포함한 이웃의 소개 ⑥ 기타( )
서열식 질문	연구자가 제시한 기준에 따라 **제시된 보기를 응답자로 하여금 서열로 구성하게 하는** 질문 유형이다. **예** 다음의 보기를 보고 당신이 복지관 이용 시 가장 중요하다고 생각되는 순서대로 번호를 기입해 주세요. ① 프로그램의 다양성 ＿＿＿ ② 직원들의 친절 ＿＿＿ ③ 프로그램의 적극적인 안내 ＿＿＿ ④ 이용시간의 증가 ＿＿＿ ⑤ 지역사회에 대한 개방정도 ＿＿＿ ⑥ 이용요금의 적절성 ＿＿＿
수반형 질문 (또는 해당자 부수질문, 개연성 질문)	각 질문에 응답할 사람을 구분하는 질문인 **여과질문을 먼저 한 후에** 그 응답결과에 따라 응답해야 할 내용들이 다른 **부수질문(또는 부가질문)**을 연결해 놓은 질문 유형이다. **예** 여과질문 문제1. 당신은 현재 복지관을 이용 중이신가요? 이용 중이신 경우 문제2번으로 가주세요. ① 이용 중이다. ② 이용 중이 아니다. **예** 부수질문 문제2. 당신은 현재 복지관의 어떤 프로그램을 이용 중이신가요? ① 노인 주야간보호 프로그램 ② 노인 급식 서비스 프로그램 ③ 노인 여가선용 프로그램 ④ 노인 컴퓨터 교육 프로그램

2. 질문의 어구구성 및 문항배열의 원칙

(1) 질문의 어구구성의 원칙

① 조사자의 의도에만 충실하지 말고, **응답자의 능력, 수준 등의 특성을 파악한 후 이를 고려한** 적정한 수준의 언어구성을 갖추어야 한다.

② 애매모호한 질문을 하지 않는다. 즉 모든 응답자들이 동일하게 인식할 수 있도록 **명확하고, 구체적으로 질문**해야 한다.
  > **예** (좋지 못한 질문) 당신의 평균 지출은 어떻게 되시나요? → (좋은 질문) 지난 3개월간 당신의 평균 지출은 어떻게 되시나요?

③ 어렵고 불필요한 전문용어의 사용을 삼간다.

④ **이중질문**(Double-Barreled Question), **유도질문**은 피해야 한다.

이중질문	하나의 질문문항에 **두 개 이상의 질문이 중첩되어 있는** 질문 유형을 말한다. **예** "당신은 사회복지실천론과 사회복지조사론을 좋아하십니까? 예 또는 아니오로 응답해주세요."라는 질문의 경우 두 영역 중에 하나만을 좋아하는 응답자는 응답할 수 없게 된다.
유도질문	질문에 미리 조사자의 도덕적인 가치판단을 적용해 은연중에 **조사자가 원하는 방향으로 응답을 유도하는** 질문 유형을 말한다. **예** (좋지 못한 질문) 갈 곳 없는 안타깝고 불쌍한 노숙인들을 위해 우리 지역에 노숙인 쉼터가 설립되는 것에 대한 당신의 생각은 어떻습니까? → (좋은 질문) 우리 지역에 노숙인 쉼터가 설립되는 것에 대한 당신의 생각은 어떻습니까?

⑤ 편향적인 용어나 항목을 회피하고, **가치중립적인 표현(또는 용어)을 사용**해야 한다.

⑥ 방언(方言)사용을 피해야 한다.

(2) **질문의 문항배열(또는 순서)의 원칙**

① **흥미롭고 응답하기 쉬운 질문을 우선(또는 설문지의 앞에) 배치**해야 한다.

② 응답군, 즉 고정반응(Response Set)**❶**이 발생하지 않도록 **유사질문들은 분리해서 배치**한다.

③ **신뢰도 측정을 위해 짝(Pair)으로 된 문항들❷(또는 질문들)은 떨어지게 배치**해야 한다.

④ 질문의 순서는 응답률에 영향을 줄 수 있다. **일반적인 것❸**(예 객관적인 사실, 폐쇄형 질문 또는 객관식 질문 등)**을 먼저**, **특수한 것**(예 민감한 질문, 어려운 질문, 태도·의견·동기를 묻는 질문, 개방형 질문 또는 주관식 질문 등)**은 나중**에 질문한다.

⑤ **수반형 질문(또는 개연성 질문)은 사고의 흐름에 따라 적합하게 순서대로 배치**해야 한다. 또한 이러한 **수반형 질문이 많아질수록 응답자들은 피곤해지고 이에 따라 응답률이 낮아지는 경향**이 있다. 따라서 부득이 연속적으로 수반형 질문들을 하게 되더라도 응답자가 쉽게 확인하고 이동할 수 있도록 문항들을 시각적으로 적절히 배치하는 등의 노력을 해야 한다.

⑥ 설문지에 표지·응답지침 등을 기재해야 한다.

3. 사전검사(Pre-Test)

(1) **개념** (必)

① **본조사에 앞서 모집단과 유사한 대상에게 설문지 초안을 적용시켜 잘못된 질문 문항에 대해 수정·삭제·추가 등의 작업을 실시하는 과정**이다. 다시 말해, 설문지를 본격적으로 활용하기 전에 설문지에 문제가 있는지를 확인하기 위한 테스트이다.

② 단, 모집단과 유사한 대상을 선정할 때 **확률표집을 사용하지는 않는다.**

③ 반드시 본조사에서 실시하는 절차와 방법을 **실제와 같이 동일하게 적용**해야 한다.

(2) **목적 등** (必)

① 응답의 경향성, 즉 **응답이 어느 한쪽으로 치우치지 않는지의 여부를 확인**한다.

② **응답내용 간에 모순 또는 합치 여부를 확인**한다.

③ **질문의 순서가 바뀌었을 때 응답에 실질적 변화가 일어나는지에 대해 확인**한다.

④ **무응답, 즉 "모른다."의 응답이 많은 경우를 확인**한다.

⑤ **"기타"에 대한 응답이 많은 경우** 원인을 파악하여 질문문항의 예를 적당하게 조절한다.

⑥ 통상 응답에 대한 거절률이 5% 이상이거나 응답자가 익명을 요구하는 사례가 많은 경우 적절한 질문이 이루어진 것으로 보기 어렵다.

⑦ 설문지 각 문항의 신뢰도와 타당도에 대한 검사를 한다.

4 설문조사의 유형

1. 기입주체에 따른 유형

(1) 자기 기입식 설문조사

① 조사 시 응답자가 직접 질문에 응답하여 기록하는 조사를 말한다.

② 우편조사, 배포조사, 온라인조사(또는 인터넷조사) 등이 있다.

(2) 조사자 기입식 설문조사

① 조사 시 조사자가 응답자에게 질문하고 해당 **응답을 조사자가 기록하는 조사**를 말한다.

② 면접조사, 전화조사 등이 있다.

2. 설문 방법에 따른 유형

(1) 우편조사 10. 지방직

① 조사자가 **응답자에게 설문지를 우편으로 발송**하고 응답자는 이를 완성하여 이를 **조사자에게 다시 반송**하게 하여 회수하는 방법으로, **자기 기입식 설문조사 방법**이다.

② 장점과 단점

장점	단점
㉠ 대면면접 조사에 비해 **비용이 절약**된다.	㉠ 응답자가 질문을 잘못 이해하고 있더라도 이를 교정할 수 없어서 **융통성이 결여**된다.
㉡ 응답자가 편리할 때 응답할 수 있어서 **응답자의 편의가 보장**된다.	㉡ 일반적으로 **응답률과 회수율이 낮다.**
㉢ 응답자의 **익명성이 보장**된다.	㉢ 응답자의 비언어적 행동을 조사하는 것은 불가능하다.
㉣ **표준화된 어법의 사용이 가능**하다.	㉣ **응답환경과 응답시기에 대한 통제가 불가능**하다.
㉤ 면접조사와 달리 **조사자의 편견이 배제**된다.	㉤ 원래 표본으로 추출된 응답자가 아닌 다른 사람이 응답하는 **대리응답의 가능성**이 있다.
㉥ 지리적으로 넓게 분포되어 있는 응답자에게도 모두 접근할 수 있어서 **접근성이 높다.**	㉥ **오기(誤記)나 불기(不記)가 발생**할 가능성이 높다.

(2) 배포조사

① 조사자가 직장동료나 지역사회 주민 등, 조사자의 지인(知人)들을 응답자로 정하고, 이들에게 설문지를 배포한 후 응답자는 답을 기재하고 그 후 배포자가 다시 회수하는 자기기입식 설문조사 방법이다.

🏛 **기출 OX**

우편설문 방법은 민감한 질문에 대한 익명성 보장에 유리하다. (　) 10. 지방직

○

② 장점과 단점

장점	단점
㉠ 지인(知人)들을 조사 대상으로 하기 때문에 회수율이 높다.	㉠ 문맹인(文盲人)에게 적용하기 어렵다.
㉡ 조사비용이 저렴하다.	㉡ 응답자 본인의 의견이 개입되었는지, 제3자의 영향을 받았는지를 확인하기 어렵다.
㉢ 응답자에게 응답에 필요한 충분한 시간적 여유를 제공할 수 있다.	㉢ 오기(誤記)나 불기(不記)가 발생할 가능성이 높다.
	㉣ 응답 환경을 통제하기 어렵다.

(3) 면접조사(또는 대면면접조사, 대인면접) 🔏

① 조사자가 **응답자를 대면하여 구두로 질문하고** 이에 대해 **응답자가 응답하면** 이를 조사자가 기록하는 **조사자 기입식 설문조사 방법**이다.

② 장점과 단점

장점	단점
㉠ 질문 과정에서 유연성이 높다. 즉 면접의 분위기에 맞출 수 있으며 **재질문이나 추가질문도 가능**하다.	㉠ 일반적으로 설문조사 중에서 **1인당 조사 비용이 가장 많이 든다.**
㉡ 일반적으로 **설문조사 중에서 응답률이 가장 높다.** 즉 자기 기입식 설문조사에 비해 **응답의 결측치를 최소화**하는 데 유리하다.	㉡ 응답자가 지리적으로 흩어져 있는 경우 접근성이 낮다.
㉢ 자기 기입식 설문조사에 비해 **개방형 질문을 적용**하기에 유리하다.	㉢ 개방형 질문을 적용하는 경우가 많아 자기 기입식 설문조사에 비해 **자료의 입력이 어렵다.**
㉣ 응답환경을 구조화시킬 수 있고, 따라서 **면접상황에 대한 통제가 가능**하다.	㉣ 익명성 보장이 어렵기 때문에 자기 기입식 설문조사에 비해 **개인의 민감한 문제를 다루는 데 불리**할 수 있다.
㉤ 비언어적 행위 등 **보충적인 정보 수집이 가능**해서 **어린이나 노인 등 의사소통이 어려운 대상에게 적절**하다.	㉤ 조사자의 편견이 개입될 수 있다.
㉥ 대리응답의 가능성이 낮다.	

③ 구조화에 따른 면접의 종류

구조화 면접 (또는 표준화 면접)	㉠ 개관 • 질문의 내용, 순서 등이 **구체적으로 규정된 면접표에 따라 면접을 진행**하는 **면접 방식**이다. • 면접자는 임의적으로 면접표의 규정 사항을 수정할 수 없다. • 대부분의 질문은 **폐쇄형**으로 구성되어 있지만 **개방형 질문도 사용할 수 있다.** ㉡ 장점 • 조사자가 응답자의 응답 내용을 기록하는 것이 용이하다. • 능숙치 않은 조사자의 경우에도 수행이 가능하다. • 비구조화 면접에 비해 일반적으로 **신뢰도가 높다.** ㉢ 단점 • 융통성이 없다. 즉 응답자의 특성이나 상황을 면접 과정에 반영하기 어렵다. • 비구조화 면접에 비해 일반적으로 **타당도가 낮다.**

비구조화 면접 (또는 비표준화 면접)	⊙ 개관: 구체적인 **면접표 없이 면접 시 조사자가 상황에 맞게 질**문하고 응답자가 이에 응답하게 하는 면접 방식이다. ⓛ 장점 　• **융통성이 있다.** 즉 응답자의 특성이나 상황을 면접 과정에 반영할 수 있다. 　• 비언어적인 행위 등 **추가적인 정보 획득이 가능**하다. 　• 구조화 면접에 비해 일반적으로 **타당도가 높다.** ⓒ 단점 　• 조사자가 응답자의 응답 내용을 기록하는 것이 어렵다. 　• 능숙한 조사자만이 수행할 수 있다. 　• 조사자의 편견이 개입될 가능성이 높다. 　• 구조화 면접에 비해 일반적으로 **신뢰도가 낮다.**
반구조화 면접 (또는 반표준화 면접)	중요한 몇 가지 질문은 구조화 면접으로 나머지는 비구조화 면접으로 수행하는 면접 방식이다.

📋 **핵심** PLUS

심층규명과 투사법 10. 지방직 📖

① 심층규명(Probing, 또는 심층탐구)

- 면접 중 응답자의 응답이 완전하지 않거나 불명확할 때에 **다시 질문하는 것**으로, 조사자가 응답자로부터 보다 **많은 정보를 획득**하기 위해 **사용**되며, 덜 구조화된 면접이나 질적조사에서 많이 활용된다.
- 조사자 수가 증가하고, 심층규명이 늘어날수록 조사 결과의 일관성이 떨어지는 경향이 있다.
- 섣부른 사용 시 비협조적인 응답자를 더욱 비협조적으로 만들 수 있으므로 주의해야 한다.

② 투사법(Projective Techniques)

- 응답자 스스로도 잘 인식하지 못하는 개인적인 욕구, 감정, 동기, 가치관 등이 밖으로 표출될 수 있도록 유도하는 심리학적 기법이다.
- 응답자에 따라 다양한 응답이 가능하도록 만들어진 **비구조화된 애매한 자극물**을 응답자에게 제시한 후 그 반응을 분석함으로써 응답자의 개성, 감정, 생활양식, 동기, 가치관 등을 파악할 수 있다.
- 응답자가 응답 과정에서 유무형의 심리적 위협을 느끼지 않는 상황에서 자극물을 접하게 되면, 응답자는 그 자극물에 대해 보다 자유롭게 해석을 내리고 반응할 수 있기 때문에 이 반응을 분석하여 **응답자의 무의식적인 욕망과 감정을 파악**할 수 있다.

(4) 전화조사법 📖

① 조사자가 응답자에게 **전화하여 질문**하고 이에 대해 응답자가 응답하면 이를 조사자가 기록하는 **조사자 기입식 설문조사 방법**이다.

② 빠른 시간 안에 개략적인 여론을 확인하는 데 가장 적합한 방법이다.

③ 조사 시 질문은 "예, 아니오" 식으로 간단히 대답할 수 있는 것이 좋다.

🏛 **기출 OX**

대면 면접 방법은 심층탐구(probing)를 수행하는 데 유리하다. ( )　10. 지방직

○

④ 장점과 단점

장점	단점
㉠ **신속하게 조사**할 수 있다. ㉡ **적은 비용으로 조사**할 수 있다. ㉢ 전화번호부 등을 표집틀로 하여 확률표집이 가능하다. ㉣ 면접조사와 달리 조사자의 편견이 배제될 수 있다. ㉤ 응답자의 추출, 질문, 응답 등이 자동 처리될 수 있다. ㉥ **익명성을 보장**할 수 있다. ㉦ 조사자의 영향을 받지 않으면서 응답할 수 있다. ㉧ 민감한 이슈에 대해서도 솔직한 답변을 들을 수 있다.	㉠ 복잡한 문제들에 대한 의견을 파악하기가 어렵다. ㉡ 응답자의 응답동기가 약할 경우 응답을 거부할 수 있다. ㉢ 대면면접조사에 비해 **부수적 정보에 대한 수집이 어렵다.** ㉣ 조사 내용의 분량이 상대적으로 제한될 수밖에 없다. ㉤ 전화기를 사용하는 사람들만을 대상으로 하기 때문에 표집대상이 제한되어 **표본의 대표성 문제가 발생**할 수 있다.

(5) 온라인조사(또는 인터넷 조사) 🔏

① **인터넷과 같은 컴퓨터 네트워크를 매체로 활용해서 자료를 수집하는 방법**으로, **자기 기입식 설문조사 방법**이다.

② 장점과 단점

장점	단점
㉠ 조사의 시간과 공간에 대한 제약이 다른 방법에 비해 상대적으로 적다. ㉡ 조사가 신속히 이루어진다. ㉢ 조사비용이 적게 들며, 조사대상자가 많아도 추가 비용이 들지 않는다. ㉣ 멀티미디어 자료 등을 활용하여 응답률을 높일 수 있다. ㉤ 자료입력이 편리하다. ㉥ **전자메일을 통한 후속 독촉이 용이**하다.	㉠ 인터넷을 사용하는 사람만을 대상으로 하기 때문에 표집대상이 제한되어 표본의 대표성 문제가 발생할 수 있다. ㉡ 응답률과 회수율을 보장하지 못한다. ㉢ 본인 확인이 불가능할 경우 **중복 조사가 될 수 있다.** ㉣ **모집단을 규정하기 어렵다.**

5 욕구조사

1. 개관

(1) 일정한 지역사회 내에 거주하는 주민의 욕구를 계량적으로 측정하기 위한 방법이다.

(2) **목적**

① 주민들이 필요로 하는 각종 서비스 또는 프로그램을 식별해서 우선순위를 정하기 위해서이다.

② 프로그램 운영에 필요한 예산할당 기준을 마련하기 위해서이다.

③ 현재 수행중인 사업의 평가에 필요한 보조자료를 마련하기 위해서이다.

④ 프로그램을 수행하는 지역사회 내에 기관들 간의 상호의존 및 협동상황을 파악하기 위해서이다.

2. 자료수집 방법

(1) 직접적 자료수집 방법 11 · 12 · 22. 국가직, 10 · 14 · 15. 지방직, 13. 서울시 ✍

① 직접적 자료수집이란 **대상집단에게 직접 질문하거나 관련자들을 통해서 욕구를 파악하는 방법**으로 이때 수립된 자료는 **1차 자료**가 된다.

② 이때 파악된 욕구는 **브래드쇼의 욕구 규정 중 주로 인지된 욕구**에 해당된다.

일반 인구조사 (General Population Survey, 또는 지역사회 서베이)	⊙ **지역사회 주민들 중 표본을 추출하여 면접이나 설문조사를 통해 욕구를 조사하는 방법**이다. ⓒ 질문에는 지역사회의 일반적인 특성을 묻는 질문과 가용자원에 관한 항목이 포함되어야 한다. ⓒ 장점과 단점 <table><tr><td>장점</td><td>단점</td></tr><tr><td>· 조사도구의 수정이 가능하다. · 욕구와 관련하여 비교적 타당한 결과를 얻을 수 있다.</td><td>· 시간과 비용이 많이 들고, 대단위 인력이 소요된다. · 전문적 조사 기술을 필요로 한다.</td></tr></table>
표적인구조사 (Target Population Survey)	⊙ **프로그램 제공을 통해 문제해결의 대상으로 삼은 표적집단을 대상으로 설문조사를 실시**하여 욕구와 이용 상태를 조사하는 방법이다. ⓒ 장점과 단점 <table><tr><td>장점</td><td>단점</td></tr><tr><td>일반인구조사에 비해 타당도가 높다.</td><td>· 시간적 · 비용적인 측면에서 비경제적이다. · 지역사회 내 일반인구를 대상으로 한 일반화가 어렵다.</td></tr></table>
델파이기법 (Delphi Technique)	⊙ **전문가 집단의 구조화된 집단적 의사결정 방법**으로, 전문적인 주요 주제에 관한 설문을 작성하여, **우편(또는 전자메일)을 통해 전문가들에게 발송**하고, 설문 회수 후 전문가들의 합의 및 미합의 분야 파악을 위한 집계를 실시하여 **합의되지 않은 부분 발생 시 첫 설문의 결과가 포함된 두 번째 설문을 작성하여 전문가들에게 우편을 통해 재발송**한다. ⓒ 개방형 설문으로 시작해서 이후에는 응답내용을 폐쇄형으로 구성하여 질문하며, 이와 같은 절차를 **전문가들의 합의에 이를 때까지 반복적으로 실시**하여 지역사회의 욕구를 조사하는 방법이다. ⓒ 따라서 우편(또는 전자메일)을 통한 **익명 집단의 상호작용을 통해 도출된 자료를 분석**한다.

② 장점과 단점

장점	단점
• 우편이나 이메일 등의 비대면 방법에 의해 진행되므로 **익명성 보장이 가능**하여 **편승효과, 후광효과❶, 집단소음, 소수의 지배나 집단사고 현상**을 제거하거나 방지할 수 있다. • 광범위한 지역과 다양한 전문가가 동등한 조건에서 참여할 수 있으며, **이들을 통해 지역사회욕구조사뿐만 아니라 사회복지정책 수립 시 정책대안의 미래 예측이 가능**하다. • 구조화된 단계에 따라 진행되므로 변화의 추적이 용이하다. • 다수의 전문가의 의견을 수렴하고 피드백할 수 있다. • 비용측면에서 경제적이다. • 조사자에 의해 통제되므로 조사 과정 중 조사의 초점을 크게 벗어나지 않는다.	• 우편조사에 의해 진행되므로 회신이 분실되거나 조사 과정 중 응답자가 탈락할 가능성이 있다. • 응답자 간 아이디어 상충 시 갈등해소를 할 수 없다. • 조사자가 사전에 결정한 방향으로 조사대상의 의견이 유도될 수 있다. • 응답 중 극단적인 것은 제외되는 경향이 있어서 창의적인 의견들이 손상될 수 있다.

명목집단기법 (Nominal Group Technique, 소집단 투표의사결정방법)

⊙ **집단적 의사결정 방법**으로, 각자 성원들로 하여금 자신들의 의견을 서면으로 작성하여 제출하게 한 후, 집단성원 전체 의견을 기록 및 게시하여 **제시된 의견을 집단 내에서 다시 투표로 최종 결정하는 방법**이다. 이러한 과정은 반복될 수 있다.
ⓛ 의사결정 과정 동안 집단성원 간에 **토론과 같은 일체의 의사소통을 제한**시킨다.
ⓒ **문제의 이해, 목표확인, 행동계획의 개발** 등에 활용된다.
ⓔ 욕구의 배경이나 결정 과정보다 **욕구 내용 결정**에 초점을 둔다.
ⓜ 장점과 단점

장점	단점
• 시간과 비용이 많이 들지 않는다. • 타인의 영향을 배제하여 자신만의 의견을 제시할 수 있게 한다. • 감정이나 분위기상의 왜곡현상을 피할 수 있다. • 구성원 상호 간의 갈등해소와 회의 진행 시 소수의 지배를 통제할 수 있다.	• 문제에 대한 사전 지식과 관련 자료를 충분히 준비해야 한다. • 의사결정 과정이 고도로 구조화되어 있어 **융통성이 적다.**

초점집단기법 (Focus Group Interview, 또는 집단심층면접법, 표적집단면접법)	㉠ **집단적 의사결정 방법**으로, 지역사회의 문제와 관련된 정보를 제공할 수 있는 **초점집단**을 **12~15명 정도**의 인원으로 **구성**한 후, 이들을 한자리에 모아 조사자가 주제를 제시한다. 이들이 **약 2시간 전후로 자유로운 의사소통을 하도록 유도**한다. 이 과정에서 **조사자의 판단에 근거하여 욕구를 조사**하는 **질적자료 수집 방법**이다. ㉡ 따라서 **대면(Face to Face) 집단의 상호작용**을 통해 도출된 자료를 분석한다. ㉢ **자료 수집 과정에서 조사자의 주관적 개입이 가능**하며, 자료 수집 시 사전 동의하에 녹취를 하기도 한다. ㉣ 주로 **내용타당도를 높이는 목적❷으로** 사용될 수 있다. ㉤ 장점과 단점

장점	단점
• **집단을 대상으로 한 자료 수집 방법**이므로 개인을 대상으로 한 것에 비해 **자료 수집과 해석이 상대적으로 신속**하다. • **집단역학에 관한 것을 분석**할 수 있다.	• **비구조적 성격**으로 인해 응답자들을 **통제하기 어렵고**, 또한 **자료를 분석하고 해석하는 것 역시 어렵다.** • 조사자의 개입에 따른 편향이 발생할 수 있다. • 소수의 인원만을 대상으로 하기 때문에 그 결과를 지역사회주민 전체의 욕구로 일반화하기 어려우며, 따라서 **외적타당도가 낮다.**

지역사회공개토론회 (Forum, 또는 공청회, 포럼)	㉠ **집단적 의사결정 방법**으로, 지역사회주민들이 자신의 욕구를 잘 알고 있다는 것을 전제로 하여, **주민들을 한 자리에 참여시킨 후 소수의 전문가인 발표자가 화제를 제시**하고 이에 참여한 **주민들이 청중이 되어 토론에 참석하는 방법**이다. 이때 자유로운 추가토론이 가능하다. ㉡ 장점과 단점

장점	단점
• 시간과 비용 측면에서 **효율적**이다. 따라서 현실적인 실행 가능성이 높다. • **광범위한 계층 및 집단의 의견과 태도를 자유롭게 청취할** 수 있으며, 지역사회의 전반적인 분위기를 파악하는 데 유리하다. • 서베이를 위한 사전 준비 작업이 될 수 있다. • 프로그램이나 정책 실행 시 주민의 지지나 협조를 얻을 수 있는 계기가 될 수 있다.	• 소수의 인원만 참여할 경우 **표본편의현상이 발생**하여 표본의 대표성이 떨어질 수 있다. • 실제로는 **참석자 중 소수의 인원만이 주로 자신의 의견을 발표**하므로 제한된 시간 내에 모든 지역주민에게 동등하게 의견을 제시할 기회가 주어지지 않을 수 있다. • 이익집단의 영향을 배제할 수 없다. • 지역사회 문제에 대해 주민들의 관심은 커질 수 있지만, 문제해결 방안에 대한 이견(異見)으로 문제는 해결되지 않고 실망감만 줄 수 있다.

선생님 가이드

❷ 초점집단조사는 표집된 초점집단의 자유로운 상호작용을 통해 도출되는 자료들을 조사자의 주관적인 판단에 따라 핵심 내용별로 분류한 후 조사자가 직접 그 자료에 대한 해석과 평가를 하게 됩니다. 이런 의미에서 초점집단조사는 주로 내용타당도를 높이는 목적으로 사용될 수 있습니다.

기출 OX

01 델파이기법은 단일한 사례를 대상으로 개입의 효과성을 측정하는데 유용하지만 불명확한 미래 사건에 대한 예측도구로서는 유용성이 낮다. ( ) 11. 국가직

02 사회복지조사 방법에서 초점집단인터뷰는 응답자들을 통제한 상태에서 질문에 대한 명확한 답변을 도출할 수 있다. ( ) 15. 지방직

03 사회복지조사 방법에서 초점집단인터뷰는 조사 결과의 외적타당도가 높다. ( ) 15. 지방직

04 초점집단인터뷰는 지역사회문제와 관련된 소규모 사람들이 한 공간에서 자유롭게 의견을 제시하게 하는 방법이다. ( ) 22. 국가직

---

01 ✕ '단일한 사례를 대상으로 개입의 효과성을 측정하는 것'은 단일사례설계에 관한 설명이며, 델파이기법은 불명확한 미래 사건(정책대안)에 대한 예측도구로 그 유용성이 높다.
02 ✕ 초점집단 인터뷰는 비구조적 성격으로 인해 응답자들을 통제하기 어렵고, 또한 자료를 분석하고 해석하는 것 역시 어렵다.
03 ✕ '높다.'가 아니라 '낮다.'가 옳다.
04 ○

프로그램 운영자 조사	⊙ 직접적으로 **서비스를 제공하는 종사자를 만나 욕구를 조사하는 방법**이다. ⓒ 장점과 단점 **장점** • 잘 알려지지 않은 욕구를 파악할 수 있다. • 지역사회 자원에 대한 정확한 정보를 알 수 있다. **단점** • 주장된 욕구는 프로그램 운영자 개인의 주관에 의해 판단된 편견일 가능성이 있다. • 주로 종사자가 다루는 클라이언트를 대상으로 한 욕구이므로 주민 전체의 광범위한 욕구 파악은 어렵다. • 종사자가 소속된 기관의 프로그램에 유리한 욕구에 대해서만 주장할 가능성이 있다.
주요 정보제공자 조사 (Key Informant Method)	⊙ 지역사회에 오래 거주한 조직의 서비스 제공자, 인접 전문직 종사자, 공무원 등 지역사회 문제에 대한 정보를 잘 알고 있는 것으로 인정되어 **지역사회를 잘 대변할 수 있는 사람들을 주요 정보제공자로 정하고 이들을 관찰단위로 하여 그들의 의견을 직접 청취하거나 자문을 구해 욕구를 조사하는 방법**이다. ⓒ **비확률표집인 유의표집을 사용**한다. ⓒ 장점과 단점 **장점** • 전체 주민이 아닌 주요정보제공자들만을 대상으로 하여 조사하므로 **비용이 적게 들어 경제적**이다. • **표본을 쉽게 선정할 수 있어서 표집이 쉽다.** • 구체적이고 생생한 자료를 얻을 수 있어 **지역의 문제 파악이 용이**하다. • **양적·질적 정보(또는 자료)❶**의 파악이 가능하다. **단점** • 유의표집을 사용하므로 표본의 대표성 문제가 발생하여 **지역사회주민의 본질적인 문제가 제외될 가능성**이 있다. • 주요 정보제공자들이 가지고 있는 정보의 양과 질에만 의존하게 되는 **정보제공자의 편향성**이 나타나 이 역시 표본의 대표성 문제를 발생시킬 수 있다.

(2) 간접적 자료수집 방법 22. 국가직

주민 요청이나 지역사회의 다양한 영역에서의 경향 등에 관한 **문헌자료를 통해 주민의 욕구를 파악하는 방법**으로, 이때 수집된 자료는 주로 **2차 자료**에 해당한다.

사회지표분석 (또는 조사)	① **공신력 있는 정부기관이나 연구기관을 통해 발표된 기존 통계자료를 활용**하여 지역사회욕구를 파악하는 방법이다. ② 자료를 통해 얻어진 정보는 조사대상의 실태를 파악하고 장기적인 **변화와 차이를 확인하는 데 유용**하나 해당 지역에 알맞은 지표를 찾는 작업이 쉽지 않을 수 있다. 예 빈곤률, 실업률, 주택보급률, 인구밀도, 소득, 영아사망률, 교육 수준 등
행정자료조사	지역사회 내 사회복지기관, 협회, 연구소 등의 조직에서 **조직의 행정과정 중 생산된 자료(예 서비스 대기자 명단, 서비스 이용 현황, 서비스 만족도 현황, 백서(白書) 등)를 수집 및 분석하여 지역사회욕구를 파악하는 방법**이다.

장점	단점
① 행정자료에는 주민의 특성이 기술되어 있으므로 문제파악에 용이하다. ② 비용이 적게 든다. ③ 신축적으로(또는 융통성 있게) 조사할 수 있다.	① 행정자료에 대한 조직의 비밀보장을 위한 엄격한 관리와 통제로 인해 자료에 대한 접근기회를 갖기가 어렵다. ② 설상 접근기회를 갖더라도 각 조직별 기록 양식이 달라 조사에 필요한 자료의 통일이 어렵다. ③ 행정자료는 실제적인 서비스 이용자 중심의 분석이므로 여기서 얻은 결과를 가지고 지역사회 전체 주민들에게 일반화시키는 것은 무리가 있다.

6 평가조사

1. 개관

(1) 개념

사회복지조직에 의해 제공된 프로그램의 시작, 진행, 종결 등 프로그램의 전과정과 목표와의 관련성에 대하여 가치판단적 측정을 하는 것을 말한다.

(2) 특징

① 평가 시 **프로그램이 독립변수**가 되고, **프로그램의 효과가 종속변수**가 된다.

② 평가 시 **외생변수에 대한 고려가 필요**하다.

③ 평가 결과의 해석 시 **정치적 관점(또는 가치판단적 관점)이 개입**될 수 있다.

(3) 목적

① 프로그램 과정상 환류: 평가결과의 환류를 통해 운영 **프로그램의 지속여부 등을 판단**할 수 있다.

② 기관운영의 책임성 이행: 투입된 공적 · 민간 자원 운용의 투명성과 제공된 프로그램의 효과성 및 효율성에 대한 평가를 통해 **사회복지조직의 대사회적인 책임성을 이행**할 수 있다.

③ 이론형성: 프로그램 제공과 이에 따른 클라이언트의 변화라는 **인과관계 파악을 통해 이론 형성에 기여**할 수 있다.

④ 프로그램 진행 과정의 개선: 형성평가를 통해 프로그램 제공 과정 중에 **보다 더 개선된 프로그램을 제공**할 수 있다.

⑤ 합리적인 자원배분: 평가 결과에 따라 효과적인 프로그램과 그렇지 못한 프로그램에 대해 **차등적인 방법으로 자원을 할당**할 수 있다.

⑥ 서비스 전달체계의 개선: 서비스 전달체계를 평가하여 **서비스 전달체계가 원활하게 이루어지도록 유도**할 수 있다.

2. 분류

(1) 목적에 따른 분류 (必)

형성평가	① 프로그램 진행 중에 수행한다. ② 프로그램의 수정과 보완이 목적이다. 즉, 서비스 제공자들로 하여금 양질의 서비스를 이끌어 내기 위하여 사용한다.
총괄평가	① 프로그램을 종료할 때 수행한다. ② 최종적인 결과물, 파급효과 등을 분석하여 프로그램을 유지할 것인지, 중단할 것인지, 확대할 것인지를 결정하는 것이 목적이다.
통합평가	① 형성평가와 총괄평가를 함께 진행하는 평가이다. ② 프로그램 시행 초기에는 신속하게 환류를 제공받을 수 있는 **형성평가 방법**을 사용하고, **프로그램 종결 후에는** 프로그램 성공의 여부에 관심을 가지고 있는 여러 계층을 위한 과학적·객관적인 자료를 제시할 수 있도록 **총괄평가의 방법**을 사용하는 경우이다.

(2) 평가시점에 따른 분류

사전평가	① 적극적 평가라고도 한다. ② 프로그램이 종료되기 이전에 수행되는 평가이다.
사후평가	① 소극적 평가라고도 한다. ② 프로그램이 종료된 이후에 수행되는 평가이다.

(3) 평가주체에 따른 분류

자체평가	① 프로그램 운영 담당자가 자신이 제공한 프로그램에 대해 스스로 수행하는 평가이다. ② 장점: 다량의 정보 획득이 가능하고, 평가 비용이 절약된다. ③ 단점: 평가의 공정성 문제가 발생할 수 있다.	
내부평가	프로그램 운영 담당자 이외의 **해당 담당자가 속한 조직의 내부자에 의해 이루어지는 평가**이다.	
	장점	**단점**
	외부평가에 비해 ① **평가와 관련된 정보에 대한 접근성**이 용이하다. ② **융통성 있게 평가**할 수 있다. ③ **평가비용이 절약**된다.	외부평가에 비해 평가의 해당기관으로부터 객관성과 독립성을 유지하기 어려워 평가의 **공정성 문제가 발생**할 수 있다.
외부평가	프로그램을 제공한 **조직 밖의 외부자에 의해 이루어지는 평가**이다.	
	장점	**단점**
	내부평가에 비해 평가의 공정성 문제를 극복할 수 있다.	내부평가에 비해 ① 평가비용이 많이 든다. ② 융통성이 없다.

(4) 수량화(또는 계량화) 여부에 따른 분류

정량적 평가(Quantitative Analysis, 또는 양적평가)	객관적으로 수량화(또는 계량화)가 가능한 자료를 측정하거나 분석하는 평가방법이다.
정성적 평가(Qualitative Analysis, 또는 질적평가)	수량화(또는 계량화)가 어려운 자료를 토대로 평가자가 그 자료의 의미를 찾고 해석하는 평가방법이다.

(5) 메타평가(Meta Evaluation)

① 평가의 평가(Evaluation of Evaluation)이다.

② 평가의 목적의 타당성 여부, 목적에 부합한 평가 설계와 실행 여부, 평가의 효과 등을 분석한다.

3. 효과성 평가

(1) 프로그램 계획 당시 이루고자 하는 목표가 실제로 달성된 정도를 평가하는 것이다. 즉, 프로그램의 '목표달성'을 측정하는 것이다.

(2) 클라이언트에게 의도했던 변화가 어느 정도 일어났는지를 평가하는 것이다.

7 관찰법(또는 관찰조사법)

1. 개관

(1) 개념 ✐

인간의 감각기관을 이용하여 조사대상의 특성, 언어적 또는 비언어적 행동 등에 대해 관찰하여 자료를 수집하는 귀납적인 방법이다.

(2) 유형

관찰이 일어나는 상황의 인위성 여부에 따라	① 자연적 관찰: 조사대상의 자연적이고 일상적인 행동이 발생할 때까지 기다렸다가 관찰하는 방법이다. ② 인위적 관찰: 조사대상의 행동을 인위적으로 발생시켜 관찰하는 방법이다.
관찰 시기와 행동발생 간의 일치 여부에 따라	① 직접 관찰: 조사대상의 행동이 발생한 때에 이를 직접 보고 관찰하는 방법이다. ② 간접 관찰: 조사대상의 과거 행동의 결과로 생성된 문헌 등, 조사대상자의 흔적을 관찰하는 방법이다.
피관찰자가 관찰 사실을 알고 있는지 여부에 따라	① 공개적 관찰: 조사대상에게 관찰하고 있음을 공개하여 조사대상이 자신이 관찰 당하고 있음을 아는 관찰이다. ② 비공개적 관찰: 조사대상에게 관찰당하고 있음을 알리지 않고 관찰하는 방법이다.
관찰주체 또는 도구가 무엇인가에 따라	① 인간 관찰: 인간이 자신의 감각기관을 이용하여 관찰하는 방법이다. ② 기계 관찰: 녹음기, 카메라 등의 기계를 활용하여 관찰하는 방법이다.
관찰조건의 표준화 여부에 따라	① 체계적(또는 조직적) 관찰: 관찰의 대상, 내용, 도구 등을 사전에 결정하고 관찰하는 방법이다. ② 비체계적(또는 비조직적) 관찰: 관찰의 대상, 내용, 도구 등을 사전에 결정하지 않고 관찰하는 방법이다.

2. 장점과 단점

(1) 장점 09 · 10. 지방직, 18. 서울시 (必)

① 조사대상이 조사에 임하는 태도에 따라 조사 결과가 좌우되지 않는다.

② 노인, 장애인, 아동 등 **질문을 통해 자기보고가 어려운 조사대상자를 대상으로도 조사가 가능**하다.

③ 조사대상이 **무의식적으로 행동하거나 자신의 느낌이나 태도를 정확히 모르고 있는 경우에도 조사할 수** 있다.

④ 조사대상이 정확히 인식하고 있지 못한 문제에 대한 조사에 유리하다.

⑤ 조사대상이 **조사에 비협조적이거나 면접을 거부하는 경우에 효과적**이다.

⑥ 조사대상의 **비언어적인 행동에 관한 자료 수집이 용이**하다.

⑦ **장기간의 종단분석이 가능**하다. 면접이나 실험은 시간적 제약을 가지고 있지만 관찰은 자연적 상태에서 조사가 진행되기 때문에 장시간에 걸쳐 조사가 가능하다.

⑧ **조사환경의 인위성을 감소시킬 수** 있다.

⑨ 조사대상자의 행동에 대해 **현장에서 즉각적인 자료 수집이 가능**하다.

⑩ 조사대상의 행동을 관찰만 하기 때문에 **응답 과정 중에 발생할 수 있는 오류를 줄일 수** 있다.

⑪ **질적연구나 탐색적 조사에 활용**할 수 있다.

(2) 단점 (必)

① 조사대상의 내면적 특성, 사적 문제, 과거 사실에 대한 자료는 수집이 어렵다.

② 조사대상이 관찰을 당하고 있다는 사실을 알고 있을 경우 평소에 하던 행태와는 다른 행태를 보일 수 있는 **관찰자 효과가 발생**할 수 있다.

③ 인간의 행동은 그가 가진 태도나 신념에 비해 쉽게 변화될 수 있으므로 관찰된 행동의 결과는 일시적이고 가변적일 수 있으며, 이는 일반화에 있어서 제약이 된다.

④ **관찰자의 주관이나 편견이 개입**되어 선택적 관찰이 이루어질 수 있다. 이와 같이 주관이나 편견이 개입되어 수집된 자료는 신뢰도와 타당도가 낮기 때문에 **관찰법을 활용할 때에는 다른 자료 수집과 병행하는 것이 바람직**하다.

⑤ 자연적 상태에서 조사가 이루어지므로 **외생변수를 거의 통제할 수 없다.**

⑥ 관찰자의 비계량화된 인식을 수단으로 자료를 수집하기 때문에 계량화를 목적으로 관찰을 미리 구조화시키기 보다는 **관찰의 대상이 되는 사건이 발생하면 이를 단순히 확인해서 기록하는 방식**을 취한다. 따라서 자료의 세밀한 계량화가 힘들고, 주로 **백분율 정도의 계량화 방식만을 활용**할 수 있다.

⑦ **표본의 크기가 제한**된다. 즉 표본의 크기가 실험조사보다는 크지만 서베이에 비해서는 매우 적어 획득된 자료를 계량화 · 일반화시키는 데 한계가 있다.

⑧ **조사대상자의 익명성 보장이 어렵다.** 이에 따라 서베이조사에 비해 신뢰성이 떨어지며, 관찰을 꺼리는 사회적 행동(**예** 범죄행위, 매춘, 부부 관계)에 대해서는 적용이 어렵다.

⑨ 시간, 비용, 노력이 많이 소요된다.

3. 관찰법의 신뢰도와 타당도

(1) 개관

① 관찰법에서의 신뢰도란 관찰대상을 **반복하여 관찰하여도 동일한 측정값이 나오는 정도**를 말한다.

② 관찰법에서의 타당도란 **관찰대상의 속성을 의미 있게 측정한 정도**를 말한다.

(2) 영향을 주는 요인

관찰대상	① 관찰대상의 행동이 지속적 또는 반복적일 경우 신뢰도가 높아진다. ② 관찰대상의 수가 적을수록 또는 관찰 범위가 좁을수록 신뢰도가 높아진다.
관찰도구	관찰도구인 관찰자의 감각기관에 장애가 없으면 신뢰도와 타당도가 높아진다.
관찰자	① 관찰법은 **관찰자의 관찰 역량에 크게 의존하므로, 관찰자의 관찰 역량 향상을 위한 교육**을 통해 신뢰도와 타당도를 높일 수 있다. ② 하나의 관찰 대상에 여러 명의 관찰자가 동시에 관찰하여 그 결과를 비교함으로 편견을 제거할 수 있다. ③ **관찰자의 주관이 개입될 경우 타당도가 낮아진다.**

(3) 신뢰도와 타당도 향상 방법

① 관찰자 훈련 실시로 관찰자의 조사 역량을 강화시킨다.

② 하나의 관찰대상을 여러 명의 관찰자가 동시 관찰한 후 결과를 비교한다.

③ 제3자에게 검토를 받는다.

④ **동일한 용어로 기록**한다.

⑤ **녹음기 등의 기계를 사용**하여 기록한다.

⑥ 관찰과 기록방법에 대한 구체적인 지침을 설계한다.

8 비관여적 조사

1. 비관여적 조사의 개관

(1) 개념

① **비관여적 조사(또는 비반응성 조사)란 조사자가 조사하고자 하는 조사 대상과의 상호작용 없이 완전히 분리되어 자료를 수집하는 방법**으로, 주로 자료에서 드러난 내용과 숨은 내용을 이해하기 위한 목적으로 수행된다.

② 대표적인 유형으로는 **내용 분석, 2차 자료 분석** 등이 있다.

(2) 특징

① 관찰현상에 대한 조사자의 영향력이 줄거나 없어서 **조사대상자의 반응성을 고려할 필요가 없다.**

② **신뢰도는 높지만 타당도가 낮기 때문에** 조사자는 타당도와 신뢰도 간의 선택 에 따른 딜레마로 고민할 수 있다.

③ 조사자는 **다원측정(Triangulation)❶의 원칙**을 활용하여 신뢰도를 확보할 수 있다.

④ 많은 변수를 대상으로 **다변량 자료 분석**을 하며, 이때 분석할 자료의 속성에 따라 각기 다른 측정 수준을 적용한다. 즉 자료가 **양적속성을 가지고 있으면 등간이나 비율측정**을, 반면에 **질적속성을 가지고 있으면 명목이나 서열측정** 을 활용한다.

2. 비관여적 조사 방법(1) – 내용분석법

(1) 개념 ✍

조사의 대상	인간의 모든 의사소통 기록물(예 신문, 잡지, 도서, 연설, 논문, 일기, 영상, 방송 등)에
조사의 목적	표면적인 내용(또는 드러난·현재적 내용)뿐만 아니라 숨은 내용(또는 잠재적 내용)을 '양적자료'로 전환하기 위해
조사의 방법	객관적·체계적·수량적으로 분석하는 간접적·비관여적인 자료수집 방법

(2) 절차

① **조사 문제 설정**: 조사자의 관심과 필요성에 따라 조사 문제를 설정하고, 이에 따른 가설을 수립하는 단계로, **사전조사를 통해 구체화**시킬 수 있다.

② **모집단 선정(또는 규정)**: 모집단이란 조사자가 설정된 가설을 검증하기 위해 서 분석하려 하는 모든 자료를 의미한다. 모집단을 확정하기 위해서는 두 가 지 차원, 즉 **조사 기간과 조사 문제의 범위가 고려**되어야 한다.
   예 (조사 기간) 1980년 1월부터 20XX년 12월 사이
   　 (조사 문제의 범위) OO신문의 사회복지 관련 기사

③ **표본추출(또는 표본 선정)**: 조사의 효율성을 높이기 위해 조사대상의 범위를 줄이는 절차로, 이때 **일반적인 표본조사의 표집원리와 절차를 그대로 활용**한다.
   예 1980년부터 20XX년 12월 사이 OO신문에서 난수표를 이용해 월별로 표본을 1부씩 추출한다.

④ **분석내용의 범주화(또는 범주 설정)**: 표집된 표본을 특정 범주에 따라 분류하는 절차로, 내용 분석을 통해 **분석하고자 하는 내용의 분류기준을 수립**하고, 이에 따라 **자료를 유형화시키는 절차**이다. 그 범주는 조사목적과 조사주제를 적절히 반영하고, **상호배타성 · 포괄성 · 타당성 · 신뢰성을 확보**해야 한다.

상호배타성	어떤 내용의 요소를 분류하고자 할 때에 그 요소는 하나의 특정된 범주로만 분류할 수 있어야 한다.
포괄성	모든 요소가 특정된 하나의 범주로 분류될 수 있어야 한다.
타당성	조사자가 측정하고자 하는 것을 제대로 측정하고 있어야 한다.
신뢰성	내용 분석의 요소를 범주화하는 데 있어 평가자 간 일치하는 정도가 높아야 한다. 즉, 두 명의 평가자간에 동일하게 범주화하는 정도가 높을수록 신뢰성 있는 범주가 된다.

  예 표집된 OO신문 기사에 나타난 사회복지 관련 성향을 사회복지에 찬성하는 내용과 반대로 사회복지에 반대하는 내용으로 분류할 수 있다.

⑤ **분석단위의 선정**: 분석단위란 분석대상 범주를 **양적으로 분석**하기 위해 **문헌자료의 표본에서 추출하는 의사소통 단위**로, 종류로는 **기록단위와 맥락단위**가 있으며, **기록단위는 맥락단위의 하위(또는 작은)단위[2]**이고 맥락단위는 기록단위의 상위(또는 큰)단위이다.

기록단위 (Recording Unit)	기록만 함으로써 자료가 수집되는 최소한의 단위로, 단어, 주제, 인물, 문장과 단락, 항목, 공간과 시간의 출현빈도, 즉 횟수를 계산하여 분석한다.	
	단어	㉠ 문헌에 기록된 단어를 말하며, 가장 작은 분석단위이면서, **기록단위 중에서 수집해야 할 자료의 양이 가장 많은 단위**이다. ㉡ 경계설정과 식별은 용이하지만, 자료가 방대할 경우에는 추출이 어렵고, 맥락에 따라 단어의 의미 차이가 발생할 수 있다.
	주제	㉠ 문헌에 나타난 주장 · 진술 · 제안 · 사상 등을 말한다. ㉡ 자료가 방대할 경우에 사용이 용이하지만, 주관적일 수 있고, 경계설정과 식별이 어렵다.
	인물	소설 · 영화 · 연극 등에 등장하는 특정 인물의 인종적 · 경제적 · 심리적 속성을 말한다.
	문장과 단락	㉠ 문헌에 기록된 문장과 단락을 말한다. ㉡ 경계 설정과 식별은 용이하지만, 문장이나 단락은 보통 둘 이상의 주제를 포함하고 있으므로 이를 분류 · 부호화(또는 코딩)하는 것이 어려워 잘 사용하지 않는다.
	항목 (또는 사항)	내용 분석에서 가장 많이 사용되는 단위로, 표본의 전체 실체를 의미하며, 도서 한 권 전체, 영화 한 편 전체, 논문 한 편 전체 등이 사용될 수 있다.
	공간과 시간	인쇄물의 지면이 차지하고 있는 공간이나 방송이 송출되는 시간 등을 말한다.
맥락단위 (Context Unit)	기록단위가 들어 있는 상위단위로, 기록단위의 성격을 명확하게 하기 위해서 검토된다. 다시 말해, 문맥상에서 기록단위가 의미하는 바가 다를 수 있으므로 **문맥의 전후 맥락까지 포함하여 분석할 때 사용하는 단위**이다.	

선생님 가이드

❷ 분석내용의 범주 설정(또는 범주화)란 표집된 표본을 특정 범주에 따라 분류하는 절차로, 내용 분석을 통해 분석하고자 하는 내용의 분류기준을 수립하고, 이에 따라 자료를 유형화 시키는 절차를 말합니다. 범주 설정이 끝나면 분석단위를 선정해야 하는 데, 이때 분석단위란 분석대상 범주를 양적으로 분석하기 위해 문헌자료의 표본에서 추출하는 의사소통 단위로, 종류로는 기록단위와 맥락단위가 있습니다. 즉 자료 유형화를 위한 범주가 설정된 이후에 분석단위를 선정하기 위해 기록단위가 필요한 것입니다.

⑥ 분석대상의 수량화(또는 수량화의 체계 규정): 설정된 **분석내용 범주(또는 분류항목)와 분석단위를 수량적으로 분석하는 단계**로, 이 단계에서 비로소 **질적인 내용이 양적자료로 전환**된다. 분석대상의 수량화 방법으로는 **등장여부, 등장빈도, 공간 또는 시간, 강도**가 있다.

등장(또는 출현)여부	분석대상의 내용 속에 **분석단위가 있는지 없는지를 기록**해서 수량화하는 방법이다.
등장빈도	분석대상의 내용 속에 **분석단위가 몇 번 나타나는지를 수치로 기록하는 방법**이다.
공간 또는 시간	단순한 빈도뿐만 아니라 **상대적 강도와 편향도를 분석하는 방법**으로, 방송의 경우 분석단위가 등장하는 시간의 길이를, 신문의 경우에는 분석단위가 차지하는 지면의 크기 등을 수치로 측정해 계량화하는 것이다.
강도	주로 가치나 태도 등을 다룰 때 이용되는 것으로, 분석의 대상이 되는 내용이 지니고 있는 의미를 서열 또는 등간척도를 이용하여 **수치로 그 강도로 표시하는 방법**이다.

⑦ 자료 분석 및 해석: 수집되고 분석된 결과를 가설과 이론에 맞추어 그 진위를 밝히는 단계이다.

⑧ 보고서 작성

(3) **특징**

① **문헌조사의 일종**으로 비관여적 조사이다.

② 의사전달의 내용, 즉 **메시지가 분석대상**이다.

③ **인간의 모든 형태의 의사소통 기록물이 조사의 대상**이 될 수 있다.

④ 의사소통의 표면적인(또는 드러난 · 현재적) 내용뿐만 아니라 **숨은 내용(또는 잠재적 내용)도 분석의 대상**이 된다. 이때 숨은 내용에 대한 분석도 이루어지므로 양적인 정보만을 분석하는 것은 진정한 의미의 내용분석이라 보기 어렵고, 따라서 **양적 분석법뿐만 아니라 질적 분석법도 사용**하며, **질적인 정보를 양적인 정보로 전환**한다.

⑤ 객관성, 체계성, 일반성 등 **과학적 조사 방법의 조건을 갖추어야 한다.**

⑥ 자료가 방대한 경우 모집단 내에서 표본을 추출하여 분석할 수 있다.

┌─ 핵심 PLUS ─

양적 내용분석과 질적 내용분석

① **양적 내용분석**: 연구 자료를 규칙에 따라 체계적으로 어떤 범주에 할당하고, 체계적 방법을 사용하여 그러한 범주들 간의 관계를 분석하는 방법이다.

② **질적 내용분석**: 양적 내용분석과 같이 단순히 유사한 의미끼리 묶어 범주를 만들거나 단어의 수를 세는 계량적 방법이 아니라 내용의 코딩을 통해 범주의 드러난 내용(Manifest Content)과 숨은 내용(Latent Content) 모두를 파악하는 방법이다.

(4) 장점과 단점

장점	단점
① 인간의 **다양한 심리적 변수를 효과적으로 측정**할 수 있다.	① 조사가 **입수된 자료에만 의존**하기 때문에 조사의 범위가 한정적이다.
② 관찰법으로 측정이 어려운 **가치문제에 대한 조사가 가능**하다.	② **선정편향(Selection Bias)이 발생**할 수 있다.
③ **다른 조사 방법과 병용하여 사용**할 수 있다. 예를 들어 실험조사나 개방형 질문의 조사 결과를 내용 분석할 수 있다.	③ 과거에 기록된 내용을 기초로 하여 추상적 개념을 측정하므로 **타당도가 문제시 될 수 있다.**
④ 다른 조사에 비해 실패 시 위험 부담이 적다. 즉 조사 과정 중 실수에 대한 원상복귀 및 보완이 용이하고, **필요한 경우 재조사(또는 재분석)도 할 수 있다.**	④ 잠재적 의미를 분석대상 범주로 작성할 경우 기록자 간 차이가 발생할 수 있어서 **신뢰도가 문제시 될 수 있다.**
⑤ 기존에 생성된 자료를 활용하므로 **비용과 시간이 절약**되어 직접조사에 비해 경제적이다.	⑤ 시간의 흐름에 따른 변화를 조사할 때 **허구적 추세가 발견**될 수 있다.
⑥ 비관여적 조사이므로 조사 대상에게 영향을 미치지 않아 **조사대상의 반응성 문제가 발생하지 않는다.**	**예** 시간이 흐름에 따라 정기간행물의 지면이 확대되는 경향을 독자들의 관심의 증가로 잘못 분석하는 경우가 있다.
⑦ 연구자의 개입효과를 배제시킬 수 있다.	
⑧ 조사대상의 숨은 내용(Latent Content)도 코딩할 수 있다.	
⑨ **장기간에 걸쳐 일어난 과정의 종단조사가 가능**하여 역사(歷史)조사와 같은 시계열분석❶에 활용될 수 있다.	
⑩ 조사 진행 중 조사계획의 부분적인 수정도 가능하다.	
⑪ 양적연구와 질적연구에 공통으로 사용할 수 있다.	

3. 비관여적 조사 방법(2) - 2차 자료 분석법

(1) 개념 12. 국가직 ✎

2차 자료란 현재의 **정부나 공공기관 또는 산하연구기관들에서** 제공하는 공인된 **통계자료**를 말하며, 이들 자료를 이용하여 조사 문제의 검증에 활용하는 것을 **2차 자료 분석법**이라고 한다.

선생님 가이드

❶ 시계열 분석(Time Series Analysis)이란 시계열 자료를 분석해서 자료 속에서 발견된 유형(Pattern)이 미래에도 그대로 유지된다는 가정 하에 이를 통해 미래를 예측하는 조사 방법입니다. 여기서 시계열 자료(Time Series Data)란 시간별, 일별, 월별, 분기별, 연도별 등 시간의 경과(또는 흐름)에 따라 순서를 가지고 측정되는 자료를 말합니다. 내용분석은 다양한 기록 자료에 대한 시계열적 분석과 이를 통해 발견된 유형으로 미래를 예측하는 데에 활용될 수 있습니다.

기출 OX

델파이기법은 기존의 공인된 2차적 자료들의 소재를 파악하고, 접근성을 확보한 후 자료를 수집한다. ( ) 12. 국가직

× '델파이기법'이 아니라 '2차 자료 분석법'이 옳다.

(2) 장점과 단점

장점	단점
① 비반응성 연구의 한 종류로, 조사대상의 반응성이 낮거나 없다. ② 원자료의 수집 과정이 없기 때문에 1차 자료 분석에 비해 상대적으로 수집에 드는 비용·인력·시간이 적게 든다. ③ 비교적 적은 비용으로 대규모 사례 분석이 가능하다. ④ 공개된 자료의 경우 수집이 용이하다. ⑤ 기존의 자료를 수정·편집해서 분석할 수 있으며, 따라서 **필요한 경우에는 재조사 역시 가능**하다. ⑥ 자료의 시계열적 분석을 통해 **장기간 변화의 추이 분석이 가능하여 종단조사에 활용**할 수 있다. ⑦ 공공기관에서 정기적으로 발행하는 시계열 자료의 경우 계속적인 수집이 가능하다.	① 타당도 문제: 조사의 자료 수집목적, 분석단위, 조작적 정의 등이 수행 중인 조사와 일치하지 않을 수 있어서 **조사의 타당도를 저하**시킬 수 있으며, 이러한 경우 사용이 곤란할 수 있다. ② 신뢰도 문제: 공신력 있다고 판단되는 기관의 통계자료 역시 **의외로 그 신뢰도가 낮은 경우가 많다.** ③ 생태학적 오류 발생: 통계자료는 개인보다는 인구집단별로 형성된 경우가 대부분이라 이를 자료로 활용할 경우 집단을 분석단위로 한 속성을 개인에게 적용시키는 **생태학적 오류의 발생 가능성이 높아진다.** ④ 결측값 문제: 원자료에서 누락된 **변수와 결측값을 추적하거나 복구할 수 없다. 다만, 통계적 기법으로 자료의 결측값을 대체할 수는 있다.** ⑤ 구(舊)정보의 문제: 자료가 오래 되어 시의적절한 정보를 제공해 주지 못할 수도 있다.

제5절 질적연구와 보고서 작성

1 질적연구

1. 질적연구의 개념

(1) 양적연구와 같이 연구자가 미리 설정한 이론이나 가설로서 현상을 설명하는 것이 아니라, 내부자적 관점(Emic)에서 조사대상자가 현상을 어떻게 이해하고 이에 따른 행위를 하는지를 찾고 기술하는 것을 목적으로 하는 조사 방법이다. 따라서 연구자는 내부자적 시각을 유지하기 위해 완전참여자의 역할을 지향해야 한다.

(2) 조사와 관련하여 특정 사례에 관심을 가지고 조사하므로 '사례조사'라고도 한다.

(3) 연구자가 직접 현장에 들어가서 조사대상자들과 계속 상호작용을 하면서 자료를 수집하고 조사하므로 '현장연구(또는 현지조사)'라고도 한다.

(4) 연구자가 관심을 둔 특별한 사례를 의도적으로 표집하는 '목적표집'을 주로 한다.

(5) 조사가 진행되면서 초기에 설정한 조사 문제나 내용에 비하여 새로운 변화나 현장에 대한 이해가 깊어졌는가를 조사 도구인 연구자가 개인적으로 반성하는 '점진적 주관성'을 갖는다.

(6) 양적연구의 결과가 계량화된 수치로 표현되는 반면, 질적연구의 조사 결과는 '서술적인 형태'로 표현된다.

(7) 연구자의 주관이 개입되지 않은 완전한 객관적인 관찰이라는 것은 불가능하다고 믿기 때문에 조사자와 조사대상자의 주관적인 인지나 느낌, 해석 등을 정당한 자료로 간주한다.

2. 양적연구와 질적연구의 비교 11. 국가직, 18 · 23. 지방직, 19. 서울시 ✍

기준	양적연구	질적연구
이론적 배경	(논리)실증주의	해석주의
조사체계	제한된 체계	개방적인 체계
세계관	객관성	주관성
조사자의 관점	외부자적 관점(Etic): 조사자와 조사 대상을 분리시킴	내부자적 관점(Emic): 조사자와 조사 대상은 상호작용 하는 존재
조사의 목적	• 일반화 • 인과관계 규명(또는 가설의 계량적 검증)	• 현상의 탐색, 발견, 해석 • 새로운 이론의 창출
표본의 크기	일반화가 조사의 목적이기 때문에 질적조사에 비해 상대적으로 큼	양적조사에 비해 상대적으로 작음
조사자의 자질	조사자의 자질보다 조사 과정이 중요함	중요함
신뢰도와 타당도	일반적으로 신뢰도가 더 높음	일반적으로 타당도가 더 높음
다른 연구자에 의한 재연 가능성	높음	낮음
조사자와 조사대상의 교체	조사 중 조사자와 조사대상의 교체가 가능하다고 인식함	조사자 자신이 조사의 도구가 되므로 조사도구로서 조사자가 가진 자질이 중요하며, 또한 조사 중 조사자와 조사대상의 교체가 어렵다고 인식함
초기 분석틀의 변경 여부	어려움(또는 경직)	가능함(또는 유동)
평가 시 활용	정량적 평가	정성적 평가
조사자의 가치 반영	가치중립적	가치지향적
방법론	연역적 방법을 주로 사용함	귀납적 방법을 주로 사용함
주요 자료 수집 방법	실험, 구조화 면접 및 관찰 등	참여관찰, 심층면접, 사례연구, 초점집단면접, 생활사 조사, 현장연구조사, 개방형 질문, 비구조화 면접 등
자료 수집과 자료 분석 단계의 구분	명확한 구분	비교적 명확하지 않은 구분
주요 조사 방법	실험설계, 서베이 등	문화기술지, 내러티브 연구, 사례연구, 현상학, 근거이론

3. 질적연구의 엄격성과 혼합연구 방법

(1) 질적연구의 엄격성(Rigor)

① 개관

- ㉠ 연구자의 주관성에 의존해 수행되는 질적연구의 특성상 과학성에 부합되기 위해서는 **과학적 엄격성(또는 신뢰도)의 확보**가 매우 **중요**하다.
- ㉡ 과학적 엄격성을 높이기 위한 방법은 **조사 대상의 반응성을 줄이고, 연구자의 편견을 최대한 줄여야 한다.**

② 엄격성(또는 신뢰도) 확보 전략

장기적 관여 (Prolonged Engagement)하기	장기적인 관여를 통해 형성된 상호간의 신뢰는 조사대상자로 하여금 연구자에게 보다 사실적이고 정확한 정보를 제공하게 한다. 따라서 연구자는 조사대상자와의 **장기적인 관계 형성**을 통해 **조사대상의 반응성 및 연구자의 편견을 감소시켜야** 한다.
연구자의 원주민화 (Going Native) 경계하기	연구자는 장기적 관여로 인해 자칫 조사대상자에게 **동화(同化)되어가는 현상**이 발생할 수 있으므로 이를 **경계**해야 한다.
자료 수집의 원천을 다양하게 확보하기	연구자는 연구자의 임의성이 반영된 자료가 아닌 **최대한 다양한 자료 수집의 원천을 개발**해야 한다.
동료지지집단의 감시를 수용하기	연구자는 **삼각측정** 등의 방법을 통해 **동료지지집단으로 하여금 감시받는 것을 스스로 수용**하여 편견에 빠지지 않도록 주의해야 한다. ┌ 🔑 **핵심** PLUS ─ **삼각측정(Triangulation, 또는 다원측정, 삼각연구법, 다각화)** ① 어떤 개념을 측정하기 위해서 2가지 이상의 서로 다른 원자료·연구자·이론·자료 수집 방법을 활용하는 것으로, 질적 조사 뿐만 아니라 양적조사까지도 포괄하는 조사 방법이다. ② 삼각측정의 결과를 분석한 후 상호일치도가 높은 자료를 판별하여 사용할 수 있다. ③ 자료의 객관성을 향상시키고, 연구자의 편견(또는 편향)을 줄여 체계적 오류를 감소시킬 수 있다. ④ 특히 단일연구, 단일자료 원천, 단일 연구자로 인해 생기는 편견의 발생이라는 질적조사의 한계를 방지하기 위해서는 필수적인 전략이다. ⑤ 종류로는 자료의 삼각화, 연구자의 삼각화, 이론의 삼각화, 방법론적 삼각화 등이 있다.
조사 대상에 대해 지속적으로 확인하기 (또는 장기간 관찰)	연구자는 **시차를 두고 조사대상의 변화를 확인**함으로써 조사 결과의 일관성을 검토해야 한다.
부정적인 사례 찾기 (또는 부정적 사례 분석)	㉠ **부정적인 사례(Negative Case)**란 연구자가 조사한 결과의 해석에 부합되지 않는 사례를 말한다. ㉡ 연구자는 이러한 **부정적인 사례를 의도적으로 찾아 자신이 수행한 조사의 결점을 스스로 확인**해 보아야 한다.
감사받을 자료 (Audit Trail) 남기기	연구자는 자신의 조사 과정의 전부를 기록으로 남겨 조사의 재현능력을 갖추어 이후 제3자에 의해서 언제든지 감사를 받을 수 있도록 준비해야 한다.

(2) 혼합연구 방법(Mixed Methodology)

① 개념

⊙ 하나의 연구에 질적연구와 양적연구에서 사용되는 관점, 방법, 전략, 개념 및 언어들을 혼합하거나 결합하여 적용하는 연구 방법이다.

ⓒ 단, 양적연구와 질적연구에서 얻어질 결과를 단순히 합산하거나 또는 이들 연구에서 부족한 부분을 보충하는 것이 아니다. 다시 말해, 혼합연구 방법은 양적연구와 질적연구의 통합을 통해 발생하는 **심층적인 통찰, 보다 폭넓은 관점의 수용, 연구의 유연성 및 타당성 향상 등의 시너지를 기대**한다.

② 목적(Green, Caracelli, Graham, 1989년)

⊙ 삼각기법의 목적: 동일한 현상을 상이한 연구 방법을 통해 탐구한 후, 그 결과들을 수렴하고 유사점과 차이점을 점검하여 상호확증을 얻기 위함이다.

ⓒ 상보성을 획득하기 위한 목적: 질적 및 양적 방법으로 얻을 결과를 상호 비교하여 어느 한쪽에서 간과한 점을 보충하고 보강하기 위함이다.

ⓒ 새로운 관점을 제시하기 위한 목적: 상이한 연구 방법으로부터 얻은 결과 속에서 역설과 상호대립을 찾아내서 연구문제를 새롭게 재구조화할 수 있다.

ⓐ 발전적 측면의 목적: 연구를 순차적으로 진행하는 경우 선행된 연구 방법으로부터 얻은 결과가 후속 연구 방법의 근거가 될 수 있는 유용성이 있다.

ⓜ 확장을 위한 목적: 상이한 연구 방법을 통해 탐구하는 현상에 대한 새로운 이해의 폭을 넓힐 수 있다.

삼각화 설계 (Triangulation Design)	• **동일한 현상을 상이한 연구 방법을 통해 탐구**한 후 그 결과들을 수렴하고 유사점과 차이점을 점검하여 상호 확증을 위해 실시하기 위한 것으로, 하나의 조사 문제에 대해 양적자료와 질적자료를 함께 수집한 후 검증 과정을 거쳐서 조사 문제에 대한 상이하지만 상호 보완적인 자료를 획득하는 방법이다. • **질적자료와 양적자료는 동등한 가치를 가지고 취급**되어짐으로 두 자료 중 하나가 빠지게 되면 조사 문제에 대한 해결이 불가능해진다.
내재 설계 (Embedded Design)	• 양적자료 및 질적자료를 수집하고 분석하여 수집 및 분석된 결과를 주요하게 여기는 양적 또는 질적 조사의 설계 안에 내재시키는 방법이다. • **양적연구와 질적연구의 비중이 상이한 조사**이다. 즉 양적연구 또는 질적연구 중 어떤 조사가 중요하게 여기는 조사고 또 어떤 조사의 수집 및 분석 결과가 내재되는가에 따라 질적자료와 양적자료의 우선순위가 불균등해진다.

설명적 설계 (Explanatory Design)	• **양적연구의 결과에 기반한 질적연구**이다. 즉 이론이나 개념의 검증을 위해 양적연구를 먼저 수행한 후 그 결과의 부족 부분에 대하여 인터뷰나 사례조사 등의 질적자료를 활용하여 깊이 있게 설명하는 방법이다. • 양적자료와 질적자료를 순차적으로 수집하고 분석함으로써 자료 수집에 시간이 많이 소요된다.
탐색적 설계 (Exploratory Design)	• **설명적 설계와 반대되는 방법**으로, **질적연구의 결과에 기반한 양적연구**이다. 먼저 소규모 표본을 대상으로 질적연구를 통해 자료를 수집한 후, 이를 기반으로 대규모의 표본에 대한 양적연구를 실시하여 조사 결과를 일반화시키는 방법이다. • 주로 척도 개발에 활용된다.

③ 특징

ⓐ 양적연구와 질적연구의 장점을 극대화시킬 수 있다.

ⓑ **질적연구의 결과와 양적연구 결과는 일치하지 않을 수도 있다.**

ⓒ 철학적, 개념적, 이론적 틀을 기반으로 한다.

④ 유의사항

ⓐ 연구자는 양적연구와 질적연구에 대한 전문적 지식을 모두 갖추고 있어야 한다.

ⓑ 연구자는 양적연구와 질적연구에서 발생하는 **상충적인 패러다임들도 수용하고 사용할 수 있어야 한다.**

4. 질적연구의 표집 및 자료수집 방법

(1) 질적연구의 표집 방법

① 개관

ⓐ 조사 결과의 일반화에 목적이 있는 양적연구와는 달리 질적연구는 조사하고자 하는 대상에 대한 심도 있는 이해를 목적으로 하기 때문에 연구자가 자신의 목적에 맞는 대상을 직접 찾아 선택하여 연구한다는 의미에서 질적연구의 표집을 **목적표집**이라고도 한다.

ⓑ 따라서 대부분의 질적연구에서는 **비확률표집, 그 중에서도 의도적 표집(또는 유의표집)**을 가장 선호하지만 때에 따라서 **확률표집**을 사용할 수도 있다.

② 종류

기준(Criterion)표집	연구자가 조사하고자 하는 초점에 맞추어 미리 결정한 어떤 기준을 충족시키는 사례를 선정하는 표집 방법이다. 예 직업재활훈련프로그램에 대한 참여 경험을 조사하고자 하는 조사에서 A 직업재활훈련기관에서 1년 이상 꾸준히 참여한 사람을 선정하는 경우가 있다.
전형적 사례 (Typical Case)표집	㉠ 전형적인 사례에서 발생한 현상은 다른 사례에서도 발생할 수 있다는 가정하에 수행되는 표집 방법으로, 연구자가 조사하고자 하는 초점에 부합되는 **전형적이고 평균적인 사례를 표집하는 것**이다. ㉡ 이때 연구자는 자신의 직관보다는 전문가의 의견이나 문헌을 참조해서 전형적 사례를 찾아야 한다.
최대변화량(Maximum Variation)표집 (또는 최대변이표집, 변이극대화표집)	소규모표본을 집중적으로 조사하면서 다양한 현상을 찾아내려는 목적으로 수행하는 표집 방법이다. 즉 작은 표본 내에서 다양한 속성을 가진 사례들을 골고루 확보하기 위한 방법이다. 예 사례관리 과정을 조사하고자 할 때 도시지역에서의 사례관리 프로그램, 농촌지역 등으로 나누어 선정하는 경우가 있다.
동질적(Homogeneous) 표집	㉠ 어떤 특정 주제와 관련 있는 사람들을 대상으로 집단면접을 하기 위해서 유사한 배경과 경험을 가진 사례들을 선정하는 표집 방법이다. ㉡ 초점집단면접이 해당된다.
이론적(Theoretical) 표집	연구자의 조사 문제나 이론적 입장과 분석틀, 분석 방법 등을 염두에 두고 대상 집단의 범주를 선택하는 표집 방법이다.
결정적 사례(Critical Case) 표집	조사하고자 하는 주제에 대해 아주 극적인 요점을 제공해 줄 수 있는 사례를 표집하는 표집 방법이다. 예 지역사회 프로그램에 대한 주민들의 이해정도를 조사하는 경우, 결정적 사례는 교육 수준이 높은 지역사회주민이 될 수 있다.
극단적 사례(Extreme Case) 표집(또는 일탈적 사례표집, 예외적 사례표집)	㉠ 어떤 주제에 대해 규칙적인 유형에 맞지 않는 예외사례를 검토함으로써 규칙적인 행위와 태도의 유형을 이해하는 표집 방법을 말한다. ㉡ 규칙적인 유형에 맞지 않는, **극단적으로 많거나 또는 극단적으로 적은 사례를 표본으로 선정**하는 것이다. 예 노인 요양원에 거주하는 노인들의 가족이 시설의 보호에 참여하는 정도를 조사하는 경우에서 예외적 사례는 시설의 보호활동에 가장 잘 참석하는 가족과 가장 적게 참가하는 가족을 집중적으로 조사하는 것이다.
준예외적 사례 (Intensity)표집	극단적 사례표집의 강도를 낮춘 것으로 예외적 사례가 너무 특이해서 집단의 현상을 왜곡시킬 수 있는 경우에 예외라고 할 정도로 특이하지 않은 사례를 표집하는 표집 방법이다. 예 극단적 사례표집의 노인요양보호 사례에서 준예외적 사례는 노인요양보호에 가장 많이 참여한 가족과 가장 적게 참여한 가족을 선정하기보다는 대부분의 가족들보다 약간 참여를 더하거나 덜한 가족을 선정하는 경우이다.

③ 이외에도 임의(또는 편의)표집, 의도적 표집(또는 유의표집)이나 눈덩이 표집(또는 누적표집) 등의 비확률표집이 사용된다.

(2) **질적연구의 자료수집 방법**

① 참여관찰법

㉠ 연구자가 조사 대상이 속한 집단의 구성원이 되어 그들과 함께 생활하거나 또는 활동하면서 관찰하는 방법이다.

㉡ 장점과 단점

장점	단점
• 장애인, 노인, 아동과 같이 **언어구사력이 떨어지는 대상을 조사하는 데 유리하다.** • 현장에서 이루어지므로 자료가 세밀하고 정교하다. • 조사 설계를 수정할 수 있어서 **조사 수행의 유연성**이 있다. • 관찰자와 기록할 수 있는 도구만으로도 수행이 가능하므로 **비용적인 측면에서 경제적**이다. • 조사 대상과 깊이 있는 접촉을 유지하면서 **조사 대상이 외부로 드러내지 않는 행동에 대해서도 관찰**할 수 있다.	• **동조현상**으로 조사의 객관성을 잃거나 관찰자의 주관적인 가치가 개입되어 관찰 결과에 영향을 미칠 수 있다. • 수집된 자료의 표준화가 어렵다. • 집단 상황에 익숙해지면 관찰대상을 놓칠 수도 있다. • 외적타당도가 떨어진다. • 연구자의 선입견이 개입될 수 있다. • 연구자가 직접 현장에 참여하므로 **시간적·공간적·물리적 제약**이 따른다.

㉢ 유형

완전 참여자	연구자가 조사 대상에게 자신의 신분을 공개하지 않고, 조사 대상이 속한 집단의 활동에 참여하는 경우이다.
완전 관찰자	연구자가 조사 대상에게 자신의 신분을 공개하지 않고, 조사대상의 활동에도 전혀 참여하지 않으며 관찰만 하는 경우이다.
관찰자적 참여자	연구자가 조사 대상에게 자신의 신분을 공개하고, 조사 대상이 속한 집단의 활동에 자연스럽게 참여하는 경우이다.
참여자적 관찰자	연구자가 조사 대상에게 자신의 신분을 공개하고, 조사 대상이 속한 집단의 활동 공간에 들어가 심층적으로 관찰하는 경우이다.

② 심층면접법(또는 질적면접법)

㉠ 조사대상의 언어적인 표현뿐만 아니라 **몸짓이나 표정 등의 비언어적 반응**까지 관찰하는 면접법이다.

㉡ 장점과 단점

장점	단점
• 매우 상세한 정보를 얻을 수 있다. • 비공식적 형태의 면접이 가능하다.	• 외적타당도가 낮다. • 조사 과정 중 연구자의 편견이 개입될 수 있다.

③ 생활사 조사(또는 생애사 조사): 편지, 일기, 자필자전(自筆自傳), 전기 등 **개인적 기록물을 수집 및 분석하여 한 개인 삶의 역사**를 외적인 삶의 상태, 심리적인 측면, 정신 내적인 측면으로 분석하는 방법이다.

④ 참여행동조사(Participatory Action Research, 또는 실행조사)

  ㉠ **조사보다는 조사대상자가 경험하고 있는 문제해결에 초점을 둔 실천지향적인 조사 방법**으로, 진보적 철학, 비판적 사고, 민주주의 실천, 해방적 사고, 인본주의 등에 근거한 조사 방법이다.

  ㉡ 조사가 지식생산을 위한 하나의 수단일 뿐 아니라 의식의 교육과 개발을 위한 하나의 도구, 그리고 행동을 동기화시키는 것이 기능한다는 믿음을 함축하고 있다. 따라서 **조사에 의해 영향을 받게 될 대상들도 그 연구설계에 책임이 있다고 주장**한다.

  ㉢ 조사자가 조사대상자보다 우위에 있다는 암묵적 가정에 도전하여 조사자와 조사대상자의 조사 중 역할과 관계를 평등하고 수평하게 설정한다. 따라서 조사대상자가 스스로 자신의 문제와 해결책을 정의하고, 조사 설계에 있어서 주도적 역할을 수행하며 더 나아가 **조사의 목적 및 절차를 수행하는 주체**가 된다.

  ㉣ 민주적이고 참여적인 조사가 가능하지만, 조사의 객관성이 저하되고 수집된 자료의 신뢰성을 보장할 수 없는 등의 한계가 있다.

⑤ 현장연구조사(Field Research)

  ㉠ 조사자가 **사회현상을 자연스러운 상황에서 직접 관찰하여 자료를 수집하는 방법**으로, **장기간에 걸친 사회적 과정을 조사**하여 사회적 행위의 정상적인 형태에 대한 통찰력을 얻기 위한 목적으로 수행된다.

  ㉡ 조사 시 보통 **현장조사일지를 작성**하며, 일지의 내용은 구체적이지만 간결해야 하고, **가능하면 관찰은 관찰하면서 기록**해야 한다. 다만, 그것이 어려울 경우에는 **가능한 한 관찰 직후에 기록**해야 한다.

  ㉢ 일반적으로 확률표집을 사용하기가 불가능하기 때문에 관찰 시 더 나은 대표성을 확보하고자 주로 **할당표집이나 눈덩이표집을 사용**한다.

  ㉣ 현장연구조사는 질적조사의 자료수집 방법이지만, 때때로 **관찰 내용의 일부를 양화(量化)하는 것도 가능**하다.

5. 질적연구 방법의 종류

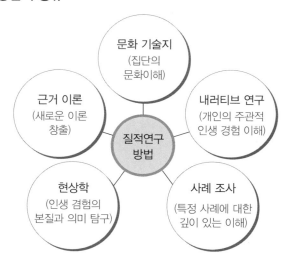

(1) **문화기술지[Ethnography, 또는 민족지학(民族誌學)]**

① 인간이 창조한 **특정 문화를 이해하기 위한 질적연구 방법**으로, 동일한 문화를 공유하는 집단을 대상으로 하여 그 집단이 공유하는 가치 · 행동 · 언어 · 상호작용 등 **문화의 유형을 해석하는 데에 조사의 목적**을 둔다.

② 장기간에 걸친 참여관찰과 심층면접, 문서 등을 통해 자료를 수집한다.

③ 새로운 분야에 대한 탐색적 조사의 도구로 사용된다.

④ 사실상 현지인의 문화를 편견 없이 이해하고 해석하는 것은 매우 어려운 일이므로 연구자의 편견이 개입될 가능성이 높다.

(2) **내러티브 연구(Narrative Study, 또는 서사학, 서사 이론, 내러티브 탐구)** 🖉

① 개인의 인생경험에 내재되어 있는 이야기인 내러티브를 조사하여 **인간의 주관적인 경험을 이해**하고자 하는 질적연구 방법이다.

② 장기간에 걸친 참여관찰과 심층면접, 문서 등을 통해 자료를 수집한다.

③ 수집된 개인의 장황한 내러티브를 응집된 형태로 요약하는 것이 매우 어렵다.

(3) **사례조사(Case Study)**

① **특정 사례에 대한 장기간에 걸친 깊이 있는 탐색**을 통해 **이론을 확장 및 일반화시키고자 하는 질적연구 방법**이다.

② 현실에서 벌어지는 **하나의 사건, 하나의 프로그램, 한 명 이상의 개인을 분석단위로 하여 수행**된다.

③ 조사의 관심은 단일 사례나 여러 사례에 대한 깊이 있는 이해에 있다.

④ 장기간에 걸친 참여관찰과 심층면접, 문서 등을 통해 자료를 수집한다.

⑤ 깊이 있는 사실 탐구가 가능하고, 새로운 분야에 대한 탐색적 조사의 도구로 사용된다.

(4) 현상학(Phenomenology) ✍

① 인간의 주관적인 경험을 있는 그대로 관찰하고 그 구성요소를 파악하여 **경험의 본질과 의미를 탐구하는 질적연구 방법**이다.

② 인생 경험을 공유해온 여러 개인을 분석단위로 한다.

③ 심층면접, 문서 등을 통해 자료를 수집한다.

④ 공유된 인생경험의 본질을 이해할 수 있는 의미 있는 진술을 얻어내는 데 조사의 성패가 달려있다.

⑤ 자료의 신뢰성을 확보할 수 없고, 연구자의 가치나 주관이 개입되기 쉽다.

　　예 연장입양 아동이 주관적으로 경험한 입양됨의 의미에 관한 연구

(5) 근거이론(Grounded Theory) 12. 지방직(추가) ✍

① 개인들로부터 수집한 자료를 가공하여 상호 관련된 범주를 설정하고 이를 통해 **인간과 사건 및 현상에 대한 새로운 이론을 창출하는 것을 목적으로 하는 질적 연구 방법**이다.

② 여러 개인들의 상호작용 과정을 분석단위로 한다.

③ 20~30명 정도 되는 여러 개인들과의 심층면접을 통해 자료를 수집한다.

④ **상징적 상호작용론❶을 이론적 배경으로 사용**한다.

⑤ 조사의 궁극적인 목적은 현장에서 수집한 실증적인 자료를 근거로 하여 **새로운 이론을 창출하는 것**이다.

⑥ 절차

개념정리	개념을 속성(Properties)과 차원(Dimension)에 따라 조직하고, 등급을 매겨 분석하는 과정이다.

↓

코딩	**코딩**이란 자료(Data)를 분해하고 개념화하는 과정으로, 그 순서는 '**개방코딩 → 축코딩 → 선택코딩**'으로 진행된다.	
	개방코딩 (Open Coding)	수집한 원자료(Raw Data)를 검토해서 자료에 내포된 현상의 의미를 파악하여 **자료들을 범주화시키는 과정**이다.
	↓	
	축코딩 (Axial Coding)	㉠ 개방코딩을 통해 도출된 범주들을 연결하는 단계로, 한 범주의 축을 중심으로 속성과 차원에 따라 **여러 하위 범주들을 유기적으로 연결시키는 과정**이다. ㉡ 중심현상을 설명하는 전략들, 전략을 형성하는 맥락과 중재조건, 그리고 전략을 수행한 결과를 설정하여 찾아내는 과정이다.
	↓	
	선택 코딩 (Selective Coding)	코딩의 마지막 단계로, 모든 범주들이 하나의 핵심범주를 중심으로 이론을 최대한 통합시켜 더 이상 새로운 속성이 드러나지 않는 상태인 **이론적 포화 상태 (Theoretical Saturation)**에 이르게 되어 비로소 이론이 구축된다. 즉 **이론의 통합과 정교화, 자료가 고도로 추상화된 이론으로 전환되는 과정**이다.

🖥 선생님 가이드

❶ 상징적 상호작용이론에서는 개인의 행동 동기를 자신의 행위에 대한 타인의 반응과 타협의 결과로 이해합니다. 따라서 이를 이론적 배경으로 활용하는 근거이론에서는 개인을 사회적 상호작용을 통해 자신의 행동에 대한 의미를 갖게 되고 또한 수정하는 존재로 가정합니다.

🏛 기출 OX

근거이론은 자료에서 이론을 도출하는 데 주된 초점을 둔다. ( ) 12. 지방직(추가)

○

	↓
핵심범주의 생성	개방 코딩과 축 코딩을 통해 누적된 분석적 메모(Analytic Memo)·도 표(Diagram)·스토리라인(Storyline)을 이용해 **핵심범주(Core Category)**를 생성하는 **과정**이다.

	↓
이론 도출	근거이론의 궁극적인 목표인 **이론이 도출되는 단계**이다.

2 보고서 작성

1. 개관

(1) 조사의 마무리 단계로, 조사 문제 설정부터 자료 분석까지의 일련의 조사 과정과 획득되어진 조사 내용 등을 보고하는 문서이다.

(2) **조사보고서 작성 시 유의사항**

① 독자의 수준을 고려해야 한다.

② 정확하고 간결하고 명료한 문장표현으로 기술해야 한다.

③ 도표 등 시각적 표현을 적극적으로 활용해야 한다.

④ **조사 결과의 함의에 맞추어 기술**되어야 한다.

2. 조사보고서의 일반적 구조

(1) **표제**

조사제목, 연구자, 조사기관, 작성일자 등을 기술한다.

(2) **목차**

(3) **요약**

조사 결과를 함축적으로 정리하여 서술한다.

(4) **서론**

조사목적, 필요성, 조사범위, 선행연구와의 비교, 사용 용어의 설명 등을 기술한다.

(5) **본론**

조사목적, 조사 문제와 가설, 이론적 배경, 조사설계 방법, 자료수집 방법, 표집 방법, 자료 분석 방법, 조사 결과 등을 서술한다.

(6) **결론 및 제언**

본문의 내용을 간략히 정리 및 요약하고, 조사의 함의와 한계 등을 서술한다.

(7) **참고문헌**

(8) **부록**

조사 시 활용한 통계자료와 설문지 원본 등을 첨부한다.